GRÉGOIRE DE NYSSE

SOURCES CHRÉTIENNES

N° 363

GRÉGOIRE DE NYSSE

LETTRES

INTRODUCTION, TEXTE CRITIQUE, TRADUCTION,
NOTES ET INDEX

PAR

Pierre MARAVAL

*Ouvrage publié avec le concours
du Centre National de la Recherche Scientifique
et de l'Œuvre d'Orient*

LES ÉDITIONS DU CERF, 29, Bd de Latour-Maubourg, PARIS 7ᵉ
1990

La publication de cet ouvrage a été préparée avec le concours de l'Institut des Sources Chrétiennes (U.R.A. 993 du Centre National de la Recherche Scientifique)

ISBN 2204-04195-5
ISSN 0750-1978

BIBLIOGRAPHIE

1. Ouvrages de Grégoire de Nysse

(abréviations et éditions de référence)

Ad Abl. : *Ad Ablabium quod non sint tres Dei, Gregorii Nysseni Opera (= GNO)* 3, 1 Müller.

Ad Eust. : *Ad Eustathium de Sancta Trinitate, GNO* 3, 1 Müller.

Ad Theoph. : *Ad Theophilum adversus Apolinaristas, GNO* 3, 1 Müller.

Adv. Apol. : *Adversus Apolinarium, GNO* 3, 1 Müller.

Adv. Evagr. : *De deitate adversus Evagrium (= In suam ordinationem), GNO* 9 Gebhardt.

Adv. Maced. : *Adversus Macedonianos de Spiritu Sancto, GNO* 3, 1 Müller.

C. Eun. : *Contra Eunomium, GNO* 1 et 2 Jaeger.

C. fatum : *Contra fatum, GNO* 3, 2 McDonough.

De an. et res. : *De anima et resurrectione, PG* 46.

De beat. : *De beatitudinibus, PG* 44.

De benef. : *De beneficentia (= De pauperibus amandis I), GNO* 9 Van Heck.

De castig. : *Adversus eos qui castigationes aegre ferunt, PG* 46.

De deit. Fil. : *De deitate Filii et Spiritus Sancti, PG* 46.

De diff. : *De differentia ousiae et hypostaseos,* in *Saint Basile, Lettres,* I, p. 81-92 Courtonne.

De hom. op. : *De hominis opificio, PG* 44.

De inf. : *De infantibus praemature abreptis, GNO* 3, 2

Hörner.

De or. dom. : De oratione dominica, PG 44.

De perf. : De perfectione, GNO 8,1 Jaeger.

De prof. chr. : De professione christiana, GNO 8,1 Jaeger.

De Pyth. : De Pythonissa, GNO 3,2 Hörner.

De Spir. Sto : De Spiritu Sancto, PG 46.

De tridui spatio : De tridui inter mortem et resurrectionem spatio (= In Christi resurr. I), GNO 9 Gebhardt.

De virg. : De virginitate, Sources Chrétiennes (SC) 119 Aubineau.

Ep. can. : Epistula canonica ad Letoium, PG 45.

Ex comm. not. : Ex communis notionibus, GNO 3,1 Müller.

In Basil. : In Basilium fratrem, PG 46.

In Cant. : In Canticum canticorum, GNO 6 Langerbeck.

In diem nat. : In diem natalem, PG 46.

In diem lum. : In diem luminum (= In baptismum Christi), GNO 9 Gebhardt.

In Eccl. : In Ecclesiasten, GNO 5 Alexander.

In Mel. : In Meletium, GNO 9 Spira.

In Pulch. : In Pulcheriam, GNO 9 Spira.

In XL Mart. : In XL Martyres, PG 46.

In sanct. Pasch. : In sanctum Pascha (= In Christi resurr. III), GNO 9 Gebhardt.

In Theod. : In Theodorum, PG 46.

Or. cat. : Oratio catechetica magna, ed. L. Méridier, *Grégoire de Nysse, Discours Catéchétique*, Paris 1908.

Ref. conf. Eun. : Refutatio confessionis Eunomii, GNO 2 Jaeger.

V. Greg. Thaum. : Vita Gregorii Thaumaturgi, PG 46.

V. Macr. : Vita Macrinae, SC 178 Maraval.

V. Moys. : Vita Moysis, SC 1ter Daniélou.

Les références aux *Lettres* de Basile et de Grégoire de Nazianze sont faites d'après leurs éditions dans la *Collection des Universités de France* : *Saint Basile, Lettres*, I-III, Paris 1957, 1961, 1966, Courtonne, et *Saint Grégoire de Nazianze, Lettres* I-II, Paris 1964, 1967, Gallay. Pour les lettres 101, 102 et 202 du second, cf. *Grégoire de Nazianze, Lettres théologiques*, éd. Gallay-Jourjon, Paris 1974 (SC 208).

2. Autres ouvrages

(Ne sont énumérés ici que les ouvrages ou articles plusieurs fois cités dans les notes, avec leur abréviation).

AUBINEAU, *Traité* (1966) = Michel AUBINEAU, *Grégoire de Nysse, Traité de la Virginité*, Paris 1966 (*SC* 119).

BHG = *Bibliotheca hagiographica graeca*, Bruxelles.

BOOTH, *Jerome's Early Years* (1981) = Alan D. BOOTH, «The Chronology of Jerome's Early Years», *Phoenix* 35, 1981, p. 237-259.

BOUCHET, *Le vocabulaire de l'union* (1968) = Jean-René BOUCHET, «Le vocabulaire de l'union et du rapport des natures chez saint Grégoire de Nysse», *Revue Thomiste* 68, 1968, p. 533-582.

CANART, *Recentissimus, non deterrimus* (1973) = Paul CANART, «Recentissimus, non deterrimus. Le texte de la lettre II de Grégoire de Nysse dans la copie d'Aloise Lollino Cod. Vaticanus gr. 1759», in *Zetesis. Album amicorum ... aangeboden aan ... E. de Strycker*, Antwerpen-Utrecht, 1973, p. 717-731.

Conc. oec. decreta = *Conciliorum oecumenicorum decreta*, ed. J. Alberigo *et alii*, Bologna, ³1975.

CRISCUOLO, *Lettere* (1981) = *Gregorio di Nissa. Le Lettere*, Introduzione, traduzione e note a cura di Renato Criscuolo, Napoli 1981 (= *Quaderni di* Κοινωνία, 6).

CUF = Collection des Universités de France, Paris.

DANIÉLOU, *Chronologie des sermons* (1955) = Jean DANIÉLOU, «La chronologie des sermons de Grégoire de Nysse», *Revue des Sciences Religieuses* 29, 1955, p. 346-372.

ID., *Chronologie des œuvres* (1966) = «La chronologie des œuvres de Grégoire de Nysse», *Studia Patristica* VII, Berlin 1966, p. 159-169 (*TU* 92).

ID., *L'évêque d'après une lettre* = «L'évêque d'après une lettre de Grégoire de Nysse», *Euntes Docete* 20, 1967, p. 85-98.

DEVOS, *S. Grégoire de Nazianze* (1961) = Paul DEVOS, «Saint Grégoire de Nazianze et Helladios de Césarée en Cappadoce», *Analecta Bollandiana* 79, 1961, p. 91-101.

ID., *S. Pierre Ier de Sébastée* (1961) = «Saint Pierre Ier, évêque de Sébastée, dans une lettre de Grégoire de Nazianze», *Ibid.*, p. 346-360.

DHGE = Dictionnaire d'Histoire et de Géographie ecclésiastiques, Paris.

DIEKAMP, *Die Wahl Gregors von Nyssa* (1908) = «Die Wahl Gregors von Nyssa zum Metropoliten von Sebaste im Jahre 380», *Theologische Quartalschrift* 90, 1908, p. 348-401.

DS = DAREMBERT-SAGLIO, *Dictionnaire des Antiquités grecques et romaines*, Paris.

Easter Sermons (1981) = *The Easter Sermons of Gregory of Nyssa. Translation and Commentary. Proceedings of the Fourth International Colloquium on Gregory of Nyssa*, ed. by A. Spira and C. Klock, Philadelphia 1981 (= *Patristic Monographs Series*, 9).

Écriture et culture philosophique = *Écriture et culture philosophique dans la pensée de Grégoire de Nysse. Actes du colloque de Chevetogne (22-26 septembre 1969)* édités par Marguerite Harl. Leiden 1971.

FEDWICK, *Basil of Caesarea* = *Basil of Caesarea, Christian, Humanist, Ascetic. A Sixteen-hundredth Anniversary Symposium* ed. by Paul Jonathan Fedwick, Toronto 1981.

GAIN, *L'Église de Cappadoce* (1985) = Benoît GAIN, *L'Église de Cappadoce au IVe siècle d'après la correspondance de Basile de Césarée (330-379)*, Rome 1985 (= *Orientalia Christiana Analecta*, 225).

GALLAY, *Les manuscrits* = Paul GALLAY, *Les manuscrits des Lettres de Grégoire de Nazianze*, Paris 1957 (*Collection d'Études Anciennes*).

HAUSER-MEURY, *Prosopographie* = M. M. HAUSER-MEURY, *Prosopographie zu den Schriften Gregors von Nazianz*, Bonn 1971.

HILD, *Strassensystem* (1975) = Friedrich HILD, *Das byzantinische Strassensystem in Kappadokien*, Wien 1975 (= *Denkschr. der Oesterr. Akad der Wissenschaften*, 131).

HILD-RESTLE, *Kappadokien* (1981) = Friedrich HILD, Markell RESTLE, *Tabula Imperii Byzantini, II. Kappadokien*, Wien 1981 (= *Ibid.*, 149).

HOLL, *Amphilochius von Ikonium* = Karl HOLL, *Amphilochius von Ikonium in seinem Verhältnis zu den grossen Kappadoziern*, Tübingen 1904 (²Darmstadt 1969).

HONIGMANN, *Le concile de Constantinople de 394* (1961)
= Ernest HONIGMANN, «Le concile de Constantinople de 394
et les auteurs du Syntagma des XIV Titres», in *Trois
mémoires posthumes d'histoire et de géographie de l'Orient
chrétien*, préparés pour l'impression par Paul Devos, Bruxelles
1961 (= *Subsidia Hagiographica*, 35).

KLOCK, *Gregor von Nyssa als Kirchenbauer* (1983) = Christoph KLOCK, «Architektur im Dienste der Heiligenverehrung.
Gregor von Nyssa als Kirchenbauer (Ep. 25)», in *The Biographical Works of Gregory of Nyssa, Proceedings of the Fifth
International Colloquium on Gregory of Nyssa* ed. by Andreas
Spira, Cambridge (Mass.) 1984, p. 161-180 (= *Patristic Monographs Series, 12*).

ID., *Untersuchungen zu Stil* (1986) = Christoph KLOCK,
*Untersuchungen zu Stil und Rhythmus bei Gregor von Nyssa.
Ein Beitrag zum Rhetorikverständnis der griechischen Väter,*
Frankfurt-am-Main 1987 (= *Beiträge zur klassischen Philologie, 173*).

KÖTTING, *Wallfahrtskritik* (1962) = Bernhard KÖTTING,
«Gregors von Nyssa Wallfahrtskritik», *Studia Patristica V,*
Berlin 1962, p. 360-367 (= *TU* 80).

LEBOURLIER, *A propos de l'état du Christ* (1962) =
J. LEBOURLIER, «A propos de l'état du Christ dans la mort»,
II, *Revue des Sciences Philosophiques et Théologiques* 46, 1962,
p. 629-649.

MARAVAL, *Vie de Macrine* (1971) = Pierre MARAVAL, *Grégoire de Nysse, Vie de Sainte Macrine,* Paris 1971 (*SC* 178).

ID., *L'authenticité de la lettre 1* (1984) = Pierre MARAVAL
(avec la collaboration d'Annie HANRIOT), «L'authenticité de
la Lettre 1 de Grégoire de Nysse», *Analecta Bollandiana* 102,
1984, p. 61-70.

ID., *Lieux saints* (1985) = *Lieux saints et pèlerinages
d'Orient. Histoire et géographie des origines à la conquête arabe,*
Paris 1985.

ID., *Une controverse* (1986) = «Une controverse sur les
pèlerinages autour d'un texte patristique (Grégoire de Nysse,
Lettre 2)», *Revue d'Histoire et de Philosophie Religieuses* 66,
1986, p. 131-146.

ID., *La lettre 3* (1987) = «La lettre 3 de Grégoire de Nysse
dans le débat christologique», *Revue des Sciences Religieuses* 61, 1987, p. 74-89.

ID., *La date de la mort de Basile* (1988) = « La date de la mort de Basile de Césarée », *Revue des Études Augustiniennes* 34, 1988, p. 25-38.

MAY, *Chronologie* = Gerhard MAY, « Die Chronologie des Leben und der Werken Gregors von Nyssa », in *Écriture et culture philosophique*, p. 51-67.

ID., *Kirchenpolitik* (1966) = « Gregor von Nyssa in der Kirchenpolitik seiner Zeit », *Jahrbuch der österreischischen byzantinischen Gesellschaft* 15, 1966, p. 105-132.

MÉRIDIER, *Influence de la seconde sophistique* (1906) = Louis MÉRIDIER, *L'influence de la seconde sophistique sur l'œuvre de Grégoire de Nysse,* Rennes 1906.

MÜLLER, *Der zwanzigste Brief* (1939) = Friedrich MÜLLER, « Der zwanzigste Brief des Gregors von Nyssa », *Hermes, Zeitschrift für klassische Theologie* 74, 1939, p. 66-91.

PASQUALI, *Le lettere* (1923) = Giorgio PASQUALI, « Le lettere di Gregorio di Nissa », *Studi Italiani di Filologia Classica (N.S.)* 3, 1923, p. 75-136.

ID., *Praef.* = Préface à l'édition des *Lettres* dans *GNO* 8/2 ; *apparat* = apparat critique de cette édition.

PG = *Patrologia graeca*, Paris.

PGL = G. W. H. LAMPE, *A Patristic Greek Lexicon*, Oxford.

PIETRELLA, *I Pellegrinaggi* (1981) = E. PIETRELLA, « I Pellegrinaggi ai Luoghi Santi e il culto dei martiri in Gregorio di Nissa », *Augustinianum* 21, 1981, p. 135-151.

PL = *Patrologia latina*, Paris.

PLRE = JONES-MARTINDALE-MORRIS, *The Prosopography of the Later Roman Empire*, I, Cambridge 1971.

PW = PAULY-WISSOWA-KROLL, *Realencyclopädie der classischen Altertums-Wissenschaft*, Stuttgart.

RESTLE, *Studien zur Architektur* (1979) = Markell RESTLE, *Studien zur frühbyzantinischen Architektur Kappadokiens,* Wien 1979 (*Denkschr. der Oesterreischichen Akademie der Wissenschaften*, 138).

RHE = *Revue d'Histoire ecclésiastique*, Louvain.

ROC = *Revue de l'Orient chrétien*, Paris.

SC = *Sources chrétiennes*, Paris.

SIMONETTI, *La crisi ariana* (1975) = Manlio SIMONETTI, *La crisi ariana nel IV secolo*, Roma 1975 (= *Studia Ephemeridis 'Augustinianum'*, 11).

STAATS, *Das Bischofsamt* (1973) = Reinhart STAATS, « Gregor von Nyssa und das Bischofsamt», *Zeitschrift für Kirchengeschichte* 84, 1973, p. 149-173.

THIERRY, *Avanos-Venasa* = Nicole THIERRY, «Avanos-Venasa, Cappadoce», in *Geographica Byzantina,* Paris 1981, p. 119-129.

THRAEDE, *Brieftopik* (1970) = Kurt THRAEDE, *Grundzüge griechisch-römischer Brieftopik,* München 1970 (= *Zetemata,* 49).

TILLEMONT, *Mémoires* (1703) = Sébastien LENAIN DE TILLEMONT, *Mémoires pour servir à l'histoire ecclésiastique des six premiers siècles, tome IX,* Paris 1703.

TREUCKER, *Politische Studien* (1961) = Barnim TREUCKER, *Politische und sozialgeschichtliche Studien zu den Basilius-Briefen,* München 1961.

WYSS, *Gregor von Nazianz* (1984) = Bernhard WYSS, « Gregor von Nazianz oder Gregor von Nyssa ? (Greg. Naz. epist. 249 Gallay/Greg. Nyss. epist. 1 Pasquali)», *Mémorial André-Jean Festugière, Antiquité païenne et chrétienne,* Genève 1984, p. 153-162 (= *Cahiers d'Orientalisme,* 10).

ZIEGLER, *Les petits traités trinitaires* = Thierry ZIEGLER, *Les petits traités trinitaires de Grégoire de Nysse (379-383), témoins d'un itinéraire théologique,* Strasbourg 1987 (thèse dactylographiée).

ZKG = *Zeitschrift für Kirchengeschichte,* Stuttgart.

INTRODUCTION

Chapitre premier

Grégoire de Nysse d'après ses Lettres

A l'inverse de celui des deux autres Cappadociens, le corpus des *Lettres* de Grégoire de Nysse n'est pas très important : 28 pièces de sa main ont été retenues par les éditeurs de sa correspondance, plus deux lettres qui lui sont adressées, et l'on connaît par ailleurs deux fragments grecs, un fragment syriaque et la version latine d'une lettre d'authenticité discutée[1], ainsi que le fragment grec d'une lettre qui a plus de chances d'être authentique[2]. Il

---

1. Il s'agit de la *Lettre au moine Philippe* ; les fragments grecs sont connus par des citations de Jean Damascène, *Contra Jacobitas* (*PG* 94, 1496 C) et Léonce de Jérusalem, *Contra Monophysitas* (*PG* 86/2, 1828 B) ; le fragment syriaque est donné par Jean Maron, *Exposé de la foi* (ed. F. Nau, *ROC* 4, 1899, p. 194, 205-206). Tous ces fragments sont regroupés par G. Bardy, «Saint Grégoire de Nysse, Ep. ad Philippum», *RechSR* 11, 1921, p. 220-222. La version latine, transmise par le *Cod. Ottobonianus lat.* 70 (xvie s.), a été éditée par G. Mercati, «Di alcuni Ms. Ottoboniani non conosciuti», in *Codici Latini Pico Giovanni Pio e di altra biblioteca ignota del secolo XVI esistente nell'Ottoboniano* (*Studi e Testi* 75), Città del Vaticano 1938, p. 194-196. Bardy et Mercati, contre Le Quien (*PG* 94), ne voient pas d'argument déterminant à opposer à l'authenticité grégorienne. J.-R. Bouchet, quoique sans s'attarder sur ce point, considère qu'il s'agit d'une lettre d'origine nestorienne (*Le vocabulaire de l'union*, p. 577, note).

2. Ce fragment, adressé à un certain Xénodore, a été publié par F. Diekamp, *Analecta Patristica, Texte und Abhandlungen zur griechischen Patrologie*, Roma 1938, p. 14-15. Ajoutons qu'une lettre qui n'est

n'est pas, d'autre part, parfaitement homogène : à côté
d'authentiques lettres, on trouve une confession de foi, qui
apparaît comme un texte lu par Grégoire dans une assemblée (*Lettre* 5), et un développement de théologie trinitaire
dont rien, sinon l'adresse que lui donne l'unique manuscrit
qui le transmet, ne laisse apparaître qu'il s'agit d'une
lettre (*Lettre* 25). On doit aussi souligner l'extrême diversité formelle de ce corpus : à côté de courts billets, ou de
lettres parfaitement conformes, par leur brièveté, au genre
épistolaire, plusieurs dépassent largement la longueur que
requiert celui-ci[1] (les plus longues sont, dans l'ordre, les
Lettres 1, 3, 17 et 19). Grégoire a d'ailleurs bien souvent
adopté, au moins formellement, le genre épistolaire pour
des œuvres transmises et éditées comme de petits traités :
le *De Pythonissa* (moins long que les *Lettres* 1, 3 et 17)[2],

transmise que dans la correspondance de Basile vient d'être
réattribuée à Grégoire, et avec des arguments convaincants : cf. J.-
R. POUCHET, « Une lettre spirituelle de Grégoire de Nysse identifiée :
l'Epistula 124 du corpus basilien», *Vig. Christ.* 42, 1988, p. 28-46. Il
ne m'a pas semblé indispensable de la reprendre dans ce volume :
l'édition de Courtonne (II, p. 29-30) en donne un texte correct et
l'article de Pouchet un commentaire très complet. Il n'est pas
impossible, par ailleurs, qu'il y ait d'autres lettres de Grégoire dans la
correspondance de Basile ou celle de Grégoire de Nazianze (cf. p. 76,
n. 1).
    1. Cf. J. SYKUTRIS, *s.v.* «Epistolographie», *PW Suppl.* V, 193 ;
P. MARAVAL, *Vie de Macrine* (1971), p. 104-106 ; C. KLOCK, *Untersuchungen zu Stil* (1986), p. 136-137.
    2. Le *De Pythonissa* est la réponse de Grégoire à un certain nombre
de questions d'ordre exégétique, adressée à un évêque Théodose. Cf.
GNO 3/2, p. 101-108 Hörner, qui remplace l'édition de
E. Klostermann, *Origenes, Eustathius von Antiochien und Gregor von
Nyssa über die Hexe von Endor* (*Kleine Texte*, 83), Bonn 1913, p. 63-68.
Voir aussi sur ce traité P. MARAVAL, «Le De Pythonissa de Grégoire
de Nysse, Traduction commentée», *Lectures anciennes de la Bible*,
Strasbourg 1987, p. 283-294 (*Cahiers de Biblia Patristica*, 1).

le *De professione christiana*[1], le *Contra fatum*[2] et même
la *Vita Macrinae*[3], sans parler de plusieurs petits traités
théologiques. La tradition manuscrite confirme, on le
verra, le caractère hétérogène de cette correspondance,
puisque plusieurs lettres sont transmises comme des
œuvres indépendantes, cependant que les collections des
autres ne sont pas identiques[4].

Quoi qu'il en soit de la manière dont s'est constitué cet
ensemble, il reste une de nos sources les plus précieuses
pour connaître certains aspects de la vie et de la
personnalité de Grégoire. Ces lettres permettent de baliser,
quoique avec une certaine imprécision chronologique,
quelques étapes de sa carrière épiscopale et de nous faire
une idée de son activité en tant qu'évêque ; elles nous
permettent aussi, jusqu'à un certain point, de tracer un
portrait de cet homme si secret, qui en même temps qu'un
évêque est aussi un lettré.

1. L'évêque

Toutes les lettres datent du temps de l'épiscopat de
Grégoire ; il semble même qu'elles soient toutes postérieures à la mort de Basile. C'est l'époque où le Nysséen va
jouer dans l'Église d'Orient un rôle important, bien que
souvent discuté. Il n'est donc pas étonnant qu'il ait choisi

---

1. Dans ce traité, adressé à un certain Harmonios (ou Olympios
selon un autre manuscrit), Grégoire reconnaît avoir «tellement étendu
la mesure d'une lettre qu'il peut, si on le compare à la longueur
habituelle des lettres, être tenu pour un compendium fait de
plusieurs» (*De prof. chr.*, GNO 8,1, p. 129, 9-11). Le *De perfectione*,
plus long encore, est appelé lettre par deux manuscrits (*Ibid.*, p. 173
apparat).

2. GRÉG. NYSS., *Contra fatum*, GNO 3, 2, p. 32, 3-9 = PG 45, 148
AB.

3. ID., *V. Macr.*, 1, 1-4 (p. 136-137).

4. Sur la tradition manuscrite, cf. le chapitre suivant.

(ou qu'on ait choisi pour lui) de diffuser des lettres de la période où il était le plus en vue[1]. Plusieurs, du reste, ont des allures de plaidoyer, Grégoire s'y défendant contre les attaques qu'ont pu susciter son action ou ses prises de position.

La mort de Basile

Avant d'aller plus loin, il faut s'arrêter un instant à la date de la mort de Basile, puisque celle-ci conditionne la chronologie des événements que nous rapportent ces lettres. La date traditionnellement reçue, depuis Tillemont et Dom Maran[2], est celle du 1er janvier 379. Tillemont supposait que le jour de la fête de Basile, le 1er janvier, était celui de sa mort, et il retenait l'année 379 parce que cette mort avait eu lieu neuf mois avant le concile d'Antioche, lequel n'avait pu se réunir, pensait-il, qu'en 379 : ce concile réunit en effet des évêques précédemment exilés par Valens, et Tillemont estimait que leur retour n'avait pu avoir lieu avant le milieu de 378. Mais ces deux affirmations sont contestables : s'il est vrai que peu de temps après la mort de Basile on a placé sa fête aux alentours du 1er janvier, après les fêtes, nouvellement établies elles aussi, de Noël, de S. Étienne et des Apôtres, c'est pour obéir à un ordre de préséance, par convenance théologique[3]. Quant à la révocation des sentences d'exil,

---

1. F. Müller, *Der zwanzigste Brief* (1939), p. 83, n. 1 pense même qu'«aucune de ces lettres ne doit avoir été écrite avant 380 et après 381 ; il semble que nous ayons affaire, pour ces lettres de Grégoire, à un choix qui provient d'un recueil *(Kopienbuch)* de Grégoire qui englobait uniquement à peu près l'espace de temps de ces deux années». Il me semble que la fourchette proposée par Müller est trop étroite, mais je pense avec lui qu'il faut les dater toutes d'une période assez courte, d'une dizaine d'années tout au plus.

2. Tillemont, *Mémoires*, IX, p. 278 et P. Maran, *Vita S. Basilii*, PG 29, LVII-LIX.

3. Pour une discussion plus détaillée sur ce point, cf. P. Maraval, *La date de la mort de Basile* (1988), p. 25-27.

elle a eu lieu dès l'automne 377 : plusieurs sources contemporaines l'affirment, et la *Chronique d'Édesse* (que Tillemont ne connaissait pas) nous fait même savoir que les évêques de cette ville ont repris possession de leurs églises dès la fin décembre de cette année-là[1]. D'autres arguments, par ailleurs, invitent à remonter de plusieurs mois le décès de Basile : aussi Alan Booth, en 1981, proposait de placer celui-ci en 377, le 14 juin (ce jour-là est le *dies natalis* de Basile dans les *Martyrologes d'Usuard* et *d'Adon*)[2]. En revenant sur cette question dans un article récent, je me suis rallié à la date de 377, mais non à ce jour précis : la source qui le fournit n'est pas assez sûre, et surtout cette donnée s'accorde mal avec d'autres plus sûres

---

1. Cf. RUFIN, *Hist. eccl.* 2, 13 (p. 1019-1020 Mommsen) ; JÉRÔME attribue également à Valens quittant Antioche le rappel des exilés, tout en l'assignant à l'année 378 (*Chron.*, a. 378, p. 249 Helm-Treu). En revanche, SOCRATE (*Hist. eccl.* 5, 2, *PG* 67, 568 B), SOZOMÈNE (7, 1, 3, p. 302 Bidez-Hansen) et THÉODORET (5, 2, 1, p. 278 Parmentier), qui sont moins proches des événements, l'attribuent à Gratien (notons cependant que Socrate l'attribue à Valens en 4, 35 et 38, 556 B et 557 C). La *Chronique d'Édesse* va dans le même sens que les premiers, car c'est en décembre 689 (= 377) qu'elle place le retour des orthodoxes à Édesse (*Chron. Edess.*, p. 5-6 Guidi). BOOTH, *Jerome's Early Years* (1981, p. 253-254) s'oppose sur ce point à l'interprétation de L. HALLIER qui, contre l'indication obvie du texte, veut qu'il s'agisse de décembre 690 (= 378) (*Untersuchungen über die edessenische Chronik*, Leipzig 1893, p. 39). Tout récemment, Rochelle SNEE, qui ne semble pas connaître l'article de Booth et se situe dans une autre problématique, a repris la question du rappel des exilés et estime que c'est bien à Valens qu'il faut l'attribuer ; elle le place en 377 : « Valens' Recall of the Nicene Exiles and Anti-Arian Propaganda », *Greek-Roman and Byzantine Studies,* 26, 1986, p. 395-459.

2. BOOTH, *Jerome's Early Years,* p. 237-239. L'auteur entend démontrer avant tout que la date de l'arrivée de Jérôme en Orient doit être remontée de 372 ou 374 à 368, ce qui l'amène à reconsidérer la date du voyage du prêtre Évagrios à Césarée et le rôle joué par Basile à cette date : d'où un réexamen de la chronologie de l'épiscopat de celui-ci.

de textes de l'époque[1]. Il semble en revanche que dater
cette mort des environs du mois d'août 377 s'accorde
mieux avec elles. Cela s'accorde, en tout cas, avec des
données que la datation traditionnelle obligeait d'expliquer de manière moins obvie[2]. En ce qui concerne la
chronologie de Grégoire, une telle date permet, comme on
le verra, de résoudre de manière parfaitement satisfaisante
une difficulté que j'avais signalée, et essayé en vain de
résoudre, dans mon édition de la *Vie de Macrine,* celle du
délai entre le concile d'Antioche et la mort de Macrine.
Elle n'oblige plus par ailleurs à placer dans un laps de
temps très court, comme le faisait la date précédemment
reçue, plusieurs épisodes de sa vie postérieurs à ce concile,
sans parler de la composition de plusieurs ouvrages qui se
rattachent à cette période.

**Le retour
d'exil (377)**   Grégoire de Nysse, comme on le
sait, avait été déposé de son siège par
un synode homéen convoqué par le
vicaire du Pont, Démosthène, et condamné à l'exil par

1. Cf. P. MARAVAL, *La date de la mort de Basile* (1988), p. 27-30. Si
Basile meurt le 14 juin 377, le concile d'Antioche qui se tient «neuf
mois, ou guère plus» après sa mort (*V. Macr.* 15, 1-2, p. 190-191) doit
commencer au début d'avril. Or Grégoire ne peut avoir quitté Nysse
avant le 1er avril (Pâques), voire avant le 8 (si c'est lui qui, comme il
est habituel, instruit les nouveaux baptisés), et il lui faut au moins
quinze jours pour se rendre à Antioche : nous sommes alors à plus de
dix mois pleins après la mort de Basile. D'autre part, on sait que
Basile a été évêque huit ans (GRÉG. NAZ., *Epigr.* 10, p. 37 Waltz,
Anthol. Palat. VIII, et GRÉG. NYSS., *V. Macr.* 14, 7, p. 189). Or on
date généralement son élection du mois de septembre, avant l'hiver.
Si on le fait mourir en juin, les huit ans sont loin d'être achevés.
2. Ainsi, selon GRÉG. NAZ., *Or. 43 (in Bas.)*, 37, Basile devient
évêque peu après la famine de 368-369. De même la *V. Macr.* place la
mort de sa mère peu après la famine (13, 1) et vers l'époque de
l'ordination de Basile (14, 1) : tout ceci s'accorde avec une ordination
en 369. Sur les arguments que l'on peut tirer du passage du prêtre
Évagrios à Césarée, cf. BOOTH, *Jerome's Early Years*, p. 251-255.

celui-ci. Les circonstances de cette déposition nous sont
connues par des lettres de Basile : Grégoire, arrêté sur
ordre de Démosthène, sans doute à la suite d'un synode
tenu à Ancyre à la fin de 375, semble s'être soustrait à ses
gardiens et s'être réfugié dans un lieu discret. C'est donc en
son absence qu'un synode tenu à Nysse au début de 376 le
dépose, sous prétexte de malversations financières et
d'irrégularités canoniques lors de son élection ; il est alors,
de ce fait, banni par le vicaire[1]. Basile dit à ses

1. La lettre de BASILE au vicaire du Pont Démosthène (*Epist.* 225)
permet de reconstituer une partie des événements. Basile, informé des
accusations portées contre Grégoire, a attendu que Démosthène les
convoque, lui et son frère, pour apprendre d'eux la vérité (παρ' ἡμῶν :
je crois que tout au long de la lettre Basile joue sur le pluriel, à la fois
pluriel de majesté et pluriel qui le solidarise avec son frère) ; il espérait
en effet que ce serait lui-même qui conduirait l'affaire. Or ce n'a pas
été le cas (« le tribunal nous a méprisés » — il s'agit sans doute du
synode d'Ancyre), et comme Grégoire ne s'est pas présenté, Démosthène a ordonné son arrestation. Celui-ci « s'est soumis à l'ordre
donné », mais, explique Basile, « ayant été saisi par une douleur au
côté, comme en même temps, en raison du refroidissement qui le prit,
son habituelle maladie de reins s'était réveillée, il fut dans
l'obligation, parce qu'il était retenu inflexiblement par les soldats, de
faire défection et de gagner un lieu où soulager ses intolérables
souffrances » (lignes 17-21 : la traduction de Courtonne, qui suppose
que Grégoire a été transporté dans ce lieu tranquille *sous la garde* des
soldats, me semble un contresens ; je donne valeur causale au
participe κατεχόμενος). En clair cela signifie que Grégoire a bien été
arrêté, mais qu'il a échappé aux soldats pour se réfugier dans un lieu
discret, que Basile se garde bien de nommer. Celui-ci supplie donc le
magistrat de ne pas se fâcher du délai apporté à la comparution en
justice de son frère (et non « à notre rencontre », comme traduit
Courtonne : ἀπαντάω, au sens absolu, signifie « comparaître en
justice »). Faisant cause commune avec Grégoire, il assure que leur
« retard » (en fait l'absence de son frère au tribunal) n'a lésé aucun
intérêt civil ou ecclésiastique. Élargissant le débat, il ajoute que
l'accusation ne tient pas et que, s'il y a eu faute, elle doit être imputée
à ceux qui ont ordonné Grégoire (lui-même est de ceux-là). Il précise
par ailleurs qu'ils ne veulent pas venir devant un tribunal où ils
auraient à rencontrer des évêques qui ne sont pas en communion avec

correspondants qu'il est *hyperorios,* hors des frontières (entendons celles de la Cappadoce), mais aussi qu'il est libre, sans soucis[1], ce qui me semble indiquer que son exil n'est pas entièrement sous le contrôle de l'autorité civile. On se souviendra que les deux frères sont d'une importante famille de l'aristocratie cappadocienne et pontique, ce qui peut expliquer la relative tolérance dont on fit preuve à leur égard. On peut se demander si Grégoire était bien loin de Césarée : Basile, dans le courant de 376, pensait à l'envoyer en mission à Rome auprès de Damase avec le prêtre Dorothée (qui fit de fait ce voyage avec Sanctissimus au printemps 377)[2]. Il semble même que Grégoire ait été présent aux funérailles de Basile, ou du moins qu'il soit venu à Césarée à l'époque de sa mort[3]. En tout cas, il rentre à Nysse après le rappel des sentences d'exil par Valens, à l'automne 377. Une lettre en est peut-être l'écho, la *Lettre* 6, qui raconte comment il fut triomphalement reçu dans sa ville, au milieu des pleurs de joie de sa communauté, ce qui laisse supposer qu'il revenait après une longue absence. Certes, comme on le verra, les années qui suivent verront d'autres longues absences de Grégoire

eux (des homéens). Cette supplique n'a pas empêché Démosthène de faire se réunir un synode à Nysse (*Epist.* 237, 2, III, p. 56) où Grégoire a été déposé et remplacé (*Epist.* 239, 1, p. 59), sur quoi le magistrat l'a condamné à l'exil (*Epist.* 232, p. 38). Cf. aussi G. MAY, « Die Chronologie », dans *Écriture et culture philosophique,* p. 54.

1. Cf. BASILE, *Epist.* 231 (III, p. 37) : διάγει ἄνετος, il vit libre, dans l'absence de soucis. Dans cette même lettre, Basile dit qu'il est « hors des frontières, ne supportant plus (μὴ φέρων, n'ayant plus à supporter, et non « n'ayant pu supporter », comme traduit Courtonne) les insultes des impudents ».

2. Cf. sur ce point SIMONETTI, *La crisi ariana* (1975), p. 427-428 et la note 92.

3. GRÉG. NAZ., *Epist.* 76, 2 (I, p. 94) lui écrit son regret de ne pouvoir venir embrasser la dépouille de Basile et d'aller vers lui, ce qui semble bien indiquer que Grégoire était présent aux funérailles.

d'auprès de son église : la participation à divers conciles, le séjour dans le Pont — à Sébastée en particulier, où son élection en tant qu'évêque avait pu faire craindre à son église de ne plus le revoir — et le voyage en Arabie, et cette lettre peut décrire le retour d'une de ces absences. Mais il est plus vraisemblable qu'il faille la rapporter à son retour d'exil.

Le concile d'Antioche (378) Peu de temps après ce retour, Grégoire participe à Antioche à un concile qui regroupait des évêques du parti nicéen récemment exilés par Valens. On sait que ce concile se tint «neuf mois, ou guère plus», après la mort de Basile, c'est-à-dire au printemps 378 si on place celle-ci vers le mois d'août 377. Précisons à ce propos qu'en 378 Pâques se célèbre le 1er avril : qu'un concile se soit tenu dans le mois qui suit est tout à fait plausible. Les évêques orthodoxes sont rentrés dans leurs églises fin 377 : il est compréhensible qu'ils aient voulu se réunir le plus tôt possible ; or cette date est la meilleure pour une telle réunion, après l'hiver, qui rend les voyages difficiles, et les fêtes pascales, qui requièrent la présence des évêques dans leurs églises[1]. Aucune lettre ne parle explicitement de ce concile, mais la *Lettre* 19 permet de constater que Grégoire s'est fait à cette occasion des amitiés à Antioche, probablement en milieu monastique (19, § 4, 20) ; la *Lettre* 13 atteste aussi qu'il y a fait la connaissance du célèbre rhéteur Libanios (13, § 2). On sait bien peu de choses du concile lui-même, sinon qu'il a adopté un symbole reconnaissant l'unique divinité du Père, du Fils et du Saint-Esprit et qu'il a sans doute signé un recueil de

---

1. Cf. MARAVAL, *La date de la mort de Basile*, p. 28-30, et *supra*, p. 20, n. 1. Notons que les *Constitutions Apostoliques* prévoient qu'un des deux synodes annuels des évêques aura lieu la quatrième semaine de la Cinquantaine, soit un mois après Pâques (VIII, 37, p. 286 Metzger).

documents d'origine romaine[1]. On peut voir là l'aboutisse-
ment des dernières tractations de Basile, qui a renvoyé
Dorothée et Sanctissimus à Rome peu avant sa mort[2]. Le
concile devait également tenter un rapprochement, au
moins au plan de la doctrine, entre Mélèce d'Antioche, chef
de file des Néo-Nicéens, et son compétiteur Paulin, chef de
la communauté des « Vieux-Nicéens » d'Antioche[3]. Il est
possible que Grégoire ait joué un rôle dans ce rapprochement, car il avait toujours, contre le gré même de son
frère, gardé le contact avec ces autres « Vieux-Nicéens »
qu'étaient les partisans de Marcel d'Ancyre[4]. Une de ses

1. Cf. G. Bardy, « Le concile d'Antioche (379) », *Rev. bénéd.* 45,
1955, p. 196-213. L'interprétation des documents d'origine romaine
lus à ce concile est discutée. Les hypothèses proposées ou retenues par
M. Simonetti sur l'origine des fragments *Ea gratia, Illud sane, Non
nobis* annexés à la lettre *Confidimus* me semblent les plus convaincan-
tes (*La crisi ariana*, p. 428-429, 431-433, 447). Il ne fait pas difficulté
en tout cas, par rapport à ceux-ci, d'avancer un peu la date du
concile.

2. Cf. M. Simonetti, *La crisi ariana*, p. 430-432.

3. M. Simonetti récuse avec de bons arguments l'hypothèse, dont
on trouve l'écho chez les auteurs anciens, selon laquelle il y aurait eu
lors de ce concile une tentative de compromis entre Mélèce et Paulin :
celui qui survivrait à l'autre serait reconnu unique évêque d'Antioche.
Ce qui se passera au concile de Constantinople de 381 après la mort de
Mélèce justifie son scepticisme. Il n'exclut pas en revanche un effort
de conciliation qui aurait porté sur la doctrine. Les homéousiens et
quelques homéens avaient été gagnés à l'orthodoxie nicéenne : on
pouvait désormais faire un pas dans l'autre sens, aller vers ces
Marcelliens si longtemps récusés par Basile. Un ouvrage de Grégoire
est peut-être à situer dans ce contexte, l'*Ex communis notionibus*, où il
entend expliquer « comment, lorsque nous disons qu'il y a trois
personnes au sein de la Trinité, nous n'affirmons pas qu'il y a trois
dieux » (*GNO* 3/1, p. 19). L'hypothèse est défendue par Th. Ziegler,
Les petits traités trinitaires de Grégoire de Nysse (1987), p. 122.

4. Basile, *Epist.* 100 (p. 219 Courtonne I) : il se plaint que son
frère rassemble des conciles à Ancyre et lui suscite ainsi des
difficultés.

lettres semble montrer que le concile l'a chargé ensuite
d'une mission : celle de réconcilier ces derniers avec les
orthodoxes. Il a dû se défendre en effet, peu de temps
après, d'avoir reçu ces gens dans la communion ecclésiastique «sans jugement ni examen», et il invoque pour se
justifier la mission qui lui avait été confiée par «ses frères
et collègues orthodoxes d'Orient» (*Lettre* 5, § 2). On ne voit
guère que ce concile qui ait pu prendre une telle décision.

Lui a-t-il également confié une autre mission, en Arabie
cette fois, celle dont parle la *Lettre* 2 ? A la suite de
Baronius, Tillemont a défendu ce point de vue, «non
comme certain, mais comme le plus probable», contre
Casaubon, qui pensait que c'était le concile de 381 qui
l'avait envoyé en Arabie[1]. Je reparlerai plus loin de ce
problème. Notons du moins pour l'instant une particularité de l'hypothèse de Tillemont : pour lui, Grégoire n'avait
entrepris ce voyage qu'après être rentré dans le Pont et
avoir assisté à la mort de Macrine. Mais l'historien écrivait
à une époque où n'avait pas encore été éditée la *Lettre* 19
de Grégoire ; or celle-ci ne permet plus de soutenir cette
hypothèse, car elle rapporte d'autres événements survenus
après cette mort qui ne laissent plus de place pour le
voyage à Jérusalem. Parmi les modernes, Honigmann
s'était rallié à l'avis de Tillemont, mais sans pousser
davantage l'enquête[2]. J'avais moi-même proposé de le
suivre, mais avec une différence notable, puisque je plaçais
le voyage *avant* la mort de Macrine, et non plus *après*. Mon
hypothèse, indépendamment d'autres raisons que je faisais
valoir en sa faveur, était liée à la date que je défendais (et
qu'il faut toujours retenir) pour la mort de Macrine, un
19 juillet, et à celle que l'on retenait alors pour le concile
d'Antioche (septembre-octobre 379) : c'était une manière

---

1. TILLEMONT, *Mémoires*, IX, p. 73. Casaubon traitait de ce
problème dans son édition commentée de la *Lettre* 3 de 1606.
2. HONIGMANN, *Le concile de Constantinople de 394* (1961), p. 10.

d'occuper Grégoire entre les deux. Je précisais toutefois que, de soi, la date de la mort de Macrine et celle du voyage à Jérusalem sont deux choses indépendantes[1]. En fait, comme je le dirai plus loin, il est beaucoup plus vraisemblable d'attribuer au concile de 381 l'envoi de Grégoire à Jérusalem. D'autre part, toute difficulté de chronologie disparaît si l'on avance la date du concile d'Antioche de quelques mois et qu'on le place en avril 378 : il est alors tout à fait possible que Grégoire, à l'issue de ce concile, ait pu se trouver dans le Pont un 19 juillet pour recueillir le dernier soupir de sa sœur; on remontera simplement la date de celui-ci de deux ans.

Mort de Macrine

Revenons donc aux événements qui ont suivi le concile d'Antioche, dont la *Lettre* 19 nous a laissé la description. Le premier est un événement familial, mais auquel Grégoire donnera un retentissement plus universel, la mort de sa sœur. Le concile terminé, il rentre en Cappadoce — ce qui implique un voyage d'une quinzaine de jours. Là, dans les premiers jours de juillet 378, il est averti de la maladie de Macrine : il se rend en dix jours de Cappadoce à Annisa dans le Pont, assiste aux derniers moments de sa sœur, préside à ses funérailles et rentre trois jours après[2]. Nous pouvons donc le supposer de retour à Nysse dans les premiers jours du mois d'août 378.

Retour à Nysse

Là, des difficultés l'attendent. Les Galates voisins, nous dit-il, «avaient répandu secrètement en plusieurs lieux de mon église la maladie qui leur est habituelle, celle des hérésies» (19, § 11). Ce n'est pas la première fois que

---

1. Maraval, *Vie de Macrine* (1971), p. 61, 65-66.
2. Sur ces événements et sur la comparaison qu'on peut établir entre la *Lettre* 19 et la *Vie de Macrine*, cf. mon édition de celle-ci, p. 32-33.

Grégoire a des problèmes avec les Galates. Dans les premières années de son épiscopat, il avait essayé, sans l'aval de Basile d'ailleurs, de chercher un terrain d'entente avec les partisans de Marcel d'Ancyre[1]. Dans le cas présent, s'agit-il encore de «marcelliens»? On comprendrait mal pourtant que ces derniers entrent en conflit avec Grégoire s'il a été chargé par le concile d'Antioche de les recevoir dans la communion ecclésiastique. Il faut ajouter que leur nombre et leur influence, après la répression dont ils ont été l'objet durant les deux décennies qui précèdent, devaient alors être modestes. On devra plutôt, comme l'a proposé G. May, penser que ce sont des homéens qui se trouvent à l'origine des difficultés de Grégoire[2]. Dans le premier livre du *Contre Eunome,* qu'il compose peu de temps après ces événements, il rapporte que l'opinion soutenue par Valens, l'homéisme, avait très facilement gagné la Bithynie et la Galatie[3]; c'est d'ailleurs un synode d'évêques homéens qui l'avait lui-même déposé et remplacé par un évêque de cette obédience. Or il rentrait à présent d'un concile qui regroupait les têtes du parti néo-nicéen en Orient, à un moment où la tendance qu'il représentait commençait à reprendre force, en attendant de bientôt l'emporter. Il n'est donc pas étonnant que le parti jusque-là dominant ait réagi. Peut-être même la réconciliation faite par Grégoire d'anciens partisans de Marcel a-t-elle été un motif supplémentaire d'hostilité de la part des homéens, qui n'avaient cessé de dénoncer la collusion entre ceux-ci et les partisans de l'*homoousios.*

1. Cf. *supra*, p. 24, n. 4.
2. Cf. MAY, *Kirchenpolitik* (1966), p. 114-115. La répression des partisans de Marcel commence dès après Nicée, mais elle sera plus importante encore après qu'ils auront été lâchés par les Occidentaux, dans les années 363-365.
3. GRÉG. NYSS., *C. Eun.* I, 128 et 131 (*GNO* 1, p. 65-66). Le Canon 7 de Constantinople déclare qu'il y a en Galatie un grand nombre d'hérétiques (*Conc. Oec. Decreta*, p. 35).

**Voyage
à Ibora**

Grégoire assure en tout cas qu'il parvint, quoique non sans peine, à rétablir l'ordre dans son église. Diekamp pense qu'il lui fallut pour cela «plusieurs semaines[1]»; il n'est pas impossible qu'il lui ait fallu plusieurs mois. Là-dessus surgissent pour lui d'autres difficultés. Tout d'abord il reçoit une ambassade de la petite ville d'Ibora dans le Pont (plus précisément dans la province d'Hélénopont), dont l'évêque vient de mourir. Cette ambassade lui demande de venir s'occuper de la succession de cet évêque, c'est-à-dire de faire en sorte que le candidat choisi soit lui aussi du parti néo-nicéen. Rien de surprenant dans cette demande : Ibora se trouvait à proximité du village d'Annisa, dont Grégoire nous dit qu'il lui appartenait et où résidaient les communautés monastiques fondées par sa sœur Macrine et son frère Basile. Du reste l'évêque défunt, Araxios, était présent aux funérailles de sa sœur et, avec Grégoire, avait déposé sa dépouille dans le martyrium familial des Quarante Martyrs qui se trouvait près de sa ville[2]; il y a donc des liens familiaux, ou tout simplement de clientèle, entre les habitants d'Ibora et Grégoire. Celui-ci apparaît bien, d'autre part, comme le successeur de Basile, qui avait été souvent sollicité de favoriser l'élection d'évêques favorables à Nicée (quand il n'en avait pas pris l'initiative). Il n'est pas

---

1. Dans son étude souvent citée (*Die Wahl Gregors von Nyssa*, 1908), Diekamp était tenu par une chronologie assez serrée, puisqu'il devait placer, pour tenir compte de toutes les données, les troubles de Nysse, l'affaire d'Ibora et celle de Sébastée dans les quatre ou cinq premiers mois de 380. En remontant cette chronologie comme je le fais, on peut plus raisonnablement étaler dans le temps ces divers événements, sans prétendre d'ailleurs à une précision plus grande, faute de documents. La chronologie proposée par Diekamp, même si elle a été longtemps reçue, est pour une part très subjective.

2. Grég. Nyss., *V. Macr.* 33, 23 (p. 250-251); *In XL Mart.*, PG 46, 784 B.

nécessaire, comme le proposait Diekamp, de supposer que
le concile d'Antioche avait donné à Grégoire une sorte de
juridiction spéciale sur les régions pontiques[1]. En l'occur-
rence, il semble qu'il ait réussi sa médiation, puisque le
seul représentant de la province d'Hélénopont au concile
de Constantinople de 381 sera l'évêque d'Ibora, Pansophios[2].

**Séjour
à Sébastée**

C'est peut-être le succès de Grégoire
à Ibora qui lui vaut d'être invité à
régler un problème semblable à Sébas-
tée, métropole de la province d'Arménie Première. Mais la
situation est beaucoup plus délicate dans l'Église de cette
ville, à la tête de laquelle se sont succédé deux évêques
d'un parti opposé à l'orthodoxie de Nicée. L'évêque
Eulalios, présent au concile de Nicée, avait été des
partisans d'Arius[3]; son fils et successeur Eustathe, qui
avait été un temps déposé de son siège pour y être
remplacé par Mélèce, après avoir fait partie du groupe
homéousien, s'était joint à celui des pneumatomaques et
avait rompu avec Basile. Eustathe venait probablement
de mourir : ce n'est pas dit explicitement dans le texte,

---

1. Diekamp, *Die Wahl Gregors von Nyssa*, p. 394. G. May montre
bien l'invraisemblance de la chose (*Kirchenpolitik*, p. 116). C'est sans
doute cette hypothèse de Diekamp qui fait dire à Altaner, suivi par
Quasten, que «Le synode d'Antioche... lui confia la visite du diocèse
(civil) du Pont et de l'Arménie» (B. Altaner - H. Chirat, *Précis de
Patrologie*, Mulhouse 1961, p. 436 et J. Quasten, *Introduction aux
Pères de l'Église*, III, Paris 1962, p. 765).

2. Mansi, *Concilia*, III, 572 A : «Provinciae Ponti Amasiae :
Pantophilus (*Pansophius) Iberorum»; C. H. Turner, *Ecclesiae Occi-
dentalis Monumenta iuris antiquissima*, II, 3, Oxford 1939, p. 462-
463 : «Pansopius Hibero, Pansophius Ibirensis». Sur ce personnage,
cf. P. Maraval, «Un correspondant de Grégoire de Nazianze
identifié : Pansophios d'Ibora», *Vig. Christ.* 42, 1988, p. 24-26.

3. Cf. Nicétas, *Thesaurus*, citant Philostorge, *Hist. eccl.* I, 8
(p. 9, 18 Bidez).

mais nous n'avons plus de renseignements sur lui après
377[1]. Grégoire précise d'autre part qu'il fallait «devancer
l'attaque des hérétiques», autrement dit élire un successeur orthodoxe. Il se rend donc à Sébastée, où il rencontre
les pires difficultés. Les lettres qui les évoquent (*Lettres* 19,
18, 22, peut-être aussi 10) sont la plupart du temps bien
peu précises : on aimerait moins de plaintes et plus de
faits ! On peut toutefois dégager quelques éléments sûrs.
Grégoire, en un premier temps, est lui-même élu évêque de
Sébastée, à sa grande surprise et contre son gré. Mais cette
élection suscite aussitôt la contestation : sans doute un
groupe de prêtres et de fidèles, celui que Basile avait
soutenu jadis contre Eustathe[2], lui est-il attaché, mais le
parti adverse est puissant et peut s'appuyer sur les
autorités, qui continuent d'appliquer la politique homéen-
ne de l'empereur Valens : le *comes rei militaris* de cette
province-frontière et le gouverneur s'opposent à lui.
Grégoire dit par ailleurs beaucoup de mal des habitants de
Sébastée, qu'il accuse de malignité et de duplicité ; il leur
reproche même la rudesse de leurs manières et de leur
langage, signe que la province d'Arménie était sans doute
moins hellénisée que la Cappadoce voisine. Il se plaint
aussi de ses conditions de vie : logement, climat, inquisition permanente. On met en doute son orthodoxie, sous le
prétexte qu'il a réconcilié des partisans de Marcel d'Ancyre, et il doit la défendre par écrit et de vive voix (*Lettre* 5).
Combien de temps a duré ce pénible séjour ? Rien ne
permet de le dire avec précision, mais l'intensité des
plaintes de Grégoire et l'assez grand nombre de lettres
qu'on peut assigner à cette période de sa vie laissent à
penser qu'il fut long. Diekamp comptait «au moins deux
ou trois mois» : c'est bien un minimum. Quand et

---

1. Cf. J. Gribomont, art. «Eustathe (de Sébaste)», *DHGE* XVI,
26-33.
2. Cf. Basile, *Epist.* 138, 2 ; 237, 2.

comment lui vint «l'ordre» qui le délivra de cette situation? La *Lettre* 22 indique qu'il semblait l'attendre d'une assemblée d'évêques. Il n'est pas tout à fait sûr en tout cas que la crise ait été résolue par l'élection immédiate de son frère Pierre au siège de Sébastée. La *Lettre* 29, que Grégoire adresse à celui-ci après être rentré d'Arménie, ne semble pas adressée à un évêque : comme dans la lettre qui précède le *Traité sur la création de l'homme,* Grégoire l'appelle «ton Intelligence» (ἡ σὴ σύνεσις), titre de politesse moins habituel pour un évêque[1], alors que Pierre dans sa réponse utilise les appellations reçues : «très pieux» (θεοσεβέστατος) et «ta Sainteté» (ἡ σὴ ὁσιότης). D'autre part, bien que Théodoret assure que Pierre se trouvait au concile de Constantinople de 381[2], son nom est absent des listes qu'on possède des participants à ce concile[3]. Il n'est donc pas impossible que Grégoire ait eu un successeur du parti pneumatomaque, que le triomphe de l'orthodoxie après 381 fit disparaître pour céder la place à Pierre.

Retour à Nysse   Quoi qu'il en soit, Grégoire fut enfin libéré et revint à Nysse. Il profita de son retour pour mettre au point les deux premiers livres du *Contre Eunome,* comme le rapporte la *Lettre* 29 ; il les lira à Constantinople, en mai 381, en

---

1. L'argument n'a qu'une valeur relative, car cette formule de politesse se rencontre aussi pour des évêques : cf. H. ZILLIACUS, *Untersuchungen zu den abstrakten Anredeformen und Höflichkeitstiteln im Griechischen*, Helsinki 1949, p. 75 ; Sister L. DINNEEN, *Titles of Address in Christian Greek Epistolography to 527 A.D.*, Washington 1929, p. 58 ; 108.

2. THÉODORET, *Hist. eccl.* V, 8, 4 (p. 287, 22 Parmentier).

3. Ces remarques ont été faites par F. DIEKAMP, «Literargeschichtliches zu der eunomianischen Kontroverse», *Byzant. Zeitsch.* 18, 1909, p. 11, n. 2. TILLEMONT, *Mémoires*, IX, p. 716 a bien remarqué cette absence de Pierre des listes de participants, mais il suppose une lacune.

présence de Jérôme[1]. En entreprenant cet ouvrage,
Grégoire entend défendre la mémoire de son frère, mais il
apparaît aussi comme son successeur dans la défense de
l'orthodoxie : cette réputation lui vaut d'être dérangé dans
son travail par des visiteurs trop zélés qui sont au courant
de son entreprise, et il s'en plaint dans la même lettre à son
frère Pierre.

**Le concile
de Constantinople**   Aucune lettre ne nous renseigne sur
le déroulement du concile de 381, lors
duquel Grégoire joua pourtant un rôle
important[2]. On sait qu'à l'issue de ce concile, le 30 juillet
381, un édit de Théodose précisa la liste des évêques avec
lesquels il convenait d'être en communion[3], et que cette
liste comportait, pour le diocèse (civil) du Pont, le nom de
Grégoire de Nysse, ainsi que ceux de son métropolitain
Helladios de Césarée et de son ami Otréios de Mélitène
(destinataire des *Lettres* 10 et 18). Grégoire évoque cet édit
dans la *Lettre* 1 ; nous en reparlerons à propos de ses
conflits avec Helladios.

1. JÉRÔME, *De viris inlustr.*, 128 (p. 54 Richardson).
2. Il est possible que ce soit devant ce concile qu'il ait prononcé le
sermon *In suam ordinationem (= Adversus Evagrium)*, bien que cette
question soit toujours disputée (en faveur de cette datation :
A. M. RITTER, «Gregors von Nyssa In suam ordinationem. Eine
Quelle für die Geschichte des Konzils von Konstantinopel 381», *ZKG*
79, 1968, p. 308-328, et G. MAY, «Die Datierung der Rede 'In suam
ordinationem' des Gregor von Nyssa und die Verhandlungen mit den
Pneumatomachen auf dem Konzil von Konstantinopel 381», *Vig.
Chr.* 23, 1969, p. 38-57 ; contre : R. STAATS, «Die Datierung von In
suam ordinationem des Gregor von Nyssa», *Vig. Chr.* 23, 1969, p. 58-
59, et encore *Das Bischofsamt* (1973), p. 171-172, n. 64. C'est Grégoire
en tout cas qui prononce l'éloge funèbre de Mélèce, mort pendant le
concile.
3. *Cod. Theod.* XVI, 1, 3 ; SOZOMÈNE, *Hist. eccl.* VII, 9, 6 (p. 312,
15-23).

**La mission
en Arabie**

Le concile de 381 confie par ailleurs à Grégoire une autre mission : il l'envoie dans la province d'Arabie en vue de rétablir l'ordre (διορθώσεως ἕνεκεν : la διόρθωσις est la correction, la remise dans la voie droite)[1]. Tillemont a contesté, comme je l'ai dit plus haut, que ce soit ce concile qui ait pu mandater Grégoire : son argument essentiel est qu'un des canons de 381 interdit aux évêques d'un diocèse d'intervenir dans les affaires d'un autre[2]. Mais ce canon vise en réalité les évêques dont le siège correspond à la capitale d'un diocèse *civil,* requis de ne pas se mêler des affaires d'églises appartenant à un autre diocèse *civil* que le leur. La suite du canon précise : que l'évêque d'Alexandrie (nommément désigné) s'occupe seulement de l'Égypte, que ceux des diocèses d'Orient (Antioche), d'Asie (Éphèse), du Pont (Césarée) et de Thrace (Constantinople) s'occupent seulement de celles de ces diocèses. La pointe du texte vise en fait l'évêque d'Alexandrie, qui s'est mêlé avant le concile d'intervenir hors de son territoire, en particulier en ordonnant Maxime à Constantinople[3]. Cela dit, on ne voit pas pourquoi l'assemblée conciliaire, en tant que telle, n'aurait pu désigner un de ses membres pour régler une question particulière. Grégoire avait l'oreille du concile, il était l'ami de Mélèce d'Antioche (dont le siège était la capitale du diocèse qui inclut la province d'Arabie), il l'était de son successeur Flavien, il était enfin reconnu par

1. GRÉG. NYSS., *Epist.* 2, 12 ; le même mot est utilisé dans l'*Epist.* 1, 31 et dans la *V. Macr.* 21, 16.
2. Canon 2 de Constantinople (*Conc. Oecum. Decreta,* p. 31).
3. Cf. les remarques de L. DUCHESNE, *Histoire ancienne de l'Église*, III, p. 438 : «Les décisions conciliaires représentent autant d'actes d'hostilité contre l'église d'Alexandrie et ses prétentions à l'hégémonie. Si l'on tient tant à ce que chacun se mêle de ses affaires et reste dans son ressort diocésain, c'est parce qu'on entend exclure l'ingérence du pape égyptien dans les affaires de Constantinople, Antioche et autres lieux.»

l'empereur comme un des garants de l'orthodoxie. Tout cela en faisait un légat particulièrement représentatif. D'autres arguments confirment que son voyage s'est fait à la suite de ce concile : il a reçu de l'empereur l'autorisation d'utiliser le *cursus publicus* (*Lettre* 2, 13), ce qui est tout à fait normal pour le représentant officiel d'un concile convoqué par l'empereur (à l'inverse, le concile d'Antioche de 378 est plus vraisemblablement une initiative de Mélèce, qui n'aurait pas pu lui valoir ce privilège) ; enfin Grégoire déclare, dans sa *Lettre* 3, 9, écrite à l'issue de ce voyage, que seule la foi orthodoxe a désormais droit de cité dans l'Empire, ce qui correspond à la situation d'après 381, pas encore à celle d'après 378.

Quel est le problème que Grégoire est allé remettre en ordre en Arabie ? Les *Lettres* ne nous donnent aucun renseignement à ce sujet. Tillemont suppose qu'on l'a envoyé lutter contre les hérésies des Collyridiens et des Antidicomarianites, qui sévissaient dans cette province, mais c'est là pure conjecture : on sait seulement par le *Panarion* d'Épiphane qu'à l'époque de la composition de cet ouvrage (vers 375) ces hérésies commençaient de se répandre en Arabie[1], mais on ignore tout de la politique ecclésiastique à leur égard. Le concile, qui prévoit dans son canon 7 plusieurs cas de figure pour la réconciliation des hérétiques, ne cite aucun de ces deux groupes[2]. S'agissait-il dès lors, comme le suppose Honigmann[3], du conflit qui opposait pour le siège de Bostra deux évêques rivaux, Agapios et Badagios ? Le concile de Constantinople de 394 essaiera à nouveau de régler ce problème, mais on sait qu'il était déjà posé avant 381. Il ne serait pas impossible que

---

1. Épiphane, *Panarion* 78, 1, 1 (p. 452, 4-5 Holl) ; 79, 1, 2 (p. 475, 30-31), et Tillemont, *Mémoires*, IX, p. 581.

2. Canon 7 de Constantinople (*Concil. Oecum. Decreta*, p. 35).

3. Cf. E. Honigmann, *Le concile de Constantinople de 394*, p. 10.

Grégoire ait été envoyé pour tenter d'y apporter une solution, ce dont Flavien, le tout nouvel évêque d'Antioche, ne voulait peut-être pas se charger ; si c'est le cas, sa mission n'a pas été couronnée de succès. Mais, ici encore, l'incertitude demeure.

Le voyage à Jérusalem   La mission en Arabie, qui lui a été confiée par le concile, va être suivie d'un voyage à Jérusalem, celui-ci sur la demande, semble-t-il, «des chefs des saintes églises de Jérusalem», car là aussi la situation était troublée et rendait nécessaire l'intervention d'un médiateur (*Lettre* 2, 12). On remarquera la formule curieuse de Grégoire, qui parle *des chefs* (προεστῶσι) des églises de Jérusalem, et non pas de son chef, l'évêque Cyrille, lequel pourtant était présent au concile de Constantinople de 381. C'est peut-être l'indice que la situation troublée de la ville sainte était liée à la contestation de l'évêque par une partie de son clergé. Cyrille était en fonctions depuis les environs de 350, mais il avait accédé à l'épiscopat dans des circonstances qui restent en partie mal éclaircies. On sait du moins de manière certaine qu'il avait été ordonné par Acace de Césarée, un des représentants en vue du parti homéen. Bien qu'il ait rapidement pris ses distances et tenu sur la Trinité un discours proche de celui de Nicée, bien qu'il ait été de ce fait déposé par Acace, puis exilé sous Valens, cette ordination par un évêque «arien» lui avait valu une suspicion durable de la part des orthodoxes[1]. Sozomène rapporte qu'avant le concile de 381 il avait adhéré au groupe des Macédoniens pneumatomaques, mais qu'il s'en était ensuite repenti[2], ce qui est pour

---

1. Sur les péripéties de la carrière de Cyrille, cf. par exemple l'introduction de A. PIÉDAGNEL, *Cyrille de Jérusalem, Catéchèses mystagogiques*, Paris 1966 (*SC* 126), p. 10-14.

2. SOZOMÈNE, *Hist. eccl.* VII, 7, 3 (p. 308, 26-309, 1).

le moins l'indice des réserves que certains orthodoxes faisaient sur lui. Aussi fallut-il que le concile de Constantinople de 382 réaffirme sa légitimité en tant qu'évêque de Jérusalem[1]. Or c'est dans ce contexte que se situe la venue de Grégoire dans sa ville[2].

Celui-ci, malheureusement, n'a pas cru devoir nous rapporter clairement les problèmes qu'il y a affrontés. La *Lettre* 3, qu'il adresse dès son retour de Palestine à des correspondantes de Jérusalem, fait état de contestations soulevées par sa présence, du refus de «certains» d'entrer en communion avec lui, mais il ne donne aucun nom ni aucune précision. On peut sans doute en conclure que certains ont refusé sa médiation; la défense qu'il présente dans sa lettre montre qu'on l'a fait en contestant son orthodoxie. C'est sa christologie qui a été mise en cause, non par des Apollinaristes ni par des gens qui le soupçonnaient d'apollinarisme, comme l'ont pensé quelques commentateurs, mais par des partisans de Nicée qui considéraient que cette christologie portait atteinte à l'immutabilité divine. Le débat remontait aux origines. Arius, en faisant du Verbe une créature, le soumettait évidemment au changement; ses adversaires, Athanase en tête, contestaient ce point de vue, tout en ayant comme Arius une christologie du Verbe-chair. Leur parade était simple : seule la chair était affectée par le changement, le Verbe restant immuable. Mais la christologie du Verbe-homme, qui est et sera celle de Grégoire, en insistant sur la réalité de l'humanité du Christ, doté d'un corps et d'une âme, semblait à leurs yeux mettre en péril l'immutabilité du Verbe, dont l'âme était affectée de «passions» jugées incompatibles avec elle. Aussi Grégoire, tout au long de sa lettre, se défend-il de porter atteinte à cette immutabilité,

---

1. THÉODORET, *Hist. eccl.* V, 9, 17 (p. 294, 3-7).
2. Cf. P. MARAVAL, *La lettre 3* (1987), où j'analyse plus longuement le contenu et le contexte de cette lettre.

tout en affirmant nettement la pleine humanité du Christ.

Si les adversaires de Grégoire étaient bien des partisans de Nicée, doit-on compter Cyrille de Jérusalem parmi eux ? Ce ne serait pas impossible. Grégoire n'évoque, dans sa lettre à ses correspondantes de Jérusalem — destinée évidemment, à travers elles, à une certaine publicité —, aucun de ses adversaires, aucun de ses défenseurs non plus. Si l'évêque du lieu l'avait soutenu, n'aurait-il pas invoqué ce soutien pour sa défense ? Ajoutons que la christologie de Cyrille, pour autant qu'on puisse en préciser les traits, est une christologie du Verbe-chair, très soucieuse justement de souligner, contre Arius, l'immutabilité divine[1]. S'il est peut-être téméraire de le compter au nombre des adversaires de Grégoire, on peut au moins penser qu'il n'a pas été parmi ses défenseurs, ce qui pourrait s'expliquer par sa répugnance à voir un évêque de l'extérieur venir se mêler des affaires de son Église. En tout cas Grégoire est rentré de Jérusalem fort accablé et très amer sur le comportement des chrétiens du lieu. Cela explique sans doute qu'il ait si fortement souligné, dans sa *Lettre* 2 sur les pèlerinages à Jérusalem, que la sainteté des lieux ne rejaillit pas forcément sur ceux qui s'y trouvent. Il reste que Grégoire a été heureux de voir les lieux saints, auprès desquels il s'est rendu «en vue de la prière[2]», comme bien d'autres pèlerins de l'époque.

Le voyage d'Orient se termine donc sur un échec. Durant les années qui suivent, Grégoire intervient encore à

---

1. Cf. Cyrille de Jérusalem, *Catéch.* 7,5 (*PG* 33, 609 B) et le commentaire de J. Lebon, «S. Cyrille de Jérusalem et l'Arianisme», *RHE* 20, 1924, p. 204.

2. C'est ainsi sans doute qu'il faut traduire le κατ' εὐχήν de la *V. Macr.* 1, 7 (et non par «à la suite d'un vœu», comme je l'ai fait dans ma traduction) : l'expression me semble équivalente à l'εὐχῆς ἕνεκεν de Palladios, *Hist. laus.* 46, 4, ou aux nombreux *orationis causa* qui ponctuent l'*Itinéraire* d'Égérie (13, 1 ; 17, 1 ; 23, 3, 10).

plusieurs reprises dans les affaires ecclésiastiques, mais ses
lettres ne nous renseignent ni sur sa participation au
concile de 382 ou à d'autres conciles, ni sur le rôle qu'il a
joué à la cour, ni sur son activité littéraire. Deux d'entre
elles pourtant, qui ne sont peut-être pas sans lien, nous
font voir Grégoire dans ses rapports avec d'autres Églises
et avec son métropolitain.

**Conflits
avec Helladios**

On se souvient qu'un édit de Théodose, à l'issue du concile de 381, nom-
mait Grégoire parmi les trois évêques
du diocèse du Pont avec lesquels il convenait d'être en
communion pour être considéré comme orthodoxe. Cet
édit impérial entérinait très vraisemblablement une décision conciliaire investissant ces évêques d'une mission
spéciale, celle de surveiller et remettre en ordre les affaires
communes (*Lettre* 1, § 31), troublées par tant d'années de
crise. Mais confier cette charge au simple évêque d'une
petite ville en même temps qu'au métropolitain de la
même province portait en germe les conflits à venir. Et de
fait la *Lettre* 1 montre que les rapports de l'évêque de
Nysse et de celui de Césarée se sont bientôt tendus. Ici
encore, Grégoire est muet sur les faits concrets qui sont à
l'origine du conflit. Il se contente, après avoir raconté
longuement un épisode où il s'est fait humilier par
Helladios, de l'accuser d'arrogance, de vaine prétention,
d'orgueil (1, § 35)[1]. Il affirme par ailleurs avec force qu'il
n'est en rien inférieur à son métropolitain, ni sur le plan
humain, ni sur le plan ecclésiastique, puisque le concile les
a mis a égalité (1, § 31-32). Le second argument, en réalité,
n'est pas recevable, car l'évêque de la petite cité de Nysse
ne pouvait prétendre avoir les mêmes droits que son

---

1. Deux lettres de Grégoire de Nazianze adressées à Helladios
semblent montrer que celui-ci pouvait avoir des méthodes de
gouvernement assez brutales (*Epist*. 219 et 220 ; II, p. 109-112).

métropolitain. On aimerait d'ailleurs avoir la version d'Helladios et savoir quelles sont ces « multiples offenses » (1, § 22) qu'il reprochait à Grégoire. Sans doute s'agissait-il de ce qu'il considérait, non sans quelque raison, comme des empiètements sur ses prérogatives.

L'élection de Nicomédie — La *Lettre* 17 nous fournit probablement un exemple de ce que l'évêque de Césarée avait en vue. Cette lettre, d'un ton assez solennel, est adressée par Grégoire aux prêtres de la ville de Nicomédie après la mort de leur évêque Patricios. Nicomédie, capitale de la province de Bithynie, faisait partie du diocèse civil du Pont : Grégoire y intervient visiblement au titre de la charge de surveillance dont il se sent investi, même s'il en appelle aux liens établis par un évêque précédent, Euphrasios, entre l'Église de Nicomédie et celle de Nysse (17, § 2). Sa lettre, qui semble ne tracer que le portrait idéal de l'évêque qu'il faut donner comme successeur à Patricios, est en réalité soit une attaque contre un candidat, soit un plaidoyer en faveur d'un autre, soit les deux à la fois. Or un texte de l'historien Sozomène nous permet d'identifier avec une certaine probabilité à quelle occasion elle a été écrite[1]. Celui-ci relate en effet l'histoire d'un diacre milanais, du nom de Gérontius, qui devint évêque de Nicomédie dans les années 380, en qui il est vraisemblable de voir le successeur de Patricios. Son évêque Ambroise lui ayant imposé de faire pénitence pour avoir fait état de visions quelque peu étranges (il avait raconté qu'un spectre doté de pattes d'âne l'avait assailli de nuit), Gérontius quitta Milan et se rendit à Constantinople. Comme il était bon médecin et avait de l'entregent, il réussit à se faire des amis bien placés à la cour et, peu après, fut élu évêque de

---

1. Cette lettre a été étudiée par J. Daniélou, *L'évêque d'après une lettre de Grégoire* (1967) et Staats, *Das Bischofsamt* (1973).

Nicomédie. Ce qu'apprenant, Ambroise écrivit à Nectaire qu'il devait le déposer, mais celui-ci ne parvint pas à le faire, car le peuple de Nicomédie s'y opposa. Jean Chrysostome, en revanche, y parvint quelques années plus tard, quoique non sans mal, ce qui lui valut d'être accusé par ce même Gérontius lors du concile du Chêne[1].

Ces données de Sozomène sont assez précises pour dater approximativement l'élection de Gérontius, dont il déclare d'ailleurs qu'il fut ordonné... par Helladios de Césarée ! Nous sommes donc quelques années après 381, puisque à Euphrasios, qui était présent au concile de Constantinople de cette année-là[2], a succédé Patricios, qui a été quelque temps à la tête de cette Église. Nous sommes même probablement encore dans les années 380, car il a dû falloir quelques années à Gérontius pour se concilier de la part de ses fidèles un tel attachement qu'ils aient manifesté en sa faveur quand Nectaire voulut le déposer. Par ailleurs, le fait que Gérontius ait été ordonné par Helladios semble indiquer qu'il était le candidat de ce dernier, non celui de Grégoire. L'insistance que met celui-ci dans sa lettre sur la compétence requise de l'évêque, sur la nécessité qu'il y a de ne pas confier une tâche à qui n'est pas préparé pour l'accomplir, ne visent-elles pas un homme connu surtout pour ses talents de médecin, et l'invitation répétée à ne pas considérer l'éclat mondain et la richesse un personnage bien en vue à la cour ? Il est possible aussi que les antécédents milanais de Gérontius aient été connus, ce qui expliquerait que Grégoire incite les habitants de Nicomédie à ne pas élire quelqu'un qui serait indigne d'eux. L'hypothèse est vraisemblable et s'accorde bien avec les dates et les faits. Ainsi compris, l'épisode témoigne une fois

1. Sozomène, *Hist. eccl.* VIII, 6, 2-8 (p. 358-359) ; Photius, *Bibl.* 59 (p. 57 Henry I).

2. Mansi, *Concilia*, III, 572 A ; C. H. Turner, *Ecclesiae Occid. monumenta iuris antiquissima*, Oxonii 1913, II, p. 460-461.

de plus que Grégoire n'était pas très doué pour l'intrigue et la politique ecclésiastiques, comme Basile le disait déjà dans une de ses lettres[1].

L'activité épiscopale   Quelques lettres qu'il n'est pas possible de dater avec précision, même s'il faut probablement les attribuer toutes à la même période de la vie de Grégoire, nous laissent apercevoir d'autres facettes de son activité épiscopale. La *Lettre* 24, dont l'intitulé (dans l'unique manuscrit qui la transmet) la fait apparaître comme adressée à un hérétique, est plutôt une sorte de présentation d'ensemble de la foi trinitaire destinée à «ceux qui se préoccupent de leur salut». En tout état de cause, elle est un de ces nombreux écrits sur la Trinité où le théologien Grégoire répond à la demande d'un public, mais qu'il adresse ou dédie à l'un de ses amis[2]. La *Lettre* 4, cadeau pascal à un autre d'entre eux, lui révèle la signification des fêtes de Noël et de Pâques, en un exercice de style qui mêle théologie et cosmologie antique. Trois lettres rappellent que Grégoire évêque est aussi le maître écouté de communautés monastiques. La *Lettre* 2, déjà évoquée, répond à la consultation faite par un responsable monastique de Cappadoce sur l'opportunité du pèlerinage des moines et des moniales à Jérusalem. La *Lettre* 19 est, elle aussi, adressée à un moine, probablement un responsable de communauté qui lui a demandé d'écrire pour l'édification de celle-ci (19, § 4, 20). La *Lettre* 21 exhorte un correspondant de Grégoire à adopter la vie monastique, sans doute même dans un monastère installé à Nysse[3].

---

1. BASILE, *Epist.* 215 (II, p. 207).
2. Aucune différence de ton n'est décelable entre cette lettre et de petits traités comme l'*Ad Eustathium de Trinitate* ou l'*Ad Ablabium quod non sint tres dei*.
3. La *Lettre* 6, 10 montre qu'il y a à Nysse un chœur de vierges, les *Lettres* 18, 5 et 21, 2 laissent supposer qu'il y a aussi un groupement de «frères».

D'autres lettres enfin montrent Grégoire aux prises avec
les aspects les plus concrets de sa charge. La *Lettre* 25
concerne la construction d'un martyrium à Nysse. Ce
texte, si précieux pour l'histoire de l'architecture chrétienne, est aussi un témoignage intéressant sur la part prise
par un évêque dans la construction d'un édifice cultuel.
Non seulement Grégoire s'y montre à même de donner une
description très précise de cet édifice, mais nous voyons
aussi que c'est lui qui recrute les ouvriers et finance
l'entreprise. Il choisit, en fonction des matériaux qu'on
trouve sur place et de ses disponibilités financières, telle
technique de construction plutôt que telle autre, il précise
les termes du contrat à soumettre aux ouvriers. La lettre
nous montre que l'évêque de Nysse, s'il sait évoluer dans
les sphères de la mystique la plus haute, est aussi capable
de se montrer un administrateur ayant le sens des
réalités[1]. Dans un tout autre domaine, la *Lettre* 7 est une
intervention de l'évêque auprès d'un gouverneur en faveur
d'un jeune homme qui est sous le coup d'une grave
accusation : elle est à verser à l'abondant dossier sur
l'activité des évêques défenseurs de leurs fidèles devant les
autorités civiles. Dans la même ligne, on a quelques lettres
de recommandation où c'est moins l'évêque que le
personnage d'un certain rang qui recommande tel ou tel à
un personnage bien placé (*Lettres* 8, 13). Enfin, un échange
de lettres avec un sophiste du voisinage (*Lettres* 26 et 27)
nous montre l'évêque répondant à une sollicitation d'ordre
matériel, en même temps qu'il illustre une pratique
culturelle du temps, la correspondance entre lettrés.

---

1. La lettre de Basile à Démosthène le justifiait de l'accusation de
malversations (*Epist.* 225, III, p. 22).

2. Le lettré

Les lettres de Grégoire révèlent en effet, par bien des aspects, le lettré qu'il n'a cessé d'être. On sait que dans sa jeunesse il avait abandonné sa fonction ecclésiastique de lecteur pour se consacrer à l'enseignement de la rhétorique ; il est possible qu'il ait exercé cette profession durant quelques années, avant que son frère Basile ne lui fasse réintégrer la carrière ecclésiastique en l'ordonnant évêque[1]. Il en a gardé non seulement des relations avec les milieux lettrés, mais aussi un goût très vif pour la rhétorique, et jusque dans ses artifices. Cette correspondance le manifeste clairement ; il est d'ailleurs probable que les lettres publiées en corpus ont été choisies par Grégoire ou ses éditeurs anciens en fonction, entre autres, de leur éclat littéraire. Si quelques-unes ont été sans doute, à l'origine, de véritables lettres, c'est-à-dire «des textes dont le but essentiel est d'établir un dialogue familier et individuel entre deux personnes séparées dans l'espace[2]», toutes sont avant tout des œuvres littéraires sous forme épistolaire, que leur auteur a retravaillées pour la publication.

Ce n'est pas le lieu d'étudier longuement l'important problème des rapports des Pères de l'Église et de la culture profane, mais il faut en dire un mot dans la mesure où Grégoire, dans ces textes, est le témoin d'une cohabitation sans heurts entre foi chrétienne et culture païenne. Cela, malgré une déclaration qui semble y contredire : dans la *Lettre* 11, adressée à un lettré sans doute païen, ou du

1. Cf. la biographie de Grégoire avant son épiscopat dans AUBINEAU, *Traité*, p. 61-65.
2. Selon la définition de A. DEISSMANN, *Prolegomena zu den biblischen Briefen*, Marburg 1895, p. 191.

moins chrétien assez tiède, Grégoire déclare péremptoire-
ment que «l'intérêt porté à la littérature profane est la
preuve qu'on n'a aucun souci des sciences divines». Une
telle déclaration de principe n'est à vrai dire qu'un
argument de circonstance, qui ne reflète ni la pensée ni la
pratique de Grégoire. Les lettres qu'il adresse à Libanios,
en particulier, le démontrent. Dans la première (*Lettre* 13),
il assure son correspondant de l'intérêt passionné qu'il
porte à ses œuvres. Initié à l'éloquence par Basile, disciple
de Libanios, il a ensuite passé son temps à lire les œuvres
du maître, il est devenu «amoureux de sa beauté», et au
jour où il lui écrit il n'a pas encore perdu cet amour.
Faisons la part de la flatterie adressée à un correspondant
illustre ; la *Lettre* 14 confirme pourtant très bien de telles
dispositions. Grégoire y raconte à Libanios l'enthousiasme
provoqué par la réception de sa réponse. Le plus intéressant ici n'est pas l'appréciation que Grégoire porte sur
cette lettre, qui ressortit au même genre que celle de la
précédente (c'est de l'or, un cadeau plus précieux que l'or),
mais le tableau qu'il brosse de la réception de cette lettre
par lui-même et le petit cercle de ses familiers, un premier
janvier à Césarée : le précieux envoi passe et repasse de
main en main, les uns l'apprennent par cœur, d'autres le
transcrivent sur des tablettes. Dans ce petit groupe de
lettrés cappadociens, l'arrivée d'une missive du célèbre
rhéteur est donc vécue comme un véritable événement. La
suite du texte montre encore d'une autre façon l'attachement de Grégoire à la culture traditionnelle : il y déplore
que beaucoup de jeunes gens délaissent l'étude de l'éloquence pour s'adonner à celle du latin, à cette époque plus
rentable ; il supplie le rhéteur de ne pas abandonner pour
autant son enseignement, de ne pas décréter une vie «sans
parole». Il apparaît nettement que Grégoire, évêque, a le
sentiment et la volonté d'appartenir à la société lettrée du
temps, même s'il assure avec une feinte humilité qu'il ne
peut revendiquer d'illustres maîtres en éloquence. Il est du

reste désireux de soumettre ses ouvrages à l'appréciation
de l'expert qu'est Libanios : dans la *Lettre* 15, adressée
vraisemblablement à deux élèves de celui-ci, il les invite à
lui montrer quelques passages du *Contre Eunome* qu'il juge
particulièrement bien venus, et cela même dans les parties
dogmatiques. Ce qui nous indique que même dans des
ouvrages aussi techniques, et qui semblent ne s'adresser
qu'à un public de spécialistes, Grégoire est désireux de
faire œuvre littéraire, de recueillir les suffrages de lettrés,
même païens.

Deux autres lettres adressées à un sophiste cappadocien,
Stagirios, probablement un païen lui aussi, montrent
encore l'insertion de Grégoire dans ce milieu lettré. Dans
l'une (*Lettre* 9), il invite le sophiste à venir à Nysse pour
rehausser de sa présence une réunion, sans doute une de
ces assemblées de lettrés dont l'existence est bien attestée
à cette époque, lors desquelles des œuvres des présents
étaient lues et soumises à l'appréciation du groupe[1]. La
seconde (*Lettre* 27) est la réponse de Grégoire à une
demande d'aide matérielle du sophiste. Demande et
réponse (elles sont toutes deux dans le corpus) sont faites
sur le mode plaisant d'un *agôn* rhétorique, Grégoire
répondant point par point aux piques du sophiste, non
sans force allusions historiques et littéraires. Il est clair
que si de telles lettres ont été retenues, c'est au titre
d'exercices littéraires jugés «non dénués de grâce», pour
reprendre une expression de la *Lettre* 15. On peut encore
invoquer dans ce sens la *Lettre* 28, presque entièrement

---

1. Sur ces réunions de lettrés, cf. H. I. Marrou, *Histoire de
l'éducation dans l'Antiquité*, Paris ²1965, p. 303-306. Dans la *V. Macr.*
8, 5-7 (p. 164-168), Grégoire rapporte que son frère Naucratios donna
lors d'une de ces conférences publiques les preuves de son talent.
Basile déplore leur disparition à Césarée lors de la division de la
Cappadoce en deux provinces : «Ces réunions, ces discours, ces
entretiens de lettrés sur l'agora, ... tout cela nous a quittés» (*Epist.* 74,
3, I, p. 175).

construite sur une comparaison de la lettre (perdue) de son correspondant avec une rose et ses épines, ou la *Lettre* 11 au scholasticos Eupatrios, dont toute la trame s'inspire d'épisodes de l'*Odyssée*.

Les allusions à Homère ou à d'autres auteurs classiques — Isocrate, Euripide (cité sous le nom de Pindare) ou Platon — ne sont d'ailleurs pas rares dans l'ensemble de cette correspondance, non moins que celles au vieux fonds d'anecdotes et de proverbes transmis par la *paideusis* de cette époque. On y rencontre pareillement les thèmes et les lieux communs de l'épistolographie grecque, eux aussi acquisition scolaire[1]. Et même si Grégoire, qui peut s'autoriser en cela d'illustres exemples[2], dépasse bien souvent la mesure d'une lettre, il sait quand il le faut s'en tenir à la brièveté que requiert le genre. Il sait aussi composer ses lettres selon les règles : citation ou anecdote dans l'exorde (celui-ci étant parfois assez long), passage au point principal (souvent marqué par une formule interrogative stéréotypée du type : que veut dire ce prélude ?)[3], conclusion brève et qui prend volontiers la forme d'une sentence (cf. *Lettres* 7-14, 27). Sur ce point cependant, comme on l'a dit, le corpus tel qu'il nous a été conservé offre une assez grande diversité, Grégoire y faisant preuve d'une certaine liberté dans sa mise en œuvre d'un genre littéraire.

C'est ainsi par exemple que, comme d'autres épistoliers antiques, le Nysséen a laissé des lettres qui ne sont rien

---

1. Cf. l'étude de K. THRAEDE, *Grundzüge griechisch-römischer Brieftopik*, München 1970.

2. Ainsi Libanios lui-même, écrivant à un correspondant : μέτρον ποιοῦμαι τὴν χρείαν, ma mesure, c'est le besoin, l'opportunité (*Epist.* 314, 1). C'est d'ailleurs un véritable lieu commun que de s'excuser parce qu'on a dépassé la mesure théorique d'une lettre. Ajoutons que pour Grégoire le modèle peut être l'apôtre Paul, ainsi dans la *Lettre* 17, véritable lettre pastorale.

3. Sur cette formule fréquente chez Grégoire, cf. p. 84, n. 1.

d'autre que de longues descriptions, des *ecphraseis* — un procédé très en honneur parmi les représentants de la seconde sophistique. D'autres exemples de ce procédé, on le sait, ne sont pas rares dans l'ensemble de son œuvre[1], et on en trouve plusieurs de quelques lignes dans diverses lettres — *ecphrasis* sur l'orage dans la *Lettre* 6, sur le printemps dans les *Lettres* 10 et 12, sur le portrait exécuté par un peintre dans la *Lettre* 19. Mais la *Lettre* 20 n'est rien d'autre que la longue description d'une villa rurale de Cappadoce dont Grégoire a été l'hôte. Il l'adresse au propriétaire de cette villa, non pas évidemment pour lui faire connaître quelque chose qu'il ignorerait, mais pour lui offrir un morceau de pure littérature. Pasquali a bien montré[2] qu'il y utilise un schéma que l'on retrouve ailleurs : après avoir assuré qu'aucun des lieux célèbres dont il a lu les descriptions chez les anciens ne vaut celui dont il va parler, il passe à sa description, qu'il organise autour de deux thèmes : les beautés de la nature et celles que l'art y a introduites. Cela nous vaut donc une description du fleuve, puis de la montagne et de la végétation qui s'étage sur ses flancs, puis celle des bâtiments, des jardins et de leurs aménagements (verger, piscine, maison à portique), enfin du repas auquel l'ont convié les administrateurs de la demeure. Tout cela est agrémenté des ornements littéraires et stylistiques que l'on peut attendre d'un rhéteur. Rien ou presque ne laisse supposer ici qu'il s'agit d'un texte dû à un chrétien, encore moins à un évêque. La *Lettre* 25 est également une *ecphrasis,* mais un peu différente : c'est d'un martyrium en projet qu'elle fait la description ; celle-ci, d'autre part, n'est pas gratuite, car elle doit permettre à son correspon-

---

1. Cf. L. Méridier, *L'influence de la seconde sophistique*, p. 139-142 ; E. Marotta, «Similitudini ed ecphraseis nella Vita S. Macrinae di Gregorio di Nissa», *Vetera Christianorum* 7, 1970, p. 265-284.

2. Pasquali, *Le lettere*, p. 125-126.

dant d'apprécier le nombre et la qualification des ouvriers qu'il convient d'envoyer pour réaliser cette construction. Encore peut-on remarquer que Grégoire dit qu'en l'écrivant il a voulu amuser, distraire son correspondant; de plus, sa description d'un édifice qui n'existe pas encore, si elle est de caractère assez technique, n'en est pas moins faite dans un style particulièrement soigné.

Cette préoccupation littéraire se retrouve dans l'ensemble de la correspondance. Relevons-en brièvement deux aspects, d'ailleurs souvent étudiés chez Grégoire : l'abondance des comparaisons et des métaphores, l'utilisation de procédés, de recettes rhétoriques, pour donner de l'éclat à son style.

Métaphores et images abondent, intégrées à l'occasion dans des comparaisons que le rhéteur file longuement — et parfois bien lourdement. Grégoire emprunte à tous les domaines : très souvent, le plus souvent peut-être, à la nature, dont on sait qu'il a un sentiment assez vif : le soleil (*Lettre* 3, § 14), le jour et la nuit (4), le printemps (10, § 1 ; 12, § 1), le gel (12, § 3), la source (17, § 27 ; 19, § 10), les canaux d'irrigation (17, § 4), les fleurs (10, § 1 — la rose : 28, § 1-2), les oiseaux (10, § 1 ; 21), le serpent (3, § 6-7) — autant de réalités qui lui servent à exprimer aussi bien ses propres sentiments que la situation des églises, voire l'économie du salut. Nombreuses aussi les comparaisons empruntées aux métiers : le spirituel qui prend l'évangile pour règle est comparé à l'artisan qui redresse un objet tordu (2, § 1), l'évêque est comparé au pilote d'un navire (17, § 19-20 — comparaison classique), les adversaires de Grégoire à différentes catégories de guerriers (18, § 7). La littérature lui fournit son lot : il se compare à Laërte arbitrant la lutte entre Ulysse et Télémaque, assimile Nysse à Ithaque (11, § 6), ses adversaires de Sébastée à des personnages néfastes de l'histoire ou de la mythologie (19, § 18)... Il est capable, à partir d'une situation accidentelle, de filer des métaphores assez subtiles, ainsi dans ce passage

de la *Lettre* 3, § 2 où il décrit les progrès du véritable
spirituel à partir d'une évocation des lieux saints qu'il a
visités à Bethléem et Jérusalem, tout en truffant son texte
d'allusions scripturaires.

Mais Grégoire use aussi d'autres figures que la comparaison ou la métaphore pour donner de l'éclat à son style. On
trouve chez lui l'hyperbole, ainsi dans la *Lettre* 1, § 19,
lorsqu'il exprime l'indignation que lui cause la conduite
d'Helladios, ou dans la *Lettre* 20, lorsqu'il décrit les
insurpassables beautés du domaine de campagne qu'il
vient de visiter. Il sait user de l'ironie, ainsi lorsqu'il
compare la maison où réside Helladios à un temple, et la
chambre où il se trouve au saint des saints (*Lettre* 1, § 12).
On rencontre encore le procédé plus artificiel qu'est la
paronomase, et sous ses diverses formes — rapprochement
de termes analogues : τοιαῦτα καὶ τοσαῦτα (*Lettre* 20, § 4),
redoublements : ἄδικον καὶ ἀπροφάσιστον (1, § 1), ἄρριζον καὶ
ἀφύτευτον (1, § 4), ἀνεπίμικτον καὶ ἀσύγχυτον (2, § 5), ποικίλη
καὶ πολυειδής (3, § 6), etc., liaison du simple et du
composé : οὐδεὶς οὐδέποτε (17, § 2), πολλὰ πολλάκις (25,
§ 16). Les allitérations, comme toujours chez Grégoire,
sont très nombreuses. Grégoire utilise aussi largement les
procédés de la prose d'art, en particulier les formules
symétriques ou antithétiques, souvent relevées par l'ho-
méotéleute. Je me contente de relever quelques exemples
dans la *Lettre* 2, dont on sait pourtant qu'elle s'adresse à
des moines. On y trouve ainsi :

— des parisons, avec symétrie des mots :

    ὅπου μολύνεται μὲν ἀκοή,
        μολύνεται δὲ ὀφθαλμός,
        μολύνεται δὲ καρδία (2, § 7)

— des antithèses, elles aussi symétriques :

    ἐκδημεῖν ἀπὸ τοῦ σώματος πρὸς τὴν κύριον
        καὶ μὴ ἀπὸ Καππαδοκίας εἰς Παλαιστίνην (2, § 18)
    κατὰ τὴν ἀναλογίαν τῆς πίστεως
        οὐ κατὰ τὴν ἀποδημίαν τὴν ἐν Ἱεροσολύμοις (2, § 19)

— des homéotéleutes :

περὶ ὧν... ὑπεβάλομεν,
περὶ τούτων καὶ συμβουλεύομεν (2, § 14)
τὴν ἐκ νεκρῶν ἐξανάστασιν... ἐπιστεύσαμεν,
καὶ τὴν εἰς οὐρανοὺς ἀνάβασιν... ὡμολογήσαμεν
(2, § 15).

Ajoutons que le vocabulaire des *Lettres* est particulièrement riche, avec force termes composés, mots rares et
poétiques, hapax (ils seront signalés dans les notes). Il faut
enfin relever les clausules rythmiques à la fin des phrases.
On consultera sur ce point l'étude toute récente de
C. Klock, qui offre une analyse précise du rythme de
plusieurs textes de Grégoire, en même temps que les règles
à suivre pour mener à bien une telle analyse[1].

3. L'homme

Malgré les contraintes que lui impose le genre littéraire,
la correspondance des Anciens est généralement un
document qui nous éclaire davantage sur leur personnalité
que le reste de leur œuvre. Celle de Grégoire n'échappe pas
à cette règle, bien qu'on n'en possède qu'un choix très
limité et qui compte des textes tout à fait impersonnels.
Elle nous révèle quelques facettes du caractère de ce
personnage assez secret, qui confirment pour une part ce
que nous connaissons par ailleurs.

Basile nous a laissé en effet, dans sa propre correspondance, quelques appréciations sur son cadet. A plusieurs
reprises il se plaint de sa naïveté (χρηστότης), de sa
simplicité (ἁπλότης)[2], concrètement de son manque de sens
politique ; il mentionne dans une lettre, en le rattachant au
trait précédent, son caractère fier, « étranger à une flatterie

---

1. Cf. Klock, *Untersuchungen zu Stil* (1986), passim.
2. Basile, *Epist.* 58 (I, p. 145-146) ; 60 (p. 151) ; 100 (p. 219).

indigne d'un homme libre[1]». La *Lettre* 1 illustre bien ce
dernier jugement : Grégoire, que son métropolitain Helladios a très mal reçu lors d'une visite, y manifeste à
plusieurs reprises combien sa fierté en a été blessée. Il ne
peut supporter l'outrage fait à un homme libre —
entendons de naissance libre (§ 17,35), à un homme de son
niveau social et culturel (§ 32) et de sa dignité ecclésiastique (§ 30). C'est à la fois l'aristocrate et l'évêque qui
s'indignent de ne pas avoir été traités avec les égards dus à
leur rang. Mais on peut justement se demander si, en la
circonstance, Grégoire n'a pas fait preuve aussi de cette
absence de réflexion que lui reprochait son frère. Informé
des mauvaises dispositions d'Helladios à son égard, il a
souhaité tout de suite crever l'abcès et s'est rendu sans
tarder auprès de lui. N'aurait-il pas été plus opportun, ou
plus habile, de préparer une telle rencontre ? On a là, à
tout le moins, un signe de l'inexpérience (ἄπειρον) dont
parlait Basile. D'autres lettres montrent que Grégoire était
sans doute moins doué pour la politique ecclésiastique que
pour la spéculation théologique : la *Lettre* 3 révèle que sa
mission de médiation à Jérusalem a suscité de vives
oppositions, et sans doute échoué ; les lettres rattachées au
séjour de Sébastée, qu'il y a été durement contesté ; quant
à la *Lettre* 17, adressée à l'église de Nicomédie, il ne semble
pas qu'elle ait obtenu les résultats qu'il en escomptait.
Cette correspondance donne finalement l'impression d'un
homme conscient de sa valeur et du rôle qu'il a à jouer
dans la société de son temps, mais peu disposé aux
compromis, voire aux prudences politiques que lui impose
sa situation.

Un autre aspect du caractère de Grégoire apparaît dans
ces lettres : son extrême sensibilité. Elle se manifeste tout
d'abord dans les sentiments d'amitié qu'il adresse à ses

1. *Ibid.* 215 (II, p. 207).

correspondants (cf. *Lettres* 8, § 1 ; 12, § 5 ; 18, § 2-3), encore qu'il s'agisse là de lieux communs de l'épistolographie dont il est difficile d'apprécier la portée réelle[1]. Mais Grégoire sait exprimer avec conviction la joie que lui procurent les lettres de ses amis (cf. *Lettres* 10, 11, 12 ...) ou celle qu'il attend de sa rencontre avec eux. Par ailleurs, et plus souvent encore, il manifeste dans ses lettres de l'indignation ou de la tristesse. Ces sentiments sont provoqués ici par la conduite d'Helladios à son égard (1, § 27-28), là par le spectacle des méfaits qui se commettent dans les lieux saints de Palestine (2, § 10 ; 3, § 5), chez les habitants de Nysse (11, § 6) ou ceux de Sébastée (18, § 6-8). Grégoire s'afflige encore des malheurs qui l'accablent dans cette dernière cité : l'éloignement de Nysse (18, § 5), la surveillance dont il est l'objet (18, § 9-10) ; il s'attriste des malheurs de l'Église et des mœurs de ses représentants (16, § 1-2 ; 17, § 20) ; il s'indigne des attaques portées contre son frère par Eunome (29, § 4). Ajoutons qu'à plusieurs reprises il porte sur le monde un regard très sombre, insistant sur le mal qui y est à l'œuvre et la malignité des hommes (1, § 3 ; 2, § 10 ; 3, § 4 ; 11 ; 12 ; 16 ; 18). Il reste qu'il sait dominer extérieurement ces sentiments violents et se montrer patient et d'humeur égale (29, § 5), même lors de sa rencontre difficile avec Helladios (1, § 21) — on retrouve ici le souci de tenir son rang, de jouer le rôle qu'on attend de lui. Mais sous cette apparence paisible, Grégoire est évidemment un passionné. D'une autre manière sans doute, son œuvre tout entière nous disait la même chose.

---

1. Sur les *topoi* épistolaires concernant l'amitié, les plus prisés, cf. les développements de M.-A. Calvet et P.-L. Gatier dans *Firmus de Césarée, Lettres* (*SC* 350), Paris 1989, p. 27-30.

CHAPITRE II

LA TRANSMISSION DU TEXTE[1]

Comme on l'a fait remarquer au début du chapitre précédent, la transmission du texte des *Lettres* manifeste bien le caractère hétérogène de la correspondance de Grégoire. Il n'existe un corpus constitué en tant que tel que pour les lettres 4 à 30, et encore ce corpus n'est-il pas identique dans les trois manuscrits qui le transmettent — toutes les lettres n'y sont pas et elles ne s'y trouvent pas dans le même ordre ; certaines lettres, d'autre part, se retrouvent dans d'autres corpus. Les *Lettres* 1, 2 et 3, en revanche, ont chacune une tradition manuscrite propre.

1. La lettre 1

Cette lettre a la particularité de nous être parvenue uniquement dans des manuscrits des lettres de Grégoire de Nazianze[2], qui sont bien connus grâce à l'étude de Paul

---

1. À l'orée de ce chapitre, je dois des remerciements à tous ceux qui m'ont permis de le mener à bien : aux diverses bibliothèques où j'ai pu consulter des manuscrits des *Lettres* ou qui m'en ont communiqué copie, à l'Institut de Recherche et d'Histoire des Textes, où j'ai pu lire les copies de plusieurs (en particulier du *Patmensis 706*), au Prof. A. Argyriou, de l'Université de Strasbourg II, qui m'a procuré deux copies de manuscrits d'Athènes, à M. J.-M. Salamito, élève de l'École Française de Rome, qui a lu pour moi le *Vallicellianus 62*.

2. Deux manuscrits du xviie siècle font exception, mais cela s'explique puisque la lettre avait déjà été éditée parmi les œuvres de Grégoire de Nysse.

Gallay[1]. Ces manuscrits se répartissent en six familles, dont l'éditeur de ces *Lettres* a soigneusement étudié les rapports et établi la généalogie. La *Lettre* 1 de Grégoire de Nysse ne se trouve, en fait, que dans les manuscrits les plus complets des deux premières familles, celles que Gallay appelle **u** et **v**. On l'y rencontre, d'autre part, à une place particulière, en fin de recueil, avec des lettres d'authenticité douteuse ou des lettres de Basile. De plus, en marge des deux manuscrits principaux de la première famille, une scholie contemporaine de la copie déclare que «cette lettre est de Grégoire de Nysse, non du Théologien». L'indication de ces manuscrits a été généralement entérinée par la critique : lorsque la lettre a été éditée pour la première fois, elle l'a été parmi les œuvres de Grégoire de Nysse[2], et pendant plus de trois siècles cette attribution n'a fait l'objet d'aucune contestation. Aussi Pasquali l'a-t-il reprise sans problème dans son édition des *Lettres* de Grégoire. L'ancienne attribution pourtant est réapparue voici quelques décennies, défendue par E. Honigmann dans un mémoire posthume publié en 1961, reprise et étayée par P. Devos[3]. L'éditeur de Grégoire de Nazianze, Paul Gallay, l'adopta et inséra donc la lettre dans son édition de la correspondance de celui-ci[4]. Malgré quelques avis discordants, tel celui de J. Daniélou[5], cette attribu-

---

1. Paul GALLAY, *Les manuscrits des Lettres de Grégoire de Nazianze*, Paris 1957 *(Collection d'Études Anciennes)*.

2. Cf. en fin de section la liste des éditions de la lettre.

3. HONIGMANN, *Le concile de Constantinople de 394* (1961), p. 32-34 ; DEVOS, *Saint Grégoire de Nazianze* (1961), p. 91-101.

4. *Gregor von Nazianz. Briefe*, herausgegeben von Paul GALLAY, Berlin 1969, p. 177-183 *(Die Griechischen Christlichen Schriftsteller der ersten Jahrhunderte) ; Saint Grégoire de Nazianze. Lettres*, Tome II. Texte établi et traduit par Paul GALLAY, Paris 1967, p. 139-148 *(Collection des Universités de France)*.

5. J. DANIÉLOU, *Chronologie des œuvres* (1966), p. 164-165. Cf. aussi STAATS, *Das Bischofsamt* (1973), p. 153, n. 2.

tion ne suscita pas vraiment la contradiction pendant quelques années, mais coup sur coup trois articles, élaborés de manière totalement indépendante, ont défendu la thèse traditionnelle[1]. Leurs arguments se recoupent ou s'additionnent pour montrer que l'attribution à Grégoire de Nysse est bien fondée, alors que celle à Grégoire de Nazianze est beaucoup plus difficile à défendre. Le commentaire reviendra sur les principaux arguments ; j'en retiens ici la conclusion : l'attribution ferme au Nysséen.

Dans son édition des *Lettres,* Pasquali donnait de quelques-uns des manuscrits de cette lettre une description détaillée ; il ne cherchait pas toutefois à les classer en familles[2]. La liste ci-dessous compte quelques manuscrits supplémentaires. Je cite tout d'abord ceux qui appartiennent nettement aux familles distinguées par Gallay, puis ceux qu'on ne peut leur rattacher avec la même précision[3].

Famille u :

M : *Cod. Marcianus Venetus gr. 79,* membr., XIe s., ff. 73[v]-77[v][4].

---

1. P. MARAVAL, *L'authenticité de la Lettre 1* (1984) ; B. WYSS, *Gregor von Nazianz* (1984) (l'auteur a pu ajouter une page où il déclare son accord global avec mon article) ; C. KLOCK, « Ueberlegungen zur Authentizität des ersten Briefes Gregors von Nyssa » (communication au 9e Congrès international de patristique d'Oxford en 1983, comme mon article, mais pas encore publiée). P. Devos (lettre d'octobre 1983) et P. Gallay (lettre de septembre 1984) m'ont déclaré être d'accord avec la thèse défendue dans mon article.

2. Cf. PASQUALI, *Praef.*, p. XXIII.

3. Gallay a donné aux manuscrits des sigles complètement différents de ceux que Pasquali avait retenus dans son édition (ce qu'on ne saurait lui reprocher puisqu'il éditait, pensait-il, un ensemble de lettres de Grégoire de Nazianze). J'ai repris ici les sigles de Pasquali pour faciliter la comparaison avec son édition.

4. Description du manuscrit dans PASQUALI, *Praef.*, p. XI-XIV et GALLAY, *Les manuscrits*, p. 18-22 (il l'appelle Y). Pasquali retenait la datation d'A. M. ZANETTI, *Graeca D. Marci Bibliothecae Codicum manuscriptorum per titulos digesta*, Venetiis 1740, p. 55, et l'assignait

S : *Cod. Mutinensis Estensis 229,* chart., XIᵉ s.[1].

Cod. Neapol. Borbonicus 217 (III A 14), membr., XIVᵉ s., f. 198[2].

Cod. Parisinus gr. suppl. 334, chart., XVIᵉ s., ff. 200-204[3].

Cod. Vaticanus gr. 700, chart., XVIᵉ s., ff. 93ᵛ-98[4].

Cod. Vaticanus gr. 1220, chart., XVIᵉ s., ff. 62-78[5].

Cod. Ottobonianus gr. 6, chart., XVIᵉ s.[6].

Cod. Berolinensis 66, chart., XVIᵉ s.[7].

M et S, qui seuls sont retenus dans l'apparat, ont des rapports très étroits : Gallay pense que «leurs origines sont

donc au XIIᵉ s. Gallay le date du XIᵉ, comme le nouveau catalogue de la Marcienne : *Bibliothecae Divi Marciani Venetiorum Codices Graeci manuscripti* rec. E. MIONI, Vol. I, Roma 1981.

1. Sur ce manuscrit inconnu de Pasquali, cf. GALLAY, *Les manuscrits*, p. 22-24 (il ne détaille pas le contenu des folios, pas plus que ne le fait le catalogue de cette bibliothèque publié dans les *Stud. Ital. di Filol. Class.* 4, 1896).

2. Description dans GALLAY, *Les manuscrits*, p. 28 (il n'y signale pas la lettre 1). La lettre est accompagnée, dans ce manuscrit, d'une remarque du scribe sur son contenu et son style (le texte en est reproduit dans *Gnomon* 3, 1927, p. 463).

3. Ce manuscrit semble un apographon de M, dont il reproduit fidèlement toutes les leçons propres (dont la scholie marginale sur l'auteur). On peut même noter qu'il reproduit de manière tout à fait absurde M¹ et M² : il a ainsi 4 επιυπονοειται, 63 επιχατα, 83 απεναντιασον !

4. Cf. GALLAY, *Les manuscrits*, p. 26.

5. La lettre à Flavien est placée entre la lettre à Simplicia et celle à Libanios. Parmi les manuscrits de cette famille énumérés par Gallay, mais sans qu'il détaille leur contenu, se trouve encore le *Cod. Athous Magn. Laur. Λ 198*, chart., XVᵉ s. (GALLAY, *Les manuscrits*, p. 25).

6. Cf. GALLAY, *Les manuscrits*, p. 26. Gallay ne précise pas à quelles pages du manuscrit se trouve la lettre ; le catalogue des *Ottoboniani graeci* non plus.

7. Cf. GALLAY, *Les manuscrits*, p. 26 *(olim Philippicus 1470)*. En revanche, la lettre ne se trouve pas dans le *Cod. Barberinianus 561*, contrairement à ce que semble dire Gallay.

assez proches l'une de l'autre[1]». Il est même remarquable
de constater que, dans notre lettre, une deuxième main a
corrigé dans l'un et l'autre les mêmes leçons (l. 4
ὑπονοεῖται, 23 ἐπηγγέλλετο, 45 Ἀνδαημονοῖς, 60 ἐπί, 83 ἀπε-
νάντιον). Ce sont deux manuscrits de première importance
pour l'établissement du texte.

Famille v :

G : *Cod. Laurentianus Med. IV, 14,* membr., xe s., ff. 81-
85^{v2}.

B : *Cod. Londiniensis Mus. Brit. add. 36749,* membr., fin
x^e-xie s., ff. 114-121^{v3}.

G et B, eux aussi, sont des manuscrits tout à fait
proches, sans toutefois qu'on puisse dire que le plus récent
a été copié sur le plus ancien. Gallay le montre à partir de
différentes leçons empruntées à tout le corpus[4]. L'examen
de celles de cette seule lettre le confirme, G présentant
plusieurs leçons qui ne se retrouvent pas dans B (3 μῖσος
om. G *hab.* B, 50 αὐτός τε G αὐτός B, 72 γινομένης G
γενομένης B, 83 λοίπον G ἡμᾶς B, 107 ἐθέλη G ἐθέλειν B,
183 πλήν *om.* G *hab.* B — sans parler des différences entre
G^1 et B).

Les autres manuscrits qui contiennent la lettre sont bien
rattachés par Gallay à l'une ou l'autre des familles ci-
dessus, mais ce rattachement est moins net. Gallay l'a
d'ailleurs remarqué dans son étude[5], et dans son édition il
a placé les leçons de quelques-uns d'entre eux après
seulement celles des deux familles bien caractérisées (MS et
GB, chez lui YM et LA). On peut constater d'ailleurs que

1. Cf. GALLAY, *Les manuscrits,* p. 22.
2. Description du manuscrit par PASQUALI, *Praef.,* p. XV-XVI ;
GALLAY, *Les manuscrits,* p. 31-34.
3. Description par PASQUALI, *Praef.,* p. XVI-XVIII ; GALLAY, *Les
manuscrits,* p. 34-36.
4. GALLAY, *Les manuscrits,* p. 35-36.
5. *Ibid.* p. 27 (pour D) et 44 (pour E).

les leçons de ces manuscrits se rattachent aussi bien à l'une
qu'à l'autre, quand elles ne sont pas originales. Voici la
liste de ces manuscrits, dans l'ordre chronologique :

A : *Cod. Angelicus C 14,* membr., XIᵉ s., ff. 146-153ᵛ[1].

E : *Cod. Laurentianus Conv. Soppr. 627,* chart., XIIIᵉ s.,
    ff. 138-140[2].
    Cod. Marcianus gr. Append. class. XI, 5, chart., XIVᵉ s.,
    ff. 88-91[3].

D : *Cod. Vaticanus gr. 435,* chart., XIIIᵉ s., ff. 175ᵛ-177ᵛ[4]
    Cod. Scorialensis 142 (T II 3), chart., XVIᵉ s., ff. 73ᵛ-
    77[5].
    Cod. Parisinus gr. 1405, chart., XVIᵉ s., ff. 219-222ᵛ[6].
    Cod. Bodleianus Misc. 38, chart., 1547, ff. 191ᵛ-195[7].
    Cod. Ottobonianus gr. 44, chart., XVIIᵉ s., ff. 55-57ᵛ[8].
    Cod. Urbinas gr. 10, chart., XVIIᵉ s., ff. 190-194ᵛ[9].

---

1. Description par Pasquali, *Praef.,* p. XVIII-XIX ; Gallay, *Les
manuscrits,* p. 40-44. Le premier l'appelle *Angelicanus 13,* qui est son
numéro de catalogue, mais C 14 est son numéro de bibliothèque.

2. Description par Pasquali, *Praef.,* p. XIX-XX ; Gallay, *Les
manuscrits,* p. 44-46.

3. Ce manuscrit n'est pas signalé par Pasquali : cf. Gallay, *Les
manuscrits,* p. 45-47.

4. Description par Pasquali, *Praef.,* p. XX-XXIII ; Gallay, *Les
manuscrits,* p. 27.

5. Ce manuscrit est une copie de A : Gallay, *Les manuscrits,*
p. 43-44.

6. *Ibid.,* p. 46-47. J'ai lu ce manuscrit, qui dépend de E, dont il
reprend presque toutes les leçons propres, mais sans rien apporter de
nouveau.

7. J'ai lu également ce manuscrit, qui reproduit la plupart des
leçons propres de E, avec quelques leçons originales. Il a été corrigé, à
plusieurs reprises, en marge ou au-dessus du texte, avec des leçons de
M ou S ; il est également très proche du manuscrit qui a servi à
l'édition de 1615.

8. Ces deux manuscrits du XVIIᵉ ont cette lettre dans des
manuscrits d'œuvres de Grégoire de Nysse ; dans l'*Urbinas 10,* elles
précèdent les lettres 2 et 3. On pent penser que ce manuscrit au moins
est postérieur à l'édition des *Opera omnia* de Grégoire en 1615 (et
peut-être dépend d'elle).

9. Cf. Pasquali, *Praef.,* p. XXVIII-XXIX.

A ces manuscrits il convient d'ajouter celui qui a servi pour l'*editio princeps* de la lettre en 1615, qui est très proche de E.

Cette lettre de Grégoire a été publiée par trois éditeurs successifs :

— Fronton du Duc, in *Beati Gregorii Nysseni Episcopi fratris Basilii Magni Opera quae extant, graece et latine ...* Parisiis, ap. Cl. Morellum, 1615. Le texte grec est accompagné d'une version latine due à Ioannes Leunclavius (Lewenklaj), qui suppose à plusieurs reprises un texte grec légèrement différent de celui qu'elle accompagne. Elle a d'ailleurs été imprimée pour la première fois à Bâle en 1571, dans la première édition latine des œuvres de Grégoire de Nysse.

Cette édition sera reproduite dans les *Opera omnia* de Grégoire publiées en 3 volumes en 1638 par Aegidius Morel, qui serviront de base à la *Patrologie Grecque* de Migne.

— Giorgio Pasquali, in *Gregorii Nysseni Opera...,* vol. VIII, pars II, Berlin 1925, p. 1-10, Leiden ²1959, p. 3-12 (la deuxième édition est exactement semblable à la première, avec simplement une pagination différente).

— Paul Gallay, in *Gregor von Nazianz, Briefe,* Berlin 1969 *(Die Griechischen Christlichen Schriftsteller der ersten Jahrhunderte),* p. 177-183 et *Saint Grégoire de Nazianze, Lettres, II,* Paris 1967 *(Collection des Universités de France),* p. 139-148.

Pour cette lettre 1, je reproduis le texte de Gallay, qui reprend du reste, à une leçon près, celui de Pasquali. L'apparat repose, pour les manuscrits MS, GB, A, sur la relecture qu'en a faite Gallay, qui corrige quelques erreurs de Pasquali. J'ai relu de mon côté D et E (non relus par Gallay), ainsi que l'édition de 1615, ce qui m'a amené à corriger sur quelques points l'apparat du dernier éditeur.

2. La lettre 2

Cette lettre, à laquelle son contenu valut un procès d'authenticité à l'époque de la Réforme[1], nous est transmise par de très nombreux manuscrits. Pasquali en recensait 28 : j'en ai repéré sept de plus, dont deux où elle n'est transmise que fragmentairement. Ajoutons que le manuscrit sur lequel repose l'*editio princeps* (reprise dans la *Patrologie Grecque*), n'est toujours pas connu[2]. Pasquali avait négligé les manuscrits du xvie et du xviie siècles, après avoir vu cependant ceux d'Italie et de la Bodléienne[3]. Mais P. Canart a récemment mis en évidence l'intérêt d'un manuscrit tardif, le *Cod. Vaticanus graecus 1759* (xvie-xviie s.) et suggéré qu'il serait utile de reprendre la collation des manuscrits négligés[4]. J'ai tenté de répondre à ce vœu en examinant tous les manuscrits de cette lettre.

Parmi les manuscrits qu'il retient pour son apparat critique, l'éditeur florentin distingue deux familles : ΟΤϹΠ, ΜΗΧΦ, tout en plaçant un peu à part le manuscrit K, vu son inconstance. Les deux familles ainsi distinguées sont d'ailleurs, comme il le remarque, assez inconstantes elles-mêmes. Le réexamen attentif des leçons de tous ces manuscrits et de quelques autres amène à nuancer un peu

---

1. Sur ce débat, cf. P. MARAVAL, *Une controverse* (1986). Les arguments avancés alors contre l'authenticité, dont on trouve encore l'écho dans la dissertation de Gretser reproduite dans la *PG* 46, 1223-1238, ne méritent plus d'être pris en considération.

2. Ce manuscrit semble avoir été très proche de O *(Paris. gr. 1268)*, quoique au moins quatre leçons soient différentes : l. 18 θέλειν, 38 εὐσχημοσύνης, 65 τοσάδε, 88 συσκεψόμενος (s'agirait-il de conjectures du premier éditeur?).

3. Cf. PASQUALI, *Praef.*, p. XXX.

4. P. CANART, *Recentissimus*, p. 728. Le seul manuscrit que je n'aie pas lu est le *Cod. Urbinas 10*, chart., xviie s., ff. 194v-197r.

cette présentation, sans permettre pourtant véritablement de dresser un stemma. Il me semble en effet qu'on peut introduire entre deux familles assez nettement distinctes, COT et MHXΦ, une famille intermédiaire KΠ, empruntant tantôt à l'une, tantôt à l'autre, mais présentant aussi ses caractères propres.

L'examen des leçons de K et de Π montre en effet que, malgré leurs différences, ces deux manuscrits s'accordent sur plusieurs leçons qui leur sont propres. Ce sont : l. 11 ἐπανῃρημένοι, 14 ἔχει, 69 πορνεῖαι, 71 τὸ om., 114 πλήρεις, 121 προβάλλοιτο, 126, 128 ἐγένετο. Certes, ils partagent des leçons avec COT : 9 τούτοις, 66 πλέον, 105-106 ἐλαιῶν ἰδεῖν, ou du moins avec OT : 56 γινόμενος. Ils en partagent d'autres avec HMXΦ, ou du moins avec trois d'entre eux : 29 οὐκέτι, 42 ἐπί, 109 Θεόν, 126 οὖν hab. Il me semble donc qu'on doit plutôt considérer ces manuscrits, qui par ailleurs surabondent en leçons propres, comme une famille intermédiaire entre celles qui regroupent COT d'une part, HMXΦ de l'autre.

La plupart des manuscrits du xvie siècle connus de Pasquali, ainsi que des manuscrits nouveaux que j'ai repérés, rentrent assez bien dans ce schéma, bien qu'eux aussi fassent preuve d'inconstance et de contaminations. Je propose donc ci-dessous un tableau qui les regroupe selon ces trois familles (que j'appellerai **a, b, c**, la famille **b** étant la famille intermédiaire). Comme je n'ai pas retenu dans mon apparat critique les leçons de tous ces manuscrits, je me contenterai de justifier brièvement en note, pour ceux qui ont été négligés, les raisons de mon choix. Quelques manuscrits pourtant échappent à ce schéma : comme le dit Pasquali, ils volettent de famille en famille ; je les ai donc regroupés ici dans une famille «mixte» (il faudrait dire : plus mixte que les autres).

Famille a :

C : *Cod. Paris. Bibl. Arsenal 234*, membr., xie s., ff. 274-275[v1].

O : *Cod. Paris. gr. 1268*, membr., xiie s., ff. 293[v]-295[v2].

T : *Cod. Taurinensis 71*, bombyc., xive s., ff. 199[v]-200[v3].

Cod. Scorialensis gr. 578, chart., xvi[e] s., ff. 271-279[4].

Cod. Salmanticensis 2728 (olim *Matritensis palat. reg.* 13), chart., xvi[e] s., ff. 281[v]-284.

Cod. Basileensis 38 (A III 8), chart., xvi[e] s., ff. 32-34[r].

Cod. Ottobonianus gr. 119, chart., xvi[e] s., ff. 253[v]-255[v].

Cod. Ambrosianus gr. 1044 (I 16 inf.), chart., xvi[e] s., ff. 111[v]-114[v5].

Cod. Bodleianus Canonicianus gr. 104, chart., xvie s., ff. 97[v]-99[v6].

Cod. Vallicellianus 62 (D 56), chart., xvie s., ff. 88-90[v7].

1. Description dans PASQUALI, *Praef.*, p. xxxvi.
2. *Ibid.*, p. xxxiv-xxxv.
3. *Ibid.*, p. xxxv.
4. Ce manuscrit, inconnu de Pasquali, se rattache nettement à la première famille ; il partage très souvent les leçons de COT, parfois celles de T seul, mais il a aussi une leçon propre assez particulière de Π (97 : συννηστευόντων τῷ κυρίῳ post πιθανή add.).
5. Ces quatre manuscrits dépendent étroitement de T, dont ils reproduisent toutes les leçons propres (1 πράγματος, 46 διαφέρει, 56 ὁ *om.*), ainsi que la plupart des leçons qu'il partage avec O (7 τά), C (11 καὶ ἰδιάζοντα *om.*, 42 ὑπό, 109 κν) ou K (111 οὐκ ἐργάζεται, 128 οἰκονομούντων).
6. Ce manuscrit, au demeurant très fautif (le copiste semble souvent ignorer le grec), a les leçons propres de la première famille, mais plus fréquemment encore, comme les manuscrits précédents, celles de T.
7. Ce manuscrit reproduit la plupart des leçons communes de COT.

Cod. Bodleianus inter Casauboni adversaria, chart., XVIᵉ s., ff. 122-124ᵛ[1].

Cod. Vaticanus gr. 1759, chart., XVIᵉ-XVIIᵉ s., ff. 8ᵛ-10ᵛ[2].

Famille b :

Π : t : *Cod. Thessalonic. Gymn. 1*, membr., XIIIᵉ s., f. 407ʳᵛ (incomplet)[3].

v : *Cod. Vindobonensis. theol. gr. 173*, chart., v. 1300, ff. 314-316[4].

l : *Cod. Laurentianus Med. IX, 20*, chart., XIVᵉ s., f. 75ᵛ, (incomplet)[5].

K : *Cod. Vaticanus gr. 1455*, chart., XIVᵉ s., ff. 177-179ᵛ[6].

Cod. Atheniensis Mus. byz. 117 (5487), chart., XIVᵉ s., 126ᵛ-135ᵛ.

Cod. Ambrosianus 1056 (I 91 inf.), chart., XVIᵉ s., ff. 109-112[7].

1. Ce manuscrit est très proche de la première famille, et plus spécialement de O, dont il reprend une leçon propre (50 πολλά). Ce n'est pourtant pas un apographon de O : il a des leçons propres (38 εὐσχημοσύνης, peut-être une correction, 81 τοίνυν pour οὖν, etc.) et des omissions ou adjonctions par rapport à O (80 ἀντί om., 105 ἰδεῖν om., 126 οὖν hab.).

2. C'est sur ce manuscrit que porte l'article de CANART, *Recentissimus* (1975) ; on y trouvera la liste de toutes ses leçons propres, avec des remarques d'ensemble sur l'édition de Pasquali. Il s'apparente à T (p. 723).

3. Description dans PASQUALI, *Praef.*, p. XXXVII-XXXVIII. Ce manuscrit ne contient que moins du tiers du texte (il cesse l. 43 avec καταγο).

4. Description dans PASQUALI, *Praef.*, p. XXXVII.

5. *Ibid.*, p. XXXVIII. Ce manuscrit contient quelques lignes de moins que t (il cesse l. 35 avec κατορθοῦται).

6. Description dans PASQUALI, *Praef.*, p. XLI-XLIII. C'est un «témoin d'une singulière inconstance».

7. Ces deux manuscrits, dont le premier est inconnu de Pasquali, dépendent de K, dont ils reproduisent les nombreuses leçons propres, la lacune aux l. 47-49 et les deux ajouts l. 120 et 133.

Famille c :

M : *Cod. Marcianus Venetus gr. 79*, membr., XIe s., ff. 306-308[1].

H : *Cod. Hierosolymitanus S. Sepulcr. 264*, chart., XIVe s., ff. 298-299[v 2].

X : *Cod. Parisinus gr. 1335*, bombyc., XIVe s., ff. 92-93[v 3].

Φ : f : *Cod. Laurentianus Med. LVIII, 16*, chart., XV[e] s., ff. 99-101[4].

b : *Cod. Londinensis Mus. Brit. Burneianus 75*, chart., XV[e] s., f. 176[5].

Cod. Lugdunensis Vulcanii 64, chart., XV[e] s., ff. 1-3[6].

Cod. Marcianus Venetus gr. 575, chart., XVe s. (1426), ff. 138[v]-139[v 7].

Cod. Alexandrinus Bibl. Patr. 288, chart., XVIe s., ff. 438-440[8].

Cod. Bodleianus Misc. 38, chart., XVIe s. (1547) ff. 138[v]-140[v 9].

Cod. Ottobonianus gr. 41, chart., XVIIe s., ff. 58-60[v 10].

1. Ce manuscrit contient également la lettre 1. Cf. *supra*, p. 55.
2. Description dans PASQUALI, *Praef.*, p. XXXVI.
3. *Ibid.*, p. XXXVI-XXXVII.
4. *Ibid.*, p. XXXII-XXXIII.
5. *Ibid.*, p. XXXIII-XXXIV.
6. Ce manuscrit partage généralement les leçons propres de la famille MHXΦ, bien qu'il ait au moins une leçon de CT (11 καὶ ἰδιάζοντα om.).
7. Ce manuscrit reproduit la plupart des leçons propres de X (2 καὶ περὶ, 18 θέλεις, 28 τὸν om., 38 ὁρμῶν, 102 παρθενίας).
8. Ce manuscrit inconnu de Pasquali partage beaucoup de leçons avec MHXΦ, quelques-unes avec Φ seul, mais il ne reproduit pas toutes les particularités de ce dernier.
9. Ce manuscrit reproduit le plus souvent les leçons de la famille MHXΦ ; en 26 il a une leçon de M (περὶ), en 107 de MΦ (κρίσει).
10. Ce manuscrit se rattache à la famille MHXΦ.

Famille mixte :

Cod. *Vaticanus gr. 713*, chart., XIIIe s., f. 292rv[1].
Cod. *Vaticanus gr. 840*, chart., XIVe s., ff. 1-2[2].

Ajoutons à cette énumération deux manuscrits qui ne contiennent que des fragments de la lettre. Le *Cod. Paris. Coislin. 122*, chart., XIVe s., au verso de son dernier feuillet (f. 415ᵛ), offre 16 lignes lisibles (bien qu'incomplètes) et les traces peu lisibles de 5 autres lignes : on y peut lire en partie les § 1-5 de la lettre. Selon ce manuscrit, la lettre est adressée à Grégoire le Théologien, donnée dont on retrouve l'écho déformé dans le titre des manuscrits vt : Lettre du Théologien à Grégoire de Nysse. Le *Cod. Bucarest gr. 624*, chart., XVIIe s., f. 1, en contient aussi quelques extraits.

Un nouveau manuscrit :

Pasquali faisait remonter tous les manuscrits connus à un archétype[3], car tous avaient les mêmes leçons dans plusieurs passages où une correction paraît nécessaire : l. 17-18 τί ἐστι τὸ διατεταγμένον τί θέλει ποιεῖν, ἑαυτοῦ, 38-39 ἡ τῆς ὁδοιπορίας ἀνάγκη ἀεὶ τὴν ἐν τούτοις ἀκρίβειαν καὶ, 75-76 ποίαν ἀπόδειξιν ἔχει τοῦ πλείονα χάριν εἶναι, 87-88 ὑποσχόμενος καὶ συσκεψάμενος, sans parler d'un θυσιαστήρια qu'il jugeait superflu l. 66 et d'un πρόσταγμα manquant l. 84. Mais un des manuscrits nouvellement repérés nous renvoie peut-être à un modèle qui lui serait antérieur, car il apporte dans plusieurs cas une leçon originale et qui est visiblement la meilleure. Il s'agit du codex auquel j'ai donné le sigle N, le :

Cod. *Marcianus Venetus VII, 38* (olim *Nanianus 154*), chart., XVIe s., ff. 258ᵛ-259.

---

1. Description dans PASQUALI, *Praef.*, p. XLIV-XLV, avec plusieurs des leçons propres de ce manuscrit.
2. *Ibid.*, p. XLIII-XLIV.
3. *Ibid.*, p. XXX-XXXI.

Ce manuscrit est difficile à situer dans une des trois familles ci-dessus décrites. S'il possède des leçons que l'on retrouve dans toutes les trois, il compte par ailleurs de très nombreuses leçons qui lui sont propres (dont un grand nombre d'inversions), et quelques-unes qu'on ne trouve que dans un ou deux autres manuscrits. Dans quatre cas, il est le seul témoin de la leçon authentique : à la l. 18, il est le seul à avoir la leçon ἑαυτῷ (correction proposée par Pasquali) ; à la l. 39, il nous fournit le mot qui manquait entre ἀκριβείαν et καί, le verbe παραθραύει (orthographié παραθράβει), verbe assez rare, dont on s'explique qu'il ait pu disparaître dans le manuscrit dont dépendent tous les autres ; à la l. 43, il a la bonne leçon δυσχωρίαις, plus précise que le δυσχερίαις de tous les manuscrits ; à la l. 54, sa leçon ὀφθαλμοῦ s'accorde mieux avec le reste de la phrase que l'ὀφθαλμῶν de tous les autres. Dans trois autres cas, il s'accorde avec un ou deux autres manuscrits pour donner la bonne leçon : l. 73 ὅσην (avec K contre tous les autres), 117 τοῦ habet (avec K et Vatic. 740 contre tous les autres), 121 προβάλλοιτο (avec KΠ contre tous) ; on pourrait encore citer la l. 69, où sa leçon (πορνεία) est proche de celle de KΠ (πορνεῖαι). J'ai donc intégré ce manuscrit dans l'apparat critique, bien qu'il en soit l'élément le plus récent.

Pasquali, en éditant cette lettre, l'a beaucoup corrigée ; il est vrai qu'elle possède plusieurs passages où le texte des manuscrits est peu satisfaisant. Je ne l'ai pas toujours suivi dans cette voie, ce qui m'a conduit en plusieurs cas à reprendre le texte — acceptable — du premier éditeur (et de tous les manuscrits) ; je m'en explique dans les notes pour les cas les plus importants. Les observations de P. Canart sur ce texte ont également retenu mon attention, même si j'ai adopté généralement une attitude plus conservatrice.

Les éditions de cette lettre ont été les suivantes :

— *Gregorii Nysseni de iis qui adeunt Hierosolymam, Opusculum,* Parisiis, apud Guil. Morelium, ad scholas

Coqueretias, 1551 (16 pages non paginées). Cette édition comporte le texte grec et une traduction latine anonyme[1].

Le texte grec en sera reproduit à plusieurs reprises :

— en 1558 (date probable), encore chez Guillaume Morel, mais cette fois avec une autre traduction latine également anonyme[2] ;

— en 1605 et 1606, à Paris chez Robert Étienne (III) puis à Hanau (Hanoviae, apud Claudium Mamium). Le texte grec de l'édition Morel est accompagné ici d'une nouvelle traduction latine, due à Pierre du Moulin (Petrus Molineus), pasteur réformé, de notes assez abondantes et d'un traité sur les pèlerinages. Ces publications sont à l'origine d'une querelle entre érudits catholiques et réformés.

— en 1615, en 1638 et dans la *Patrologie Grecque*, c'est le texte grec et la traduction latine de l'édition de 1551 qui sont repris. On leur adjoint en appendice les deux dissertations de J. Gretser contre les notes et les traités de P. du Moulin : *Notae in notis Petri Molinei Calvinistae super epistolam Nysseno adscriptam, de euntibus Hierosolymam* et *Examen Tractatus de Peregrinationibus ab eodem Molineo editi*, publiées en 1608 à Ingoldstadt chez Adam Sartorius.

— *Gregorii Nysseni Epistulae* edidit Georgio Pasquali, Berlin 1925, p. 11-17 et Leiden ²1959, p. 13-19.

---

1. Deux exemplaires en sont connus, l'un à la *Bibliothèque Sainte-Geneviève*, l'autre à la *California State Library* de Sacramento (cf. P. MARAVAL, *Une controverse*, p. 131, n. 4).

2. La date de cette édition n'est attestée que par H. MATTAIRE (*Annales typographici, III*, Amsterdam 1726, p. 597), mais les exemplaires connus ne portent pas de date. Cette édition n'est pas mentionnée dans M. ALTENBURGER/F. MANN, *Bibliographie zu Gregor von Nyssa. Editionen. Uebersetzungen. Literatur*, Leiden 1988, p. 281. Elle existe pourtant bel et bien, et la disposition typographique comme la traduction latine la différencient sans discussion de l'édition de 1551 : cf. P. MARAVAL, *Une controverse*, p. 132 et 142 (fac-similé de la première page du texte latin).

3. La lettre 3

Cette lettre a une tradition manuscrite assez pauvre. Un seul manuscrit relativement ançien la contient :

W : *Cod. Vindobonensis theol. gr. 35*, chart., xvᵉ s., ff. 17ᵛ-18ᵛ.

Ce manuscrit ne comporte par ailleurs que des textes de Grégoire de Nysse, dont il est dans chaque cas un témoin intéressant[1].

Les autres témoins du texte dépendent tous de celui-ci, mais par l'intermédiaire d'un manuscrit perdu (c), comme l'a montré Pasquali à partir de quelques exemples[2]. Ces manuscrits sont les suivants :

> *Cod. Londiniensis Br. Mus. Old Royal 16 D XI*, chart., xviᵉ s., ff. 361ᵛ-366.
>
> *Cod. Parisiensis gr. 1026*, chart., xviᵉ s., ff. 142-148.

(Q) : *Cod. Parisiensis gr. 583,* chart., xviᵉ s., ff. 6ᵛ-11[3].

> *Cod. Bodleianus inter Casauboni adv. 11*, chart., xviᵉ s., ff. 124ᵛ-125ᵛ[4].
>
> *Cod. Urbinas gr. 10*, chart., xviiᵉ s., 197ᵛ-201ᵛ.

La première édition de ce texte, due à l'humaniste Isaac Casaubon, reposait de son côté sur un manuscrit non identifié, mais qui dépendait lui aussi de W[5].

---

1. Cf. *GNO* 3/1, p. xxi-xxiii ; *GNO* 3/2, p. lxxii ; *GNO* 8/1, p. 357-358. Je reproduis pour ce manuscrit la collation de Pasquali.

2. Cf. Pasquali, *Praef.*, p. xlviii.

3. Description de ces trois manuscrits dans Pasquali, *Praef.*, xlvi-xlvii. J'ai relu — sans profit — les manuscrits parisiens.

4. Ce manuscrit n'est pas cité par Pasquali. Il est incomplet (le texte s'arrête en 63 μῖσος) et les deux pages qui le contiennent sont barrées d'un trait oblique. Il dépend lui aussi de W ou de son apographon perdu.

5. Cf. Pasquali, *Praef.* p. xlix.

Les éditions de ce texte ont été les suivantes :

— *B. Gregorii Nysseni ad Eustathiam, Ambrosiam et Basilissam Epistola,* Isaacus Casaubonus nunc primum latine vertit et illustravit notis, Lutetiae, ex typis R. Stephani, 1606, 140 p.

Cette édition, avec sa traduction latine, sera reprise dans toutes les éditions postérieures des œuvres de Grégoire, celle de 1615, celle de 1638, celle de la *Patrologie Grecque.* Les notes de Casaubon seront dans ces éditions remplacées par une dissertation de J. Gretser publiée en 1608 à Ingolstadt chez Adam Sartorius, qui attaque sur plusieurs points le commentaire de son prédécesseur.

— *Gregorii Nysseni Epistulae* ed. Georgio Pasquali, Berlin 1925, p. 17-25 et Leiden ²1959, p. 19-27.

4. Les lettres 4-30

Ces lettres nous sont parvenues dans des collections, mais, comme on l'a dit, les manuscrits qui les transmettent ne les contiennent ni toutes, ni dans le même ordre. Trois manuscrits permettent de reconstituer le corpus actuel ; quelques lettres isolées sont également transmises par d'autres.

Les trois manuscrits principaux sont les suivants :

P *Cod. Patmensis 706,* chart., XIᵉ s.[1].

F *Cod. Laurentianus Med., LXXXVI, 13,* membr., XIIIᵉ s.[2].

V *Cod. Vaticanus gr. 424,* membr. XIIIᵉ-XIVᵉ s.[3].

1. Description dans Pasquali, *Praef.,* p. L-LIII. Voir aussi J. Darrouzès, « Un recueil épistolaire byzantin : le manuscrit de Patmos 706 », *Revue des Études Byzantines* 14, 1956, p. 87-121. Ce manuscrit est peut-être antérieur à 1079 (p. 89).

2. Description dans Pasquali, *Praef.,* p. LIII-LV.

3. *Ibid.,* p. LV-LVI.

Le *Cod. Patmensis 706*, qui contient plusieurs correspondances, compte treize lettres de Grégoire de Nysse : les lettres 6 (ff. 140ᵛ-142), 21 (142), 7 (142ᵛ-143), 26 (143), 27 (143ʳᵛ), 28 (144ᵛ-145), 18 (145-147), 4 (147-149), 9 (149), 23 (149ʳᵛ), 10 (149ᵛ-150), 19 (150-153ᵛ et 156), 20 (156ʳᵛ : la lettre est incomplète). Entre les lettres 27 et 28 se trouve la lettre 238 de Grégoire de Nazianze, que l'on trouve également dans le *Vaticanus*.

Le *Cod. Laurentianus Med. LXXXVI, 13*, tout entier consacré à Grégoire de Nysse, compte 23 de ses lettres : les lettres 19 (ff. 151ᵛ-155ᵛ), 13 (155ᵛ-156), 20 (211-212ᵛ), 29 (213-215), 30 (215-216), 6 (216-217), 7 (217ʳᵛ), 8 (217ᵛ-218), 9 (218), 11 (218ᵛ-219), 12 (219ʳᵛ), 14 (220-221), 15 (221ʳᵛ), 16 (221ᵛ-222), 4 (222-224ᵛ), 21 (230ʳᵛ), 10 (235ᵛ-236), 22 (236), 17 (236ᵛ-239ᵛ), 18 (239ᵛ-241), 23 (241), 24 (241ᵛ-243ᵛ), 25 (243ᵛ-245ᵛ). Entre la lettre 13 et la lettre 20 se trouve le *Discours Catéchétique* ; entre la lettre 4 et la lettre 21, le *De fide ad Simplicium* et l'*Adversus Apolinaristas ad Theophilum*, qui se présentent du reste comme des lettres ; entre la lettre 21 et la lettre 10, le *De professione christiana*, lui aussi lettre à un certain Harmonios.

Le *Cod. Vaticanus gr. 424*, qui comme le précédent est consacré surtout à des œuvres de Grégoire, contient 17 lettres : les lettres 29 (55ʳᵛ), 30 (55ᵛ), 4 (296ʳᵛ), 5 (340ʳᵛ), 6 (340ᵛ-341), 7 (341ʳᵛ), 8 (341ᵛ), 9 (341ᵛ-342), 10 (342), 11 (342ʳᵛ), 12 (342ᵛ-343), 13 (343ʳᵛ), 14 (343ᵛ-344ᵛ), 15 (344ᵛ), 16 (344ᵛ-345), 17 (345-347), 18 (347ʳᵛ). Le manuscrit contient par ailleurs le *Contre Eunome* et le traité *Sur les titres des psaumes*. Il est fort défectueux à partir de la lettre 15 : le scribe n'a pas pu lire son modèle et a laissé en blanc l'espace des mots illisibles.

Pasquali a longuement étudié les rapports mutuels de ces trois manuscrits[1]. Il remarque que F et V sont les plus

---

1. *Ibid.*, p. LVI-LVIII.

proches : plusieurs lettres s'y présentent dans le même
ordre (les lettres 6-16, sauf que la lettre 10 a été déplacée
en F). D'autre part, plusieurs lacunes semblables s'y
retrouvent, que P seul permet de compléter. Il en conclut
que F et V dépendent d'une même recension, qu'il appelle
Γ, précisant même, à partir de certaines leçons communes
aux deux manuscrits, que celle-ci devait être écrite en
minuscules. De ces deux manuscrits, F est le meilleur, bien
que V ait parfois conservé la bonne leçon, mais tous deux
offrent parfois un texte irrecevable, comme on peut le
vérifier lorsque P nous fournit lui aussi le texte. La
recension Γ devait donc déjà comporter de nombreuses
erreurs, et celle à laquelle on rattachera P lui est
antérieure. On doit cependant supposer à Γ et à P un
archétype commun : Pasquali le prouve à partir de
plusieurs exemples (dont on devra supprimer le ἡμῶν de la
Lettre 4, 7), et il montre également que cet archétype était
écrit en onciales.

Quelques-unes des lettres de ce corpus sont également
transmises dans d'autres manuscrits : c'est le cas des
lettres 5, 21, 25, 26-28, 29-30.

La lettre 5, qui est d'ailleurs plus un exposé de foi
destiné à être lu publiquement qu'une lettre, ne se trouve
que dans un des trois manuscrits ci-dessus, le *Cod.
Vaticanus 424*, mais elle est transmise aussi par le *Cod.
Barberinianus 291*, chart., xive-xve s., ff. 236v-238v[1]. Ce
manuscrit est un florilège de nombreux extraits des Pères,
dont plusieurs de Grégoire de Nysse. Son texte est
généralement moins bon que celui de V, mais il a conservé
la bonne leçon en quelques passages. Ajoutons qu'il donne
à la lettre la suscription erronée πρὸς Φλαβιανὸν ἐπίσκοπον,
qui est celle de la lettre 1. Pasquali en conclut qu'il a pris
cette lettre dans un recueil qui comportait aussi cette
lettre 1 ; je reviendrai plus loin sur ce point.

---

1. *Ibid.*, p. lxxv-lxxviii.

La lettre 21 se trouve dans P et F, donc dans la recension Γ, mais on la trouve aussi, et très bien attestée, dans les manuscrits des lettres de Basile[1]. Les manuscrits de celui-ci sont pourtant peu utiles pour l'établissement du texte : si Pasquali leur empruntait quelques corrections, Müller me semble avoir montré que de telles corrections n'étaient pas nécessaires et qu'il fallait donner la préférence aux manuscrits de Grégoire[2]. On verra dans le commentaire que plusieurs traits confirment l'authenticité grégorienne.

La lettre 25, si intéressante pour l'histoire de l'architecture religieuse, n'est transmise que par le seul *Laurentianus*. J'ai repéré un nouveau témoin dans le *Cod. Veronensis Bibl. Capit. 133 (olim 122)*, chart., xviie s., ff. 1-3. Il n'apporte malheureusement rien à la connaissance du texte, car il a été probablement recopié sur le *Laurentianus*, voire sur la première édition de cette lettre.

Les lettres 26 à 28 ne sont données que par le *Patmensis* comme des lettres de Grégoire de Nysse et du sophiste auquel il écrit ; on les trouve aussi, sous le nom de Basile et de Libanios, dans les manuscrits de la correspondance de ces deux auteurs. Paul Maas qui, le premier, a constaté ce fait[3], a bien montré que c'était l'attribution à Grégoire et au sophiste Stagirios qui était à retenir : le nom de lieu cappadocien qu'on y rencontre, en particulier, interdit l'attribution à Libanios. Les manuscrits de Basile et de Libanios ont considérablement raccourci ces lettres, en particulier la troisième ; il reste qu'ici et là ils offrent un meilleur texte que l'unique témoin grégorien[4].

---

1. C'est la lettre 10 de Basile (cf. éd. Courtonne I, p. 40-41).
2. Cf. PASQUALI, *Praef.*, p. LXVIII-LXXI et MÜLLER, *Der zwanzigste Brief*, p. 90-91, où tous les cas litigieux sont examinés. J'ai suivi la préférence systématique donnée par Müller aux manuscrits de Grégoire.
3. P. MAAS, *Drei neue Stücke*, p. 996-997.
4. Cf. PASQUALI, *Praef.*, p. LXXII-LXXIII.

Les lettres 29 et 30, présentes à la fois dans F et dans V, se trouvent également dans la plupart des manuscrits du *Contre Eunome*, auquel elles servent de préface. Il est d'ailleurs vraisemblable qu'elles s'y trouvaient dès l'origine, comme la lettre à Pierre qui ouvre le *De hominis opificio*, et on peut se demander pourquoi Jaeger ne les a pas retenues dans son édition du *Contre Eunome*, comme l'avaient fait les premiers éditeurs de ce texte. Quoi qu'il en soit, on constate que F et V n'ont pas pris ces lettres dans la recension Γ (qui leur est commune), car V les place en tête du *Contre Eunome*, alors que F les intègre dans un recueil de lettres ; leurs leçons, par ailleurs, sont souvent divergentes. L'édition de Pasquali est basée sur six ou sept manuscrits, F et V et les manuscrits suivants[1] :

L *Cod. Laurentianus Med. VI, 17*, membr., fin x^e-xie s.

B *Cod. Lesbicus Mytilen. Mon. S. Ioannis 6*, membr., xie-xiie s., ff. 285-287^v[2].

Z *Cod. Vaticanus gr. 1773*, chart., xvie s., ff. 1-2 (pour la lettre 30).

S *Cod. Vaticanus gr. 1907*, chart., xiie ou xiie-xiiie s., ff. 220.

Pasquali signale encore deux manuscrits de ces lettres qu'il n'a pu utiliser : le *Cod. Patmensis 46*, membr., x^e-xie s. (qui contient seulement la lettre 29 ; Z en est un apographon)[3], et le *Cod. Londinensis Mus. Brit. Burneia-*

---

1. Description brève de ces manuscrits : *Ibid.*, p. LXXIII-LXXV. Description plus circonstanciée : JAEGER, *GNO 2*, p. XIV-XV *(Laurentianus)*, XXVII-XXVIII *(Lesbicus)*, XXXI-XXXII *(Vatic. gr. 1773)*, XXXVIII-XXXIX *(Vatic. gr. 1907)*.

2. Ce manuscrit contient les deux lettres, mais Pasquali n'avait eu les photos que de la lettre 30. J'ai pu lire la lettre 29 à l'I.R.H.T.

3. Ce manuscrit que Jaeger *(GNO 2,* p. 31) et Pasquali déclarent très proche du *Patmensis* en est en fait un apographon (cf. P. CANART, *Codices Vaticani Graeci 1745-1962*, Tome II, Città del Vaticano 1970, p. 103).

nus 52, membr., XIIIe-XIVe s., ff. 293-294 ; S en est un apographon[1]).

Les éditions des lettres 4-30 ont été les suivantes :

— J. GRETSER, *Appendix ad Sancti Gregorii Nysseni Opera graece et latine non ita pridem evulgata*, Parisiis, apud Cl. Morellum, 1618.

Première édition des lettres 29 et 30, en préface au *Contre Eunome*.

— L. ZACCAGNI, *Collectanea monumentorum veterum Ecclesiae Graecae ac Latinae quae hactenus in Vaticana Bibliotheca delituerunt*, Romae 1698.

Première édition des lettres 4-18, publiées d'après V. L'édition est assez défectueuse, d'abord parce que V a des lacunes, ensuite parce que Zaccagni a fait beaucoup d'erreurs de lecture. Une traduction latine l'accompagne.

— J. B. CARRACIOLI, Τοῦ ἐν ἁγίοις πατρὸς ἡμῶν Γρηγορίου ἐπισκόπου Νύσσης ἐπιστολαὶ ζ′, *Sancti Patris nostri Gregorii episcopi Nyssae epistolae septem*, primo latine vertit et edidit, commentariis... adjectis, Florentiae 1731.

Première édition, avec traduction latine, des sept lettres absentes de V mais présentes en F, c'est-à-dire les lettres 19-25. Pour les lettres déjà éditées par Zaccagni, Caraccioli donne les leçons de F, mais sans refaire une édition de l'ensemble.

— A. GALLANDI, *Bibliotheca veterum Patrum, vol. VI*, Venetiis 1770.

Réédite les lettres 4-25 d'après Zaccagni et Caraccioli. Bien qu'il disposât pour combler les lacunes de certaines lettres éditées par Zaccagni des leçons de F données par Caraccioli, il reproduit le texte du premier et se contente de donner ces leçons en note[2].

---

1. *GNO 2*, p. XL : « *ad verbum descriptus est* ».
2. Il a toutefois distingué les lettres 15 et 16, qui dans le manuscrit V et chez Zaccagni ne sont pas séparées.

C'est cette édition que reproduit la *Patrologie grecque* 46, avec la même disposition (et quelques erreurs de son cru).

— P. Maas, «Zu den Beziehungen zwischen Kirchenväter und Sophisten. I. Drei neue Stücke aus der Korrespondenz des Gregorios von Nyssa», *Sitzungsberichte der Preussischen Akad. der Wissenschaften, Phil. hist. Klasse*, 1912, p. 996-998.

Première édition sous le nom de Grégoire des lettres 26-28, qui avaient été éditées dans la correspondance de Basile par Dom Garnier en 1730 et par Wolf dans celle de Libanios en 1738. Elles sont aujourd'hui éditées dans les éditions critiques de ces auteurs : Y. Courtonne, *Saint Basile. Lettres*, III, Paris 1966 (*Epist.* 347 = Grégoire 28 ; 348 = Grég. 29 ; 342 = Grég. 30) et R. Foerster, *Libanii opera*, vol. XI, Leipzig 1922 (*Epist.* 1587 = Grég. 28 ; 1592 = Grég. 26 ; 1593 = Greg. 27).

— *Gregorii Nysseni Epistulae edidit* Georgio Pasquali, Berlin 1925, p. 25 s. ; Leiden ²1959, p. 27 s.

La nouveauté de cette édition est, pour les lettres 4-28, l'utilisation de P et une relecture de F et de V qui a éliminé plusieurs erreurs de lecture, celles de Zaccagni en particulier. Pasquali, d'autre part, a proposé, pour l'ensemble des 30 lettres, environ 120 corrections ou conjectures (80 proviennent de Wilamowitz, Jaeger ou Vitelli).

La présente édition est basée elle aussi sur une relecture de ces trois manuscrits, qui a permis de corriger quelques erreurs de l'édition précédente — omissions (la plus importante étant celle de quatre mots dans la lettre 10, disparus du texte lui-même alors qu'ils se trouvent dans les trois manuscrits), fautes d'impression (dont οἷος *Lettre* 14, 49, et ἀξία *Lettre* 15, 17, etc.) — et de compléter l'apparat critique. Pour la *Lettre* 21, le texte a été revu d'après les manuscrits et d'après l'actuelle édition critique de la correspondance de Basile. Pour les *Lettres* 26-28, j'ai également revu le manuscrit, mais aussi les éditions critiques de Basile et Libanios. Pour l'ensemble, j'ai retenu

généralement les mêmes principes que Pasquali — préférence donnée à P sur les deux autres, à F sur V, mais sans
en faire un système. J'ai d'autre part évité le plus possible
de corriger le texte des manuscrits, tout en retenant
cependant plusieurs conjectures de l'édition Pasquali ou
d'autres éditeurs.

Conclusion

Dans la préface à son édition, Pasquali a tenté de
reconstituer l'histoire de la tradition manuscrite des
lettres. Il n'y a pas de difficulté à le suivre dans ses
premières conclusions, lorsqu'il rapporte F et V à un
exemplaire Γ écrit en minuscules, donc postérieur au IXe
siècle, puis lorsqu'il rapporte Γ et P à un exemplaire x
écrit en onciales, donc avant la fin de ce même IXe siècle
(même si l'on tient P pour plus ancien que ne le faisait
Pasquali). Ce manuscrit x ne contenait que les lettres 4-28,
plus la lettre 238 de Grégoire de Nazianze[1]. Il me semble
plus difficile de remonter, comme le propose Pasquali, à un
exemplaire prototype qui aurait contenu toutes les lettres
qu'il a rassemblées dans son édition. Pour faire cette
hypothèse, il s'appuie uniquement sur la mention

---

1. Il n'est sans doute pas possible de dire de cette lettre qu'elle est
de Grégoire de Nysse, et non de Grégoire de Nazianze, mais on peut y
relever quelques traits « nysséens » : l'adresse est très semblable à celle
de la lettre 3 de Grégoire, et plusieurs expressions se retrouvent dans
d'autres lettres : 1 κατ' οἰκονομίαν θεοῦ (cf. Epist. 3, 112, 176) ; 2 χαρᾶς
καὶ εὐφροσύνης ἀφορμὴ (cf. Epist. 3, 4) ; τοῖς ... βλέπουσι κατὰ τὸ
εὐαγγέλιον (cf. Epist. 2, 4-5) ; σκυθρωπάζειν (cf. Epist. 3, 33 ; le mot est
également très fréquent dans les éloges funèbres de Grégoire). Ceci
reste trop léger pour qu'on puisse affirmer que la lettre est de Grégoire
de Nysse. Ajoutons que le texte que reproduisent les manuscrits de
celui-ci est assez détérioré, ce qui plaide en faveur d'une origine
nazianzène. P. MAAS considère d'autre part que le style parle
clairement en faveur de Grégoire de Nazianze (Drei neue Stücke,
p. 998, n. 6).

Φλαβιανῷ ἐπισκόπῳ qu'il trouve en tête de la lettre 5 dans le manuscrit N[1]. Il en tire la conclusion que le scribe de ce manuscrit avait pris cette lettre dans un manuscrit qui contenait aussi la lettre 1, adressée au même, ainsi que les lettres 2 et 3. Mais cette suscription erronée ne peut-elle résulter simplement d'une confusion ou d'une réminiscence du scribe de N? Et si l'on peut à la rigueur en tirer les mêmes conclusions que Pasquali pour la lettre 1, au nom de quoi le faire aussi pour les lettres 2 et 3? En fait, la longueur et le sujet de ces lettres suffisent à expliquer les particularités de leur tradition manuscrite. Comme d'autres lettres de Grégoire, elles ont été prises pour de petits traités et transmises comme telles, de manière indépendante. La lettre *Sur la pythonisse d'Endor* ou la *Lettre canonique à Letoios*, pour ne citer que ces deux exemples, se sont trouvées dans la même situation et n'ont pas pour autant été incluses par les éditeurs modernes dans la correspondance de Grégoire. Il n'est certes pas impossible que celui-ci ait fait à l'origine un recueil de lettres qui ne se limitait pas aux lettres 4-28. Il ne me semble pas qu'on dispose de suffisamment d'indices pour en affirmer l'existence.

Appendice :
Les traductions des Lettres

Les *Lettres* de Grégoire ont été assez rarement traduites dans des langues modernes. Il existe :

— une traduction anglaise de 19 de ces lettres, due à W. Moore, H. A. Wilson et H. C. Ogle, dans *A Select Library of Nicene and Postnicene Fathers of the Christian*

---

1. Dans son compte rendu de l'édition de Pasquali, G. Przychocki remarquait déjà que cette unique preuve était trop faible (*Gnomon* 3, 1927, p. 465).

Church, Second Ser., Vol. V : *Gregory of Nyssa*, London 1892, p. 382-383, 527-548. Sont traduites la lettre 2, les lettres éditées par Zaccagni (4-18), plus les lettres 20, 25, 3 et 1. Cette traduction est accompagnée de quelques notes ;

— une traduction italienne du corpus édité par Pasquali : *Gregorio di Nissa, Epistole,* Introduzione, traduzione e note a cura di Renato Criscuolo, Napoli 1981. La traduction est soignée ; l'annotation dépend surtout de Pasquali, *Le Lettere* (1923) ;

— deux traductions françaises de la *Lettre* 2 : l'une publiée par Robert Estienne III en 1604 (on n'en connaît aucun exemplaire, mais son existence est bien attestée), l'autre par moi-même dans *Une controverse* (1986), p. 143-146 ;

— une traduction française de la *Lettre* 20, due à Christian Jouvenot, publiée dans les *Dossiers Histoire et Archéologie* 121, 1987, p. 28-29.

— une traduction allemande partielle de la *Lettre* 25, due à C. Klock, *Gregor von Nyssa als Kirchenbauer,* p. 164, 167-168, 170, 171, 172.

CONSPECTUS SIGLORUM

Epistula 1

M   *Cod. Marcianus Venetus 79*, saec. XI.
S   *Cod. Mutinensis Estensis 229*, saec. XI.
G   *Cod. Laurentianus plut. IV, 14,* saec. X.
B   *Cod. Londiniensis Mus. Brit. add. 36749*, saec. X-XI.
A   *Cod. Angelicus C 14*, saec. XI.
E   *Cod. Laurentianus Conv. Soppr. 627*, saec. XIII.
D   *Cod. Vaticanus gr. 435*, saec. XIII.
p   *editio princeps* (1615).

Epistula 2

C   *Cod. Parisinus Bibl. Arsenal 234*, saec. XI.
O   *Cod. Parisinus gr. 1268*, saec. XII.
T   *Cod. Taurinensis 71*, saec. XIV.
Π   *exemplar codicum* vtl *commune*

     v   *Cod. Vindobonensis theol. gr. 173*, v. 1300.
     t   *Cod. Thessalonicensis Gymn. 1*, saec. XIII.
     l   *Cod. Laurentianus Med. plut. IX, 20*, saec. XIV.

K   *Cod. Vaticanus gr. 1455*, saec. XIV.
M   *Cod. Marcianus Venetus 79*, saec. XI.
H   *Cod. Hierosolymitanus S. Sepulcr. 264*, saec. XIV.
X   *Cod. Parisinus gr. 1335*, saec. XIV.
Φ   *exemplar codicum* fb *commune*

     f   *Cod. Laurentianus Med. plut. LVIII, 16*, saec. XV.
     b   *Cod. Londinensis Mus. Brit. Burneianus 75*, saec. XV.

N   *Cod. Marcianus Venetus VII, 38 (*olim *Nanianus 154),* saec. XVI.
p   *editio princeps* (1551).

Epistula 3

W   *Cod. Vindobonensis theol. gr. 35*, saec. XV.

Q   *Cod. Parisinus gr. 583*, saec. XVI.
c   *apographon codicis Vindob.* quo usus est Casaubon.
Casaubon : editio 1606.

Epistulae 4-30

P   *Cod. Patmensis 706*, saec. XI.
F   *Cod. Laurentianus Med. plut. LXXXVI, 13,* saec. XIII.
V   *Cod. Vaticanus gr. 424*, saec. XIII-XIV.

Ba   *Cod. Barberinianus 291*, saec. XIV-XV.

β   *editio basiliana* (Courtonne 1966).
βᵛ   *variae lectiones* (in Courtonne ed.).
Λ   *editio libaniana* (Foerster 1922).
Λᵛ   *variae lectiones* (in Foerster ed.).

L   *Cod. Laurentianus Med. plut. VI, 17,* saec. X-XI.
Z   *Cod. Vaticanus gr. 1773*, saec. XVI.
S   *Cod. Vaticanus gr. 1907*, saec. XII-XIII.
B   *Cod. Lesbicus Mytilenensis 6*, saec. XI-XII.

Zaccagni *ed.* 1698.
Caraccioli *ed.* 1731.
Pasquali *ed.* 1925, ²1959.
Jaeger *in* Pasquali ed.
Wilamowitz *in* Pasquali ed.
Vitelli *in* Pasquali ed.
Maas, *Drei neue Stücke (Ep.* 26-28*).*
Maas, recens. Pasquali ed., *Byzant. Zeitsch.* 26, 1926.
Sykutris *in* Maas recensione.
Müller, *Hermes* 74, 1939.
Keil, in Strzygowski, *Kleinasien*, Leipzig 1903 *(Ep.* 25*).*
Klock, *Gregor als Kirchenbauer* (1968) *(Ep.* 25*).*

TEXTE ET TRADUCTION

I

3 P.

Φλαβιανῷ ἐπισκόπῳ

1. Οὐκ ἐν καλοῖς, ὦ ἄνθρωπε τοῦ θεοῦ, τὰ ἡμέτερα·
προϊόντα γὰρ τὰ κακὰ ἐν τοῖς τὸ ἄδικόν τε καὶ ἀπροφάσιστον καθ᾽ ἡμῶν κινήσασι μῖσος οὐκέτι διὰ στοχασμῶν τινων
ὑπονοεῖται, ἀλλ᾽ ἐν παρρησίᾳ σπουδάζεται, καθάπερ τι τῶν
5 ἀγαθῶν κατορθωμάτων. **2.** Ὑμεῖς δὲ οἱ τέως ἔξω ὄντες τοῦ
τοιούτου κακοῦ καταρρᾳθυμεῖτε τοῦ παῦσαι νεμομένην ἐν τῇ
γειτονίᾳ τὴν φλόγα, ὥσπερ οὐκ εἰδότες ὅτι οἱ καλῶς περὶ

MS, GB, AEDp

Titulus : φλαβιανῷ ἐπισκόπῳ MS, GB, D (in marg. add. MS : αὕτη ἡ
ἐπιστολὴ γρηγορίου ἐστι τοῦ νύσης, οὐχὶ τοῦ θεολόγου manu coaeua : τῷ
αὐτῷ A (praecedit Nazianz. ep. 64 φλαβιανῷ ἐπ. inscripta) φλαβιανῷ E
γρηγόριος ὁ νύσσης φλαβιανῷ p
3 κινήσασιν codd. || μῖσος om. MS, G, A || 4
ὑπονοεῖται M²S², GB, EDp : ἐπινοεῖται M¹S¹, A || ἀλλ᾽ — σπουδάζεται
om. A || καὶ ante καθάπερ add. GB || 5 ὑμεῖς : ἡμεῖς B² || 7 οὐκ εἰδότες
om. Ep || ὅτι : οὖν p

---

1. Sur les problèmes posés par l'authenticité de cette lettre, cf.
l'introduction, p. 54-55. Plusieurs des arguments que l'on peut faire
valoir en faveur de cette authenticité seront mentionnés dans les
notes.
2. Le destinataire de la lettre est-il Flavien d'Antioche, successeur
de Mélèce ? HONIGMANN (*Le concile de Constantinople de 394*, p. 34) l'a
contesté, mais surtout parce qu'il ne voyait pas pourquoi Grégoire *de
Nazianze* aurait recouru à lui, d'autant plus qu'il avait été, au concile
de Constantinople de 381, de ceux qui auraient souhaité voir Paulin

Lettre 1[1]

A l'évêque Flavien[2]

1. Nos affaires[3], homme de Dieu, ne sont pas bonnes[4] :
la malveillance qui va croissant chez ceux qui ont suscité
contre nous cette haine injuste et inexplicable n'est plus
un soupçon reposant sur des conjectures, mais elle s'exerce
ouvertement, comme si c'était une bonne action. **2.** Et
vous qui êtes encore à l'écart d'un tel mal, vous ne vous
souciez pas d'arrêter la flamme qui dévore le voisinage,

---

succéder à Mélèce. Grégoire de Nysse avait de meilleures raisons de
s'adresser à l'évêque d'Antioche : il avait séjourné dans sa ville lors
du concile suscité par Mélèce, le concile de 381 l'avait chargé de
mission dans une région soumise à sa juridiction (cf. *supra*, p. 33-35).
Ajoutons que, se plaignant ici de son métropolitain, on comprendrait
assez bien qu'il ait cherché protection auprès d'un personnage de rang
au moins équivalent, ou mieux encore supérieur à celui-ci. Le titre
qu'il donne à son correspondant («Ta Piété» : § 5) convient en tout cas
pour un évêque. L'attribution à Flavien d'Antioche est tout à fait
possible, bien qu'elle ne soit pas certaine.

3. Cette expression qu'on rencontre chez Grégoire de Nazianze (cf.
Devos, *S. Grégoire de Nazianze*, p. 92) se rencontre aussi chez
Grégoire de Nysse : cf. *Epist.* 16,3 ; *In Mel. GNO* 9, p. 442,3 ; même
sens de τὸ ἡμέτερον dans la *Lettre* 10,4, de τὰ ὑμέτερα dans l'*Epist.*
13,4. Autres exemples de pronom personnel au pluriel dans les
passages où Grégoire parle de lui-même : cf. Wyss, *Gregor von
Nazianz,* p. 158.

4. Brusque entrée en matière, inhabituelle chez Grégoire, qui
souvent part très loin de son sujet : la rhétorique semble céder ici le
pas à l'indignation, à moins que ce ne soit suprême habileté
rhétorique.

τῶν ἰδίων βουλευσάμενοι τὸν τῶν γειτόνων ἐμπρησμὸν ἐν
πολλῇ τῇ σπουδῇ καταστέλλουσι, δι' ὧν τοῖς πλησίον
10 βοηθοῦσι τὸ μὴ δεηθῆναι τῆς ἐπὶ τοῖς ὁμοίοις βοηθείας
πραγματευόμενοι. **3.** Τί οὖν ἐστιν ὃ λέγω ; ἐπιλέλοιπεν τὸν
βίον ἡ ὁσιότης, πέφευγεν ἀφ' ἡμῶν ἡ ἀλήθεια · τῆς δὲ
D εἰρήνης πρότερον μὲν τὸ γοῦν ὄνομα εἴχομεν περιφερόμενον
ἐν τοῖς στόμασιν, νῦν δὲ οὐ μόνον ἐκείνη οὐκ ἔστιν, ἀλλ' οὐδὲ
15 τὸ ὄνομα αὐτῆς ἡμῖν ὑπολέλειπται. Ὡς δ' ἂν εἰδείης
σαφέστερον ὑπὲρ ὧν σχετλιάζω, δι' ὀλίγων σοι τὴν
τραγῳδίαν ἐκθήσομαι.

4 P.   **4.** Ἦσάν τινες οἱ τὸν αἰδεσιμώτατον Ἑλλάδιον δυσμενῶς
πρὸς ἡμᾶς ἔχειν καταμηνύοντες καὶ πρὸς πάντας διεξιέναι
20 ὡς τῶν μεγίστων αὐτῷ κακῶν αἴτιος εἴην ἐγώ. Οὐκ
ἐπειθόμην τοῖς λεγομένοις, πρὸς ἐμαυτὸν καὶ τὴν ἐν τοῖς
1001 M. πράγμασιν ἀλήθειαν βλέπων · ὡς δὲ παρὰ πάντων ὁμοφώνως
τὰ αὐτὰ πρὸς ἡμᾶς ἀπηγγέλλετο καὶ συνέβαινεν ταῖς φήμαις
τὰ πράγματα, πρέπειν ᾠήθην μὴ περιιδεῖν ἀθεράπευτον τὴν
25 ἄρριζόν τε καὶ ἀφύτευτον ταύτην δυσμένειαν. **5.** Διὸ καὶ
πρὸς τὴν σὴν ἐπέστειλα θεοσέβειαν, καὶ πολλοὺς ἄλλους τοὺς
δυναμένους συμβαλέσθαι τι πρὸς τὸ προκείμενον ἐπὶ τὴν

MS, GB, AEDp

8 βουλευσάμενοι : βουλευόμενοι p ‖ 9 τῇ om. D ‖ ὧν : ὅν E ‖ 13-15
lacunam εἴχομεν — ὄνομα in M false indic. Pasquali ‖ 15 ὡς δ' ἂν : ὡς
ἂν οὖν A ‖ 16 ὧν (ὧ A) σχετλιάζω : ὧν σχετλιάζομεν Ep ‖ 20 αὐτῷ om. A
‖ εἴην : ἦν p (εἴην iam non legitur E) ‖ 23 ἀπηγγέλλετο M¹S¹, AED :
ἐπηγγέλλετο M²S², GB ‖ 25 τε om. p ‖ 26 ἐπιστείλας p ‖ 27
συμβαλέσθαι : συλλαβέσθαι D ‖ τι om. MS, A

1. Ce type de phrase interrogative à l'issue d'un exorde ou d'un
premier développement est un véritable tic de langage chez Grégoire
et plaide en faveur de l'authenticité de la lettre (cf. MARAVAL,
L'authenticité de la lettre 1, p. 66). On le retrouve plusieurs fois dans la
correspondance (*Epist.* 4,2 ; 11,3 ; 12,2 ; 14,2 ; 19,3 ; 20,4 ; 21,2 ;
28,2), mais également dans d'autres ouvrages de Grégoire : cf. *De Or.
dom.* 4 (*PG* 44, 1161 C) ; *De Beat.* 2 (1208 D), 4 (1232 D) ; *In Cant.
hom.* 15 (*GNO* 6, p. 434,5) ; *Ad Theoph.* (*GNO* 3/1, p. 120,12) ;
Adv. Maced. p. 90,19).

comme si vous ne saviez pas que ceux qui sont bien
informés de leurs intérêts propres combattent de toutes
leurs forces l'incendie chez leurs voisins, se donnant la
peine de secourir leur prochain pour ne pas être dépourvus
de secours dans les mêmes circonstances. **3.** Qu'est-ce donc
que je veux dire[1] ? Elle a quitté ce monde, la piété, elle a
fui loin de nous, la vérité. De la paix nous avions
auparavant au moins le nom qui courait sur nos lèvres ;
maintenant non seulement celle-ci n'est plus, mais même
son nom ne nous est pas resté. Et pour que tu saches plus
clairement pourquoi je me plains, en peu de mots je vais
t'exposer la tragédie.

4. Il se trouvait des gens qui nous rapportaient que le
très révérend Helladios était mal disposé à notre égard[2] et
qu'il racontait à tous que j'étais pour lui la cause des maux
les plus grands. Je[3] ne croyais pas à ce qu'on me disait, en
examinant et moi-même et la vérité des faits. Mais comme
tous, dans les mêmes termes, me rapportaient la même
chose et que les faits correspondaient à ces rumeurs, j'ai
pensé qu'il convenait de ne pas laisser sans remède cette
animosité sans rime ni raison. **5.** C'est pourquoi j'ai
adressé une lettre à ta Piété, puis j'ai incité beaucoup
d'autres gens qui pouvaient être de quelque utilité dans

---

2. L'hostilité d'Helladios, métropolite de Césarée, envers Grégoire
de Nysse et les conflits qui en sont résultés sont connus au VIe siècle de
Sévère d'Antioche, qui les invoque pour justifier les conflits qu'il a lui-
même avec d'autres évêques (cf. E. W. BROOKS, *Select Letters of
Severus of Antioch*, II, 2, p. 205, 6, vol. II, 1). La remarque de Sévère
est d'ailleurs un argument en faveur de l'authenticité de cette lettre,
car c'est sans doute ce texte qui est la source de son information.

3. Dans la phrase précédente, Grégoire employait « nous » ; il passe
ici subitement au « je ». De tels passages sont fréquents chez lui : cf.
dans cette lettre les § 7, 9-10, 12 etc. (pour d'autres exemples, cf.
P. MARAVAL, *L'authenticité de la lettre 1*, p. 64, n. 18). On en trouve
aussi chez Grégoire de Nazianze, comme l'a relevé GALLAY
(*S. Grégoire de Nazianze, Lettres*, II, p. 141, n. 1). C'est sans doute une
des élégances de style caractéristiques de la seconde sophistique.

σπουδὴν ταύτην παρώρμησα · καὶ τέλος, τὴν μνήμην τοῦ
μακαριωτάτου Πέτρου παρὰ Σεβαστηνοῖς πρώτως ἀγομένην
30 ἐπιτελέσας, καὶ τὰς συνήθως παρ' αὐτῶν ἐπιτελουμένας τῶν
ἁγίων μαρτύρων μνήμας κατὰ τὸν αὐτὸν χρόνον συνδιαγαγὼν ἐκείνοις, ἐπὶ τὴν ἐμαυτοῦ πάλιν ἐκκλησίαν ὑπέστρεφον.
6. Καί τινος μηνύσαντος κατὰ τὴν ὀρεινὴν αὐτὸν ἐνορίαν
34 διάγειν μαρτύρων ἐπιτελοῦντα μνήμας, τὰ μὲν πρῶτα τῆς
B ὁδοῦ εἰχόμην, εὐπρεπέστερον εἶναι κρίνων ἐπὶ τῆς μητροπό-
5 P. λεως γενέσθαι τὴν συντυχίαν · ὡς δέ τις τῶν γνησίων κατὰ

MS, GB, AEDp

29 πέτρου om. E et in mg. ad ἐπιτελέσας (30) add. τὴν ἁγίαν
τεσσαρακοντάδα ‖ 30 συνήθως : συνήθους G ‖ παρ' αὐτῶν ἐπιτελουμένων
A² ἐπιτελ. παρ' αὐτῶν A¹ ‖ 31 μ' ante μαρτύρων add. Jaeger prob.
Pasquali ‖ κατὰ : καὶ AE ‖ 31-32 συνδιαγαγὼν ἐκείνοις D : συνδιαγαγόντων ἐκείνῳ GB συνδιαγαγόντων ἐκείνη p συνδιαγόντων ἐκείνῳ MS, AE ‖
34 ἐπιτελούντων E¹ corr. E²

1. P. Devos, *Saint Pierre Iᵉʳ de Sébastée* (1961), p. 346-360, a
montré que le saint fêté par Grégoire n'est pas son frère, comme l'ont
pensé plusieurs auteurs depuis Baronius, mais un autre Pierre qui fut
évêque de Sébastée au début du ivᵉ siècle. Trois autres documents
confirment l'existence de celui-ci : la *Vie de S. Grégoire l'Illuminateur*
(BHG 712g), la *Passion des XL Martyrs (BHG* 1201), la *Passion*
(inédite) *d'Athénogène de Pédachthoé (BHG* 197 b). Pierre est appelé
«très bienheureux», ce qui est conforme à l'usage classique chez les
chrétiens, où il désigne les défunts (cf. de même l'*Epist.* 17,2 et
H. Delehaye, *Sanctus*, Bruxelles 1927, p. 70-71). Chez Basile ou
Grégoire, il est aussi appliqué aux saints (cf. *V. Macr.* 37,4 et la note),
et c'est sans doute cet aspect que marque le superlatif.
2. S'agit-il des Quarante, les plus célèbres martyrs de Sébastée?
Pasquali le tient pour si assuré qu'il corrige le texte par l'adjonction
du chiffre 40 (μ'). Même si la correction n'est pas nécessaire, la
mention des martyrs après celle de Pierre laisse bien à penser qu'il
s'agit des Quarante. La *Passion* de ces derniers, dans son dernier
paragraphe, rapporte en effet une tradition locale qui souligne les
liens existant entre eux et l'évêque Pierre ; la fête dont parle Grégoire
a pu vouloir faire apparaître ce lien (cf. P. Devos, *S. Pierre Iᵉʳ de*

cette affaire à s'y intéresser. Mais voici les derniers
événements. J'avais célébré la fête du bienheureux Pierre,
que l'on commémorait pour la première fois chez les
habitants de Sébastée[1], tout en passant avec eux les fêtes
qu'ils ont coutume de célébrer en l'honneur des martyrs[2] à
la même époque, et j'étais en train de revenir vers ma
propre église. **6.** Quelqu'un m'avertit qu'il se trouvait
dans un district montagneux du voisinage pour célébrer
des fêtes de martyrs[3]. Je décidai tout d'abord de
poursuivre ma route, jugeant qu'il était plus convenable
que la rencontre ait lieu dans la métropole ; mais lorsqu'un
de mes familiers, venu me trouver en toute hâte, m'eut

Sébastée, p. 354-355). Pourquoi cependant a-t-on attendu plus longtemps pour célébrer l'évêque que les Quarante? Un indice en est
peut-être fourni par la *Passion d'Athénogène*, 37, qui rapporte que
Pierre, après son martyre, fut enseveli ἐν Βιζάζοις (site inconnu, à
corriger peut-être par ἐν Βιζάνοις ?). Cf. *La Passion grecque inédite
d'Athénogène de Pédachthoé* (*BHG* 197 b), éd. P. Maraval, Bruxelles
1990, p. 78-79 (= *Subs. Hagiogr.* 75). Cette sépulture dans une autre
ville que Sébastée pourrait expliquer le retard dans l'établissement de
son culte. Mais ce n'est là qu'une hypothèse. On peut penser aussi,
avec A. CRABBE-WILSON (Colloque de Belfast sur les XL Martyrs,
mars 1986), qu'il n'est pas indifférent que la fête ait été établie sous
un évêque qui s'appelle aussi Pierre. Quoi qu'il en soit, on sait que
Grégoire s'est rendu à Sébastée au moins une fois lors de la fête des
Quarante, sans doute à l'époque où son frère en était l'évêque, et qu'il
y a prêché en leur honneur (*In XL Mart.*, *PG* 46, 749-772 ; l'allusion à
l'apôtre Pierre, au début de l'homélie I, me semble suggérer la
présence de Pierre de Sébastée). Cette visite a eu lieu en mars, car
Grégoire mentionne dans la seconde homélie la froidure de la saison.
En revanche, nous le verrons dans cette lettre mentionner la chaleur
du jour et l'orage qui l'a surpris lors de son retour. P. Devos suggère
donc de placer le voyage ici évoqué autour du 27 août, car deux
témoins du *Martyrologe hiéronymien* connaissent une fête des
Quarante à cette date (*S. Pierre Ier de Sébastée*, p. 355).

3. S'agit-il encore d'une célébration en l'honneur des Quarante?
On ne peut l'assurer, bien qu'on sache que leurs reliques ont été
abondamment répandues, et d'abord dans les provinces proches (cf.
BASILE, *In XL Mart.*, 8, *PG* 31, 521 B).

σπουδήν μοι συντετυχηκὼς ἀρρωστεῖν αὐτὸν διεβεβαιώσατο,
καταλιπὼν ἐν τῷ τόπῳ τὸ ὄχημα, ἐν ᾧ παρὰ τῆς τοιαύτης
κατελήφθην φήμης, ἵππῳ τὸ μεταξὺ διῆλθον διάστημα,
40 κρημνῶδες καὶ ὀλίγου ἀπόρευτον ταῖς τραχυτάταις ἀνόδοις.
7. Ἦν δὲ πεντεκαίδεκα σημεῖα, ὡς παρὰ τῶν ἐγχωρίων
ἠκούσαμεν, οἷς τὸ ἐν τῷ μέσῳ διεμετρεῖτο διάστημα.
Τούτων τὰ μὲν ἐκ ποδὸς τὰ δὲ διὰ τοῦ ἵππου μόλις διελθών,
ὄρθριος, μέρει τινὶ καὶ τῆς νυκτὸς συγχρησάμενος, κατὰ
45 τὴν πρώτην τῆς ἡμέρας ὥραν ἐφίσταμαι τοῖς Ἀνδαημονοῖς·
οὕτω γὰρ ὀνομάζεται τὸ χωρίον, ἐν ᾧ ἦν ἐκκλησιάζων
ἐκεῖνος μετὰ ἄλλων ἐπισκόπων δύο. 8. Ἄποθεν δὲ κατιδόν-
τες ἐξ αὐχένος τινὸς ὑπερκειμένου τῆς κώμης τὴν ἐν τῷ
C   ὑπαίθρῳ τῆς ἐκκλησίας συνδρομήν, βάδην τὸν μεταξὺ
50 διήλθομεν τόπον, ἐκ ποδός τε προϊόντες αὐτός τε καὶ ἡ
μετ' ἐμοῦ συνοδία καὶ τοὺς ἵππους διὰ χειρὸς ἐφελκόμενοι·
ὥστε φθάσαι ὁμοῦ τὰ δύο γενέσθαι, ἐκεῖνόν τε ἐκ τῆς
ἐκκλησίας ἐπὶ τὴν οἰκίαν ὑποστρέψαι καὶ ἡμᾶς πλησιάσαι
τῷ μαρτυρίῳ. 9. Μηδεμιᾶς δὲ γενομένης ἀναβολῆς ἐπέμφθη
55 παρ' ἡμῶν ὁ μηνύσων αὐτῷ τὴν παρουσίαν· καὶ μικροῦ

MS, GB, AEDp

37 συντετυχηκὼς : συντετύχηκεν E συντετύχηκε καὶ p ‖ ἀρρωστεῖν
αὐτὸν om. A ‖ 40 καὶ om. GB, AE ‖ 41-42 ὡς — ἠκούσαμεν om. p ‖ 42
τῷ om. D ‖ 44 ὄρθριος : ὄρθιος A ‖ 45 ὥραν τῆς ἡμέρας A¹ corr. A² ‖
ἀνδαημονοῖς M²S², GB, D : ἀνδουμοκήνοις M¹S¹ ἀνδουμοκινοῖς E (-κίνοις
p) ἀνδαμουκίνοις A ‖ 47 καὶ post μετὰ add. D ‖ ἄπωθεν Bp ‖ 50 αὐτός τε
MS, B, D : αὐτὸς G, A om. E ἐγώ p ‖ 53 ὑποστρέψαι : ἐπιστρέψαι B ‖ 54
δὲ om. A

---

1. Grégoire circule le plus souvent en voiture (ὄχημα, sans doute la
raeda, le chariot à quatre roues) tirée par des mules. C'est le cas ici, ce
l'est aussi lors du voyage en Arabie, lors duquel il utilise la voiture du
cursus publicus (*Epist.* 2, 13), ce l'est encore lorsqu'il rentre à Nysse
après une longue absence (*Epist.* 6, 3.8.9). Dans le cas présent, on
constate qu'il dispose aussi de chevaux, dont il se sert pour une partie
du trajet.
2. Localité inconnue (la forme du nom varie du reste selon les
manuscrits). Le fait que le métropolitain de Césarée préside la

assuré qu'il était malade, je laissai ma voiture[1] sur place, à
l'endroit même où j'avais reçu cette nouvelle, et je me mis
à faire à cheval le trajet qui nous séparait, un trajet
escarpé et presque impraticable du fait de la raideur des
pentes. **7.** Quinze milles, comme nous l'avons appris des
gens du pays, telle était la mesure de la distance qui nous
séparait. Après les avoir parcourus à grand peine, partie à
pied, partie à cheval, de bon matin — car j'avais même
fait une partie du trajet de nuit —, j'arrive à la première
heure du jour à Andaemona[2] — ainsi s'appelle l'endroit où
celui-ci présidait l'assemblée avec deux autres évêques[3].
8. Ayant aperçu de loin, d'une hauteur surplombant le
village, l'assemblée réunie en plein air, nous avons
parcouru lentement le reste du trajet, avançant à pied,
moi et mes compagnons, et tirant nos chevaux par la
bride. Ainsi eurent lieu en même temps les deux événements : celui-ci quitta l'assemblée pour se rendre dans sa
maison pendant que nous approchions du martyrium[4].
9. Sans retard aucun, nous avons envoyé quelqu'un qui
l'avertît de notre arrivée. Quelques instants plus tard,

cérémonie laisse à penser qu'il s'agit d'une localité de sa province,
donc de Cappadoce. Il ne faut peut-être pas la chercher très loin de
Césarée, puisque Grégoire a hésité à faire le détour jusque-là et estimé
d'abord qu'il pourrait rencontrer l'évêque dans la métropole. D'autre
part, un seul jour de voyage lui suffira ensuite pour gagner «nos
régions» (§ 26).

3. Les fêtes des martyrs rassemblaient souvent plusieurs évêques
d'une même province (ou même de provinces voisines, comme on le
voit dans le cas de Grégoire à Sébastée ou à Euchaïta — où il prêche
dans le martyrium de S. Théodore). Il nous reste des lettres d'évêques
invitant leurs collègues à de telles fêtes (cf. Basile, *Epist.* 252, III,
p. 93).

4. Grégoire arrive à la première heure du jour et l'évêque déjà se
retire : c'est que la panégyrie a duré toute la nuit, se terminant au
matin par la synaxe eucharistique. Sur la célébration des panégyries,
cf. P. Maraval, *Lieux saints*, p. 216-217. L'assemblée se tient en
plein air, car le martyrium est un petit édifice, qui ne peut accueillir
toute la foule rassemblée pour la fête.

διαγεγονότος διαστήματος ὁ ὑπηρετούμενος αὐτῷ διάκονος
συνέτυχεν ἡμῖν, ὃν παρεκαλέσαμεν διὰ τάχους μηνῦσαι,
ὥστε ἐπὶ πλεῖον αὐτῷ συνδιαγαγεῖν, ἐφ' ᾧ τε καιρὸν εὑρεῖν
πρὸς τὸ μηδὲν περιοφθῆναι τῶν ἐν ἡμῖν ἀθεράπευτον.

60 **10.** Μετὰ τοῦτο ἐγὼ μὲν ἐκαθήμην κατὰ τὸ ὕπαιθρον
ἀναμένων τὸν εἰσκαλοῦντα καὶ προεκείμην ἄκαιρον θέαμα
D   τοῖς ἐπιδημοῦσι κατὰ τὴν σύνοδον. Καὶ χρόνος διεγένετο οὐκ
6 P.   ὀλίγος, καὶ νυσταγμὸς ἐπὶ τούτοις καὶ ἀκηδία καὶ ὁ ἐκ τῆς
ὁδοῦ κόπος ἐπιτείνων τὴν ἀκηδίαν[a] καὶ τὸ θάλπος ἰσχυρὸν
65 καὶ οἱ πρὸς ἡμᾶς ἀποβλέποντες καὶ ἀλλήλοις διὰ τῶν
δακτύλων ὑποδεικνύοντες — καὶ ἅπαντα τὰ τοιαῦτα οὕτω
μοι βαρέα ἦν, ὡς ἀληθεύειν ἐπ' ἐμοῦ τὸ τοῦ προφήτου ὅτι
Ἠκηδίασεν ἐπ' ἐμὲ τὸ πνεῦμά μου[b]. **11.** Καὶ πρὸς μεσημ-
βρίαν ἤδη προελθούσης τῆς ὥρας εἰσηνέχθην, πολλὰ μετα-
70 μεληθεὶς καὶ πρὸ τῆς συντυχίας ὡς ἐμαυτῷ τῆς ἀτιμίας
1004 M.   ἐκείνης παρασχὼν τὴν αἰτίαν· καὶ χαλεπώτερον τῆς παρὰ
τῶν ἐχθρῶν μοι γινομένης ὕβρεως ὁ ἐμός με λογισμὸς ἠνία,
μαχόμενος τρόπον τινὰ πρὸς ἑαυτὸν καὶ μεταγινώσκων ἐν
ὑστεροβουλίᾳ ὑπὲρ ὧν προέθετο.

75 **12.** Ὡς δ' οὖν μόλις ἠνοίγη ἡμῖν τὰ ἀνάκτορα καὶ τῶν
ἀδύτων ἐντὸς ἐγενόμεθα, οἱ μὲν πολλοὶ ἀπεκλείσθησαν τῆς
εἰσόδου, ὁ δὲ ἐμὸς συνεισῆλθε διάκονος, ὃς τῇ χειρὶ τὸ σῶμα
ὑπήρειδεν πεπονηκὸς ἐκ τοῦ κόπου. Ἐγὼ δὲ προσειπὼν
αὐτὸν καὶ ἐπ' ὀλίγον σταθεὶς ὥστε μοι γενέσθαι προτροπὴν

MS, GB, AEDp

56 διάκων Α ‖ 58 πλεῖον : πλέον p ‖ 60 κατὰ : ἐπὶ M²S², Α ‖ 61
προεκείμην : πρὸ ἐκείνην Ε ‖ 64 ἐπιτείνων τὴν ἀκηδίαν (ἀηδίαν Ε) καὶ τὸ
θάλπος ἰσχυρὸν Ep : ἰσχυρὸς cett. ‖ 66 πολλοὶ post ὑποδεικνύοντες add.
MS ‖ 67 ἐμοῦ Ep : ἐμοὶ AD ἐμὲ MS, GB ‖ 69 εἰσενέχθην Ε ‖ 70 πρὸ om.
Ep ‖ ἀτιμίας : αἰτίας ΑΕ ‖ 72 γινομένης : γενομένης Β, AED ‖ με om. Α
‖ 74 προέθετο : προετέθειτο coni. Wilamowitz (propter clausulam) ‖ 77
διάκων Α ‖ 79 αὐτὸν : αὐτῷ Ep

a. Cf. Ps. 118, 28   b. Ps. 142, 4

comme le diacre attaché à son service était venu à notre
rencontre, nous l'avons invité à l'avertir aussitôt, de
manière à rester plus longtemps avec lui ; ainsi nous
aurions la possibilité de ne rien laisser sans remède de ce
qu'il y avait entre nous. **10.** Après cela, je suis resté assis
en plein air, attendant qui m'introduirait, tout en étant
exposé aux regards de ceux qui étaient venus à la réunion
— spectacle bien peu opportun ! Du temps passa, un long
temps ; sur quoi somnolence, torpeur — la fatigue du
chemin accentuant la torpeur[a] —, une violente chaleur,
ceux qui nous regardaient et nous montraient du doigt les
uns aux autres... Et tout cela m'était si intolérable que se
vérifiait pour moi la parole du prophète : « Mon esprit a été
saisi de torpeur en moi[b]. » **11.** C'est quand l'heure avait
avancé déjà jusqu'au milieu du jour que je fus introduit,
regrettant amèrement, plus encore que la rencontre, de
m'être procuré à moi-même la cause de cet affront. Plus
péniblement encore que l'outrage qui me venait de mes
ennemis, mes pensées me contristaient, luttant en quelque
sorte contre elles-mêmes et se repentant, avec l'esprit de
l'escalier[1], de ce qu'elles avaient décidé.

12. Lorsque à grand peine le temple se fut ouvert pour
nous et que nous pénétrâmes dans le saint des saints[2], la
plupart s'en virent interdire l'entrée, mais avec moi put
pénétrer mon diacre, qui soutenait de son bras mon corps
épuisé de fatigue[3]. Je le saluai et restai debout un moment,
de façon à ce qu'il m'invite à m'asseoir, mais comme il n'y

---

1. Le terme ὑστεροβουλία se trouve également dans le *De Virg.*
III, 1, 21 (p. 274). Ma traduction par une expression idiomatique
française en rend exactement le sens : Grégoire regrette, mais trop
tard, d'avoir pris cette décision.
2. Réflexion ironique : la maison où se trouve Helladios est aussi
inaccessible qu'un lieu sacré.
3. Grégoire doit avoir à l'époque autour de la cinquantaine, mais
on sait par ailleurs qu'il n'avait pas une très bonne santé (cf. BASILE,
Epist. 225, III, p. 21), et d'autre part il a voyagé toute la nuit.

80 εἰς καθέδραν, ὡς οὐδὲν τούτων ἐγίνετο, ἐπί τινος τῶν
πόρρωθεν βάθρων διατραπεὶς ἀνεπαυσάμην, ἀναμένων εἰ
ἄρα τι φθέγξαιτο πρὸς ἡμᾶς εὐμενὲς ἤ τι φιλάνθρωπον ταῖς
γοῦν ὀφρύσιν ἡμῖν ἐπινεύσειεν. Ἀλλ' ἀπ' ἐναντίας τῇ ἐλπίδι
84 τὰ πάντα· σιωπῇ γὰρ ἦν τὸ ἀπὸ τούτου νυκτερινὴ καὶ
B κατήφεια τραγικὴ καὶ θάμβος καὶ ἔκπληξις καὶ παντελὴς
7 P. ἀφωνία καὶ χρόνος οὐκ ἐν μικρῷ διαστήματι καθάπερ ἐν
μελαίνῃ νυκτὶ δι' ἡσυχίας παρατεινόμενος. 13. Ἐγὼ δὲ
τούτοις ἐναποπαγεὶς τὴν διάνοιαν διὰ τὸ μηδὲ τῆς κοινῆς
αὐτὸν θελῆσαι μεταδοῦναι φωνῆς διὰ τῶν κατημαξευμένων
90 τούτων τὴν συντυχίαν ἀφοσιούμενον, οἷον τοῦ εὖ ἥκεις ἢ τοῦ
πόθεν ἥκεις; ἢ ὑπὲρ τίνος; αὐτόματος, ἢ τίς ἡ τῆς
παρουσίας σπουδή; Τὴν ἡσυχίαν ἐκείνην τῆς ἐν ᾅδου
διαγωγῆς ἐποιούμην εἰκόνα. 14. Μᾶλλον δὲ καταγινώσκω
τοῦ ὑποδείγματος· ἐν ᾅδου γὰρ ἰσονομία πολλή, μηδενὸς
95 τῶν ὑπὲρ γῆς τὴν περὶ τὸν βίον τραγῳδίαν ἐργαζομένων
κἀκείνην τὴν διαγωγὴν διοχλοῦντος· οὐ γὰρ συγκαταβαίνει,
καθά φησιν ὁ προφήτης, τοῖς ἀνθρώποις ἡ δόξαᶜ, ἀλλὰ
C καταλιποῦσα ἡ ἑκάστου ψυχὴ τὰ νῦν σπουδαζόμενα τοῖς
πολλοῖς, ὕβριν λέγω καὶ ὑπερηφανίαν καὶ τῦφον, λιτή τις καὶ
100 ἀκατάσκευος ἐπιχωριάζει τοῖς κάτω, ὡς μηδὲν τῶν τῇδε
μοχθηρῶν καὶ παρ' ἐκείνοις εἶναι. 15. Πλὴν ἀλλ' ἐμοὶ ᾅδης

MS, GB, AEDp

80 εἰς καθέδραν Dp : ἢ καθέδραν MS, GB, AE² ἢ καθέδρας E¹ ‖ 81
ἀναμένων GB, EDp : οἰόμενος MS om. C ‖ εἰ : εἰ μὴ MS ‖ 82 ταῖς : ἢ ταῖς
Ep ‖ 83 ἡμῖν D : ἡμᾶς MS, B, A λοίπον G, Ep ‖ ἀπεναντίας M¹S¹, D
ἀπεναντίον M²S², GB, E ἀπεναντίων Ap ‖ τῇ ἐλπίδι : τὴν ἐλπίδα B² ‖ 84
νυκτερινὴ τὸ ἀπὸ τούτου GB ‖ 86 μικρῷ : μακρῷ GB, D¹ corr. D² ‖ 88
ἐναποπαγεὶς MS, D : ἐναποπαγεὶς cett. ‖ 89 θελῆσαι : ἐθελῆσαι Ep ‖ 90
συντυχίαν B², Dp : ἡσυχίαν MS, GB¹, AE ‖ ἀφοσιουμένων Ep ‖ τοῦ¹ D :
τὸ cett. ‖ τοῦ² D : τὸ MS, GB, A, om. Ep ‖ 91 αὐτόματος om. p ‖ 92
ἡσυχίαν p : συντυχίαν codd. ‖ 94 τοῦ ὑποδείγματος : τῷ ὑποδείγματι GB,
A ‖ 95 τὴν p om. codd. ‖ ἐργαζομένων p : ἐργαζομένου codd. ‖ 96
κἀκείνην : ἐκείνην p ‖ 99 λέγω καὶ om. post spatium D ‖ καὶ τῦφον om.
A ‖ λιτή τις : ἁπλῆ p om. E

eut rien de tel, je me détournai confus et allai m'asseoir sur
un des bancs qui se trouvaient à quelque distance, en
attendant de voir s'il nous adresserait quelque parole
bienveillante, ou du moins nous ferait du regard quelque
signe amical. Mais tout alla au rebours de mes espérances.
En effet, à partir de ce moment, silence profond comme la
nuit, tristesse tragique, stupeur, épouvante, mutisme
total[1], le temps qui s'écoule pendant un long moment en
silence, comme dans une nuit noire. **13.** Pour moi, j'en
avais l'esprit frappé de stupeur, car il ne daigna même pas
m'accorder une parole ordinaire et sauver les apparences
de la politesse par de ces expressions usuelles comme : As-
tu fait bon voyage ? ou : D'où viens-tu ? ou : Pour quel
motif ? Est-ce de ta propre initiative ? ou : Pourquoi cette
hâte à venir ? Ce silence, je le voyais comme une image du
séjour aux enfers. **14.** Mais en vérité je désavoue cet
exemple, car dans les enfers règne une parfaite égalité,
puisque rien de ce qui fait sur terre le tragique de la vie ne
trouble ce séjour : la gloire, comme dit le prophète[2], n'y
descend pas avec les hommes[c], mais l'âme de chacun,
abandonnant ce qui intéresse aujourd'hui la plupart des
hommes, je veux dire l'insolence, l'arrogance et l'orgueil,
vient s'établir chez ceux d'en-bas, pauvre en quelque sorte
et sans apparat, de sorte qu'aucune des misères d'ici-bas
n'existe chez eux. **15.** A moi pourtant la situation présente

c. Cf. Ps. 48, 18

1. Grégoire cherche l'effet rhétorique par ce style haché et
grandiloquent. D'autres exemples d'un tel procédé chez lui sont
donnés par Wyss, *Gregor von Nazianz*, p. 159. On en trouve
évidemment de semblables chez Grégoire de Nazianze (cf. Gallay,
Lettres, p. 142, n. 1 et 7), mais c'est là encore le signe qu'ils ont reçu
une formation rhétorique semblable.

2. Cette manière de signaler une citation biblique, courante chez
Grégoire de Nysse, ne se rencontre jamais chez Grégoire de Nazianze
(cf. Maraval, *L'authenticité de la lettre 1*, p. 64-65).

ἢ δεσμωτήριον ἀφεγγὲς ἢ ἄλλο τι σκυθρωπὸν κολαστήριον
ἐδόκει τὰ παρόντα εἶναι, λογιζομένῳ ὅσων ἀγαθῶν ἐγενόμεθα παρὰ τῶν πατέρων ἡμῶν διάδοχοι καὶ οἷα διηγήματα
105 τοῖς μεθ' ἡμᾶς καταλείψομεν. **16.** Τί δὲ λέγω τῶν πατέρων
τὴν πρὸς ἀλλήλους ἀγαπητικὴν σχέσιν; θαυμαστὸν γὰρ
οὐδὲν ἀνθρώπους ὄντας ἐν ὁμοτίμῳ τῇ φύσει μηδὲν ἐθέλειν
8 P. πλέον ἀλλήλων ἔχειν, ἀλλὰ τῇ ταπεινοφροσύνῃ ἀλλήλους
109 ἡγεῖσθαι ἑαυτῶν ὑπερέχειν· ἀλλ' ἐκεῖνο μάλιστά μου τῆς
D   διανοίας καθήπτετο, ὅτι ὁ πάσης κτίσεως δεσπότης[d], ὁ
μονογενὴς υἱὸς ὁ ὢν ἐν τοῖς κόλποις τοῦ πατρός[e], ὁ ἐν ἀρχῇ
ὤν[f], ὁ ἐν μορφῇ θεοῦ ὑπάρχων[g], ὁ τὰ σύμπαντα φέρων τῷ
ῥήματι τῆς δυνάμεως αὐτοῦ[h], οὐκ ἐν τούτῳ μόνον ἐταπείνω-
σεν ἑαυτόν[i], ἐν τῷ διὰ σαρκὸς ἐπιδημῆσαι τῇ ἀνθρωπίνῃ
115 φύσει, ἀλλὰ καὶ τὸν προδότην ἑαυτοῦ Ἰούδαν τῷ ἰδίῳ
στόματι διὰ φιλήματος προσεγγίζοντα[j] δέχεται καὶ εἰσελ-
θὼν εἰς τὴν οἰκίαν Σίμωνος τοῦ λεπροῦ[k] τὸ μὴ φιληθῆναι
παρ' αὐτοῦ ὡς ἀφιλάνθρωπον ὀνειδίζει[l]· ἐγὼ δὲ οὐδὲ ἀντὶ
λεπροῦ ἐλογίσθην. **17.** Τῷ τίνι ὁ τίς; τὴν διαφορὰν εὑρεῖν
120 οὐκ ἔχω· τῷ πόθεν καταβεβηκότι ὁ ποῦ κείμενος; εἴ γε τὰ
τοῦ κόσμου βλέπει τις τούτου. Εἰ μὲν γὰρ τὰ τῆς σαρκὸς
ἐξετάζει τις, τοσοῦτον ἴσως ἀνεπαχθές ἐστι λέγειν, ὅτι

MS, GB, AEDp

103 λογιζομένῳ : λογιζόμενοι A om. D || 106 τὴν πρὸς ἀλλήλους
ἀγαπητικὴν σχέσιν D : τὴν ἀγαπ. πρ. ἀλλ. σχέσιν cett. || 107 τῇ φύσει
DEp : τὴν φύσιν cett. || ἐθέλῃ G || 108-109 ἀλλὰ — ὑπερέχειν om. A ||
110 κτήσεως A || 113 μόνον : μόνῳ MS, A || 116 δέχεσθαι p || 117 τὸ : τῷ
B || 118 ἀφιλάνθρωπον MS, G²B, D : φιλάνθρωπον G¹, A φιλάνθρωπος Ep
|| ὀνειδίζειν p || οὐδὲ A : οὔτε MS, GB, D incertum E || 119 τοῦ ante
λεπροῦ add. p || 121 βλέπει τις A : βλέποι τις MS, Ep τις βλέπει D τις
βλέποι GB || 122 ἐξετάζει codd. : ἐξετάζοι Pasquali Gallay (falso ex
DE)

d. Cf. III Macc. 2, 2   e. Jn 1, 18   f. Cf. Jn 1, 1   g. Phil. 2, 6
h. Hébr. 1, 3   i. Cf. Phil. 2, 8   j. Cf. Lc 22, 47   k. Cf. Matth.
26, 6   l. Cf. Lc 7, 45

semblait être un enfer, une prison ténébreuse ou quelque
autre triste lieu de supplices, lorsque je considérais de
quels biens nos pères[3] nous ont fait les héritiers et quels
récits nous laisserons à nos successeurs. **16.** Et que dire de
l'affection mutuelle de nos pères? Il n'y a rien d'étonnant
en effet à ce que des hommes qui sont par nature d'égale
dignité ne veuillent avoir aucune supériorité l'un sur
l'autre, mais estiment plutôt devoir l'emporter entre eux
par l'humilité. Mais cela surtout occupait ma pensée : que
« le maître de toute création[d] », « le Fils unique qui est dans
le sein du Père[e] », celui qui « est au commencement[f] », celui
qui est « dans la forme de Dieu[g] », celui qui « porte toute
chose par la parole de sa puissance[h] », ne s'est pas humilié
seulement[i] en venant habiter par la chair[2] dans la nature
humaine, mais encore il reçoit Judas, celui qui le livre lui-
même en s'approchant de sa bouche pour un baiser[j] et,
entrant dans la maison de Simon le lépreux[k], il blâme
comme un manque de charité de n'avoir pas reçu de baiser
de lui[l]. Moi, je n'ai même pas été considéré comme un
lépreux. **17.** Et cela par qui, et en étant qui ? La différence
entre nous, je ne puis la trouver : d'où était-il descendu, où
étais-je gisant — si du moins on observe les choses de ce
monde ? Si en effet on examine la situation du point de vue

1. Le mot « pères » est sans doute à prendre au sens large, si
Helladios est d'origine cappadocienne, puisque c'est seulement du
côté maternel que Grégoire a des ancêtres cappadociens (GRÉG. NAZ.,
Or. 43, In Bas., 3, *PG* 36, 497 C). Si le mot est à prendre au sens
propre, cela indiquerait qu'Helladios est lui aussi d'origine pontique,
comme le père de Grégoire, rhéteur à Néocésarée (*Ibid.*, 12, *PG* 36,
509 A ; *V. Macr.* 21, 11-13, p. 210).
2. WYSS (*Gregor von Nazianz*, p. 161) a relevé le goût de Grégoire
pour διά + génitif là où l'on attendrait ἐν + datif, un usage qui se
répandra largement dans le grec tardif. Comme dans ce passage, on
rencontre plusieurs fois chez lui l'expression διὰ σαρκός, liée à ἐπιδημία
ou ἐπιδημεῖν (cf. *Epist.* 2, 2 ; *V. Macr.* 1, 8-9 ; *Or. Cat.* 18, 1) ou du
moins dans un contexte qui évoque l'incarnation.

1005 M.   ὁμότιμον ἐπ' ἀμφοτέρων τὸ εὐγενὲς καὶ ἐλεύθερον. **18.** Εἰ
δὲ τὴν ἀληθῆ τις ἐπιζητοίη τῆς ψυχῆς ἐλευθερίαν τε καὶ
125   εὐγένειαν, ἐπ' ἴσης δοῦλοι τῆς ἁμαρτίας, ἀμφότεροι[m],
ἐπ' ἴσης τοῦ αἴροντος τὰς ἁμαρτίας[n] δεόμεθα. Ἄλλος ἐστὶν ὁ
τῷ ἰδίῳ αἵματι τοῦ θανάτου καὶ τῶν ἁμαρτιῶν ἡμᾶς
λυτρωσάμενος[o], ὃς καὶ ἐξηγόρασεν ἡμᾶς[p] καὶ ὑπερηφανίαν
τινὰ κατὰ τῶν ἐξαγορασθέντων οὐκ ἐπεδείξατο, ὁ νεκροὺς
130   εἰς ζωὴν ἀνακαλούμενος[q], ὁ πᾶσαν ἐξιώμενος ἀρρωστίαν[r]
καὶ ψυχῶν καὶ σωμάτων.

9 P.   **19.** Ἐπεὶ οὖν ὁ καθ' ἡμῶν τῦφος καὶ ὁ τῆς ὑπερηφανίας
ὄγκος μικροῦ δεῖν τῷ οὐρανίῳ ὕψει στενοχωρούμενος ἦν,
ὕλην δέ τινα καὶ ἀφορμὴν πρὸς τὴν νόσον οὐδεμίαν ἑώρων,
135   ὅθεν συγγνωστὸν γίνεται τὸ τοιοῦτον πάθος ἐπὶ τῶν ἐκ
περιστάσεώς τινος ταύτην ἀναλαμβανόντων τὴν νόσον, ὅταν
ἢ γένος ἢ παίδευσις ἢ ἀξιώματος ὑπεροχὴ τὰ χαυνότερα ἤθη
διαφυσήσῃ, οὐκ εἶχον ὅπως ἐμαυτὸν ἀτρεμεῖν νουθετήσω,
διοιδούσης μοι πρὸς τὴν ἀλογίαν τῶν γινομένων ἔνδοθεν
140   τῆς καρδίας καὶ τοὺς ὑπὲρ τῆς ὑπομονῆς λογισμοὺς δια-
πτυούσης. **20.** Ὅτε καὶ μάλιστα τὸν θεῖον ἠγάσθην ἀπόστο-
λον οὕτως ἐναργῶς τὸν ἐμφύλιον ἡμῖν διαγράφοντα πόλεμον,
λέγοντα εἶναί τινα ἐν τοῖς μέλεσι νόμον ἁμαρτίας τὸν
144   ἀντιστρατευόμενον τῷ νόμῳ τοῦ νοὸς καὶ ποιοῦντα πολλάκις
C   ἑαυτῷ τὸν νοῦν αἰχμάλωτόν[s] τε καὶ ὑποχείριον, ταύτην ἐν

MS, GB, AEDp

123 ὁμότιμα p ‖ 124 τις om. D ‖ 126 ἄλλος : ἀλλ' ὁ αὐτός Müller
(p. 89) ‖ 128 καὶ[1] om. B ‖ 129 ἐξαγορασθέντων : ἀγορασθέντων D ‖ ὁ D
om. cett. ‖ 137 ἀξιώματος MS, A : ἀξιωμάτων cett. ‖ 138 post
διαφυσήσῃ des. E ‖ 139 μοι : μου D ‖ ἀλογίαν : ἀναλογίαν MS ‖ 142 τὸν
ἐμφύλιον ἡμῖν GB[1], D : ἡμῖν τὸν ἐμφύλιον B[2] τὸν ἐμφύλιον ἐν ἡμῖν MS,
Ap ‖ 144 καὶ : μὲν A[1] corr. A[2] manu rec. ‖ 145 ἐν om. p

m. Cf. Jn 8,34; Rom. 6,17   n. Cf. Jn 1,29; I Jn 3,5
o. Cf. I Pierre 1,18-19   p. Cf. Gal. 4,5   q. Cf. Rom. 4,17
r. Cf. Ps. 102,3   s. Cf. Rom. 7,23

de la chair, on peut sans froisser quiconque dire au moins
qu'elle était de même niveau, la noblesse et la condition
libre étant égales chez l'un et chez l'autre[1]. **18.** Mais si l'on
s'enquiert aussi de la liberté et de la noblesse véritables,
celles de l'âme, nous sommes tous deux également esclaves
du péché[m], nous avons également besoin de celui qui
enlève les péchés[n]. C'est un autre qui, par son propre sang,
nous a affranchis[o] de la mort et des péchés, qui nous a
rachetés[p] et n'a manifesté aucune arrogance à l'endroit de
ceux qui ont été rachetés, celui qui rappelle les morts à la
vie[q], celui qui guérit toute infirmité[r] de l'âme et du corps.

19. Ainsi donc, comme il s'en fallait de peu que cet
orgueil dirigé contre nous et cette masse d'arrogance ne
soient à l'étroit dans les hauteurs des cieux[2] et que je
ne voyais aucune matière ni aucun motif à la maladie
— de ceux qui rendent excusable une telle passion chez
ceux qui ont contracté cette maladie par suite de quelque
circonstance, lorsque la naissance, l'éducation ou l'élévation en dignité enflent de suffisance les personnes sans
caractère —, je n'arrivais pas à me convaincre de rester
tranquille, car mon cœur en moi était bouleversé par
l'extravagance de ce qui se passait et repoussait violemment toute idée de patience. **20.** C'est alors surtout que
j'admirai le divin apôtre, qui nous décrit si clairement la
guerre qui existe en nous lorsqu'il dit qu'il y a «dans les
membres une loi de péché qui lutte contre la loi de l'esprit
et fait souvent de l'esprit son prisonnier[s]» et son captif, en

1. Tout en traitant volontiers par prétérition de telles réalités,
Grégoire n'oublie pas de les mettre en relief lorsqu'il en a l'occasion :
cf. *V. Macr.* 21, 7-9 : nous pouvons «tirer fierté d'apparaître comme
bien nés et issus de bonne famille» (p. 211). Le ton de la lettre montre
bien en tout cas que Grégoire a ressenti l'attitude d'Helladios comme
une insulte à son rang social, sa qualité d'homme libre (cf. encore
29, 35).

2. Ici encore, la grandiloquence du discours, qui utilise l'hyperbole, est chargée d'ironie.

ἐμαυτῷ βλέπων τῶν δύο λογισμῶν τὴν ἐξ ἐναντίου
παράταξιν, τοῦ τε χαλεπαίνοντος πρὸς τὴν ἐξ ὑπερηφανίας
ὕβριν καὶ τοῦ τὸ διοιδοῦν καταστέλλοντος. 21. Ἐπεὶ δὲ
κατὰ θεοῦ χάριν ἐπεκράτησεν ἡ κρείττων ῥοπή, τότε πρὸς
150 αὐτὸν εἶπον ἐγώ· «Μὴ ἄρα τί σοι τῶν περὶ τὴν θεραπείαν
τοῦ σώματος σπουδαζομένων τῇ παρουσίᾳ μου βλάπτεται,
καὶ ὑπεξελθεῖν ἐστιν εὔκαιρον;» 22. Τοῦ δὲ εἰπόντος μὴ
χρῄζειν τοῦ θεραπευθῆναι τὸ σῶμα, εἶπόν τινας λόγους πρὸς
αὐτὸν θεραπευτικούς, ὡς οἷόν τε ἦν· κἀκείνου δι' ὀλίγων τὸ
155 ἐπὶ πολλοῖς ἀδικήμασιν τὴν καθ' ἡμῶν ἔχειν λύπην ἐνδειξα-
μένου, ταῦτα πρὸς αὐτὸν ἀπεκρινάμην ἐγώ, ὅτι «Ἐν
10 P.   ἀνθρώποις πολλὴν ἔχει δύναμιν πρὸς ἀπάτην τὸ ψεῦδος, τὸ
D   δὲ θεῖον κριτήριον τὸν ἐξ ἀπάτης παραλογισμὸν οὐ
προσδέχεται. Ἐμοὶ δὲ τοσοῦτον πέποιθεν ἐν τοῖς πρὸς σὲ
160 πράγμασιν ἡ συνείδησις, ὡς εὔχεσθαι τῶν μὲν ἄλλων
ἁμαρτιῶν γενέσθαι μοι τὴν συγχώρησιν, εἰ δέ τι κατὰ σου
πέπρακταί μοι, τοῦτο μεῖναι εἰς τὸ διηνεκὲς ἀσυγχώρητον.»
23. Σχετλιάσας δὲ τῷ λόγῳ, οὐκέτι προστεθῆναι τὰς
ἀποδείξεις τοῖς εἰρημένοις ἐδέξατο.

165   24. Ὥρα ἦν πλείων ἢ κατὰ τὴν ἕκτην, καὶ τὸ λουτρὸν
εὐτρεπὲς καὶ ἐν παρασκευῇ ἡ ἑστίασις καὶ σάββατον ἡ ἡμέρα
καὶ μαρτύρων τιμή· καὶ πάλιν ὁ μαθητὴς τοῦ εὐαγγελίου
πῶς μιμεῖται τὸν τοῦ εὐαγγελίου δεσπότην; ὁ μὲν μετὰ
1008 M.   τελωνῶν καὶ ἁμαρτωλῶν ἐσθίων καὶ πίνων[t] ἀπελογεῖτο τοῖς

MS, GB, ADp

146 ἐξ : ἐκ τῆς p ‖ 148 τοῦ τὸ : τοῦτο B ‖ ἐπεὶ δὲ GB, A : ἐπειδὴ MSp
ἐπεὶ D (sed sequitur rasura) ‖ 149 ἐπεκράτησεν ἡ κρείττων : οὐκ
ἐκράτησεν ἡ χείρων p ‖ 150 τὴν θεραπείαν om. A ‖ 153-154 λόγους πρὸς
αὐτὸν θεραπευτικούς MS, A : πρὸς αὐτὸν λόγους θεραπευτικούς GB, D
λόγους θεραπευτικοὺς πρὸς αὐτόν p ‖ 157 ἔχει : εἶχε GB¹, A corr. B² m.
rec. ‖ 159 προσδέχεται : παραδέχεται D ‖ τοσοῦτο p ‖ πέποιθεν : πέπονθεν
MS, D ‖ πρὸς σὲ om. A¹ add. A² m. rec. ‖ 165 πλείων MS, B², D : πλείον
GB¹, A ‖ καὶ om. A ‖ 166 εὐτρεπὲς GB¹, D : εὐπρεπὲς MS, B², Ap ‖ ἡ
ἑστίασις ἐν παρασκευῇ D

t. Cf. Matth. 9, 11 ; Mc 2, 16

voyant en moi-même cet affrontement hostile de deux
pensées, l'une qui s'irritait de l'outrage provoqué par
l'arrogance, l'autre qui tentait de calmer le bouleverse-
ment. **21.** Lorsque, grâce à Dieu, la tendance la meilleure
l'eut emporté, c'est moi qui m'adressai à lui : Est-ce que
par hasard ma présence est un obstacle à l'un des soins qui
te sont dispensés pour ta santé[1], et convient-il que je me
retire ? **22.** Comme il me disait qu'il n'avait pas besoin de
recevoir des soins, je lui adressai quelques paroles obli-
geantes, autant qu'il m'était possible. Et comme celui-ci
expliquait en peu de mots qu'il nous en voulait en raison
de multiples offenses, je lui répondis : «Chez les hommes,
le mensonge a un grand pouvoir pour tromper, mais le
tribunal divin n'accepte pas la fausse argumentation de la
tromperie. Pour moi, ma conscience est à ce point en paix
en ce qui concerne ma conduite envers toi que je souhaite
recevoir le pardon de mes autres péchés, mais que, si j'ai
fait quelque chose contre toi, cela demeure à jamais sans
pardon.» **23.** Irrité par mes paroles, il n'accepta pas que
j'ajoute encore les preuves de ce que je venais de dire.

24. La sixième heure était déjà passée, le bain était
prêt[2], le repas en préparation[3], c'était un samedi et la fête
des martyrs. Une fois encore, comment le disciple de
l'évangile imite-t-il le maître de l'évangile ? Celui-ci, qui
mangeait et buvait avec les publicains et les pécheurs[t], se

----

1. Grégoire croit qu'Helladios est malade (cf. *supra*, § 6).
2. Le bain avant le repas est une pratique connue dans le monde
gréco-romain. On se baigne volontiers à la cinquième heure, avant de
manger à la sixième ou un peu plus tard : cf. des exemples de cette
pratique dans l'*Hist. August.*, *Alex. Sev.* 30 (p. 274 Hohl) ; GALIEN, *De
sanitate tuenda*, V, 4 (p. 333 Kühn VI).
3. Les panégyries des martyrs s'accompagnaient souvent d'un
repas festif plus ou moins communautaire, parfois offert par un
bienfaiteur (cf. P. MARAVAL, *Lieux saints*, p. 218-219). Il se peut
toutefois qu'il s'agisse seulement ici du repas préparé pour les
évêques.

170 ὀνειδίζουσιν ὡς κατὰ φιλανθρωπίαν τοῦτο ποιῶν, ὁ δὲ ἄγος
κρίνει καὶ μίασμα τὴν ἐπὶ τραπέζης κοινωνίαν. 25. Μετὰ
τὸν κόπον ἐκεῖνον ὃν ἐκ τῆς ὁδοιπορίας ὑπέστημεν, μετὰ τὸ
θάλπος τὸ τοσοῦτον ἐν ᾧ ὑπαίθριοι ταῖς θύραις αὐτοῦ
προσκαθήμενοι κατεφρύγημεν, μετὰ τὴν σκυθρωπὴν ἐκείνην
175 κατήφειαν ἣν ἐν ὀφθαλμοῖς αὐτοῦ γεγονότες ἀνέτλημεν,
ἀποπέμπεται ἡμᾶς πάλιν ἐπὶ τὸ αὐτὸ διάστημα διὰ τῆς
αὐτῆς ὁδοῦ ταλαιπωροῦντας ἐν ἐκλελοιπότι ἤδη καὶ καταπε-
πονημένῳ τῷ σώματι· ὥστε μόλις ἡμᾶς περὶ δείλην ὀψίαν,
πολλὰ διὰ μέσου κακοπαθήσαντας, καταλαβεῖν τὴν συνο-
180 δίαν· καὶ γάρ τι καὶ νέφος ἐκ λαίλαπος κατὰ τὸ ἀθρόον ἐν
τῷ ἀέρι γενόμενον αὐτῶν τῶν μυελῶν ἡμῶν λάβρῳ τῷ
B ὄμβρῳ καθίκετο· ἀπαράσκευοι γὰρ ἦμεν διὰ τὸ ὑπερβάλλον
θάλπος ὡς πρὸς ὑετοῦ φυλακήν. 26. Πλὴν ἀλλὰ κατὰ θεοῦ
11 P. χάριν, ὡς οἱ ἀπὸ κλύδωνος ἢ ναυαγίου περισωθέντες,
185 ἄσμενοι τὴν συνοδίαν ἡμῶν κατελάβομεν, καὶ ἀναπαυσάμε-
νοι τὴν νύκτα μετὰ ἀλλήλων, ζῶντες μέχρι τῶν ἡμετέρων
διεσώθημεν τόπων, τοῦτο προσλαβόντες ἐκ τῆς συντυχίας,
ὅτι πάντων τῶν πρότερον γεγονότων ἡ ἔναγχος γενομένη
καθ᾽ ἡμῶν ὕβρις τὴν μνήμην ἀνενεώσατο.
190   27. Καί τι ἀναγκαζόμεθα λοιπὸν καὶ ὑπὲρ ἡμῶν βουλεύσασθαι, μᾶλλον δὲ ὑπὲρ αὐτοῦ ἐκείνου· τὸ γὰρ μὴ
ἀνακοπῆναι αὐτοῦ τὴν προαίρεσιν ἐν τοῖς πρότερον γεγενημένοις, εἰς ταύτην αὐτὸν ἤγαγε τὴν τύφουσαν ἀμετρίαν·
οὐκοῦν ὡς ἂν κἀκεῖνος ἑαυτοῦ γένοιτο κρείττων, τάχα τι
195 προσήκει καὶ παρ᾽ ἡμῶν γενέσθαι, ὡς ἂν μάθοι ἄνθρωπος

MS, GB, ADp

174 προσκαθήμενοι GB, D : προσκαθεζόμενοι cett. ‖ 176 ἀποπέμπεται
GB, AD : ἀποπέμπεται οὖν MS καὶ ἀποπέμπεται p ‖ 178 τῷ om. D ‖ 180
νέφος : νέφους D ‖ 181 γινόμενον A ‖ ἡμῶν : ἡμᾶς p ‖ 183 πλὴν om. G ‖
184 ναυαγίοις A ‖ 187 συντυχίας : ἡσυχίας A ‖ 188 γινομένη Ap ‖ 190 καί
τι : καίτοι p ‖ 191 ὑπὲρ αὐτοῦ : ὑπερεαυτοῦ A ‖ ἐκείνου om. B ‖ 192
αὐτοῦ τὴν : τὴν αὐτοῦ p ‖ 193 τὴν τύφουσαν : τοῦ τύφου τὴν p ‖ 194
κρεῖττον A ‖ 195 καὶ παρ᾽ ἡμῶν προσήκει MS, A ‖ μάθοι : μάθη p

justifiait devant ses censeurs en disant qu'il agissait ainsi par amour des hommes ; celui-là tient notre compagnie à table pour un sacrilège et une souillure. **25.** Après la grande fatigue que nous avions subie du fait du voyage, après la si forte chaleur qui nous avait desséché[1], assis en plein air à ses portes, après cette sombre tristesse que nous avions dû supporter alors que nous étions en sa présence, il nous renvoie faire le même trajet par le même chemin, devant affronter la fatigue avec un corps déjà affaibli et épuisé. De la sorte, c'est à grand peine que, vers le soir, nous avons retrouvé notre compagnie, après en avoir beaucoup enduré dans l'intervalle. En effet, un nuage de tempête qui s'était formé subitement dans les airs nous frappa jusqu'à la moëlle des os d'une pluie violente, et à cause de l'excessive chaleur nous étions sans équipement qui nous protégeât de la pluie. **26.** Cependant, grâce à Dieu, comme des gens sauvés d'une tempête ou d'un naufrage, nous avons retrouvé tout joyeux notre compagnie, et après nous être tous ensemble reposés la nuit, nous sommes arrivés vivants, sains et saufs, dans nos régions, avec pour tout résultat de cette rencontre que l'outrage qu'on venait de nous faire avait ranimé le souvenir de tout ce qui s'était passé auparavant.

27. Nous sommes donc forcé pour l'avenir de prendre une décision pour notre bien, ou plutôt pour le sien propre. C'est en effet l'absence de tout obstacle devant son comportement dans le passé qui l'a conduit à cette orgueilleuse démesure. Ainsi, pour que lui aussi puisse devenir meilleur, convient-il peut-être que nous fassions quelque chose, pour qu'il apprenne qu'il n'est qu'un homme et qu'il n'a aucun droit d'outrager et de traiter

---

1. Le verbe κατραφρύγω est d'emploi fréquent chez Grégoire : cf. *Epist.* 19, 90 ; *V. Moys.* I, 33, (p. 72) ; *Adv. Evagr., GNO IX* p. 340, 6 (Wyss, *Gregor von Nazianz*, p. 160).

C   ὧν καὶ οὐδεμίαν κατὰ τῶν ὁμοφρόνων τε καὶ ὁμοτίμων
    ὕβρεως καὶ ἀτιμίας τὴν αὐθεντίαν ἔχων. 28. Ἰδοὺ γὰρ
    ἀληθὲς εἶναι δεδόσθω (λέγω δὲ καθ' ὑπόθεσιν) γεγενῆσθαι
    παρ' ἐμοῦ τι λυπηρὸν κατ' ἐκείνου· ποῖον συνέστη καθ'
200 ἡμῶν ἐπὶ τοῖς γενομένοις ἢ ὑπονοουμένοις κριτήριον; τίς
    ἀπόδειξις τὴν ἀδικίαν ἀπήλεγξεν; τίνες κανόνες καθ' ἡμῶν
    ἀνεγνώσθησαν; ποία ἔννομος ἐπισκόπου ἀπόφασις τὴν
    καθ' ἡμῶν κρίσιν ἐκύρωσεν; 29. Εἰ δέ τι καὶ ἐγεγόνει
    τούτων ἐννόμως, πάντως ἂν περὶ τὸν βαθμὸν ὁ κίνδυνος ἦν·
205 ὕβριν δὲ κατὰ ἐλευθερίας καὶ ἀτιμίαν κατὰ τῶν ὁμοτίμων
    ποῖοι κανόνες ἐνομοθέτησαν;
       30. Κρίμα δίκαιον κρίνατε[u] οἱ πρὸς θεὸν ὁρῶντες, ἐν τίνι
    συγγνωστὴν ἡγεῖσθε τὴν καθ' ἡμῶν ἀτιμίαν; 31. Εἰ κατὰ
D   τὴν ἱερωσύνην τὸ ἀξίωμα κρίνοιτο, ἴση παρὰ τῆς συνόδου
12 P. καὶ μία γέγονεν ἀμφοτέροις ἡ προνομία, μᾶλλον δὲ ἡ φροντὶς
211 τῆς τῶν κοινῶν διορθώσεως, ⟨ὡς⟩ ἐν τούτῳ τὸ ἴσον ἔχειν.
       32. Εἰ δέ τινες ἡμᾶς γυμνοὺς τοῦ κατὰ τὴν ἱερωσύνην
    ἀξιώματος ἐφ' ἑαυτῶν βλέποιεν, τί τοῦ ἑτέρου πλέον ἔχει ὁ
    ἕτερος; γένος; παίδευσιν; ἐλευθερίαν πρὸς τοὺς ἀρίστους τε

MS, GB, ADp

197 αὐθεντείαν GB ‖ 198 δὲ καθ' GB, D : δὲ καὶ καθ' MS, A καθ' p ‖
200 γινομένοις Ap ‖ 201 ἀπήλεγξεν GB, Dp : ἐξήλεγξε MS ἐξήλεγξεν A ‖
203 ἐγεγόνει Ap : γέγονε D γεγόνει cett. ‖ 205 ἐλευθερίας : τῶν
ἐλευθέρων p ‖ 208 συγγνωστὸν p ‖ 209 ἴση παρὰ : ἴση καὶ παρὰ A¹ ἴση
ἐστὶ παρὰ A² ‖ 210 ἀμφοτέροις : ἀμφοτέρων ἡμῶν p ‖ 211 ⟨ὡς⟩ add.
Pasquali ‖ τούτῳ τὸ Pasquali : τῷ τοῦτο MS, GB, D τῷ τοῦ A τῷ τό p ‖
213 ἑαυτῶν : ἑαυτούς p ‖ πλέον ἔχει GB, D : πλεῖον ἔχει p ἔχοι πλεῖον
MS, A

---

u. Zach. 7, 9

---

1. Grégoire insiste beaucoup sur son égalité de rang (ὁμοτιμία) avec
Helladios (cf. encore § 29 et 30) : c'est pourtant vraisemblablement
cette prétention de s'égaler à son métropolitain qui est à l'origine de
ses difficultés avec lui.
2. Le mot ἱερωσύνη, que Grégoire utilise aussi dans l'*Epist.* 17, 23,

avec mépris ceux qui ont même foi et même rang[1] que lui.
28. Tenez, admettons comme vrai — je parle par hypothèse — que je lui aie causé quelque désagrément. Quel tribunal a statué contre nous sur les faits et les présomptions ? Quelle preuve m'a convaincu d'injustice ? Quels canons ont été lus contre nous ? Quelle sentence légitime d'un évêque a ratifié le jugement rendu contre nous ? **29.** Si l'une de ces choses s'était produite selon les règles, notre dignité serait assurément en danger. Mais faire outrage à la liberté de personnes de même rang et les traiter avec mépris, quels canons l'ont prescrit ?

30. « Portez un jugement juste[u] », vous qui regardez vers Dieu : en quoi estimez-vous que le mépris à notre endroit soit excusable ? **31.** Si la dignité se juge d'après le sacerdoce[2], c'est égal et unique que nous a été conféré par le concile le privilège, ou plutôt la charge, de remettre en ordre les affaires communes[3], de sorte qu'en cela nous sommes à égalité. **32.** Mais si l'on nous regarde pour nous-mêmes, en nous dépouillant de la dignité sacerdotale, l'un a-t-il quelque chose de plus que l'autre ? La naissance ? l'éducation ? la liberté devant les grands et les notables ? la

ainsi que tous les termes de la même famille, ne commence qu'à cette époque à être utilisé pour désigner le sacerdoce des ministres chrétiens, des évêques en particulier. Grégoire en apparaît comme un des premiers témoins, avec Jean Chrysostome dans son *De sacerdotio* (le *PGL* ne cite aucun exemple tiré du Cappadocien) et les *Constitutions Apostoliques* (cf. les références relevées par M. Metzger, *SC* 329, p. 45).

3. Allusion à la décision du concile de Constantinople, sanctionnée par Théodose, de désigner onze membres de ce concile comme des garants de l'orthodoxie : Grégoire et Helladios y sont nommés de concert pour le diocèse du Pont (*Cod. Theod.* XVI, 1, 3 ; Sozomène, *Hist. eccl.* VII, 9, 6, p. 312). On peut aussi y ajouter la mission en Arabie confiée à Grégoire par ce même concile (*Epist.* 2, 12). Cette décision exceptionnelle bouleversait la hiérarchie et ne pouvait que susciter des problèmes, pour peu que les évêques concernés fussent jaloux de leurs droits.

215 καὶ εὐδοκιμωτάτους; γνῶσιν; ταῦτα ἢ ἐν τῷ ἴσῳ καὶ
παρ' ἡμῖν ἔστιν εὑρεῖν ἢ πάντως οὐκ ἐν ἐλάσσονι. **33.** Ἀλλὰ
πλοῦτον λέγει; μὴ γένοιτο εἰς ἀνάγκην ἐλθεῖν ταῦτα περὶ
αὐτοῦ διηγήσασθαι. Ἢ τοσοῦτον ἀρκεῖ μόνον εἰπεῖν, ὅσος ἦν
τὸ κατ' ἀρχὰς καὶ νῦν ὅσος ἐγένετο, καὶ καταλιπεῖν ἄλλοις
220 ἀναζητῆσαι τῆς αὐξήσεως τοῦ πλούτου τὰς ἀφορμὰς τοῦ
μέχρι τοῦ παρόντος καθ' ἑκάστην μικροῦ δεῖν ἡμέραν διὰ
1009 M. τῶν καλῶν ἐπιτηδευμάτων αὐξομένου τε καὶ τρεφομένου.
34. Τίς οὖν τῆς καθ' ἡμῶν ὕβρεως ἡ ἐξουσία, εἰ μήτε
γένους ὑπεροχὴ μήτε ἀξιώματος περιφάνεια μήτε δύναμις
225 ὑπερβάλλουσα λόγων, μηδὲ ἔστιν εὐεργεσία τις προϋπάρξα-
σα; **35.** Ὁπότε καὶ εἰ ταῦτα ἦν, καὶ οὕτως ἂν ἦν τὸ κατὰ
τὴν ὕβριν ἐπὶ τῶν ἐλευθέρων ἀσύγγνωστον· μηδενὸς δὲ
τούτων ὄντος οὐκ οἶμαι καλῶς ἔχειν τὴν τοσαύτην τοῦ
τύφου νόσον περιδεῖν ἀθεράπευτον. Θεραπεία δέ ἐστιν τὸ
230 ἐπικλῖναι τὴν ὑπερηφανίαν καὶ διαστεῖλαι τὸν διάκενον
ὄγκον, μικρὸν διαπνευσθέντος τοῦ κατὰ τὸν τῦφον φυσήμα-
τος· ὅπως δ' ἂν γένοιτο τοῦτο, θεῷ μελήσει.

MS, GB, ADp

215 εὐδοκιμωτάτους MS, A : εὐδοκίμους cett. ‖ 216 ἡμῖν : ἡμῶν A ‖
218 ἢ Pasquali : ἦ codd. ‖ 221 καὶ (ante καθ' ἑκάστην) add. P ‖ 222
αὐξομένου : αὐξανομένου p ‖ 223 ἡμῶν : ἡμᾶς p ‖ 224 μήτε[1] : ἢ A ‖ 225
μηδὲ ἔστιν GB, D : μήτε cett. ‖ 226 ἦν[2] GB, D : om. cett. ‖ 227 ἐπὶ GB,
D : ἐπὶ τὸ cett.

science[1]? Tout cela, on peut le trouver au même degré chez nous aussi, ou du moins pas à un degré inférieur.
33. Mais parle-t-on de la richesse? Puissé-je ne pas être obligé de rentrer dans le détail sur ce point à son sujet. Il suffit de dire quelle était son importance à l'origine et combien grande elle est devenue présentement, et laisser à d'autres le soin de chercher les causes de l'accroissement de cette richesse, qui jusqu'à présent se développe et se nourrit presque chaque jour par de belles entreprises[2].
34. Qu'est-ce donc qui justifie cet outrage envers nous, s'il n'y a ni supériorité de naissance, ni éclat dû à la dignité, ni talent oratoire supérieur, ni prééminence en bienfaisance?
35. Quand bien même cela existerait, même alors l'outrage fait à des hommes libres serait impardonnable; mais puisque rien de cela n'existe, je crois qu'il n'est pas bon de laisser sans remède une telle maladie d'orgueil. Et le remède, c'est de rabaisser l'arrogance et de faire crever la vaine prétention, quand l'enflure de l'orgueil sera un peu résorbée. Dieu veillera à ce qu'il en soit ainsi.

---

1. Il s'agit ici sans doute de la science des choses divines, de la doctrine théologique (Cf. Pasquali, *Le lettere*, p. 122).
2. Pasquali parle à ce propos d'une «insinuazione non bella» de la part de Grégoire (*Ibid.*). Grégoire insinue que la richesse d'Helladios, peu considérable à l'origine, s'est accrue et ne cesse de s'accroître par des moyens douteux. Il n'oppose donc pas ici l'importance de la richesse de sa propre famille à celle de la famille d'Helladios (comme je l'ai dit dans *L'authenticité de la lettre 1*, p. 69), mais plutôt le bon aloi de la première, dont on sait par ailleurs l'ancienneté et l'importance (cf. *V. Macr.*, 20, 16-20, p. 206-207) comparée aux origines récentes et peu honorables de la seconde.

II

Περὶ τῶν ἀπιόντων εἰς Ἱεροσόλυμα, Κηνσίτορι

1. Ἐπειδήπερ ἠρώτησας, ὦ φίλε, διὰ τοῦ γράμματος, πρέπειν ᾠήθην περὶ πάντων σοι καθεξῆς[a] ἀποκρίνασθαι, ἐγὼ τοὺς ἅπαξ ἀνατεθεικότας ἑαυτοὺς τῇ ὑψηλῇ πολιτείᾳ

COT, Π(vtl)K, MHXΦ(fb), N

Titulus : ἐπιστολὴ τοῦ ἁγίου γρηγορίου τοῦ νύσης (τ. ἁ. γ. ν. ἐπισκόπου b) περὶ τῶν ἀπιόντων εἰς ἱεροσόλυμα κηνσήτορι Φ τοῦ αὐτοῦ (λόγος add. T) περὶ τῶν ἀπ. εἰς ἱερ. OT γρ. νύσης (sive νύσσης ; τοῦ ἐν ἁγίοις πατρὸς ἡμῶν γρ. νυσ. X) ἀδελφοῦ τοῦ μεγάλου (τ. μ. eras. C om. MX) βασιλείου (ἐπιστολὴ add. X) περὶ τῶν ἀπιόντων εἰς τὰ ἱερ. CHMX τοῦ ἐν ἁγ. πατρὸς ἡμῶν γρ. ἐπ. νύσης λόγος πρὸς τοὺς ἀπιόντας εἰς τὰ ἱερ. K ἐπιστολὴ τοῦ ἐν ἁγ. πατρὸς ἡμῶν γρ. νύσσης περὶ τῶν ἀπ. εἰς ἱερ. καὶ εἰς ἄλλους τινὰς τόπους (vt : ἐπιστ. τοῦ θεολόγου πρὸς τὸν ἐν ἁγ. γρηγόριον τὸν νύσσης περὶ κτλ. l) Π τοῦ ἐν ἁγ. πρς ἡμῶν γρηγορίου τοῦ νύσης ἐπιστολὴ πρός τινα ἐρωτήσαντα εἰ δεῖ ἀπέρχεσθαι εἰς ἱερ. N

1 γράμματος : πράγματος Ṫ ‖ 2 πρέπειν om. K πρέπον Π ‖ περὶ : καὶ περὶ X om. N ‖ ἀποκρίνασθαι : διηγήσασθαι Π

---

a. Cf. Lc 1, 3

---

1. Cette lettre a suscité une abondante littérature dans la seconde moitié du xvie et au début du xviie siècle, époque à laquelle elle fut plusieurs fois éditée. Son contenu assez critique sur la pratique du pèlerinage à Jérusalem a été exploité alors par les partisans de la Réforme, cependant que leurs adversaires catholiques s'efforçaient

Lettre 2[1]

Sur ceux qui vont à Jérusalem, à Censitor[2]

1. Puisque tu m'as consulté, mon cher, par ta lettre, j'ai pensé qu'il convenait de te répondre dans l'ordre[a] sur tous les points. Je dis, moi, que ceux qui se sont voués une fois

soit d'en nier l'authenticité, soit d'en relativiser la portée. Cf. P. MARAVAL, *Une controverse* (1986) (l'article est accompagné d'une traduction que celle-ci reprend avec quelques modifications, dues en particulier à des modifications du texte). L'attitude de Grégoire sur les pèlerinages a été étudiée par B. KÖTTING, *Wallfahrtskritik* (1962), et E. PIETRELLA, *I pellegrinaggi* (1981). Approche comparative dans P. MARAVAL, «Égérie et Grégoire de Nysse pèlerins de Palestine», dans *Atti del Convegno internazionale sulla Peregrinatio Egeriae*, Arezzo 1990, p. 315-331.

2. Le χηνσίτωρ est un magistrat répartiteur des impôts, sans doute pour une province (cf. TREUCKER, *Politische Studien*, p. 83). Or la lettre s'adresse à un moine, et même vraisemblablement à un responsable de moines (cf. § 18 : «conseille aux frères»). On peut donc penser que Censitor est ici un nom propre, si toutefois le nom du destinataire nous a été bien transmis (on ne le trouve que dans deux manuscrits récents). Des noms propres tirant leur origine de fonctions officielles existent à l'époque, comme l'a relevé PASQUALI, *Praef.*, p. XXXII. Il reste la possibilité que Grégoire s'adresse à un magistrat qui lui aurait demandé si c'était bien un devoir pour les moines de se rendre en Palestine ; une lettre de Basile est ainsi adressée à un *censitor* «au sujet des moines» (*Epist.* 284) ; une autre à celui qui s'occupe de la région d'Ibora, où se trouvent les communautés basiliennes (*Epist.* 299).

καλῶς ἔχειν φημὶ πρὸς τὰς τοῦ εὐαγγελίου διὰ παντὸς
5 ἀποβλέπειν φωνάς, καὶ ὥσπερ οἱ τῷ κανόνι τὸ ὑποκείμενον
ἀπευθύνοντες κατὰ τὴν ἐπὶ τοῦ κανόνος εὐθεῖαν τὰ σκολιὰ[b]
τοῦ ἐν χερσὶν εἰς εὐθύτητα μεταβάλλουσιν, οὕτως προσήκειν
ἡγοῦμαι οἷόν τινα κανόνα ὀρθὸν καὶ ἀδιάστροφον, τὴν
εὐαγγελικὴν λέγω δὴ πολιτείαν, τούτους ἐπιβάλλοντας
10 κατ᾽ ἐκείνην πρὸς τὸν θεὸν ἀπευθύνεσθαι. **2.** Ἐπεὶ τοίνυν
εἰσί τινες τῶν τὸν μονήρη καὶ ἰδιάζοντα βίον ἐπανηρημένων,

COT, Π(vtl)K, MHXΦ(fb), N

5 ἀποβλέπειν : -πων Π‖ οἱ ante τῷ OT, K, Np ante ἀπευθύν.
(l. 6) MHXΦ om. CΠ ‖ τὸ ὑποκείμενον : τῷ ὑποκειμένῳ K ‖ 6
ἀπευθύνοντες : ἀπογράφοντες Π ‖ κατὰ om. K ‖ τὴν ἐπὶ : δὲ τὴν Π ‖ τοῦ
om. K ‖ 7 τοῦ : τὰ OTp ‖ 8 οἷόν τινα : οἰονεὶ Π ‖ 9 τούτους MHXΦ
Canart : τούτοις cett. Pasquali ‖ 10 κατ᾽ : ὥστ᾽ X ‖ τὸν om. K ‖ θεὸν καὶ
ἀπευθύνεσθαι καὶ ἐπεί Π ‖ τοίνυν : νῦν Φ ‖ 11 τὸν om. Φ ‖ καὶ ἰδιάζοντα
βίον : βίον καὶ ἰδιάζοντα K, H βίον CT ‖ ἐπανηρημένων : -μένοι ΠK

---

b. Cf. Lc 3,5

---

1. L'expression désigne la virginité dans le *De virg*. XI, 4,4
(p. 387); elle indique déjà que la lettre, incontestablement, s'adresse à
des gens engagés dans la vie monastique (malgré ce qu'ont pu dire les
controversistes protestants des XVIᵉ et XVIIᵉ siècles : cf. sur ce point
P. MARAVAL, *Une controverse*, p. 133, 137). Plusieurs autres expressions de la lettre le confirment : 1) «la vie solitaire et retirée (μονήρη
καὶ ἰδιάζοντα)» (§ 2) — à quoi l'on peut comparer *V. Macr*. 8,9 : «la vie
solitaire (μονήρη) et pauvre», *V. Moys*. II, 18 : «nous vivrons solitaires
(ἐφ᾽ ἑαυτῶν ἰδιάσωμεν), *In Basil*., PG 46, 809 B : «vivant solitaire
(ἐφ᾽ ἑαυτοῦ ἰδιάζων); l'expression ἴδιος βίος, fréquente dans la *V.
Macr*., a sans doute aussi cette valeur; 2) «ceux qui se sont engagés
dans la vie régulière (ἀκριβῇ)» (§ 4) — sur l'ἀκριβεία, la stricte
discipline du genre de vie qu'est la virginité, cf. *De virg*. VI (titre),
XXIII, 1,13 et 2,8; 3) «dans une existence à l'écart (ἄμικτος) (§ 5) —
le terme est utilisé dans un contexte dépréciatif contre les Messaliens
dans le *De virg*. XXIII, 3,25); 4) «le mode de vie pieux (ἡ σεμνὴ

pour toutes au mode de vie sublime[1] doivent avoir en tout
temps les yeux fixés sur les paroles de l'Évangile ; et de
même que ceux qui redressent un objet en le conformant à
la règle changent en lignes droites les courbes[b] de ce qu'ils
ont en mains conformément à la rectitude de la règle[2], de
même il convient, je pense, que ceux[3] qui s'imposent, en
quelque sorte, une règle droite et immuable — je veux dire
le mode de vie évangélique — se dirigent droitement vers
Dieu en observant celle-ci. **2.** Ainsi donc, puisqu'il en est
parmi ceux qui ont choisi la vie solitaire et retirée qui
estiment que cela fait partie de la piété[4] de voir les lieux de

---

πολιτεία)» (§ 5) — cf. *V. Macr.* 11, 14 ; *De virg.* prol. 1, 6, XXIII, 3, 10-
11) ; 5) « la vie selon la philosophie » (§ 5) — thème classique : cf. *V.
Macr.* 1, 27 et l'introduction à mon édition, p. 90 s. ; 6) « les frères »
(§ 18). Certes, ce « mode de vie évangélique » est un idéal proposé à
tous ; il n'en reste pas moins que les « parfaits » (§ 4) qui essaient de le
réaliser sont d'abord les moines.

2. Cf. une comparaison semblable dans l'*In Eccl.* hom. 2 (*GNO* 5,
p. 303-304) : l'artisan qui fabrique un objet et en redresse (διευθύνει)
les différentes parties « avec règle (κανόνι) et cordeau ». Grégoire
l'utilise ici en y mêlant les termes du verset évangélique. Il fait
également un jeu de mots entre « ligne droite » (εὐθεῖα), « rectitude »
(εὐθύτης), plus loin « ceux qui se dirigent droitement » (οἱ ἀπευθύνοντες).

3. Avec P. Canart, *Recentissimus* (1973), p. 729, je choisis ici de
lire τούτους plutôt que τούτοις, même s'il semble manquer un
complément tel que ἑαυτοῖς à ἐπιβάλλοντας (à moins qu'on ne doive
corriger le τούτους/ τούτοις des manuscrits par τοὺς ἑαυτοῖς). Je traduis
aussi ἀπευθύνεσθαι comme un moyen réflexif, comme l'ont fait le
traducteur de Migne et Criscuolo (*Lettere*, p. 71). On peut aussi
comprendre, si on y voit un passif : « soient dirigés droitement vers
Dieu ».

4. Dans plusieurs autres lettres, le terme εὐσέβεια désigne l'orthodoxie, la foi orthodoxe (cf. *infra*, p. 131, n. 3). Ici pourtant le terme a
son sens classique de piété, attachement aux pratiques religieuses. Sur
ce terme, cf. J. Ibañez-F. Mendoza, « Naturaleza de la 'Eusebeia' en
Gregorio de Nisa », *Rev. Esp. de Teol.* 33, 1973, p. 339-362 et 423-448.

14 P. οἷς ἐν μέρει εὐσεβείας νενόμισται τὸ τοὺς ἐν Ἱεροσολύμοις
C   τόπους ἰδεῖν, ἐν οἷς τὰ σύμβολα τῆς διὰ σαρκὸς ἐπιδημίας
    τοῦ κυρίου ὁρᾶται, καλῶς ἂν ἔχοι πρὸς τὸν κανόνα βλέπειν,
15 καὶ εἰ ταῦτα βούλεται ἡ παρὰ τῶν ἐντολῶν χειραγωγία,
    ποιεῖν τὸ ἔργον ὡς πρόσταγμα κυρίου· εἰ δὲ ἔξω ἐστὶ τῶν
    ἐντολῶν τοῦ δεσπότου, οὐκ οἶδα τί ἐστι τὸ διατεταγμένον
    τι θέλειν ποιεῖν, αὐτὸν ἑαυτῷ τοῦ καλοῦ νόμον γινόμενον.
    3. Ὅπου προσκαλεῖται πρὸς τὴν κληρονομίαν τῆς βασιλείας
20 τῶν οὐρανῶν ὁ κύριος τοὺς εὐλογημένους ᶜ, τὸ ἀπελθεῖν εἰς
    Ἱεροσόλυμα ἐν τοῖς κατορθώμασιν οὐκ ἀπηρίθμησεν· ὅπου
    τὸν μακαρισμὸν διαγγέλλει ᵈ, τὴν τοιαύτην σπουδὴν οὐ
D   περιέλαβεν. Ὁ δὲ μήτε μακάριον ποιεῖ μήτε πρὸς τὴν
    βασιλείαν εὔθετον ᵉ, ἀντὶ τίνος σπουδάζεται, ὁ νοῦν ἔχων ᶠ
25 ἐπισκεψάσθω. 4. Καὶ εἰ μὲν ἐπωφελὲς ἦν τὸ γινόμενον,

COT, Π(vtl)K, ΜΗΧΦ(fb), N

12 οἷς ἐν : εἷς N (sic) ‖ νενόμισται : εὐνομεῖσθαι tl ἐνομίσθη v ‖ 13-14
τοῦ κυρίου ἐπιδημίας Π ‖ 14 ὁρᾶται : καθορᾶται Κ ‖ ἔχοι : ἔχει ΠΚ ‖ 15
βούλεται ταῦτα N ‖ παρὰ : περὶ H ‖ 17 δεσπότου : κυ Κ ‖ 17-18 τοῦ
δεσπότου — ποιεῖν : μὴ θέλειν Vat. 1759 prob. Canart ‖ τί θέλει [τί ἐστι]
τὸ διατεταγμένον Pasquali ‖ τὸ ⟨μὴ⟩ διατεταγμένον Molineus ‖ 18 θέλειν
Bodl. Can. p θέλεις X θέλει cett. ‖ αὐτὸν : ἑαυτὸν Κ ‖ ἑαυτῷ N
Pasquali : ἑαυτοῦ cett. ‖ νόμον : νόμου Φ ‖ 21 τὰ ante ἱεροσ. add. Κ ‖ 23
περιέλαβεν : περιέβαλεν Π ‖ μήτε : μήτι Π

c. Cf. Matth. 25, 34   d. Cf Matth. 5, 3-11 ; Lc 6, 20-22   e. Cf.
Lc 9, 62   f. Cf. Apoc. 13, 18

1. Noter l'importance du «voir» dans la manière dont Grégoire
parle des lieux saints : cf. aussi § 14 : «ce que nous avons *constaté de
nos yeux*» ; § 15 : «avant de *voir* le mont des Oliviers» ; *Epist.* 3, 1 :
«*voir* les symboles salutaires» ; 3, 3 : «lorsque j'ai *vu* les lieux saints de
manière sensible»... Même approche chez JÉRÔME : cf. par exemple
Epist. 46, 13 (p. 113-114 Labourt II).
2. ἐπιδημία désigne à la fois la venue et le séjour (cf. *PGL*, s.v., 3 a).
Le terme a été beaucoup utilisé dans les débats trinitaires et
christologiques pour affirmer la réalité de l'incarnation. Autres
emplois chez Grégoire : *Or. Cat.*, 18, 1 ; *V. Macr.* 1, 8-9, dans une
expression presque semblable. Sur διὰ σαρκός, cf. *supra*, p. 95, n. 2.

Jérusalem dans lesquels se voient[1] les signes du séjour[2] du Seigneur dans la chair, il serait bon de tourner son regard vers la règle et, si la direction indiquée par les commandements l'exige, d'accomplir cette action comme une prescription du Seigneur. Mais si c'est étranger aux commandements du maître, je ne sais ce que signifie de vouloir accomplir une prescription en s'érigeant pour soi-même en norme du bien[3]. **3.** Lorsque le Seigneur appelle les élus à l'héritage du royaume des cieux[c], il n'a pas compté le voyage de Jérusalem parmi les bonnes actions[4]; lorsqu'il énonce les béatitudes[d], il n'y inclut pas une telle occupation. Ce qui ne rend ni bienheureux, ni apte à recevoir le royaume[e], pourquoi s'en préoccuper? Que celui qui est doué d'esprit[f] l'examine. **4.** Et si cet acte était utile, ce ne

---

3. Le texte transmis par presque tous les manuscrits pose un problème, comme le montre la diversité des traductions de ce passage, et les éditeurs successifs ont essayé de le corriger. P. du Moulin (Molineus) proposait de lire τὸ ⟨μὴ⟩ διατεταγμένον, ce que Pasquali semble approuver dans son apparat, mais qui ne peut s'accorder avec la correction qu'il propose lui-même. Il supprime en effet τί ἐστι, qu'il considère comme une glose ajoutée à τί θέλει dans un ancien codex, mais qui aurait été ensuite déplacée, hypothèse qui me paraît bien difficile à admettre. On peut hésiter aussi à suivre P. Canart (*Recentissimus*, p. 725-726) lorsqu'il propose d'adopter le texte du *Vaticanus 1759* (que je donne ici dans l'apparat). Sans doute celui-ci offre-t-il un texte compréhensible : «Si c'est hors des commandements, (il serait bon) de ne pas vouloir devenir pour soi-même la loi du bien.» Mais il faut quand même amender ce texte (adjonction éventuelle de τοῦ δεσπότου, correction de ἑαυτοῦ en ἑαυτῷ, de γινόμενον en γίνεσθαι) et l'on ne voit pas bien pourquoi il aurait été corrompu par l'adjonction intempestive de τί ἐστι τὸ διατεταγμένον. J'ai préféré garder le texte des manuscrits, avec la leçon ἑαυτῷ (confirmée maintenant par un manuscrit) et la leçon θέλειν, qu'on trouve dans les premières éditions. Ma traduction se rapproche ainsi de la première traduction latine, celle de l'éd. Guillaume Morel (reproduite dans Migne).

4. Le mot κατόρθωμα est fréquent chez Grégoire, désignant toute bonne action «pratiquée non seulement avec rectitude, mais avec succès et perfection» (M. Aubineau, *Traité*, p. 237, n. 3).

οὐκ ἦν οὐδὲ οὕτως καλὸν παρὰ τῶν τελείων σπουδάζεσθαι ·

1012 M.   ἐπεὶ δὲ καταμανθάνομεν δι' ἀκριβείας τὸ γινόμενον καὶ
ψυχικὴν προστρίβεσθαι βλάβην τοῖς τὸν ἀκριβῆ βίον
ἐνστησαμένοις, οὐκέτι τῆς μακρᾶς σπουδῆς ἄξιον ἀλλὰ
30   τῆς μεγίστης φυλακῆς, ὡς μηδενὶ τῶν καταβλαπτόντων
ὁ κατὰ θεὸν προῃρημένος ζῆν περιπείροιτο[g]. 5. Τί οὖν
ἐστιν ἐν τούτοις τὸ βλάπτον; Ἡ σεμνὴ πολιτεία πᾶσι
πρόκειται καὶ ἀνδράσι καὶ γυναιξίν · ἴδιον δὲ τοῦ κατὰ
34   φιλοσοφίαν βίου ἡ εὐσχημοσύνη, αὕτη δὲ ἐν τῷ ἀμίκτῳ
15 P.   καὶ ἰδιάζοντι βίῳ τῆς ζωῆς κατορθοῦται, ὡς ἀνεπίμικτον
καὶ ἀσύγχυτον εἶναι τὴν φύσιν, μήτε τῶν γυναικῶν ἐν
ἀνδράσι μήτε τῶν ἀνδρῶν ἐν γυναιξὶ πρὸς τὰ παρατετηρημένα τῆς ἀσχημοσύνης ὁρμώντων. 6. Ἀλλ' ἡ τῆς ὁδοι-
39   πορίας ἀνάγκη ἀεὶ τὴν ἐν τούτοις ἀκρίβειαν παραθραύει καὶ

COT, Π(vtl)K, ΜΗΧΦ(fb), N

26 παρά : περὶ M ‖ 27 καταμανθανόμενον COp ‖ ὡς ante καὶ add. K ‖
28 προστρίβεσθαι ΠΧ : προστρίβεται cett. ‖ τὸν om. X ‖ 29 οὐκέτι C,
ΗΜΧΠ, N Maas : οὐκ ἔστι cett. ‖ μακρᾶς : μιχρᾶς K ‖ 30 μεγίστης :
μεγάλης K ‖ μήδεν K ‖ 31 περιήρητο sive περιείρητο Π ‖ 33 ἐν ante
ἀνδράσι add. P ‖ γυναῖκες N ‖ δὲ Π om. cett. ‖ θν post κατὰ add. P ‖ 35
βίῳ del. Jaeger ‖ κατορθοῦται des. l ‖ ὡς : καὶ δεῖ K ‖ 37 ἐν om. Φ ‖ 38
ἀσχημοσύνης : αἰσχύνης Π εὐσχημοσύνης Bodl. Casaub., p, Maas
Canart ‖ ὁρμῶν X ‖ 39 ἀεὶ codd. ἀ<ναιρ>εῖ Pasquali <ἀναιρεῖ>ἀεὶ
Casaubon ‖ παραθραύει (παραθράβει) N ego : om. cett. ‖ καὶ om. Vat.
1759 prob. Canart suspic. Molineus

g. Cf. Tite 1, 11

1. L'ἀκρίβεια, c'est la stricte discipline de vie que requiert la vie
parfaite (cf. De perf., GNO 8/1, p. 175, 12-13); je ne crois pas forcer le
texte (ici et au § 6) en y voyant la «régularité» monastique.
2. Les Règles monastiques de Basile sont d'une grande sévérité en
ce qui concerne les relations des frères et des sœurs, excluant au
maximum les entretiens mutuels, tolérés seulement sous certaines
conditions : qu'ils soient plus de deux de chaque côté, que les
questions personnelles soient traitées par le truchement des anciens et
des anciennes (GR, q. 33, PG 31, 997 A — 1000 B). Quant aux

serait pas, même ainsi, une bonne chose que les parfaits se
préoccupent de l'accomplir. Mais comme nous observons
clairement que cet acte inflige aussi un dommage spirituel
à ceux qui se sont engagés dans la vie régulière[1], il n'est
plus digne de faire l'objet d'une grande préoccupation,
mais plutôt de la plus grande circonspection, pour que
celui qui a choisi de vivre selon Dieu ne soit blessé[g] par
rien de nuisible.

5. Qu'y a-t-il donc de nuisible en cela ? Le mode de vie
pieux est proposé à tous, hommes et femmes, et la décence
est le propre de la vie selon la philosophie ; or celle-ci se
réalise dans une existence en marge et retirée, où les sexes
n'ont pas de relations et restent séparés[2], car ni les femmes
parmi les hommes, ni les hommes parmi les femmes ne sont
enclins à se garder de l'indécence[3]. **6.** Or les nécessités du
voyage brisent constamment la régularité parmi ceux-ci et

---

voyages, ils ne sont permis qu'à ceux qui peuvent les faire sans
détriment pour leur âme (*GR*, q. 44, 1029 BD), et Basile veut que les
moines voyagent en groupe (*GR*, q. 39, *PG* 31, 1020 A).

3. Ici encore, le texte pose un problème. Tous les manuscrits en
effet (sauf un récent, le *Bodleianus Casaub. 11*, qui vraisemblablement
corrige, et le premier éditeur, qui corrige peut-être lui aussi) ont bien
τὰ παρατετηρημένα τῆς ἀσχημοσύνης, ce qui, si l'on traduit τὰ
παρατετηρημένα comme on le fait trois lignes plus loin, donnerait « les
observances de l'indécence » ! Aussi Sykutris et Maas (*Byz. Zeitsch.* 26,
1926, p. 380) supposent-ils une lacune, cependant que Canart
(*Recentissimus*, p. 731) propose de lire, comme l'ont fait les premiers
éditeurs, εὐσχημοσύνης, ce qui supprime toute difficulté (« les observances de la décence »). J'ai conservé non sans hésitation le texte de
tous les manuscrits, qui tous aussi ont εὐσχημοσύνη quelques lignes
plus haut, en donnant au mot παρατετηρημένα le sens de « ce qui
permet d'éviter, de se garder de ». Mais pour éviter de donner à ce
même mot, deux lignes plus loin, le même sens, je proposerais
volontiers de le corriger en παρατεθραυμένων, terme qui se trouve chez
PLATON (*Lois* 757 e) et que Grégoire a pu reprendre en écho à
παραθραύω, un procédé qui n'est pas sans exemple chez lui. On aurait
ainsi : « et conduit à l'indifférence vis-à-vis des entorses (à la
régularité) ».

B   πρὸς ἀδιαφορίαν τῶν παρατετηρημένων ἄγει· ἀμήχανον γὰρ
     γυναικὶ τοσαύτην ὁδὸν διαδραμεῖν, εἰ μὴ τὸν διασώζοντα
     ἔχοι καὶ διὰ τὴν φυσικὴν ἀσθένειαν ἀναγομένη ἐπὶ τὸ
     ὑποζύγιον κἀκεῖθεν καταγομένη καὶ ἐν ταῖς δυσχωρίαις
     παρακρατουμένη. Ὅπερ δ᾽ ἂν ὑποθώμεθα, εἴτε γνώριμον
45   ἔχει τὸν τὴν θεραπείαν ἀποπληροῦντα εἴτε μισθωτὸν τὸν τὴν
     διακονίαν παρεχόμενον, καθ᾽ ἑκάτερον μέρος οὐ διαφεύγει
     τὴν μέμψιν τὸ γινόμενον· οὔτε γὰρ τῷ ξένῳ ἑαυτὴν
     προσαναπαύουσα οὔτε τῷ ἰδίῳ τὸν τῆς σωφροσύνης
     φυλάττει νόμον. 7. Τῶν δὲ κατὰ τοὺς ἀνατολικοὺς τόπους
50   πανδοχείων καὶ καταλυμάτων καὶ πόλεων πολλὴν τὴν ἄδειαν
     καὶ πρὸς τὸ κακὸν τὴν ἀδιαφορίαν ἐχόντων, πῶς ἔσται
16 P. δυνατὸν τὸν διὰ καπνοῦ παριόντα μὴ δριμυχθῆναι τὰς ὄψεις,
C   ὅπου μολύνεται μὲν ἀκοή, μολύνεται δὲ ὀφθαλμός, μολύνεται
     δὲ καρδία δι᾽ ὀφθαλμοῦ καὶ ἀκοῆς δεχομένη τὰ ἄτοπα ; πῶς
55   ἔσται δυνατὸν ἀπαθῶς παρελθεῖν τοὺς ἐμπαθεῖς τόπους ;
     8. Τί δὲ καὶ πλέον ἕξει ὁ ἐν τοῖς τόποις ἐκείνοις γενόμενος,
     ὡς μέχρι τοῦ νῦν σωματικῶς τοῦ κυρίου ἐν ἐκείνοις τοῖς
     τόποις διάγοντος ἡμῶν δὲ ἀποφοιτῶντος, ἢ ὡς τοῦ ἁγίου
     πνεύματος παρὰ τοῖς Ἱεροσολυμίταις πλεονάζοντος πρὸς δὲ
60   ἡμᾶς διαβῆναι ἀδυνατοῦντος ; 9. Καὶ μὴν εἰ ἔστιν ἐκ τῶν
     φαινομένων θεοῦ παρουσίαν τεκμήρασθαι, μᾶλλον ἄν τις ἐν

COT, Π(vt)K, MHXΦ(fb), N

40 παρατετηρημένων : fortasse παρατεθραύμενων ‖ 42 ἔχοι : ἔχει Π,
N ‖ ἐπὶ : ὑπὸ COTp ‖ 43 καταγο] des. t ‖ δυσχωρίαις N : δυσχερίαις cett.
Pasquali ‖ 44 παρακρατουμένην K παρακροτουμένη Burn (JTS 23, 1922,
65) ‖ ὑποθώμεθα : ὑπεθ. Π ‖ εἴτε COTp, K : εἴπερ cett. ‖ 45 τὸν[1] om.
KΦ ‖ τὸν[2] om. Φ ‖ 45-46 εἴτε — παρεχόμενον om. Π ‖ 46 ἑκάτερον :
ἕκαστον Π ‖ διαφεύγει : διαφέρει T ‖ 47-49 οὔτε — νόμον om. K ‖ 48-49
φυλάττει τὸν νόμον τῆς σωφροσύνης N ‖ 50 πολλὴν : πολλὰ Op ‖ 51 τὴν
om. N ‖ 52 δριμυθῆναι Π, Φ ‖ 54 δὲ — δεχομένη : καρδία καὶ ἀκοὴ δεχ.
Π ‖ ὀφθαλμοῦ N : -μῶν cett. Pasquali ‖ καὶ om. H ‖ 55 παρελθεῖν :
προελθεῖν K ‖ τοὺς ἐμπαθεῖς τόπους ἀπαθῶς παρελθεῖν N ‖ 56 ὁ om. T ‖
ἐκεῖνος N ‖ γενόμενος : γινόμενος OTp, ΠK, N ‖ 57 τοῦ νῦν : τοίνυν K καὶ
νῦν N ‖ σωματικῶς τοῦ κυρίου : τοῦ σρς σωματικῶς N ‖ 57-58 ἐν τοῖς τόποις ἐκείνοις N ‖ 58 ἀποφοιτώντων K ‖ 59 δὲ om. K ‖ 60 καὶ εἰ μέν ἐστιν Π

conduisent à l'indifférence vis-à-vis des observances. Il est impossible à une femme de faire un tel trajet sans avoir quelqu'un qui la protège ; à cause de sa faiblesse physique, on l'aide à monter sur sa monture, on l'aide à en descendre, on l'y soutient dans les difficultés du terrain. Et quoi que nous puissions supposer — un familier qui prenne soin d'elle ou un mercenaire qui assure son service —, dans l'un et l'autre cas cette conduite n'échappe pas au blâme : ni lorsqu'elle s'appuie sur un étranger, ni lorsqu'elle le fait sur un familier, elle ne respecte la loi de la chasteté. **7.** De plus, dans les auberges[1], les caravansérails et les villes des régions d'Orient, la licence et l'indifférence au mal sont grandes. Comment sera-t-il donc possible à qui chemine à travers la fumée de n'avoir pas les yeux irrités ? Là où l'oreille est souillée, l'œil est souillé, le cœur aussi est souillé qui reçoit des inconvenances par l'œil et par l'oreille. Comment sera-t-il possible de traverser en restant insensible ces lieux sensuels[2] ? **8.** Enfin, qu'aura de plus celui qui s'est rendu en ces lieux, comme si jusqu'à ce jour le Seigneur vivait corporellement en ces lieux et qu'il soit absent de chez nous, comme si le Saint-Esprit abondait chez les habitants de Jérusalem et qu'il lui soit impossible de venir chez nous ? **9.** En vérité, s'il est possible de reconnaître une présence de Dieu d'après ce qu'on voit, on

---

1. Thème classique. La mauvaise réputation des auberges existe déjà dans l'antiquité classique : cf. T. KLEEBERG, *Hôtels, restaurants et cabarets dans l'Antiquité romaine*, Uppsala 1957. Dans une de ses lettres à Basile, GRÉGOIRE DE NAZIANZE plaisante sur les cabaretiers de Césarée «et tout ce que les villes comportent de mauvais» (*Epist.* 2, 3 : I, p. 2). Les *Constitutions Apostoliques* interdisent à l'évêque de recevoir des dons des cabaretiers (*Const. Ap.* IV, 6, 2 : SC 329, p. 178-179).

2. Jeu de mots sur ἀπαθῶς/ἐμπαθεῖς, imparfaitement rendu par la traduction.

τῷ ἔθνει τῶν Καππαδοκῶν τὸν θεὸν διαιτᾶσθαι νομίσειεν
ἤπερ ἐν τοῖς ἔξω τόποις· ὅσα γάρ ἐστιν ἐν τούτοις
θυσιαστήρια, δι' ὧν τὸ ὄνομα τοῦ κυρίου δοξάζεται, οὐκ
65 ἄν τις τὰ πάσης σχεδὸν τῆς οἰκουμένης ἐξαριθμήσαιτο
θυσιαστήρια. 10. Ἔπειτα καὶ εἰ ἦν πλείων ἡ χάρις ἐν τοῖς
D κατὰ Ἱεροσόλυμα τόποις, οὐκ ἂν ἐπεχωρίαζε τοῖς ἐκεῖ
ζῶσιν ἡ ἁμαρτία· νῦν μέντοι οὐκ ἔστιν ἀκαθαρσίας εἶδος
ὃ μὴ τολμᾶται παρ' αὐτοῖς, καὶ πορνεῖαι καὶ μοιχεῖαι καὶ
70 κλοπαὶ[h] καὶ εἰδωλολατρεῖαι καὶ φαρμακεῖαι καὶ φθόνοι καὶ
φόνοι[i]· καὶ μάλιστά γε τὸ τοιοῦτον ἐπιχωριάζει κακόν,
ὥστε μηδαμοῦ τοιαύτην ἑτοιμότητα εἶναι πρὸς τὸ φονεύειν
ὅσην ἐν τοῖς τόποις ἐκείνοις, θηρίων δίκην τῷ αἵματι τῶν
ὁμοφύλων ἐπιτρεχόντων ἀλλήλοις ψυχροῦ κέρδους χάριν[j].
75 Ὅπου τοίνυν ταῦτα γίνεται, ποίαν ἀπόδειξιν ἔχει τὸ πλείονα
χάριν εἶναι ἐν τοῖς τόποις ἐκείνοις;
    11. Ἀλλ' οἶδα τὸ ἀντιλεγόμενον τῶν πολλῶν πρὸς τὰ
παρ' ἐμοῦ εἰρημένα· λέγουσι γάρ· Διὰ τί ταῦτα καὶ ἐπὶ
1013 M. σεαυτὸν οὐκ ἐνομοθέτησας; εἰ γὰρ μηδὲν ἦν κέρδος τῷ
80 κατὰ θεὸν ἐκδημήσαντι ἀντὶ τοῦ γενέσθαι ἐκεῖ, ὑπὲρ τίνος

COT, Π(v)K, MHXΦ(fb), N

    63 ἤπερ : ὕπερ (sic) N ‖ 64 ἐστιν post θυσιαστήρια add. K ‖
δοξάζεται : δοξάζεις N ‖ 65 τὰ : τοσάδε p ‖ 66 θυσιαστήρια del. Pasquali
‖ καὶ om. Π ‖ ἡ χάρις πλεῖον N ‖ πλείων MHΦ : πλεῖον N πλέον cett. ‖ 67
ἱεροσολύμοις N ‖ ἐπεχωρίαζε : ἐπηχώρησε N ‖ ἐκεῖ : ἐκεῖσε N ‖ 69
πορνεῖαι KΠ : πορνεία N πονηρίαι cett. p ‖ 70 εἰδωλολατρεῖα N ‖ 70-71
καὶ φθόνοι καὶ φόνοι COTpN : καὶ φόνοι καὶ φθόνοι cett. ‖ 71 καὶ μάλιστά
γε : μάλιστα μὲν K ‖ τὸ om. KΠ ‖ 72 τοιαύτην : τοσαύτην N ‖ τοιαύτην
— εἶναι : ἑτοιμότητα ἔχειν τοιαύτην K ‖ 73 ὅσην K, N : ὅσον cett. ‖ 73-
76 θηρίων — ἐκείνοις om. ΠN ‖ 73-74 ἐπιτρεχόντων τῷ αἵματι τῶν
ὁμοφύλων ἀλλ. K τῶν ὁμοφύλων τῷ αἵματι Jaeger ‖ 74 ἀλλήλοις K Vat.
1759 Wilamowitz Pasquali : ἀλλήλων cett. ‖ ψυχροῦ codd. : μικροῦ
Vat. 1759 cf. αἰσχροῦ Tit. 1, 11 ‖ 75 ταῦτα τοίνυν K ‖ τὸ Wilamowitz
Pasquali : τοῦ codd. ‖ 77-78 τὰ εἰρημένα παρ' ἐμοῦ N ‖ 78 ταῦτα διὰ τί
Π ‖ 79 σεαυτὸν : σοῦ Π ‖ 80 ἐνδημήσαντι N ‖ ἀντὶ om. K ‖ ἐκεῖ γενέσθαι
Π ‖ παραγενέσθαι K

h. Matth. 15, 19 ; Mc 7, 21   i. Gal. 5, 20-21   j. Tite 1, 11

serait tenté de penser que Dieu habite dans la nation des Cappadociens plutôt que dans les lieux étrangers. Combien y a-t-il ici de sanctuaires[1] grâce auxquels le nom de Dieu est glorifié? On ne peut compter davantage de sanctuaires, ou presque, dans le monde entier[2]! **10.** Ensuite, si la grâce de Dieu était plus grande dans les lieux de Jérusalem, le péché ne serait pas aussi habituel chez ceux qui les habitent; mais aujourd'hui il n'y a aucune espèce d'inconduite qu'on n'ose commettre chez eux — fornications, adultères, vols[h], idolâtrie, empoisonnements, complots et meurtres[i]. Surtout, le mal y est à ce point à demeure que nulle part comme dans ces lieux il n'existe une telle propension au meurtre[3] : comme des bêtes sauvages, des gens de même sang se jettent les uns contre les autres, et pour un gain insignifiant[j]. Quand donc s'accomplissent de tels méfaits, quelle preuve y a-t-il que la grâce soit plus grande en ces lieux-là?

11. Mais je connais l'objection que font beaucoup à ce que je viens de dire; ils déclarent : «Pourquoi n'as-tu pas adopté cette règle pour toi-même également? S'il n'y avait aucun avantage à se trouver là-bas pour celui qui, au nom de Dieu[4], fait ce voyage, pourquoi t'être imposé en vain un

---

1. θυσιαστήριον signifie certes «autel» (c'est le sens retenu par les traducteurs anciens), mais aussi «sanctuaire» : cf. *PGL*, *s.v.* 2. Même sens en *Or. cat.* 18,3.

2. Comme les autres Pères cappadociens, Grégoire fait volontiers preuve de fierté provinciale. Cf. sur ce point Th. A. KOPECEK, «The Cappadocian Fathers and Civic Patriotism», *Church History* 43, 1974, p. 293-303. Sur quelques-uns des lieux saints de Cappadoce, cf. P. MARAVAL, *Lieux saints*, Paris 1985, p. 371-379.

3. Grégoire noircit le tableau à plaisir, et même la *Lettre* 3 est plus modérée. Jérôme développera aussi, mais en moins accentué, quelques critiques de ce type (cf. P. MARAVAL, «Saint Jérôme et le pèlerinage en Palestine», dans *Jérôme entre l'Occident et l'Orient*, Paris 1988, p. 350).

4. Littéralement «selon Dieu». On croit entendre la formule répétée d'Égérie, qui se met en route «in nomine Dei» (*Itin.*, 18,3; 21,5; 23,5.6).

17 P.   μάτην ὑπέστης τὴν τοσαύτην ὁδόν; **12.** Ἀκουσάτωσαν οὖν
τῆς ὑπὲρ τούτων παρ' ἐμοῦ ἀπολογίας. Ἐμοὶ διὰ τὴν
ἀνάγκην ταύτην, ἐν ᾗ ζῆν ἐτάχθην παρὰ τοῦ οἰκονομοῦντος
ἡμῶν τὴν ζωήν, ἐγένετο <πρόσταγμα> τῆς ἁγίας συνόδου,
85 διορθώσεως ἕνεκεν τῆς κατὰ τὴν Ἀραβίαν ἐκκλησίας,
μέχρι τῶν τόπων γενέσθαι· καὶ ἐπειδὴ ὅμορός ἐστιν ἡ
Ἀραβία τοῖς κατὰ Ἱεροσόλυμα τόποις, ὑπεσχόμην ὡς καὶ
συσκεψόμενος τοῖς προεστῶσι τῶν ἐν Ἱεροσολύμοις ἁγίων
ἐκκλησιῶν διὰ τὸ εἶναι αὐτῶν ἐν ταραχῇ τὰ πράγματα
90 καὶ χρῄζειν τοῦ μεσιτεύοντος. **13.** Ἔπειτα δὲ καὶ τοῦ
εὐσεβεστάτου βασιλέως παρασχομένου τὴν εὐκολίαν τῆς
ὁδοῦ διὰ δημοσίου ὀχήματος, οὐδεμία ἡμῖν ἀνάγκη ἐγένετο
B   ταῦτα πάσχειν ἃ καὶ ἐπὶ τῶν ἄλλων κατενοήσαμεν· τὸ γὰρ
ὄχημα ἡμῖν ἀντὶ ἐκκλησίας καὶ μοναστηρίου ἦν, διὰ πάσης
95 τῆς ὁδοῦ συμψαλλόντων πάντων καὶ συννηστευόντων τῷ
κυρίῳ. **14.** Τὸ οὖν ἡμέτερον μηδένα σκανδαλιζέτω, μᾶλλον
δὲ πιθανὴ γενέσθω ἡ συμβουλία ἡμῶν, ὅτι περὶ ὧν τὸ

COT, Π(ν)Κ, ΜΗΧΦ(fb), N

81 σοι post μάτην add. Κ ‖ ὑπέστης τὴν : ὑπέστην Ν ‖ τὴν τοσαύτην
ὑπέστης ὁδόν Φ ‖ 82 τούτων : τῆς Π τούτου Κ ‖ ἀπολογίας παρ' ἐμοῦ Ν ‖
ἀντιλογίας Κ ‖ ἐμοὶ διὰ : ἐμοῦ δὲ Η ‖ 83 οἰκονομοῦντος : νομοθετοῦντος
Κ ‖ 84 <πρόσταγμα> suppl. Jaeger Pasquali ‖ 86 τῶν ἀρμενικῶν post
τόπων add. Κ <τούτων> add. Jaeger ‖ γενέσθαι καὶ om. Κ ‖ καὶ om. Π ‖
87 τὰ post κατὰ add. Π ‖ ἱεροσολύμων Κ ‖ 87-88 ὑπεσχόμην ὡς καὶ
συσκεψόμενος Jaeger Pasquali : ὑποσχόμενος καὶ συσκεψάμενος codd.
συσκεψόμενος p ‖ 88-89 τῶν ἐν ἱεροσολύμοις ἁγίων ἐκκλησιῶν ΗΧ, Ν
(ἁγίων om. Ν) : τοῖς τῶν ἁγίων ἱεροσολυμιτῶν ἐκκλησιῶν COTp, ΜΦ
(τοῖς om. C) τοῖς τῶν ἁγίων ἱεροσολύμων ἐκκλησίας Κ ‖ 90 τοῦ
μεσιτεύοντος χρῄζειν Ν ‖ δὲ om. Κ ‖ 92-93 ἐγένετο ταῦτα πάσχειν :
ἐγένετο πάσχειν ταῦτα Κ ἐγέν. ταῦτα πάντα πάσχ. Π ταῦτα πάσχ. ἐγέν.
Ν ‖ 93 ἃ om. Π ‖ 94 ἐκκλησίας ἦν καὶ μοναστήριον Ν ‖ 96 σκανδαλιζέτω
μηδένα Ν ‖ 97 συννηστευόντων τῷ κῳ̄ iterum post πιθανὴ add., deinde
exp. Π ‖ γινέσθω Κ ‖ ἡμῶν : ἡμᾶς Ν ‖ 97-98 τῷ ὀφθαλμῷ codd.

---

1. L'ἀνάγκη, la contrainte par laquelle Grégoire désigne sa charge
épiscopale rappelle les conditions dans lesquelles il reçut celle-ci,
contre son gré (cf. BASILE, *Epist.* 225 : «forcé d'accepter l'ordination
par une contrainte totale»).

tel trajet ? **12.** Qu'ils écoutent donc ma défense sur ce point. C'est en raison de la charge[1] qui m'a été assignée par celui qui gouverne notre vie que me vint un ordre du saint concile, celui de me rendre jusque dans ces lieux pour y rétablir l'ordre dans l'église d'Arabie[2]. Et comme l'Arabie est frontalière de la région de Jérusalem, j'ai promis de faire aussi, avec les chefs[3] des saintes églises de Jérusalem, un examen de leur situation, parce que celle-ci était troublée et qu'ils avaient besoin d'un médiateur. **13.** Ensuite, comme le très pieux empereur nous avait procuré des facilités pour la route grâce à la voiture publique[4], il ne nous fut absolument pas nécessaire de souffrir ce que nous avons observé chez les autres, car la voiture était pour nous comme une église et un monastère, où pendant tout le trajet nous psalmodiions et jeûnions pour le Seigneur. **14.** Que notre conduite, par conséquent, ne scandalise personne, mais plutôt que notre conseil trouve créance, car c'est sur ce que nous avons constaté de nos yeux que nous

2. Sur la mission de Grégoire en Arabie et le concile qui l'y a envoyé, cf. l'introduction, p. 33-35.

3. Remarquer le terme : Grégoire ne parle pas de l'évêque, au singulier, ni de celui qui préside (sur les termes qu'il utilise pour désigner l'évêque, cf. note à l'*Epist.* 17, 2) ; c'est peut-être l'indice d'un conflit entre celui-ci (Cyrille de Jérusalem) et son clergé : cf. l'introduction, p. 35.

4. Grégoire a été autorisé à utiliser la poste impériale, comme bien des évêques en mission au IVᵉ siècle. On sait qu'Ammien Marcellin déplore que ce service public, qui fonctionnait très bien au début du IVᵉ siècle, ait été désorganisé par l'usage abusif qu'en firent les évêques (*Hist.* XXI, 16, 18, p. 263 Gardthausen). Il se peut que Grégoire ait reçu directement son autorisation de l'empereur, comme il le dit : Sozomène assure que les évêques qui furent choisis par l'empereur comme garants de la foi le furent en connaissance de cause (*Hist. eccl.*, VII, 9, 7, p. 312-313 Bidez-Hansen), et il semble que Grégoire ait eu des relations directes avec Théodose : on sait que quelques années plus tard il prononcera les oraisons funèbres de la princesse Pulchérie et de l'impératrice Flacilla.

ὀφθαλμὼ ὑπεβάλομεν, περὶ τούτων καὶ συμβουλεύομεν.
99 **15.** Ἡμεῖς γὰρ τὸν ἐπιφανέντα Χριστὸν εἶναι θεὸν ἀληθινὸν
18 P. ὡμολογήσαμεν καὶ πρὶν ἐπὶ τοῦ τόπου γενέσθαι καὶ μετὰ
ταῦτα, οὔτε τῆς πίστεως ἐλαττουμένης, οὔτε μετὰ ταῦτα
προσαυξηθείσης, καὶ τὴν διὰ τῆς παρθένου ἐνανθρώπησιν
καὶ πρὸ τῆς Βηθλεὲμ ἠπιστάμεθα, καὶ τὴν ἐκ νεκρῶν
ἐξανάστασιν καὶ πρὸ τοῦ μνήματος ἐπιστεύσαμεν, καὶ τὴν
105 εἰς οὐρανοὺς ἀνάβασιν καὶ δίχα τοῦ τὸ ὄρος ἰδεῖν τῶν
C Ἐλαιῶν ἀληθῆ εἶναι ὡμολογήσαμεν· τοσοῦτον δὲ μόνον ἐκ
τῆς ὁδοιπορίας ὠφελήθημεν, ὅσον ἐν συγκρίσει γνῶναι ὅτι
τὰ ἡμέτερα τῶν ἔξω πολὺ ἁγιώτερά ἐστιν.
16. Ὅθεν Οἱ φοβούμενοι τὸν κύριον, ἐν οἷς ἐστε τόποις,
110 αἰνέσατε αὐτόν[k]· θεοῦ γὰρ προσεγγισμὸν τοπικὴ μετάστασις οὐ κατεργάζεται, ἀλλ' ὅπουπερ ἂν ᾖς, πρὸς σὲ ἥξει ὁ
θεός[1], ἐάν γε τὸ τῆς ψυχῆς σου καταγώγιον τοιοῦτον εὑρεθῇ,
ὥστε ἐνοικῆσαι τὸν κύριον ἐν σοὶ καὶ ἐμπεριπατῆσαι[m].
17. Εἰ δὲ πλήρη ἔχεις τὸν ἔσω ἄνθρωπον[n] λογισμῶν
115 πονηρῶν, κἂν ἐπὶ τοῦ Γολγοθᾶ ᾖς κἂν ἐπὶ τοῦ ὄρους τῶν
Ἐλαιῶν κἂν ὑπὸ τὸ μνῆμα τῆς Ἀναστάσεως, τοσοῦτον
ἀπέχεις τοῦ τὸν Χριστὸν δέξασθαι ἐν ἑαυτῷ ὅσον οἱ
μηδὲ τὴν ἀρχὴν ὁμολογήσαντες. **18.** Συμβούλευσον οὖν,

COT, Π(ν)Κ, ΜΗΧΦ(fb), Ν

98 ὑπερβάλομεν Κ ὑπελάβομεν Ν ‖ 99 ἀληθινὸν θεὸν εἶναι Ν ‖ 100
ὡμολογήσαμεν : ὁμολογοῦμεν Κ ‖ ἐπὶ τόπου ex ἐπὶ τούτου Κ ‖ 101 καὶ
ante οὔτε[1] add. Ν ‖ οὔτε[2] — ταῦτα om. Ν ‖ 102 προσαυξηθείσης Π
προαυξηθείσης Κ ‖ παρθενίας Χ ‖ 103 καὶ[1] : τε Ν ‖ 105 δίχα τοῦ τὸ : δίχα
τοῦ (τὸ sup. l.) C δίχα τὸ ΠΚ, Φ ‖ 105-106 τῶν ἐλαιῶν ἰδεῖν COT, ΠΚ ‖
δίχα τοῦ ἰδεῖν τὸ ὄρος τῶν ἐλ. Ν ‖ 106 μόνον COT, Ν : om. cett. ‖ 107
συγκρίσει : κρίσει ΜΦ ‖ εἶναι post συγκ. add. Π ‖ γνῶναι des. C ‖ 108
πολὺ om. Κ ‖ πολὺ ἁγιώτερα : παγιώτερα Φ ‖ 109 καὶ ante οἱ add. Ν ‖
xν OT : θν cett. ‖ 110 μετάστασις : μετάβασις Κ ‖ 111 οὐ κατεργάζεται :
οὐκ ἐργάζεται ΤΚ, Ν ‖ ὅπου δ' ἂν εἴης Κ ὅπου δ' ἂν ᾖς Ν ‖ ὁ om. Ν ‖ 112
γε om. Κ ‖ 113 καὶ post ὥστε add. Κ ‖ ἐν σοὶ τὸν κύριον Ν ‖ 114 πλήρεις
ΠΚ ‖ πεπληρωμένον post ἄνθρωπον add. Κ ‖ 115 καὶ ῥυπαρῶν post
πονηρῶν add. Κ ‖ τοῦ[1] om. Ν ‖ 116 ὑπὸ : ἐπὶ Π, Ν ‖ 116-117 τοσοῦτον
ἀπέχεις om. Κ ‖ 117 τοῦ Κ, Ν Vat. 840 : om. cett. ‖ χριστὸν : θν ex
corr. Π θν Ν ‖ ἐν ἑαυτῷ δέξασθαι Ν

donnons conseil. **15.** Pour nous en effet, que le Christ apparu sur terre soit Dieu véritable, nous l'avons confessé avant de nous être rendu sur les lieux comme après, et notre foi après cela n'a été ni diminuée, ni augmentée; l'incarnation par l'intermédiaire de la Vierge, nous la connaissions avant de voir Bethléem; la résurrection des morts, nous y croyions avant de voir le tombeau; l'ascension dans les cieux, nous avons confessé qu'elle était vraie sans voir le mont des Oliviers. De ce voyage, nous avons retiré ce seul avantage : celui d'apprendre, par comparaison, que nos biens sont beaucoup plus saints que ceux de l'étranger[1].

16. «Vous donc qui craignez le Seigneur, louez-le[k]» dans les lieux où vous êtes. Un changement de lieu ne procure aucun rapprochement de Dieu, mais, où que tu sois, Dieu viendra vers toi[l], si la demeure de ton âme est trouvée telle que le Seigneur puisse habiter en toi et y circuler[m]. **17.** Mais si tu as «l'homme intérieur[n]» plein de pensées mauvaises, même si tu es sur le Golgotha, même si tu es sur le mont des Oliviers, même si tu es dans le tombeau de l'Anastasis, tu es aussi loin de recevoir le Christ en toi que ceux qui n'ont même pas commencé de le confesser[2].

---

k. Ps. 21, 24   l. Cf. Ex. 20, 14   m. Cf. II Cor. 6, 16   n. Rom. 7, 22 ; Éphés. 3, 16

---

1. Grégoire développe un point de vue très négatif qui s'explique en partie par le contexte polémique de la lettre : le début de la Lettre 3 montre que la vision des lieux saints lui a procuré «joie et bonheur», et non pas, comme il le dit ici, «aucun avantage» (§ 11), ou le seul avantage de constater que la Cappadoce était plus sainte.

2. C'est ici que Grégoire émet sa réserve la plus sérieuse sur tout pèlerinage : citant les lieux les plus saints et les plus vénérés de Jérusalem — l'Anastasis, le Golgotha, le mont des Oliviers — et de Bethléem (sur ces sites, cf. P. MARAVAL, *Lieux saints*, p. 252-257, 265-266, 272-273), il souligne qu'ils ne peuvent procurer d'avantages à leurs visiteurs si les dispositions de ceux-ci ne sont pas en harmonie avec eux.

119   ἀγαπητέ, τοῖς ἀδελφοῖς ἐκδημεῖν ἀπὸ τοῦ σώματος πρὸς
D   τὸν κύριον[o] καὶ μὴ ἀπὸ Καππαδοκίας εἰς Παλαιστίνην. Εἰ
19 P. δέ τις τὴν τοῦ κυρίου φωνὴν προβάλοιτο τὴν παραγγείλασαν
      τοῖς μαθηταῖς μὴ χωρίζεσθαι ἀπὸ Ἱεροσολύμων[p], νοησάτω
      τὸ εἰρημένον. Ἐπειδήπερ ἡ τοῦ ἁγίου πνεύματος χάρις καὶ
      διανομὴ οὔπω ἐπεφοίτησε τοῖς ἀποστόλοις, προσέταξεν
125   αὐτοῖς ὁ κύριος ἐπὶ τὸ αὐτὸ μένειν[q], ἕως ἂν ἐνδύσωνται
      δύναμιν ἐξ ὕψους[r]. 19. Εἰ μὲν οὖν ὃ ἦν ἀπ᾽ ἀρχῆς ἐγίνετο
      μέχρι τοῦ νῦν, τοῦ ἁγίου πνεύματος ἐν εἴδει πυρὸς[s] τῶν
      χαρισμάτων οἰκονομοῦντος ἕκαστον, ἔδει πάντας εἶναι ἐν
      τῷ τόπῳ ἐκείνῳ ἐν ᾧ ἡ διανομὴ τοῦ χαρίσματος ἐγίνετο·
130   εἰ δὲ τὸ πνεῦμα ὅπου θέλει πνεῖ[t], καὶ οἱ ἐνταῦθα
1016 M. πιστεύσαντες μέτοχοι γίνονται τοῦ χαρίσματος κατὰ τὴν
      ἀναλογίαν τῆς πίστεως[u], οὐ κατὰ τὴν ἀποδημίαν τὴν ἐν
      Ἱεροσολύμοις.

OT, Π(ν)Κ, ΜΗΧΦ(fb), Ν

119 καὶ ἐνδημεῖν post σώματος add. Π ‖ 120 ἐξαιρέτως τὰς
μοναζούσας· δεῖ δὲ ἐκ φόρων καὶ παννυχίδων ἀπείργειν τὰς παρθένους·
οἶδε γὰρ οἶδεν ὁ πολυμήχανος ὄφις ἐκεῖνος· καὶ διὰ χρηστῶν πράξεων τὸν
αὐτοῦ παρασπείρας ἰόν· καὶ χρὴ τὰς παρθένους πανταχόθεν τειχίζεσθαι,
καὶ ὀλιγάκις τοῦ παντὸς ἐνιαυτοῦ προβαίνειν τῆς οἰκίας ὅταν ἀπαραίτητοι
καὶ ἀναγκαῖαι αἱ πρόοδοι γίνονται post παλαιστίνην add. Κ ‖ 121
προβάλλοιτο (sic) ΚΠ, Ν προβάλοι cett. ‖ 121-122 φωνὴν — Ἱεροσολύμων : προβάλλοιτό τις φωνὴν τοῖς μαθηταῖς παραγ. ἀπὸ ἱερ. μὴ χωριζ. Ν ‖
122 νοησάτω : ποιήσατε Π ‖ 124 ἡ ante διανομὴ add. Κ ‖ 124-125
προσέταξεν — μένειν : ὁ κς αὐτοὺς προσέταξεν εἶναι ἐπὶ τὸ αὐτό Ν ‖ 125
ἕως ἂν : ἑωσοῦ Κ ‖ ἐνδύσωται Μ ‖ 126 τὴν ante δύναμιν add. Φ ‖ οὖν om.
OT ‖ ἐγίνετο : ἐγένετο ΠΚ ‖ 128 οἰκονομούντων ΤΚ ‖ 129 ἐγίνετο :
ἐγένετο ΠΚ ‖ 130 πάντως ante καὶ add. Κ ‖ 132 καὶ ante οὐ add. Π ‖
ἀποδημίαν codd. : ἐπιδημίαν Π Pasquali ‖ 132-133 τὴν ἐν ἱεροσ.
ἀποδημίαν Ν ‖ τοῦ χαρίσματος τὴν εἰς ἱεροσολύμοις οὐ μετόχους
γενομένους γένοιτο πάντας ἡμᾶς καὶ τῆς οὐρανίου βασιλείας ἐπιτυχεῖν ἐν
χͅῳ ιͅυͅ τῷ κͅῳ ἡμῶν· ὧν ἡ δόξα εἰς τοὺς αἰῶνας τῶν αἰώνων ἀμήν add.
in fine Κ

18. Conseille donc aux frères, mon cher, de quitter leur corps pour aller vers le Seigneur[o], et non la Cappadoce pour aller en Palestine[1]. Et si quelqu'un allègue la parole du Seigneur qui recommande à ses disciples de ne pas s'éloigner de Jérusalem[p], qu'il comprenne le sens de cette déclaration. C'est parce que la grâce du Saint-Esprit n'était pas encore venue pour être distribuée aux apôtres que le Seigneur leur a prescrit de rester dans le même lieu[q] jusqu'à ce qu'ils soient revêtus de la puissance d'en-haut[r].
19. Certes, si ce qui a eu lieu au commencement se produisait encore aujourd'hui — que le Saint-Esprit, sous la forme d'un feu[s], dispense ses charismes à chacun —, il faudrait que tous soient à l'endroit où a eu lieu la distribution de la grâce ; mais puisque «l'Esprit souffle où il veut[t]», les croyants d'ici, eux aussi, sont participants de la grâce «en proportion de leur foi[u]», et non en raison de leur voyage[2] à Jérusalem.

o. Cf. II Cor. 5, 8   p. Cf. Act. 1, 4   q. Cf. Act. 2, 1   r. Cf. Lc 24, 49   s. Cf. Act. 2, 3   t. Jn 3, 8   u. Rom. 12, 6

1. Le manuscrit K ajoute ici les lignes suivantes : «spécialement les moniales. Il faut tenir les vierges à l'écart des lieux publics et des vigiles nocturnes. Il le sait, il le sait, ce serpent fertile en inventions et qui a semé son venin à travers de bonnes actions ! Il faut que les vierges soient entourées de murs de tous côtés et qu'elles ne quittent leur maison que rarement dans toute l'année, lorsque les sorties sont inévitables et indispensables.»

2. Pasquali a retenu la *lectio difficilior* ἐπιδημίαν, attestée par un seul manuscrit, mais ce mot, comme on l'a vu plus haut, est régulièrement utilisé par Grégoire pour désigner l'incarnation. Ailleurs il utilise bien ἀποδημία pour désigner son voyage en Orient (*Epist.* 28, 4) ; je crois donc qu'on doit plutôt retenir ce terme.

III

Ταῖς κοσμιωτάταις ἀληθῶς καὶ εὐλαβεστάταις ἀδελφαῖς Εὐσταθίᾳ καὶ Ἀμβροσίᾳ καὶ τῇ κοσμιωτάτῃ καὶ σεμνοτάτῃ θυγατρὶ Βασιλίσσῃ Γρηγόριος ἐν κυρίῳ χαίρειν

B
20 P.

1. Ἡ μὲν τῶν ἀγαθῶν καὶ καταθυμίων μοι συντυχία καὶ τὰ γνωρίσματα τῆς μεγάλης τοῦ δεσπότου ὑπὲρ ἡμῶν φιλανθρωπίας[a] τὰ ἐν τοῖς τόποις δεικνύμενα τῆς μεγίστης ἐγένετό μοι χαρᾶς τε καὶ εὐφροσύνης ὑπόθεσις· δι'
5 ἀμφοτέρων γὰρ ἐδηλώθη μοι ἡ κατὰ θεὸν ἑορτή, διά τε τοῦ ἰδεῖν τὰ σωτήρια σύμβολα τοῦ ζωοποιήσαντος ἡμᾶς θεοῦ[b] καὶ διὰ τοῦ ψυχαῖς συντυχεῖν ἐν αἷς τὰ τοιαῦτα τῆς τοῦ κυρίου χάριτος σημεῖα πνευματικῶς θεωρεῖται, ὥστε πιστεύειν ὅτι ἀληθῶς ἐν τῇ καρδίᾳ ἐστὶ τοῦ τὸν θεὸν ἔχοντος
10 ἡ Βηθλεὲμ ὁ Γολγοθᾶς ὁ Ἐλαιὼν ἡ Ἀνάστασις. **2.** Ὧ τε

W (Qc)

Titulus : τοῦ αὐτοῦ ἐπιστολὴ ταῖς κτλ. W
10 ᾧ τε Pasquali : ὅτε W

a. Cf. Tite 3,4   b. Cf. Rom. 4,17 ; I Tim. 6,13

1. On peut remarquer la ressemblance de cette adresse avec celle de la *Lettre* 238 de Grégoire de Nazianze, qui se trouve d'ailleurs dans deux manuscrits de Grégoire de Nysse (ce que signale aussi un manuscrit du Xe s. du premier). Les destinataires de Grégoire ne sont pas autrement connues. Les «sœurs» Ambrosia et Eustathia sont probablement des moniales — le sens monastique du mot est attesté chez Basile, *Magn. Asc. PR* 104, *PG* 31, 1153 C ; Basilissa doit être plus jeune, ce qui explique que Grégoire l'appelle «fille», entendons fille spirituelle. Cf. également la fin de la lettre.

Lettre 3

Aux sœurs vraiment très vertueuses et très pieuses Eustathia et Ambrosia et à la très vertueuse et très vénérable fille Basilissa, Grégoire, salut dans le Seigneur[1]

1. La rencontre de gens de bien qui me sont chers et les marques de la grande philanthropie[a] du Maître envers nous que l'on montre dans ces lieux ont été pour moi un motif de très grande joie et de bonheur. Les deux choses en effet m'ont fait connaître ce qu'est la fête selon Dieu, et de voir les symboles salutaires du Dieu qui nous a vivifiés[b], et de rencontrer des âmes dans lesquelles on voit spirituellement de tels signes de la grâce du Seigneur qu'ils donnent à croire que Bethléem, le Golgotha, le mont des Oliviers, l'Anastasis sont réellement dans le cœur de ceux qui possèdent Dieu[2]. **2.** Car celui[3] qui a pris la forme du

---

2. Le point de vue sur la visite des lieux saints est plus positif que dans la lettre précédente, mais Grégoire relativise la joie qu'elle lui a causée en la mettant sur le même plan que celle qui accompagne la rencontre de saintes personnes ; bien plus, il souligne que les lieux les plus saints de Jérusalem sont réellement présents en celles-ci, et donc qu'elles sont aussi saintes qu'eux, ce qui est une intéressante relativisation du concept de lieu saint.

3. Grégoire trace ici un portrait du spirituel dans une longue phrase qui file plusieurs métaphores successives inspirées par les lieux de la naissance, de la passion, de la résurrection et de l'ascension du Christ, dans lesquels il voit autant de symboles de la vie vertueuse. Il y mêle harmonieusement plusieurs citations et allusions bibliques et des thèmes, voire des mots d'origine platonicienne, tel le μετεωροπο-ρεῖν qui clôt le développement (sur ce mot utilisé dans le *Phèdre*, 246 C, cf. M. AUBINEAU, *Traité*, p. 307, n. 5, et P. MARAVAL, *Vie de Macrine*, p. 180-181, n. 3 et 4).

γὰρ διὰ τῆς ἀγαθῆς συνειδήσεως ὁ Χριστὸς ἐμμορφωθῇ[c],
καὶ ὁ καθηλώσας τῷ θείῳ φόβῳ τὰς σάρκας αὐτοῦ[d] καὶ
συσταυρωθεὶς τῷ Χριστῷ[e] καὶ ἀποκυλίσας[f] ἀφ᾽ ἑαυτοῦ τὸν
C   βαρὺν τῆς βιωτικῆς ἀπάτης λίθον καὶ ἐξελθὼν τοῦ
15   σωματικοῦ μνημείου[g] ὡς ἐν καινότητι ζωῆς περιπατήσῃ[h],
καὶ ὁ καταλιπὼν τὴν κοίνην καὶ χαμαίζηλον τῶν ἀνθρώπων
ζωήν, ἀναβὰς δὲ διὰ τῆς ὑψηλῆς ἐπιθυμίας εἰς τὴν
ἐπουράνιον πολιτείαν καὶ τὰ ἄνω φρονῶν[i], οὗ ὁ Χριστός,
καὶ μὴ βαρούμενος τῷ ἄχθει τοῦ σώματος ἀλλ᾽ ἐξελαφρύνας
20   διὰ τῆς καθαρωτέρας ζωῆς, ὥστε αὐτῷ νεφέλης δίκην
συμμετεωροπορεῖν ἐπὶ τὰ ἄνω τὴν σάρκα, οὗτος κατά γε
τὴν ἐμὴν κρίσιν ἐκείνων ἐστὶν τῶν κατωνομασμένων, ἐν οἷς
τὰ ὑπομνήματα τῆς τοῦ δεσπότου ὑπὲρ ἡμῶν φιλανθρωπίας
ὁρᾶται.
25   3. Ἐπειδὴ τοίνυν εἶδον μὲν καὶ αἰσθητῶς τοὺς ἁγίους
τόπους, εἶδον δὲ καὶ ἐν ὑμῖν τῶν τοιούτων τόπων ἐναργῆ
τὰ σημεῖα, τοσαύτης ἐπληρώθην χαρᾶς, ὥστε ὑπὲρ λόγον
D   εἶναι τοῦ ἀγαθοῦ τὴν διήγησιν. 4. Ἀλλ᾽ ἐπειδὴ ἔοικεν ἄν-
21 P. θρωπον ὄντα δύσκολον εἶναι, ἵνα μὴ εἴπω ὅτι ἀδύνατον,
30   ἀμιγὲς τοῦ κακοῦ τὸ ἀγαθὸν καρποῦσθαι, διὰ τοῦτό μοι τῇ
γεύσει τῶν γλυκέων συγκατεμίχθη τι καὶ τῶν πικραινόντων
τὴν αἴσθησιν. Ἐφ᾽ οἷς, μετὰ τὴν ἀγαθὴν τῶν εὐφραινόν-
των ἀπόλαυσιν, πάλιν ἐπὶ τὴν πατρίδα σκυθρωπάζων
ἐπορευόμην[j], λογιζόμενος ὅτι ἀληθὴς ὁ τοῦ κυρίου λόγος

W (Qc)

12 αὐτοῦ Pasquali : αὐτοῦ W ‖ 15 περιπατήσῃ Wilamowitz
Pasquali : περιεπάτησε W ‖ 16 κοίνην Q² m. coeva in mg. Müller
(p. 88) : κοίλην W ὑλικὴν Casaubon Pasquali

c. Cf. Gal. 4, 19   d. Cf. Ps. 118, 120   e. Cf. Gal. 2, 19   f. Cf.
Matth. 28, 2 ; Mc 16, 4   g. Cf. Mc 16, 8   h. Cf. Rom. 6, 4
i. Cf. Col. 3, 1-2   j. Cf. Ps. 41, 10 ; Ps. 42, 2

1. Malgré l'intérêt de la correction de Casaubon, je préfère adopter
celle, plus proche du texte, qu'on trouve dans Q et que reprend aussi
MÜLLER, Der zwanzigste Brief, p. 88. L'expression κοινὸς βίος, chez

Christ[c] grâce à sa conscience vertueuse, qui a cloué ses
chairs[d] par la crainte de Dieu et a été crucifié avec le
Christ[e], qui a fait rouler[f] loin de lui la lourde pierre de la
vie trompeuse et, sorti du tombeau[g] de son corps, marche
dans une vie nouvelle[h], celui qui a abandonné la vie
commune[1] et terre à terre des hommes et s'est élevé, par
un désir sublime, jusqu'au mode de vie supra-céleste, celui
qui aspire aux réalités d'en-haut[i], là où se trouve le Christ,
qui n'est pas alourdi par le poids du corps mais s'est rendu
léger par la vie plus pure, de sorte que sa chair, comme un
nuage, circule avec lui dans les hauteurs, celui-là, à mon
avis du moins, fait partie des réalités[2] que j'ai nommées,
dans lesquelles on voit les souvenirs de la philanthropie du
Maître envers nous.

3. Ainsi donc, lorsque j'ai vu les lieux saints de manière
sensible et que j'ai vu aussi en vous les signes manifestes
de tels lieux, j'ai été rempli d'une telle joie qu'il n'est pas
au pouvoir des mots d'en décrire l'excellence. **4.** Mais il
semble difficile, pour ne pas dire impossible, qu'un homme
recueille le bien sans que s'y mêle le mal[3], et c'est pourquoi
quelque sensation d'amertume aussi a été mélangée pour
moi au goût de ces douceurs. Voilà pourquoi, après m'être
bien réjoui de ce bonheur, c'est avec un visage triste que je
revenais[j] dans ma patrie, en me disant qu'elle est vraie la

---

Grégoire, désigne la vie dans le mariage, opposée à la vie de ceux qui
ont choisi la virginité (*De virg.*, Pr. 1, 3 ; XVIII, 5, 20 — avec la note
d'Aubineau, p. 480) ; c'est la vie « mondaine », que l'on quitte pour
adopter la vie « plus haute », la vie supracéleste des vierges.

2. PASQUALI, *apparat*, note qu'il ne s'agit pas ici des lieux, comme
le pensait Casaubon, mais des personnes. Je crois qu'il ne faut pas
préciser : ce sont à la fois les lieux et les personnes, mis sur le même
plan quant à la sainteté.

3. Sentiment pessimiste souvent marqué chez Grégoire (cf. *supra*,
p. 52). Remarquons que dans ce texte, à l'inverse de la lettre
précédente (*Epist.* 2.10), Jérusalem n'est pas présentée comme la ville
de l'univers la plus chargée d'iniquités : par comparaison avec ce lieu,
les autres sont supposés encore pires.

35 ὁ εἰπὼν ὅλον τὸν κόσμον ἐν τῷ πονηρῷ κεῖσθαι[k], ὡς μηδὲν
τῆς οἰκουμένης μέρος ἐλεύθερον εἶναι τῆς μοίρας τοῦ
χείρονος· εἰ γὰρ ὁ τὸ ἅγιον τῆς ὄντως ζωῆς ἴχνος
ὑποδεξάμενος τόπος τῆς πονηρᾶς ἀκάνθης[l] οὐ καθαρεύει,
τί χρὴ περὶ τῶν λοιπῶν ἐννοεῖν τόπων, οἷς ἡ τοῦ ἀγαθοῦ
40 μετουσία κατεσπάρη διὰ ψιλῆς ἀκοῆς καὶ κηρύγματος;
1017 M. 5. Ταῦτα δὲ πρὸς ὅ τι βλέπων φημί, πάντως οὐδὲν χρὴ γυμ-
νότερον διὰ τῶν λόγων ἐκτίθεσθαι, αὐτῶν τῶν πραγμάτων
πάσης φωνῆς γνωρίμου γεγωνότερον διαβοώντων τὰ λυπηρά.
6. Μίαν ἔχθραν ἐνομοθέτησεν ἡμῖν ὁ τῆς ζωῆς ἡμῶν
45 νομοθέτης, τὴν πρὸς τὸν ὄφιν λέγω, πρὸς οὐδὲν ἄλλο
τὴν τοῦ μισεῖν δύναμιν ἐνεργεῖσθαι προστάξας εἰ μὴ πρὸς
τὴν ἀποστροφὴν τῆς κακίας· Ἔχθραν γὰρ θήσω, φησίν,
ἀνὰ μέσον σου καὶ ἀνὰ μέσον ἐκείνου[m]. Ἐπειδὴ δὲ ποικίλη τις καὶ πολυειδής ἐστιν ἡ κακία, διὰ τοῦ ὄφεως ὁ
50 λόγος ταύτην αἰνίσσεται, τῇ πυκνῇ τῶν φολίδων θέσει τὸ
πολύτροπον τῆς κακίας χαρακτηρίζων. 7. Ἡμεῖς δὲ πρὸς
μὲν τὸν ὄφιν ἔνσπονδοι διὰ τοῦ τὰ θελήματα τοῦ ἀντικει-
μένου ποιεῖν ἐγενόμεθα, τὸ δὲ μῖσος κατ' ἀλλήλων ἐτρέψα-
54 μεν, τάχα δὲ οὐδὲ καθ' ἡμῶν ἀλλὰ κατὰ τοῦ τὴν ἐντολὴν
B δεδωκότος· ὁ μὲν γάρ φησιν Ἀγαπήσεις τὸν πλησίον σου
καὶ μισήσεις τὸν ἐχθρόν σου[n], τὸν τῆς φύσεως ἡμῶν
πολέμιον μόνον ἐχθρὸν ἡγεῖσθαι προστάξας, πάντα δὲ τὸν
κοινωνοῦντα τῆς φύσεως πλησίον ἑκάστου εἶναι εἰπών· ἡ
59 δὲ βαρυκάρδιος ἡμῶν γενεά[o] τοῦ πλησίον ἡμᾶς διαστήσασα

W (Qc)

37 ὄντως Qc : ὄντος W

k. Cf. I Jn 5, 19   l. Cf. Matth. 13, 7   m. Cf. Gen. 3, 15
n. Matth. 5, 43   o. Cf. Ps. 4, 3

1. On sait par la *lettre* 2, 12 que les Églises de Jérusalem avaient
demandé à Grégoire d'intervenir dans leurs querelles en tant que
médiateur. Ses réflexions tout au long de cette lettre montrent que sa
médiation n'a pas été acceptée par tous et, plus encore, qu'il s'est fait

parole du Seigneur selon laquelle le monde entier gît au pouvoir du mauvais[k], au point qu'aucune partie du monde n'est exempte d'une part de mal. Car si le lieu qui a reçu la sainte trace de la vie véritable n'est pas débarrassé des mauvaises ronces[l], que faut-il penser des autres lieux, où la participation du bien a été semée par simple audition et prédication ? **5.** Ce que je vise en disant cela, il n'est pas nécessaire de l'expliciter davantage par des paroles, car les faits eux-mêmes clament ce qui est affligeant avec plus de force que toute parole connue[1].

6. Le législateur de notre vie nous a prescrit une inimitié, je veux dire celle envers le serpent, en nous ordonnant de n'exercer notre faculté de haïr dans rien d'autre que la répulsion pour le mal : « J'établirai une inimitié, dit-il, entre toi et celui-ci[m]. » Et parce que le mal est multiple et se présente sous divers aspects, la parole (biblique) le désigne au moyen du serpent[2], en indiquant l'extrême diversité du mal par la multiplicité de ses écailles. **7.** Mais nous, nous sommes devenus les alliés du serpent en faisant les volontés de l'adversaire, et nous avons tourné notre haine les uns contre les autres — et peut-être même n'est-ce pas contre nous, mais contre celui qui nous a donné le commandement. Il dit en effet : « Tu aimeras ton prochain et tu haïras ton ennemi[n] », en nous ordonnant de tenir pour ennemi uniquement celui qui est hostile à notre nature, et en déclarant que quiconque partage notre communauté de nature est le prochain de chacun. Mais notre génération, dans sa dureté de cœur[o],

---

violemment contrer par quelques-uns. Il va maintenant aborder le sujet de cette contestation, qui est un problème de christologie. Cf. de plus amples développements sur ce point dans P. MARAVAL, « La lettre 3 de Grégoire de Nysse dans le débat christologique », *RevSR* 61, 1987, p. 74-89.

2. Le mal est également comparé à un serpent dans l'*Or. cat.* 30, 1, mais la pointe de la comparaison y est différente.

22 P. θάλπειν τὸν ὄφιν ἐποίησε καὶ τοῖς τῶν φολίδων αὐτοῦ
στίγμασιν ἐπιτέρπεσθαι. **8.** Ἐγὼ γὰρ τὸ μὲν τοὺς ἐχθροὺς
τοῦ θεοῦ μισεῖν ἔννομον εἶναί φημι καὶ ἀρέσκειν τῷ δεσπότῃ
τὸ τοιοῦτον μῖσος, ἐχθροὺς δὲ λέγω τοὺς κατὰ πάντα τρόπον
τὴν τοῦ δεσπότου δόξαν ἀπαρνουμένους, εἴτε τοὺς Ἰουδαίους
65 εἴτε τοὺς φανερῶς εἰδωλολατροῦντας εἴτε τοὺς διὰ τῶν
Ἀρείου δογμάτων εἰδωλοποιοῦντας τὴν κτίσιν καὶ τὴν
Ἰουδαϊκὴν πλάνην ἀναλαμβάνοντας. Εἰ δὲ πατὴρ καὶ υἱὸς
C καὶ ἅγιον πνεῦμα εὐσεβῶς δοξάζοιτο καὶ προσκυνοῖτο παρὰ
τῶν πεπιστευκότων ἐν ἀσυγχύτῳ καὶ διακεκριμένῃ τῇ ἁγίᾳ
70 τριάδι μίαν εἶναι καὶ φύσιν καὶ δόξαν καὶ βασιλείαν καὶ
δύναμιν καὶ τὴν εὐσεβῆ λατρείαν καὶ τὴν ἐπὶ πάντων
ἐξουσίαν, ἐνταῦθα ὁ πόλεμος τίνα εὔλογον αἰτίαν ἔχει;
9. Ὅτε ἐπεκράτει τὰ τῆς αἱρέσεως δόγματα, καὶ τὸ
παρακινδυνεῦσαι πρὸς τὰς ἐξουσίας, δι' ὧν ἐδόκει τὸ τῶν
75 ἀντικειμένων δόγμα κρατύνεσθαι, καλῶς εἶχεν, ὡς ἂν μὴ
καταδυναστεύοιτο ταῖς ἀνθρωπίναις δυναστείαις ὁ σωτήριος
λόγος· νυνὶ δὲ κατὰ πᾶσαν τὴν οἰκουμένην Ἀπ' ἄκρου τοῦ
D οὐρανοῦ καὶ ἕως ἄκρου τοῦ αὐτοῦ[p] ἴσως κηρυσσομένης ἐν
φανερῷ τῆς εὐσεβείας ὁ τοῖς κηρύσσουσι τὴν εὐσέβειαν
80 πολεμῶν οὐκ ἐκείνοις μάχεται ἀλλὰ τῷ παρ' αὐτῶν εὐσεβῶς
κηρυσσομένῳ· τίς γὰρ εἶναι σκοπὸς ἄλλος ὀφείλει τῷ τὸν
θεῖον ἔχοντι ζῆλον, εἰ μὴ τὸ παντὶ τρόπῳ τὴν δόξαν τοῦ
θεοῦ καταγγέλλεσθαι[q]; **10.** Ἕως ἂν οὖν ἐξ ὅλης καρδίας
τε καὶ ψυχῆς καὶ διανοίας[r] προσκυνῆται ὁ μονογενὴς θεός,
85 ἐκεῖνο εἶναι πεπιστευμένος ἐν πᾶσιν ὅπερ ἐστὶν ὁ πατήρ,

W (Qc)

78 ἄκρου τοῦ Pasquali : τοῦ ἄκρου W

p. Deut. 30, 4 ; Ps. 18, 7   q. Cf. Phil. 1, 18   r. Cf. Mc 12, 30

1. En soulignant ici nettement que sa foi nicéenne n'est pas en
cause, puisqu'il la professe sans restriction aucune, Grégoire montre
que la contestation qu'il a affrontée vient de partisans de cette même
foi, dont il déclare ne pas comprendre l'hostilité (cf. de même § 10).

après nous avoir séparés du prochain, a fait en sorte de réchauffer le serpent et de se réjouir des mouchetures de ses écailles. **8.** Pour moi, je dis qu'il est légitime de haïr les ennemis de Dieu et qu'une telle haine plaît au Maître, et je déclare ennemis ceux qui, de quelque manière que ce soit, nient la gloire du Maître, tant les Juifs que les idolâtres déclarés ou ceux qui, en adoptant les doctrines d'Arius, font une idole de la créature et répètent l'erreur judaïque. Mais si Père, Fils et Esprit-Saint sont pieusement glorifiés et adorés par ceux qui croient que, dans la sainte Trinité, qui est distincte et sans confusion, une est la nature, la gloire, la royauté, la puissance, la pieuse adoration et le pouvoir sur toutes choses, en ce cas-là, sur quel motif raisonnable repose l'hostilité[1]? **9.** Lorsque prévalaient les doctrines de l'hérésie, c'était une bonne chose que de prendre le risque de s'opposer aux autorités grâce à qui la doctrine des adversaires semblait l'emporter[2], afin que la parole salutaire ne soit pas asservie aux pouvoirs humains. Mais maintenant que par toute la terre, «depuis l'extrémité du ciel jusqu'à son extrémité[p]», la piété est prêchée au grand jour de manière identique[3], celui qui combat ceux qui prêchent la piété ne lutte pas contre ceux-ci, mais contre celui qu'ils proclament pieusement. Quel autre but doit avoir celui qu'anime un zèle divin, sinon que la gloire de Dieu soit annoncée de toute manière[q]? **10.** Dès lors donc que, de tout cœur, âme et esprit[r], on adore le Dieu monogène, en croyant qu'il est en tout ce qu'est le Père, et

---

2. Ce fut le cas de Grégoire lui-même, déposé par un concile homéen (cf. *supra*, p. 20-21).

3. Cette remarque indique que Grégoire écrit après 381, après le concile et la constitution de Théodose qui précisait la nouvelle orthodoxie en en nommant les garants; elle serait prématurée auparavant. Le terme «piété» (εὐσέβεια), ici comme en plusieurs autres textes, désigne l'orthodoxie.

ὡσαύτως δὲ καὶ τὸ πνεῦμα τὸ ἅγιον ἐν ὁμοτίμῳ τῇ
προσκυνήσει δοξάζηται, οἱ τὰ περισσὰ σοφιζόμενοι ποίαν
τοῦ πολεμεῖν εὐπρόσωπον ἔχουσιν ἀφορμήν, σχίζοντες τὸν
89　χιτῶνα τὸν ἄρρηκτονˢ καὶ πρὸς Παῦλον καὶ Κηφᾶνᵗ τὸ
23 P.　ὄνομα τοῦ κυρίου καταμερίζοντες καὶ τὸν προσεγγισμὸν
1020 M.　τῶν τὸν Χριστὸν προσκυνούντων βδελυκτὸν ἀποφαίνοντες,
μόνον οὐ φανερῶς ἐκεῖνο βοῶντες τοῖς ῥήμασι, Πόρρω
ἀπ' ἐμοῦ· μὴ ἐγγίσῃς μοι, ὅτι καθαρός εἰμιᵘ ;
11. Δεδόσθω δὲ καὶ πλέον τι αὐτοῖς κατὰ τὴν γνῶσιν,
95　ὑπὲρ ὧν οἴονται κατειληφέναι, προσεῖναι· μὴ πλέον τοῦ
πιστεύειν ἀληθινὸν εἶναι θεὸν τὸν τοῦ θεοῦ ἀληθινὸν υἱὸν
ἔχουσι ; **12.** Τῇ δὲ τοῦ ἀληθινοῦ θεοῦ ὁμολογίᾳ πάντα
συμπεριλαμβάνεται τὰ εὐσεβῆ καὶ σῴζοντα ἡμᾶς νοήματα,
ὅτι ἀγαθός, ὅτι δίκαιος, ὅτι δυνατός, ὅτι ἄτρεπτός τε καὶ
100　ἀναλλοίωτος καὶ ἀεὶ ὁ αὐτός, οὔτε πρὸς τὸ χεῖρον οὔτε
πρὸς τὸ βέλτιον τραπῆναι δυνάμενος· τὸ μὲν γὰρ οὐ
πέφυκεν, τὸ δὲ οὐκ ἔχει· τί γὰρ <τοῦ> ὑψίστου ὑψηλότερον ;
τί τοῦ ἀγαθοῦ ἀγαθώτερον ; **13.** Ὥστε ὁ ἐν πάσῃ τοῦ
104　ἀγαθοῦ τελειότητι θεωρούμενος κατὰ πᾶν εἶδος τροπῆς τὸ
B　ἀναλλοίωτον ἔχει, οὐ κατὰ καιρούς τινας τὸ τοιοῦτον ἐν
ἑαυτῷ δεικνύς, ἀλλ' ἀεὶ ὡσαύτως ἔχων καὶ πρὸ τῆς κατὰ
ἄνθρωπον οἰκονομίας καὶ ἐν ἐκείνῳ καὶ μετὰ τοῦτο, οὐδὲν

W (Qc)

92 βοῶντες Qc : βοῶντος W ‖ 95 ὑπὲρ ὧν W : ὑπέρεστιν (ἥνπερ αὐτοὶ
in mg. al. m.) Q ἥνπερ αὐτοὶ c ‖ 102 τοῦ add. Jaeger Pasquali

s. Cf. Jn 19, 23　　t. Cf. I Cor. 1, 12　　u. Is. 65, 5

1. Ainsi Grégoire, représentant de l'orthodoxie et fidèle partisan de
Nicée, a été boycotté par des théologiens de Jérusalem qui, tout en
partageant la foi de Nicée, raffinent sur un point de théologie lié à
celle-ci et se trouvent de ce fait en désaccord avec lui.
2. Affirmation d'un principe sous une forme empruntée à la foi de
Nicée, qui montre que le point en débat est celui du Fils.
3. C'est le cœur du débat : Grégoire affirme que sa conception du
Fils ne porte pas atteinte à l'immutabilité divine. Ce point de doctrine
fait partie des discussions anti-ariennes depuis les origines. Arius

que de la même manière on glorifie aussi l'Esprit-Saint dans une adoration qui lui rende le même honneur, quel motif spécieux de polémiquer ont encore les spécialistes en subtilités, eux qui déchirent la tunique indestructible[s], tirent au sort le nom du Seigneur entre Paul et Céphas[t] et déclarent abominable le contact de ceux qui adorent le Christ — quoique sans le crier ouvertement en disant : «Loin de moi! Ne t'approche pas de moi, car je suis pur[u1]!»

11. Admettons qu'ils soient allés un peu plus loin dans la connaissance concernant ce qu'ils croient avoir compris. Ont-ils quelque chose de plus à croire que ceci : le fils véritable de Dieu est Dieu véritable[2]? **12.** La confession du Dieu véritable inclut toutes les notions pieuses et qui nous sauvent — qu'il est bon, qu'il est juste, qu'il est puissant, qu'il est immuable, sans changement et toujours le même, ne pouvant évoluer ni vers le pire, ni vers le meilleur[3], car le premier est étranger à sa nature et le second est sans objet : qu'est-ce qui est plus élevé que le Très-Haut, meilleur que le Bien? **13.** Ainsi, celui qui est considéré comme ayant toute la perfection du bien possède l'immutabilité touchant toute espèce de changement, et il ne montre pas en lui une telle qualité selon les circonstances, mais il la possède toujours de la même façon, aussi bien avant la disposition providentielle[4] qui le fait homme

considère en effet que le Fils, parce qu'il est créature, est susceptible de changement, au moins par nature, et dans son esprit et dans sa chair (cf. *Thalie* citée par ATHANASE, *Or. adv. Arian.*, 1, 5, *PG* 26, 21 C); EUNOME affirmera de même que seul le Père est exempt de tout changement (GRÉG. NYSS., *Ref. conf. Eun.* 52, *GNO 2*, p. 333).

4. Le mot οἰκονομία est couramment utilisé par les Pères pour désigner le plan divin à l'œuvre dans l'incarnation; c'est fréquemment le cas chez Grégoire, en particulier dans l'*Or. cat.* (cf. les références rassemblées dans l'éd. Méridier, p. LXIII). On peut certes traduire par «économie» (de salut); j'ai préféré garder dans ma traduction la tonalité «providentielle» attachée à ce mot.

τῆς ἀτρέπτου καὶ ἀναλλοιώτου φύσεως ἐν ταῖς ὑπὲρ ἡμῶν
ἐνεργείαις πρὸς τὸ ἀπεμφαῖνον μεθαμορζομένης. **14.** Τὸ
110 γὰρ φύσει ἄφθαρτον καὶ ἀναλλοίωτον ἀεὶ τοιοῦτόν ἐστιν,
οὐ συναλλοιούμενον τῇ ταπεινῇ φύσει ὅταν ἐν ἐκείνῃ
κατ᾿ οἰκονομίαν γένηται, κατὰ τὸ τοῦ ἡλίου ὑπόδειγμα, ὃς
ὑποβαλὼν τὴν ἀκτῖνα τῷ ζόφῳ οὐ τὸ φῶς τῆς ἀκτῖνος
ἠμαύρωσεν, ἀλλὰ τὸ σκότος διὰ τῆς ἀκτῖνος εἰς φῶς
115 μετεποίησεν· οὕτως καὶ τὸ ἀληθινὸν φῶς ἐν τῇ σκοτίᾳ
ἡμῶν λάμψανᵛ οὐκ αὐτὸ ὑπὸ τοῦ σκότους κατεσκιάσθη,
ἀλλὰ δι᾿ ἑαυτοῦ τὸν ζόφον ἐφώτισεν. **15.** Ἐπειδὴ τοίνυν ἐν
C   σκότῳ τὸ ἀνθρώπινον ἦν, καθὼς γέγραπται ὅτι Οὐκ
ἔγνωσαν οὐδὲ συνῆκαν, ἐν σκότει διαπορεύονταιʷ, ὁ
120 ἐλλάμψας τῇ ἐσκοτισμένῃ φύσει, διὰ παντὸς τοῦ συγκρί-
ματος ἡμῶν τῆς θεότητος τὴν ἀκτῖνα διαγαγών, διὰ ψυχῆς
λέγω καὶ σώματος, ὅλον τὸ ἀνθρώπινον τῷ ἰδίῳ φωτὶ
προσῳκείωσε τῇ πρὸς ἑαυτὸν ἀνακράσει ὅπερ ἐστὶν αὐτός,
24 P. κἀκεῖνο ἀπεργασάμενος· καὶ ὡς οὐκ ἐφθάρη ἡ θεότης ἐν
125 τῷ φθαρτῷ σώματι γενομένη, οὕτως οὐδὲ εἰς τροπὴν
ἠλλοιώθη τὸ τρεπτὸν τῆς ψυχῆς ἡμῶν ἰασαμένη· καὶ γὰρ
καὶ ἐπὶ τῆς ἰατρικῆς τέχνης ὁ θεραπεύων τὰ σώματα,
ἐπειδὰν ἅψηται τοῦ πεπονθότος, οὐκ αὐτὸς ἐμπαθὴς γίνεται

W (Qc)

109 μεταμορζομένης Casaubon Pasquali : μεταμορζόμενος W ‖ 125
γενομένη W : γινομένη Q ‖ οὐδὲ Jaeger Pasquali : οὔτε W

v. Cf. Jn 1,5; 1,9   w. Ps. 81,5

1. Le problème abordé par Grégoire l'est dans toute sa clarté : la
venue du divin dans l'humaine nature n'affecte celui-là d'aucun
changement, l'incarnation laisse la nature divine immuable. Le thème
sera repris en conclusion de la démonstration, au début du § 23.
Rappelons à ce propos que la doctrine de l'immutabilité divine est
fondamentale chez Grégoire : cf. J. Daniélou, «Le problème du
changement chez Grégoire de Nysse», *Arch. de Philos.* 29, 1966,
p. 323-347 (=*L'être et le temps*, Leiden 1970, p. 95-115).

que pendant ou après cela, sans que sa nature immuable et sans changement soit transformée en quelque chose de différent dans ses activités en notre faveur. **14.** Ce qui par nature est incorruptible et sans changement demeure toujours tel, ce n'est pas changé en même temps que l'humble nature lorsque, par une disposition providentielle, cela vient en elle[1], à l'exemple du soleil qui, lorsqu'il a envoyé son rayon dans l'obscurité, n'a pas affaibli la lumière de ce rayon, mais a transformé par ce rayon l'ombre en lumière. De même, la lumière véritable qui a brillé dans nos ténèbres[v] n'a pas été elle-même assombrie par les ténèbres, mais elle a illuminé l'obscurité par elle-même. **15.** Puis donc que l'humanité était dans les ténèbres, comme il est écrit — « Ils n'ont pas su, ils n'ont pas compris, ils marchent dans les ténèbres[w] » —, celui qui a brillé sur la nature enténébrée en faisant passer le rayon de sa divinité à travers tout notre composé, je veux dire l'âme et le corps[2], a associé tout l'humain à sa propre lumière et transformé celui-ci, par ce mélange avec lui-même, en ce qu'il est lui-même. Et de même que la divinité n'a pas été corrompue en venant dans un corps corruptible, de même n'a-t-elle pas été changée en guérissant ce qu'il y a de changeant dans notre âme. Dans la pratique médicale, celui qui soigne les corps, lorsqu'il touche celui qui est souffrant, ne devient pas lui-même

---

2. Cette mention nous montre que la christologie de Grégoire, même si elle est peu élaborée dans cette lettre, est déjà celle du *Logos-anthrôpos*, insistant sur la pleine humanité du Christ. C'est ce point qui fait difficulté aux opposants de Grégoire, tenants d'une christologie plus traditionnelle du *Logos-sarx*. Il ne s'agit nullement d'Apollinaristes (même si ceux-ci sont partisans eux aussi de cette christologie), car Grégoire ne dit pas un mot ici du rejet du νοῦς dans le Christ, qui est caractéristique de la doctrine d'Apollinaire, et il parle simplement de sa ψυχή (cf. *infra*, p. 141, n. 3). Nous sommes encore à une époque où la théologie du *Logos-sarx* est encore celle d'orthodoxes avérés tels qu'Athanase ou Cyrille de Jérusalem.

ἀλλὰ τὸ νοσοῦν ἐξιάσατο. **16.** Μηδεὶς δὲ διὰ τοῦτο τὸ
130 τοῦ εὐαγγελίου μὴ δεόντως ἐκλαμβάνων ἡγείσθω κατὰ
προκοπήν τινα καὶ ἀκολουθίαν κατ' ὀλίγον πρὸς τὸ θειότερον
D μεταποιεῖσθαι τὴν ἡμετέραν φύσιν ἐν τῷ Χριστῷ · τὸ γὰρ
Προκόπτειν ἡλικίᾳ καὶ σοφίᾳ καὶ χάριτι[x] εἰς ἀπόδειξιν τοῦ
ἀληθῶς ἐν τῷ ἡμετέρῳ φυράματι γεγενῆσθαι τὸν κύριον
135 παρὰ τῆς γραφῆς ἱστόρηται, ὡς ἂν μή τινα χώραν ἔχοι
τὸ τῶν ἀντὶ τῆς ἀληθοῦς θεοφανείας δόκησίν τινα γεγενῆσθαι δογματιζόντων ἐν σωματικῇ μορφῇ κατεσχημα-
τισμένην. **17.** Διὰ τοῦτο ὅσα τῆς φύσεως ἡμῶν ἴδια,
ἀνεπαισχύντως καὶ περὶ αὐτὸν ἱστορεῖ ἡ γραφή, τὴν βρῶσιν
140 τὴν πόσιν[y] τὸν ὕπνον[z] τὸν κόπον[a] τὴν τροφὴν τὴν προκοπὴν
τῆς σωματικῆς ἡλικίας τὴν αὔξησιν, πάντα δι' ὧν ἡ ἡμετέρα
χαρακτηρίζεται φύσις, πλὴν τῆς κατὰ ἁμαρτίαν ὁρμῆς · ἡ
γὰρ ἁμαρτία ἀπότευγμα φύσεώς ἐστιν, οὐκ ἰδίωμα, ὡς καὶ ἡ
1021 M. νόσος καὶ ἡ πήρωσις οὐκ ἐξ ἀρχῆς ἡμῖν συμπέφυκεν, ἀλλὰ
145 παρὰ φύσιν συμβαίνει · οὕτως καὶ ἡ κατὰ κακίαν ἐνέργεια
καθάπερ τις πήρωσις τοῦ ἐμπεφυκότος ἡμῖν ἀγαθοῦ νοεῖται,
οὐκ ἐν τῷ αὐτὴν ὑφεστάναι καταλαμβανομένη, ἀλλ' ἐν τῇ

W (Qc)

132 μεταποιεῖσθαι W : μεταπεποιῆσθαι Casaubon ‖ 136 τὸ Qc : om.
W

---

x. Lc 2, 52　　　y. Cf. Matth. 11, 19　　　z. Cf. Matth. 8, 24　　　a. Cf.
Jn 4, 6

---

1. On connaît le goût de Grégoire pour les exemples empruntés à la
médecine (cf. aussi *Epist.* 14, 1 ; 18, 4). Notons qu'il n'exploite pas ici
l'image du Christ-médecin, pourtant présente par ailleurs dans son
œuvre (cf. *C. Eun.* III, 133, *GNO 2*, p. 48 ; *De or. dom.* IV, *PG* 44,
1161 D).
2. Ce verset de Luc est et sera souvent discuté dans le débat
christologique : cf. ATHANASE, *Or. adv. Arian.* III, 51-53, *PG* 26,

malade, mais il guérit la maladie[1]. **16.** Dès lors, que personne, en interprétant de travers la parole de l'Évangile, ne pense que c'est selon un progrès et une succession régulière, peu à peu, que notre nature s'est transformée dans le Christ en une réalité plus divine. Le fait de «progresser en âge, en sagesse et en grâce[x2]» est rapporté par l'Écriture comme une preuve que le Seigneur a vraiment été dans notre composé humain, afin qu'il n'y ait plus de place pour l'opinion de ceux qui soutiennent qu'à la place d'une véritable théophanie, il y a eu une apparence façonnée dans une forme corporelle. **17.** C'est pourquoi, ce qui est propre à notre nature, l'Écriture le rapporte de lui sans qu'il y ait lieu d'en rougir — le manger et le boire[y], le sommeil[z], la fatigue[a], l'allaitement, le progrès, la croissance de la taille du corps[3], tout ce qui caractérise notre nature, sauf la tendance au péché. Le péché est en effet un échec, non une propriété de notre nature, de même que la maladie ou la difformité ne sont pas nées dès le début avec notre nature, mais surviennent contre nature[4]. Pareillement, l'impulsion qui nous pousse au mal est à concevoir comme une déformation du bien qui est en notre nature, sans qu'on imagine qu'elle ait une existence propre, mais en la voyant dans l'absence du

---

429 B — 436 B, qui en donne d'ailleurs une autre interprétation. Grégoire y voit une preuve de la réalité de l'incarnation du Christ, contre tout docétisme.

3. Ne sont relevés ici que les éléments qui concernent le corps du Christ, quelques-unes des «passions» du corps; comme Basile (*Epist.* 261, 3), Grégoire semble ignorer les passions de l'âme.

4. Grégoire n'a pas à s'étendre sur le problème du mal et de la liberté humaine, mais dans la ligne de sa doctrine habituelle sur la liberté de l'homme, image de la liberté divine, il ne peut admettre que le péché soit présent dès le départ dans la nature humaine : cf. J. GAITH, *La conception de la liberté chez Grégoire de Nysse,* Paris 1953, p. 111-117.

τοῦ ἀγαθοῦ ἀπουσίᾳ θεωρουμένη. **18.** Ὁ οὖν τὴν φύσιν ἡμῶν
πρὸς τὴν θείαν δύναμιν μεταστοιχειώσας ἄπηρον αὐτὴν καὶ
150 ἄνοσον ἐν ἑαυτῷ διεσώσατο, τὴν ἐξ ἁμαρτίας γινομένην τῇ
προαιρέσει πήρωσιν οὐ προσδεξάμενος· Ἁμαρτίαν γάρ,
25 P. φησίν, οὐκ ἐποίησεν οὐδὲ εὑρέθη δόλος ἐν τῷ στόματι
αὐτοῦ[b]. **19.** Τοῦτο δὲ οὐ μετά τι χρονικὸν διάστημα περὶ
αὐτὸν θεωροῦμεν, ἀλλ᾽ εὐθὺς ὁ ἐν Μαρίᾳ ἄνθρωπος, ἐν ᾧ
155 ᾠκοδόμησεν ἡ σοφία τὸν ἴδιον οἶκον[c], τῇ μὲν ἑαυτοῦ φύσει
ἐκ τοῦ ἐμπαθοῦς φυράματος ἦν, ὁμοῦ δὲ τῇ ἐπελεύσει τοῦ
B ἁγίου πνεύματος καὶ τῇ ἐπισκηνώσει τῆς τοῦ ὑψίστου
δυνάμεως[d], ὅπερ τὸ ἐπισκηνῶσαν ἦν φύσει τῇ ἰδίᾳ, εὐθὺς
ἐκεῖνο ἐγένετο· Χωρὶς γὰρ πάσης ἀντιλογίας τὸ ἔλαττον
160 ὑπὸ τοῦ κρείττονος εὐλογεῖται[e]. **20.** Ἐπεὶ οὖν ἄπειρόν τί
ἐστι καὶ ἀμέτρητον ἡ τῆς θεότητος δύναμις, βραχὺ δὲ καὶ
οὐτιδανὸν τὸ ἀνθρώπινον, ἅμα τε ἐπῆλθε τὸ πνεῦμα τῇ
παρθένῳ καὶ ἡ τοῦ ὑψίστου ἐπεσκίασε δύναμις[f], τὸ διὰ τῆς
164 τοιαύτης ἀφορμῆς πηγνύμενον σκήνωμα οὐδὲν τῆς ἀνθρωπί-
C νης σαπρίας συνεπεσπάσατο· ἀλλ᾽ ὅπερ ἦν ἐν τῷ συστήματι,
εἰ καὶ ἄνθρωπος, ἦν, πλὴν ἀλλὰ καὶ πνεῦμα καὶ χάρις καὶ
δύναμις[g] ἦν, ἐν τῇ ὑπερβολῇ τῆς θείας δυνάμεως τῆς κατὰ
τὴν φύσιν ἡμῶν ἰδιότητος ἐκλαμπούσης. **21.** Καὶ ἐπειδὴ
δύο πέρατα τῆς ἀνθρωπίνης ἐστὶ ζωῆς, ὅθεν ἀρχόμεθα καὶ
170 εἰς ὃ καταλήγομεν, ἀναγκαίως ὁ πᾶσαν ἡμῶν τὴν ζωὴν
θεραπεύων[h] διὰ τῶν δύο ἄκρων ἡμᾶς περιπτύσσεται, καὶ

W (Qc)

163 καὶ ante τὸ διὰ add. Vitelli

b. I Pierre 2,22; cf. Is. 53,9   c. Cf. Prov. 9,1   d. Cf.
Lc 1,35   e. Hébr. 7,7   f. Cf. Lc 1,35   g. Cf. II Cor. 4,7
h. Cf. Matth. 4,23

1. Idée plotinienne récurrente chez Grégoire : le mal n'a pas
d'existence propre, mais c'est la privation du bien (cf. *Or. Cat.* 5, 11-
12 ; *In Eccl. hom.* 5, *GNO 5*, p. 356, 15).
2. La nature humaine du Christ est donc transformée par la nature
divine présente en elle-même, elle est ainsi fixée dans le bien, non

bien[1]. **18.** Celui donc qui a transformé[2] notre nature par la puissance divine l'a gardée, en lui-même, exempte de tout dommage et de toute maladie, sans accepter, par un choix libre, la difformité qui vient du péché, car « il n'a pas commis le péché et l'on n'a pas trouvé de fourberie dans sa bouche[b] ». **19.** Cela, ce n'est pas après un certain laps de temps que nous le voyons en lui, mais dès le début l'homme formé en Marie, dans lequel « la Sagesse a bâti sa maison[c] », participait par sa propre nature de notre composé sujet aux passions ; mais en même temps, par la venue du Saint-Esprit et la présence sur lui de la puissance du Très-Haut[d], il est devenu aussitôt ce qui était présent sur sa propre nature, « car sans aucun doute l'inférieur est béni par le supérieur[e] ». **20.** Donc, puisque la puissance de la divinité est quelque chose d'infini et d'incommensurable, alors que l'humain est quelque chose de chétif et d'insignifiant, au moment où l'Esprit est venu sur la Vierge et où la puissance du Très-Haut l'a couverte de son ombre[f], la demeure constituée par ce moyen n'a rien attiré de la pourriture humaine. C'était certes un homme, mais tel qu'il était dans sa constitution première, tout en étant aussi Esprit, grâce, puissance[g], car le caractère propre de notre nature resplendissait dans la surabondance de la puissance divine[3]. **21.** Et puisqu'il y a deux termes de la vie humaine, celui où nous commençons et celui où nous finissons, nécessairement celui qui prend soin de toute notre vie[h] nous tient par ces deux extrémités, prenant en

sujette au changement du péché. Sur l'usage de μετασοιχέω ou μεταποιέω (celui-ci utilisé aux § 14 et 16) par Grégoire, cf. J. R. Bouchet, *Le vocabulaire de l'union* (1968), p. 570-576.

3. Tout en soulignant l'incommensurable supériorité de la nature divine, Grégoire n'évacue pas la nature humaine de la personne du Christ, comme on le lui a parfois reproché ; au contraire, celle-ci apparaît comme magnifiée par celle-là. Le Christ est l'homme parfait, « tel qu'il était dans sa constitution première ».

τῆς ἀρχῆς ἡμῶν καὶ τοῦ τέλους περιδρασσόμενος, ἵνα ἐξ
ἀμφοτέρων ὑψώσῃ τὸν κείμενον. **22.** Ὅπερ οὖν ἐπὶ τοῦ
κατὰ τὸ τέλος μέρους καταλαμβάνομεν, τοῦτο καὶ περὶ τῆς
175 ἀρχῆς λογιζόμεθα. Ὡς γὰρ ἐκεῖ τὸ μὲν σῶμα τῆς ψυχῆς
διαζευχθῆναι κατ᾽ οἰκονομίαν ἐποίησεν, ἡ δὲ ἀμέριστος
θεότης, ἅπαξ ἀνακραθεῖσα τῷ ὑποκειμένῳ, οὔτε τοῦ
D σώματος οὔτε τῆς ψυχῆς ἀπεσπάσθη, ἀλλὰ διὰ μὲν τῆς
ψυχῆς ἐν τῷ παραδείσῳ γίνεται ὁδοποιοῦσα διὰ τοῦ λῃστοῦ[i]
180 τοῖς ἀνθρώποις τὴν εἴσοδον, διὰ δὲ τοῦ σώματος ἐν τῇ
καρδίᾳ τῆς γῆς[j] ἀναιροῦσα τὸν τὸ κράτος ἔχοντα τοῦ
θανάτου[k], καὶ διὰ τοῦτο καὶ τὸ σῶμα κύριος λέγεται,
26 P. διὰ τὴν ἐγκειμένην θεότητα· οὕτω καὶ ἐπὶ τῆς ἀρχῆς
λογιζόμεθα ὅτι ὅλῃ τῇ φύσει ἡμῶν ἡ τοῦ ὑψίστου δύναμις[l]
185 διὰ τῆς ἐπελεύσεως τοῦ ἁγίου πνεύματος ἐγκραθεῖσα, καὶ
ἐν τῇ ψυχῇ ἡμῶν γίνεται, καθὸ εἰκὸς ἐν ψυχῇ γενέσθαι,
καὶ τῷ σώματι καταμίγνυται, ὡς ἂν διὰ πάντων ὁλοτελὴς
ἡμῖν ἡ σωτηρία γένηται, φυλασσομένης τῇ θεότητι καὶ ἐν
τῇ ἀρχῇ τῆς ἀνθρωπίνης ζωῆς καὶ ἐν τῷ τέλει τῆς
190 θεοπρεποῦς τε καὶ ὑψηλῆς ἀπαθείας. Οὔτε γὰρ ἡ ἀρχὴ
1024 M. κατὰ τὴν ἡμετέραν ἀρχὴν οὔτε τὸ τέλος κατὰ τὸ ἡμέτερον
τέλος, ἀλλ᾽ ἔδειξε κἀκεῖ καὶ ὧδε τὴν θεϊκὴν ἐξουσίαν, μήτε

W (Qc)

183 ἀρχῆς Casaubon Pasquali : ψυχῆς W ‖ 188 γίνηται W

---

i. Cf. Lc 23, 43   j. Cf. Math. 12, 40   k. Hébr. 2, 14   l. Cf.
Lc 1, 35

1. Les verbes utilisés dans ce passage pour décrire l'union intime
de la divinité et de l'humanité — ἀνακεράννυμι, ἐγκεράννυμι, κατα-
μίγνυμι — impliquent l'idée d'une fusion, d'un mélange. Ces termes
étaient déjà utilisés par Origène, et Grégoire ne cessera de les affec-
tionner : cf. J.-R. Bouchet, *Le vocabulaire de l'union*, p. 547.
2. Ce thème se retrouve dans plusieurs autres ouvrages de
Grégoire, en particulier le *Contre Eunome* III, l'*Adv. Apolinarium*
(*GNO 3/1*, p. 154, 4-27), le *De tridui spatio* (*GNO 9*, p. 290, 18-249, 13).
Cf. l'étude de J. Lebourlier, *A propos de l'état du Christ* (1962),

main et notre commencement et notre fin, pour faire se
lever entre les deux l'homme gisant. **22.** Cela donc que
nous connaissons touchant la fin, nous le pensons aussi
touchant le commencement. De fait, pour celle-là, il a fait
se disjoindre, selon une disposition providentielle, le corps
de l'âme, mais la divinité indivisible, ayant été mélangée[1]
une fois pour toutes à son réceptacle, ne s'est détachée ni
du corps, ni de l'âme : par son âme elle se trouve dans le
paradis, ouvrant la voie aux hommes en la personne du
larron[i], par son corps elle se trouve dans le cœur de la
terre[j], détruisant «celui qui avait le pouvoir de la mort[k]»,
et c'est pourquoi le corps lui aussi est appelé Seigneur, en
raison de la divinité présente en lui[2]. De la même façon, en
ce qui concerne le commencement, nous pensons que la
puissance du Très-Haut[l], qui s'est mélangée à notre nature
tout entière par la venue du Saint-Esprit, se trouve aussi
dans notre âme comme il convient qu'elle soit dans une
âme, et qu'elle s'est mêlée au corps pour que notre salut
soit parfait en tout[3]. La divinité a conservé cependant, et
dans le commencement et dans la fin de la vie humaine,
l'impassibilité sublime qui convient à Dieu. Son commencement n'a donc pas été comme notre commencement ni sa
fin comme notre fin, mais ils ont manifesté dans l'un et
l'autre cas la puissance divine : son commencement n'a

---

p. 629-649 et (1963), p. 161-180. Sur le thème dans le dernier texte, cf.
L. R. WICKAM, «Soul and Body : Christ's Omnipresence», dans *Easter
Sermons* (1981), p. 272-292 et H. R. DROBNER, *Gregor von Nyssa. Die
Drei Tage zwischen Tod und Auferstehung unseres Herrn Jesus Christus*,
Leiden 1982, p. 114-126. Ces deux études convainquent de rejeter les
datations relatives proposées par Lebourlier et de placer en tête notre
lettre (en 381), suivie du *Contre Eunome* III (en 383), de l'*Adv.
Apolinarium* (en 387) et enfin du *De tridui spatio* (peut-être vers 390 :
cf. DROBNER, *op. cit.*, p. 190-198).

3. Seul passage où Grégoire souligne que le Christ a pris à la fois un
corps et une âme ($\psi\upsilon\chi\acute{\eta}$) et en donne une explication sotériologique. Il
reviendra longuement sur ce problème dans l'*Adv. Apolinarium*, en se
référant cette fois explicitement aux doctrines de celui-ci.

τῆς ἀρχῆς ἐν ἡδονῇ μολυνθείσης μήτε τοῦ τέλους εἰς φθορὰν
καταλήξαντος.

195   **23.** Εἰ οὖν ταῦτα βοῶμεν καὶ διαμαρτυρόμεθα, ὅτι
Χριστὸς θεοῦ δύναμις καὶ θεοῦ σοφία[m], ἀεὶ ἄτρεπτος ἀεὶ
ἄφθαρτος, κἂν ἐν τῷ τρεπτῷ καὶ φθαρτῷ γένηται, οὐκ
αὐτὸς μολυνόμενος ἀλλὰ τὸ μολυνθὲν καθαρίζων, τί ἀδι-
κοῦμεν καὶ ὑπὲρ τίνος μισούμεθα; καὶ τί βούλεται ἡ τῶν
200 καινῶν θυσιαστηρίων ἀντεξαγωγή; **24.** Μὴ ἄλλον Ἰησοῦν
καταγγέλλομεν[n]; μὴ ἕτερον ὑποδεικνύομεν; μὴ ἄλλας
γραφὰς ἐκτιθέμεθα[o]; μὴ τὴν ἁγίαν παρθένον τὴν θεοτόκον
ἐτόλμησέ τις ἡμῶν καὶ ἀνθρωποτόκον εἰπεῖν, ὅπερ ἀκούομέν
204 τινας ἐξ αὐτῶν ἀφειδῶς λέγειν; μὴ τρεῖς ἀναστάσεις
B   μυθοποιοῦμεν; μὴ χιλίων ἐτῶν γαστριμαργίας ἐπαγγελλό-
μεθα; μὴ τὴν Ἰουδαϊκὴν ζωοθυσίαν πάλιν ἐπαναληφθή-
σεσθαι λέγομεν; μὴ περὶ τὴν κάτω Ἰερουσαλὴμ τὰς ἐλπίδας
τῶν ἀνθρώπων κλίνομεν, ἀνοικισμὸν αὐτῆς διὰ τῆς εὐφα-

W (Qc)

197 ἄφθαρτος Casaubon Pasquali : ἄφραστος W ‖ 201 μὴ[1] malit
delere Pasquali (in app.) ‖ 205 γαστριμαργίαν Vitelli

m. Cf. I Cor. 1, 24   n. Cf. II Cor. 11, 4   o. Cf. Gal. 1, 6-9

1. La conception virginale est donc liée à l'impassibilité de la
divinité. Le thème sera souvent repris par Grégoire, ainsi dans l'*Or.
cat.* 13, 1 : c'est que la sexualité, comme la mortalité, est pour lui une
conséquence du péché.
2. Ces expressions tirées de *I Cor.* 1, 24 ont été souvent invoquées
dans les débats contre les Ariens : cf. ATHANASE, *Or. adv. Arianos*
3, 26 (*PG* 26, 377 A - 380 B). C'est une des formules les plus souvent
citées par Grégoire : cf. les nombreux exemples cités par K. HOLL,
Amphilochius von Ikonium (1904), p. 210.
3. Allusion probable à *II Cor.* 11, 4, où Paul s'en prend à ceux qui
annoncent un autre Christ.
4. Allusion à *Gal.* 1, 6-9, qui anathématise quiconque produit un
autre évangile. Il n'est pas impossible que Grégoire fasse également

pas été souillé par la volupté[1], sa fin n'a pas abouti à la corruption.

23. Si donc nous clamons cela et que nous témoignons que le Christ est puissance de Dieu et sagesse de Dieu[m 2], toujours sans changement et toujours sans corruption, même s'il se trouve en ce qui est changeant et corruptible, lui-même n'étant pas souillé, mais purifiant ce qui est souillé, en quoi sommes-nous coupables et pourquoi suscitons-nous la haine ? Et que signifie qu'on nous oppose de nouveaux autels ? **24.** Annonçons-nous un autre Jésus[n 3] ? En enseignons-nous un autre ? Produisons-nous d'autres Écritures[o 4] ? Un de nous a-t-il osé appeler mère d'un homme la sainte Vierge mère de Dieu, comme nous entendons certains d'entre eux le dire sans retenue[5] ? Inventons-nous la fable de trois résurrections ? Promettons-nous des ripailles de mille ans ? Disons-nous qu'il faut reprendre les sacrifices juifs d'animaux ? Inclinons-nous les espoirs des hommes vers la Jérusalem d'ici-bas, en imaginant sa reconstruction avec des pierres d'une plus

allusion, dans ce cas comme dans le précédent, à quelque hérésie contemporaine.

5. Grégoire affirme ici que quelques-uns de ses adversaires l'accusaient d'appeler la Vierge « mère d'un homme ». Il est impossible, comme l'ont pensé quelques commentateurs, que ce soient ses adversaires qui aient utilisé cette expression : comment des partisans aussi farouches de l'immutabilité divine dans le Christ pourraient-ils la justifier ? En revanche, l'insistance mise par Grégoire sur la réalité de l'humanité du Christ peut avoir conduit à porter contre lui une telle accusation. Le mot ἀνθρωποτόκος circulait sans doute déjà dans les milieux de la théologie antiochienne (cf. DIODORE DE TARSE, *Contra Synus.*, PG 33, 1560 C, où le terme toutefois n'est pas utilisé, même si l'idée s'y trouve). Il est intéressant en revanche de voir Grégoire utiliser le terme θεοτόκος (on le trouve encore dans le *De virg.* XIV, 1, 24 et XIX, 6), qui à cette époque est encore rarement attesté (cf. R. LAURENTIN, *Court traité de théologie mariale*, Paris ⁴1959, p. 145-146 : Note annexe 3 : Les origines du titre de Théotokos).

27 P. νεστέρας τῶν λίθων ὕλης ἀναπλάσσοντες; τί τοιοῦτον
210 ἔχοντες ἐγκαλεῖσθαι φευκτοὶ ἐνομίσθημεν, καὶ ἄλλο παρά
τινων ἀντεγείρεται ἡμῖν θυσιαστήριον ὡς ἡμῶν βεβηλούντων
τὰ ἅγια[p];

25. Ὑπὲρ τούτων ἐν φλεγμονῇ καὶ λύπῃ τὴν καρδίαν
ἔχων, ὁμοῦ τῷ ἐπιβῆναι τῆς μητροπόλεως ἀποκενῶσαι τῆς
215 ψυχῆς τὴν πικρίαν διὰ τοῦ γράψαι πρὸς τὴν ἀγάπην ὑμῶν
προεθυμήθην. Ὑμεῖς δὲ ἐφ' ὅπερ ἂν ὑμᾶς χειραγωγήσῃ τὸ
πνεῦμα τὸ ἅγιον[q], ἐν ἐκείνῳ ἴτε, ὀπίσω τοῦ θεοῦ πορευό-
μεναι[r], σαρκὶ δὲ καὶ αἵματι[s] μὴ προσανέχουσαι μηδὲ
C ἀφορμὴν παρασκευάζουσαί τισι καυχήματος[t], ἵνα μὴ ἐν
220 ὑμῖν καυχήσωνται διὰ τοῦ ὑμετέρου βίου τῆς φιλοδοξίας
αὐτῶν ἐπαυξανομένης. **26.** Ἀλλὰ ἀναμνήσθητε τῶν ἁγίων
πατέρων, οἷς παρὰ τοῦ μακαρίου πατρὸς ὑμῶν ἐνεχει-
ρίσθητε, ὧν καὶ ἡμεῖς κατὰ θεοῦ χάριν τὴν διαδοχὴν ἔχειν
κατηξιώθημεν· καὶ μὴ μεταίρετε <τὰ> ὅρια, ἃ ἔθεντο οἱ
225 πατέρες ὑμῶν[u], μηδὲ ἀτιμάζετε τὸν ἰδιωτισμὸν τοῦ
ἁπλουστέρου κηρύγματος[v], μηδὲ ταῖς ποικίλαις διδαχαῖς[w]

W (Qc)

217 ἴτε Pasquali : εἴητε W εἴετε i.e. ἴετε Wilamowitz ‖ 224 τὰ add.
Jaeger Pasquali ‖ 226 διδαχαῖς Pasquali : διαδοχαῖς W

p. Cf. Lév. 19, 8   q. Cf. Jn 16, 13   r. Cf. Deut. 13, 5   s.
Gal. 1, 16   t. Cf. II Cor. 11, 12   u. Cf. Prov. 22, 28   v. Cf.
I Cor. 1, 21   w. Cf. Hébr. 13, 9

1. Toutes ces doctrines millénaristes et judaïsantes sont alors
attribuées à Apollinaire ou à ses partisans, bien qu'elles semblent en
fait étrangères à sa pensée. On trouve cependant ces accusations chez
de nombreux contemporains, ainsi ÉPIPHANE, *Panarion* 77, 36-38
(p. 448-451 Holl), BASILE, *Epist.* 263, 4 ; 265, 2 (III, p. 124-125, 130),
GRÉG. NAZ., *Epist.* 101, 63-64 et 102, 14 (*SC* 208, p. 65 et 77), *Carmen
de seipso* 30, 179 (*PG* 37, 1297). Il n'y a pas lieu en tout cas d'y voir
des doctrines judéo-chrétiennes, et encore moins dans les adversaires

belle apparence[1]? De quoi de tel sommes-nous accusés pour être jugés comme des gens à éviter, et pourquoi certains dressent-ils contre nous un autre autel, comme si nous profanions les choses saintes[p]?

25. C'est à cause de cela que, le cœur enflammé de colère et de chagrin, je me suis empressé, à peine rentré dans la métropole[2], d'évacuer l'amertume de mon âme en écrivant à votre Charité. Pour vous, là où vous dirige l'Esprit-Saint[q], allez avec lui, marchant à la suite de Dieu[r], sans consulter la chair et le sang[s] ni donner prétexte à gloriole à quelques-uns[t], pour qu'ils ne se glorifient pas en vous en faisant croître leur ambition grâce à votre vie.

26. Souvenez-vous, en revanche, des saints Pères, entre les mains de qui vous avez été remises par votre bienheureux père[3], dont nous aussi, par grâce de Dieu, avons été jugé digne d'assurer la succession. Ne déplacez pas les bornes que vous ont fixées vos pères[u], ne méprisez pas le langage simple de la prédication ordinaire[v][4], ne donnez pas la préférence aux doctrines compliquées[w], mais conformez-

---

de Grégoire des judéo-chrétiens, comme le fait I. GRECO, «San Gregorio di Nissa pellegrino in Terra Santa», *Salesianum* 38, 1976, p. 109-125 (cf. aussi mes remarques dans *La lettre 3*, p. 86, n. 49). Notons toutefois que Grégoire parle ici de *trois* résurrections, alors qu'il n'est reproché à Apollinaire que de parler de *deux*. Il ne semble pas qu'on puisse ici invoquer la doctrine origénienne des trois morts, car celle-ci n'implique pas celle de trois résurrections (cf. H. CROUZEL, «Mort et résurrection chez Origène», *Bull. de Litt. Eccl.* 79, 1978, p. 20-28).

2. Il s'agit vraisemblablement de Césarée, métropole de Cappadoce (et non de Nysse, comme je l'ai écrit dans *La lettre 3*, p. 77, n. 13).

3. S'agit-il de Basile, dont on sait qu'il avait des liens avec des communautés monastiques installées sur le mont des Oliviers (*Epist.* 258,2 et 259, III, p. 101 et 104) et auquel Grégoire aurait succédé en tant que directeur spirituel?

4. Grégoire, profond théologien spéculatif, en appelle volontiers à la simplicité du langage de la foi : cf. de même *Epist.* 24, 1,4. Il justifie ce point de vue par exemple dans la *V. Moys.* II, 160-161 (p. 208-210).

τὸ πλέον νέμετε · ἀλλὰ στοιχεῖτε τῷ ἀρχαίῳ κανόνι[x] τῆς
πίστεως, καὶ ὁ θεὸς τῆς εἰρήνης[y] ἔσται μεθ᾽ ὑμῶν.
Ἐρρωμένας ψυχῇ καὶ σώματι ὁ κύριος φυλάσσοι ὑμᾶς ἐν
230   ἀφθαρσίᾳ[z], καθὼς εὐχόμεθα.

IV

1025 M.   **Εὐσεβίῳ**

1. Ὅτε πλεονάζειν ἄρχεται τὸ ἡμερήσιον μέτρον κατὰ
28 P.   τὴν χειμέριον ὥραν τοῦ ἡλίου πρὸς τὸν ἄνω δρόμον
ἀναποδίζοντος, τὴν τοῦ ἀληθινοῦ φωτὸς[a] θεοφάνειαν τοῦ
διὰ σαρκὸς ἐπιλάμψαντος τῇ ἀνθρωπίνῃ ζωῇ ἑορτάζομεν ·

PFV

Titulus : τοῦ αὐτοῦ εὐσεβίῳ F τοῦ ἁγίου γρηγορίου τοῦ νύσης πρὸς
εὐσέβιον V τοῦ αὐτοῦ P
1 ὅτε P : ὅταν FV

---

x. Cf. Gal. 6, 16   y. Hébr. 13, 20   z. Cf. Éphés. 6, 24
a. Cf. Jn 1, 9

---

1. Le destinataire de cette lettre ne peut être identifié avec
certitude. L'absence dans le texte de titres honorifiques adéquats
laisse à penser qu'il ne s'agit pas d'un évêque. Peut-il s'agir, comme
l'a suggéré J. Daniélou (*Chronologie des Sermons*, p. 366), de cet
Eusèbe dont parle le traité *C. Fatum*, «sommité du paganisme» à
Constantinople, à la conversion duquel il a assisté (cf. *GNO 3/2*,
p. 31, 5 = *PG* 45, 145 C)? Il serait étonnant, si c'était le cas, de voir
Grégoire s'adresser à un personnage qu'il présente comme très sage et
très âgé en l'appelant seulement «cher ami» (φιλὴ κεφαλή). En fait, le
nom d'Eusèbe est si courant à l'époque qu'il n'est pas possible d'en
décider (la *PLRE* en connaît 42, et elle ne compte qu'un seul évêque

vous à l'ancienne règle[x] de foi, et le Dieu de la paix[y] sera avec vous. Que le Seigneur vous garde saines d'âme et de corps dans l'incorruptibilité[z], comme nous le demandons pour vous.

Lettre 4

A Eusèbe[1]

1. Quand la mesure du jour commence à croître dans la saison hivernale, lorsque le soleil remonte vers sa course ascendante, nous fêtons la théophanie de la lumière véritable[a] qui, dans la chair, a resplendi sur la vie humaine[2]. Mais maintenant que l'astre, dans sa course, est

---

de ce nom). La date peut-elle être précisée davantage ? J. Daniélou proposait 387, à la fois à cause de son identification du correspondant et des rapprochements que l'on peut faire entre le texte de la lettre et le sermon *In diem natalem Christi* (qu'il date du 25 décembre 386) et avec l'*Homélie anatolienne sur la Pâque de 387*, qu'il croyait alors de Grégoire (à la suite de Nautin, qui est revenu sur cette opinion dans l'édition de cette homélie : cf. *Homélies Pascales III, SC* 48, p. 103-105). On verra qu'il existe aussi des rapprochements avec le *De tridui spatio*, dont la date est discutée, mais qu'il faut sans doute considérer comme une œuvre tardive (au plus tôt vers 386, sinon vers 390 : cf. *supra*, p. 140,n. 2).

2. Allusion à la fête de Noël, dont la célébration s'est introduite en Cappadoce un peu avant les années 380. Cf. J. Mossay, *Les fêtes de Noël et d'Épiphanie d'après les sources littéraires cappadociennes du IVe siècle*, Louvain 1965, p. 6. Toute la thématique de cette lettre va tourner autour de la lumière, qui commence à l'emporter sur les ténèbres à Noël pour vaincre définitivement à Pâques. C'est un thème qu'on retrouve dans l'*In diem natalem*, alors que dans l'*In diem luminum*, le jour de l'Épiphanie, Grégoire axera sa prédication sur le baptême.

5 νυνὶ δὲ μεσουρανήσαντος ἤδη τοῦ φωστῆρος κατὰ τὸν
κύκλον, ὡς νύκτα τε καὶ ἡμέραν πρὸς ἴσον ἀλλήλαις
ἀντιμετρεῖσθαι διάστημα, ἡ ἐκ τοῦ θανάτου πρὸς τὴν ζωὴν
ἐπάνοδος τῆς ἀνθρωπίνης φύσεως ὑπόθεσις ἡμῖν γίνεται τῆς
μεγάλης ταύτης καὶ καθολικῆς ἑορτῆς, ἣν σύμπασα κατὰ
10 ταὐτὸν ἑορτάζει ἡ τῶν ἀνθρώπων ζωὴ τῶν τὸ μυστήριον
ἀναδεξαμένων τῆς ἀναστάσεως. **2.** Τί μοι βούλεται τῆς
ἐπιστολῆς ἡ ὑπόθεσις ; ἐπειδὴ σύνηθές ἐστιν ἐν ταῖς πανδή-
μοις ταύταις ἱερομηνίαις διὰ πάντων ἡμᾶς ἐπιδείκνυσθαι
B τὴν ἐγκειμένην ταῖς ψυχαῖς ἡμῶν διάθεσιν, καί πού τινες
15 τοῖς ἰδίοις δώροις δωροφοροῦντες τὴν εὐφροσύνην ἐπιση-
μαίνουσι, καλῶς ἔχειν ἐνομίσαμεν μὴ παραδραμεῖν σε τῶν
ἡμετέρων δώρων ἀγέραστον, ἀλλά σου τὴν ψυχὴν τὴν
ὑψηλήν τε καὶ μεγαλόφρονα τοῖς πενιχροῖς ξενίοις ἐκ τῆς
πτωχείας ἡμῶν δεξιώσασθαι. **3.** Ξένιον δὲ ἡμέτερον τὸ διὰ
20 τοῦ γράμματός σοι προσαγόμενον αὐτὸ τὸ γράμμα ἐστίν,
ἐν ᾧ λόγος μέν τις περιηνθισμένος ταῖς καλλιφώνοις τε καὶ
εὐσυνθέτοις τῶν λέξεων ἔστιν οὐδείς, ὡς διὰ τοῦτο δῶρον
τὴν ἐπιστολὴν τοῖς φιλολόγοις νομίζεσθαι, ἀλλ᾿ ὁ μυστικὸς
χρυσὸς ὁ τῇ πίστει τῶν Χριστιανῶν οἷόν τινι ἀποδέσμῳ
25 ἐνειλημμένος γένοιτο ἄν σοι δῶρον, ἐξαπλωθεὶς ὡς οἷόν τε
διὰ τῶν γραμμάτων καὶ τὴν κεκρυμμένην λαμπηδόνα
προδείξας.

PFV

6 κύκλον P : δρόμον FV ‖ 9-10 κατὰ ταὐτὸν PV : κατ᾿ αὐτὸν F ‖ 10 ἡ
P : om. FV ‖ τῶν ἀνθρώπων om. F¹ ‖ 13 ἱερομηνίαις PF : ἰδρομηνίαις V ‖
14 τινες Zaccagni : τιμαῖς codd. ‖ 15 τὴν P : om. FV ‖ 17 δώρων om. P ‖
22 οὐδεὶς ὡς PV : οὐδὲ ἴσως F ‖ 27 προδείξας PF : προσδείξας V

1. Il nous reste sur la fête de Pâques trois homélies de Grégoire, où
des thèmes présents dans cette lettre sont repris et développés, l'*In
sanctum Pascha (= In Christi resurr. or III)*, le *De tridui spatio
(= or. I)*, l'*In sanctum et salutare Pascha (= or. IV)*, maintenant
édités dans les *GNO* 9 (l'*In luciferam sanctam Domini
resurrectionem = or. V* n'est pas de Grégoire). Cf. sur ces textes les
études rassemblées dans *Easter Sermons*.

déjà au milieu du ciel, de sorte que sont mutuellement
équilibrées la durée de la nuit et celle du jour, c'est le
retour de la nature humaine de la mort à la vie qui est pour
nous le motif de cette grande et universelle fête, que
célèbrent au même moment tous ceux des vivants qui ont
accueilli le mystère de la résurrection[1]. **2.** Quel veut être
pour moi le sujet de cette lettre ? Puisque c'est la coutume,
lors de ces festivités publiques, de nous montrer de toutes
les manières les sentiments présents en nos âmes, et que
certains parfois manifestent leur joie par l'offrande de
leurs présents[2], nous avons pensé qu'il était bon de ne pas
te laisser dépourvu de nos présents, mais d'honorer ton
âme noble et généreuse par les modestes cadeaux de notre
pauvreté. **3.** Notre cadeau, qui t'est offert au moyen d'une
lettre, c'est cette lettre elle-même[3]. Il n'y a point en elle un
discours fleuri d'expressions harmonieuses et un style
travaillé qui feraient estimer aux amis des lettres que cette
missive est un présent ; mais que ce soit l'or mystique, lui
qui est enveloppé dans la foi des chrétiens comme dans un
linge[4], qui soit un présent pour toi, cet or mis au jour,
autant que possible, par cette lettre et manifestant son
éclat caché.

2. On a plusieurs exemples de cette coutume des présents de
Pâques : ainsi le *Traité de la Création de l'homme* est-il adressé en
cadeau par Grégoire à son frère lors d'une fête de Pâques (*De hom. op.,*
PG 44, 125 AB). Cf. de même Grég. Naz., *Epist.* 115 (II, p. 9-10),
120, 1 (p. 12).
3. Sur la lettre comme cadeau dont on doit travailler le style avec
plus de soin qu'on ne le ferait pour un simple dialogue, cf.
Démétrios, *Peri Hermeneias*, 224 (p. 311 Spengel, *Rhetores graeci III*).
4. A l'époque classique, les Romains invités à un banquet avaient
l'habitude d'apporter une serviette (*mappa*) dans laquelle ils dépo-
saient les cadeaux que leur remettait leur hôte. Au Bas-Empire et
sous les empereurs chrétiens, l'idée se répand selon laquelle tout objet
sacré offert à Dieu ou aux empereurs doit être tenu avec des mains
pures ; on le présente donc sur un linge, comme le montrent de
nombreuses représentations figurées (cf. *DS* 3, p. 1593, art. « Mappa »).

C   **4.** Οὐκοῦν ἐπανακλητέον ἡμῖν τὸ προοίμιον. Τί δήποτε
29 P.   προελθούσης μὲν πρὸς τὸ ἀκρότατον τῆς νυκτός, ὅτε οὐκέτι
30   προσθήκην ἡ νυκτερινὴ ἐπαύξησις δέχεται, τότε ἡμῖν διὰ
1028 M. σαρκὸς ἐπιφαίνεται ὁ τοῦ παντὸς περιδεδραγμένος καὶ
        περικρατῶν ἐν τῇ ἰδίᾳ δυνάμει τὸ πᾶν, ὁ μηδὲ ὑπὸ πάντων
        τῶν ὄντων χωρούμενος, ἀλλὰ τὸ πᾶν περιέχων καὶ τῷ
        βραχυτάτῳ εἰσοικιζόμενος, οὕτω τῆς μεγάλης δυνάμεως τῷ
35   ἀγαθῷ θελήματι συνδιεξιούσης καὶ κατὰ τὸ ἴσον, ὅπουπερ
        ἂν ῥέψῃ τὸ θέλημα, ἐκεῖ ἑαυτὴν δεικνυούσης, ὡς μήτε ἐν
        τῇ κτίσει τῶν ὄντων ἀτονωτέραν τῆς βουλήσεως εὑρεθῆναι
        τὴν δύναμιν, μήτε ὁρμήσαντα τῷ ταπεινῷ τῆς φύσεως ἡμῶν
        ἐπ᾽ εὐεργεσίᾳ τῶν ἀνθρώπων συγκαταβῆναι, πρὸς αὐτὸ
40   τοῦτο ἀδυνατῆσαι, ἀλλὰ καὶ ἐν τούτῳ γενέσθαι καὶ μὴ
        διαφεῖναι τὸ πᾶν ἀκυβέρνητον; **5.** Ἐπεὶ οὖν πάντως τις
        λόγος ἐπ᾽ ἀμφοτέρων ἐστὶ τῶν καιρῶν, πῶς τότε μὲν διὰ
        σαρκὸς ἐπιφαίνεται, τῇ δὲ ἰσημερίᾳ τὸν εἰς γῆν ἀναλυθέντα
B   διὰ τῆς ἁμαρτίας ἄνθρωπον τῇ ζωῇ πάλιν ἀποκαθίστησι[b],
45   ταῦτα διὰ βραχέων ὡς ἂν οἷός τε ὦ παραστήσας τῷ λόγῳ,
        δῶρον τὸ γράμμα ποιήσομαι.
        6. Ἦ πάντως προέλαβες ἀπὸ ἀγχινοίας τὸ ὑποπτευόμε-
        νον ἐν τούτοις μυστήριον, ὅτι ἐγκόπτεται τῆς νυκτὸς ἡ
        πρόοδος τῇ τοῦ φωτὸς προσθήκῃ καὶ συστέλλεσθαι τὸ
50   σκότος ἄρχεται αὐξομένου ταῖς προσθήκαις τοῦ ἡμερινοῦ
        διαστήματος. Τοῦτο γὰρ καὶ τοῖς πολλοῖς ἴσως ἂν γένοιτο
        φανερόν, ὅτι συγγενῶς ἔχει πρὸς τὴν ἁμαρτίαν τὸ σκότος,
        καὶ οὕτω τὸ κακὸν παρὰ τῆς γραφῆς ὀνομάζεται[c].
        7. Οὐκοῦν ἑρμηνεία τίς ἐστι τῆς ὑπὲρ τῶν ψυχῶν ἡμῶν

PFV

    28 ἐπανακλητέον P : ἐπαναληπτέον FV ‖ δήποτε FV : δὴ τότε P ‖ 29
πρός PV : εἰς F ‖ 30 προσθήκην — ἐπαύξησις P : προσθήκη νυκτερίνη
ἐπαύξησιν FV ‖ τότε FV : ὅτε P ‖ 32 περικρατῶν FV : κρατῶν P
Pasquali ‖ μηδὲ Jaeger, Pasquali : μήτε codd. ‖ 33 ὄντων Jaeger,
Pasquali : νοητῶν codd. ‖ 35 τὸ PF : om. V ‖ ὅπουπερ : ὅποι περ Jaeger
‖ 36 ἐκεῖ P : σκιᾷ FV ‖ 39 τὸ post πρὸς add. FV ‖ 47 ἀπὸ : ὑπὸ Vitelli ‖
50 αὐξομένου FV : αὐξουμένου P ‖ ἡμερίνου PV : ἡμετέρου F ‖ 51 καὶ —
ἴσως PF : ἴσως καὶ τοῖς πολλοῖς V

4. Il faut donc en revenir à notre préambule. Pourquoi, lorsque la nuit est arrivée à son maximum et que sa croissance cesse de progresser encore, apparaît pour nous dans la chair celui qui tient l'univers en ses mains et domine l'univers par sa propre puissance, lui qui n'est pas contenu par tous les êtres, mais englobe l'univers et a pris sa demeure dans un très humble réceptacle? Sa grande puissance s'est ainsi intimement accordée à sa volonté bienveillante[1] et s'est manifestée de manière égale partout où cette volonté l'inclinait; de la sorte, dans la création des êtres, la puissance n'a pas été trouvée inférieure au vouloir et, lorsqu'il a voulu descendre dans l'humilité de notre nature pour le bénéfice des hommes, il n'a pas été impuissant à réaliser cela même, mais il est venu dans cette condition tout en ne laissant pas l'univers sans gouverne. **5.** Puisqu'il y a donc à coup sûr quelque rapport entre ces deux moments — comment il apparaît un jour dans la chair et comment, au temps de l'équinoxe, il ramène à la vie l'homme qui, par le péché, était retourné à la terre[b] —, j'en traiterai brièvement, autant que j'en suis capable, et je te ferai présent de cet écrit.

6. Tu as certainement déjà compris, dans ta sagacité, le mystère qui est suggéré dans ces phénomènes — le progrès de la nuit interrompu par l'augmentation de la lumière, l'ombre commençant à diminuer pendant que croît, par additions successives, la longueur du jour. Cela pourrait aussi paraître clair à la plupart, parce qu'il y a une affinité entre l'obscurité et le péché et que c'est ainsi que le mal est appelé par l'Écriture[c]. **7.** C'est donc un symbole de

b. Cf. Gen 1, 19   c. Cf. Jn 3, 19; Rom. 13, 12

1. Le thème selon lequel l'incarnation manifeste la puissance de Dieu en même temps que sa bonté est longuement développé dans l'*Or. cat.* 24 (p. 112-117 Méridier).

55 οἰκονομίας ὁ καιρὸς ἐν ᾧ τὸ μυστήριον ἡμῶν ἄρχεται· ἔδει
30 P. γὰρ πρὸς ἄπειρον ἤδη τῆς κακίας ἐκχυθείσης τὴν διὰ τῶν
ἀρετῶν ἡμῖν λαμπομένην ἡμέραν παρὰ τοῦ τὸ τοιοῦτον φῶς
C ταῖς ψυχαῖς ἡμῶν ἐντιθέντος <ἐπιφανῆναι>, ὥστε τὸν μὲν
φωτεινὸν βίον εἰς ὅτι μήκιστον παρατείνεσθαι ταῖς ἀγαθαῖς
60 προσθήκαις αὐξανόμενον, τὴν δὲ ἐν τῇ κακίᾳ ζωὴν διὰ τῆς
κατ᾽ ὀλίγον ὑφαιρέσεως εἰς ἐλάχιστον συσταλῆναι· ἡ γὰρ
τῶν ἀγαθῶν ἐπαύξησις τοῦ κακοῦ μείωσις γίνεται. **8.** Ἡ
δὲ ἰσημερία τὴν ἀναστάσιμον ἑορτὴν δεξαμένη τοῦτο
δι᾽ ἑαυτῆς ἑρμηνεύει, ὅτι οὐκέτι πρὸς ἀντίπαλον τάξιν
65 ἀντικαταστήσεται, ἰσοπαλῶς τῷ ἀγαθῷ τῆς κακίας συμπλε-
κομένης, ἀλλ᾽ ὁ φωτεινὸς ἐπικρατήσει βίος, τοῦ ζόφου τῆς
εἰδωλολατρείας ἐν τῷ πλεονασμῷ τῆς ἡμέρας δαπανωμένου.
9. Οὗ χάριν καὶ τοῦ σεληναίου δρόμου τὸ κατὰ τὴν
τεσσαρεσκαιδεκάτην ἡμέραν ἀντιπρόσωπον δείκνυσιν αὐτὴν
70 ταῖς τοῦ ἡλίου βολαῖς, πληθύνουσαν παντὶ τῷ πλούτῳ τῆς
λαμπηδόνος καὶ μηδεμίαν τοῦ σκότους διαδοχὴν ἐν τῷ μέρει
D γενέσθαι παρασκευάζουσαν· δυόμενον γὰρ διαδεξαμένη τὸν

PFV

55 ἡμῶν del. Wilamowitz, Pasquali ‖ 56 ἐγχυθείσης F ‖ 57
λαμπομένην P : λαμβανομένην FV ‖ 58 <ἐπιφανῆναι> add. Pasquali
<ἐπίδοσιν δέχεσθαι> Zaccagni (in nota) ‖ 65 ἰσοπάλως FV ‖ 68 τὸ
Wilamowitz, Pasquali : τοῦ codd. ‖ 69 τεσσαρεσκαιδεκάτην P : ιδ FV ‖
αὐτὴν PF : αὐτὴν V

———

1. Il ne faut pas supprimer du texte grec le mot ἡμῶν, comme le
fait Pasquali : c'est bien de *notre* mystère qu'il s'agit. Même
expression dans l'*Or. cat.* 12, 3 (p. 72), 16, 2 (p. 84).
2. Thème courant chez Grégoire que celui du «comble du mal»,
limite à laquelle doit succéder le bien. On le trouve déjà dans le *De
hom. op.* 21 (*PG* 44, 201 BC) et, avec le même contexte, dans le *De
tridui spatio* (*GNO 9*, p. 283, 21 s.). C'est une des manières, pour lui, de
justifier le retard de l'Incarnation : il fallait que le mal fût arrivé à
son comble (*Or. cat.* 29, 1-4). Cf. J. Daniélou, «Comble du mal et
eschatologie», *Festgabe J. Lortz*, II, Baden-Baden 1958, p. 27-45

l'économie du salut en faveur de nos âmes que le moment
où notre mystère[1] commence. Il fallait en effet, alors que
le mal s'était déjà étendu à l'infini[2], qu'apparaisse le jour
qui resplendit en nous par nos vertus grâce à celui qui a
mis une telle lumière dans nos âmes, de sorte que la vie
lumineuse s'accroisse le plus possible, augmentée des
additions du bien, et que la vie dans le vice, par
soustraction progressive, soit réduite au minimum — car
l'accroissement du bien est une diminution du mal[3].
8. Quant à l'équinoxe où se situe la fête de la résurrection,
il signifie cela par lui-même : que la vie lumineuse ne
s'opposera plus à une troupe adverse dans une lutte où le
mal est à armes égales avec le bien, mais qu'elle
l'emportera, l'ombre de l'idolâtrie étant consumée par la
surabondance du jour. **9.** C'est pourquoi la course de la
lune, le quatorzième jour[4], la montre située en face des
rayons du soleil, pleine de toute la richesse de son éclat et
nullement disposée à accueillir quelque ombre dans aucune
de ses parties. Car après avoir succédé au soleil qui se

(repris dans *L'être et le temps chez Grégoire de Nysse*, Leiden 1970,
p. 186-204).

3. La symbolique du bien-lumière opposé au mal-ténèbres n'est
pas propre à Grégoire, qui évoque d'ailleurs sur ce point l'autorité de
l'Écriture. Elle sert ici d'illustration au thème du comble du mal,
comme c'est aussi le cas dans le sermon *In diem nat.* (*PG* 46, 1129 CD).
Dans le *Discours catéchétique*, le conflit de la lumière et des ténèbres
illustre celui du bien et du mal, mais avec une formulation inverse de
celle de la lettre : «C'est la disparition du meilleur (le bien) qui donne
naissance à son contraire (le mal)» (*Or. cat.*, V, 12).

4. La mention du quatorzième jour et celle de l'équinoxe montrent
que la date de Pâques à laquelle se réfère Grégoire est calculée selon le
cycle alexandrin, dans lequel le quatorzième jour du cycle de la lune
ne peut être antérieur à l'équinoxe de printemps. Cette règle est
formulée pour la première fois par ALEXANDRE DE LAODICÉE, prêtre
d'Alexandrie avant son épiscopat (cf. EUSÈBE DE CÉSARÉE, *Hist. eccl.*
VII, 32, 14-19). L'*Homélie anatolienne sur la Pâque de 387* (*SC* 48,
Nautin) s'attache longuement à défendre le bien-fondé de cette date.

ἥλιον οὐ πρότερον αὐτὴ καταδύεται, πρὶν ταῖς ἀληθιναῖς
αὐγαῖς τοῦ ἡλίου τὰς ἰδίας συμμίξειεν, ὥστε ἓν φῶς κατὰ
75 τὸ συνεχὲς διαμεῖναι, κατὰ τὸ διάστημα τοῦ ἡμερινοῦ τε
καὶ νυκτερινοῦ δρόμου τῇ παρεμπτώσει τοῦ σκότους
μηδαμοῦ διαιρούμενον.

1029 M.   **10.** Ταῦτά σοι, ὦ φίλη κεφαλή, τῇ πενιχρᾷ ἡμῶν χειρὶ
τοῦ λόγου δωροφοροῦμεν, καί σοι πᾶς ἔστω ὁ βίος ἑορτὴ
80 καὶ ἡμέρα μεγάλη, τοῦ νυκτερινοῦ ζόφου καθαρεύων ὅτι
μάλιστα.

92 P.   V

B   **Ἐπιστολὴ πρὸς τοὺς ἀπιστοῦντας τῇ ὀρθοδόξῳ**
⟨αὐτοῦ πίστει, παρὰ τῶν⟩ κατὰ Σεβάστειαν αἰτηθεῖσα

1. Ἐγνώρισαν ἡμῖν τινες τῶν ὁμοψύχων ἀδελφῶν περὶ
τῆς κατασκευαζομένης καθ' ἡμῶν δυσφημίας παρὰ τῶν
μισούντων τὴν εἰρήνην[a] καὶ καταλαλούντων λάθρᾳ τῶν
πλησίον αὐτῶν[b] καὶ μὴ φοβουμένων τὸ φοβερὸν καὶ μέγα

PFV

75-76 ἡμερινοῦ — δρόμου P : ἡμερινοῦ τε δρόμου καὶ νυκτερινοῦ F
νυκτερινοῦ τε καὶ ἡμερινοῦ δρόμου V

V, Ba

Titulus : τοῦ ἐν ἁγίοις πατρὸς ἡμῶν γρηγορίου ἐπισκόπου νύσης
ἐπιστολὴ τῇ ὀρθοδοξ (incertum) κατὰ σεβάστ(ειαν) αἰτηθ(εῖσα) V ἐπιστολὴ
τοῦ ἐν ἁγίοις πρς ἡμῶν γρηγορίου ἐπισκόπου νύσσης πρὸς φλαβιανὸν
ἐπίσκοπον Ba αὐτοῦ πίστει παρὰ τῶν add. Pasquali τῇ ὀρθοδοξίᾳ αὐτοῦ
τοῖς etiam coni. ‖ 4 αὐτῶν Ba : αὐτοῦ V

a. Ps. 119,7   b. Ps. 100,5

couche, elle-même ne disparaît pas avant d'avoir mêlé ses propres rayons aux véritables rayons du soleil, de sorte qu'une seule lumière demeure continuellement, sans être interrompue, selon la distinction de la nuit et du jour, par la parenthèse des ténèbres[1].

10. Cela donc, mon cher ami, nous te l'offrons en cadeau par l'humble style de notre discours. Que toute la vie soit pour toi une fête et un grand jour, en se gardant pure, autant que possible, de l'ombre nocturne.

Lettre 5

Lettre à ceux qui ne croyaient pas que sa foi soit orthodoxe, demandée par ceux de Sébastée[2]

1. Quelques-uns des frères qui nous sont unis de sentiments nous ont fait connaître la calomnie machinée contre nous par ceux «qui haïssent la paix[a]» et «parlent en secret contre leur prochain[b]», sans craindre le redoutable

---

1. Le *De tridui spatio* (cf. en particulier p. 297-298 = *PG* 46, 620 C - 621 B) reprend et développe, dans un contexte de polémique anti-juive, ce thème de la lumière pascale qui, lors de la pleine lune, remporte une totale victoire sur les ténèbres. Cf. le commentaire de E. MEREDITH, «The Answer to Jewish Objections (De Tridui Spatio p. 294, 14 - 298, 18)», dans *Easter Sermons*, p. 293-303.

2. L'adresse de ce texte, qui n'est connue que grâce à un des deux manuscrits qui le transmettent (de manière d'ailleurs incomplète puisque quatre mots sont ajoutés par Pasquali) laisse à penser que c'est lors de son séjour à Sébastée en 379 que Grégoire l'a composé. J DANIÉLOU (*Chronologie des œuvres*, p. 162) avait proposé de le dater de 375 : ses arguments sont discutés et réfutés par R. HÜBNER, «Gregor von Nyssa und Markell von Ankyra», dans *Écriture et culture philosophique*, p. 204-205, n. 3. Il le compose sur la demande de ses amis, mais pour répondre à des accusations portées contre lui.

5 κριτήριον τοῦ ἐπαγγειλαμένου καὶ περὶ τῶν ἀργῶν ῥημά-
τωνᶜ ἀπαιτήσειν τὸν λόγον ἐν τῇ προσδοκωμένῃ τῆς ζωῆς
ἡμῶν ἐξετάσει, λέγοντες τὰ περιθρυλούμενα καθ' ἡμῶν
ἐγκλήματα εἶναι τοιαῦτα, ὅτι ἡμεῖς ὑπεναντία φρονοῦμεν
τοῖς κατὰ Νίκαιαν ἐκθεμένοις τὴν ὀρθὴν καὶ ὑγιαίνουσαν
10 πίστινᵈ καὶ ὅτι τοὺς ἐν Ἀγκύρᾳ ἐπ' ὀνόματι Μαρκέλλου
ποτὲ τὴν σύναξιν ἔχοντας ἀκρίτως καὶ ἀνεξετάστως εἰς τὴν
C κοινωνίαν τῆς καθολικῆς ἐκκλησίας παρεδεξάμεθα. 2. Ἵνα
οὖν μὴ κατακρατῇ τῆς ἀληθείας τὸ ψεῦδος, δι' ἑτέρων
γραμμάτων αὐτάρκη ἐποιησάμεθα τὴν ὑπὲρ τῶν ἐπενεχθέν-
15 των ἡμῖν ἐγκλημάτων ἀπολογίαν, καὶ ἐπὶ τοῦ κυρίου
93 P. διεβεβαιωσάμεθα μήτε τῆς πίστεως τῶν ἁγίων πατέρων
ἐκβεβηκέναι μήτε περὶ τῶν προσθεμένων ἐκ τῆς Μαρκέλλου
συνάξεως εἰς τὴν ἐκκλησιαστικὴν κοινωνίαν ἀκρίτως καὶ
ἀνεξετάστως τι πεποιηκέναι· ἀλλὰ τῶν κατ' Ἀνατολὴν
20 ὀρθοδόξων ⟨ἀδελφῶν⟩ καὶ συλλειτουργῶν ἐπιτρεψάντων
βουλεύσασθαι τὰ περὶ τῶν ἀνθρώπων καὶ τοῖς γεγενημένοις
συναινεσάντων, πάντα ἐπράξαμεν. 3. Ἐπειδὴ δὲ τὴν ἀπολογίαν ἐκείνην ἔγγραφον ἡμῶν ποιησαμένων, πάλιν τινὲς

V, Ba

5 τῶν V : om. Ba ‖ 6 ἀπαιτήσειν Ba : ἀπαιτεῖσθαι V ‖ 7
περιθρυλλούμενα codd. ‖ 10 ἀγγύρᾳ Ba ‖ 12 ἵνα Ba : ἱνά V ‖ 17 περὶ om.
Ba ‖ 19 τὴν ante ἀνατολὴν add. Pasquali (sed vide V. Macr. 23, 7) ‖ 20
ἀδελφῶν add. Pasquali fortasse ἐπισκόπων ‖ 21 τῶν ἀνθρώπων V : τοῦ
ἀνθρώπου Ba ‖ τῶν γεγενημένων Ba ‖ 22 ἀπολογίαν V : ὁμολογίαν Ba

c. Cf. Matth. 12, 36   d. Cf. II Tim. 4, 3; Tite 1, 13

1. Cette expression est fréquente chez Grégoire pour désigner
l'orthodoxie : cf. de même *Epist.* 19, 12 ; 24, 1 ; 29, 8. On la trouve
pareillement chez GRÉG. NAZ., *Epist.* 202, 8 et 22 (*SC* 208, p. 90 et 93
Gallay). Elle combine II *Tim.* 4, 3 ; *Tite* 1, 9 ; 2, 1 (la « saine » doctrine)
et *Tite* 1, 13 ; 2, 2 (ceux qui sont sains dans la foi).
2. Marcel d'Ancyre, tout en condamnant formellement Sabellius,
continue de faire du Logos divin une simple faculté opérative de Dieu,
dépourvue d'une réelle subsistance ; il refuse donc la distinction des

et grand tribunal de celui qui a promis de nous demander raison même des paroles vaines lors de l'examen à venir de notre vie[c]. Ils nous disent que les reproches dont on leur rebat les oreilles contre nous sont les suivants : que nous pensons à l'opposé de ceux qui, à Nicée, ont exposé la foi droite et saine[d1] et que nous avons reçu sans jugement ni examen dans la communion de l'Église catholique ceux qui se réunissaient auparavant à Ancyre sous le patronage de Marcel[2]. **2.** Pour que le mensonge ne l'emporte pas sur la vérité, nous nous sommes défendus de manière suffisante, au moyen d'autres écrits, contre les reproches portés contre nous[3]. Nous avons affirmé avec force devant le Seigneur que nous ne nous étions pas écartés de la foi des saints Pères et que nous n'avions rien fait sans jugement ni examen concernant ceux du parti de Marcel qui se sont rattachés à la communion ecclésiastique ; mais c'est parce que les frères et collègues orthodoxes d'Orient nous avaient chargé de prendre une décision au sujet de ces gens, et avec leur accord sur ce qui serait fait, que nous avons réglé toute l'affaire[4]. **3.** Cependant, après que nous avons eu fait par écrit cette apologie, comme quelques-uns

hypostases. Signataire de Nicée, il fut longtemps soutenu par le parti homoousien, mais Athanase finit par l'abandonner à partir de 345 (cf. M. SIMONETTI, *La crisi ariana*, p. 199). Basile s'est toujours opposé fermement à Marcel, et il avait déploré que Grégoire, peu après son ordination épiscopale, ait tenté un rapprochement avec ses partisans (cf. *Epist.* 100). A l'époque où nous sommes, leur groupe ne devait plus être très important.

3. Grégoire fait-il allusion ici à des traités que nous aurions conservés ? On peut penser à l'*Ad Eust.*, dans lequel il mentionne à plusieurs reprises des attaques contre lui (cf. *GNO* 3/1, p. 3, 14 ; 4, 2), des accusations d'ailleurs contradictoires — trithéisme, puis sabellianisme (p. 4-5). On y rencontre d'autre part plusieurs thèmes présents dans cette lettre. Nulle part pourtant Grégoire ne s'y défend d'avoir fait preuve de laxisme vis-à-vis des partisans de Marcel.

4. Ce ne peut être que le concile d'Antioche qui a chargé Grégoire d'une telle mission (cf. l'introduction, p. 25).

τῶν ὁμοψύχων ἀδελφῶν ἰδίως ἐκ τῆς ἡμετέρας φωνῆς
25 ἐπεζήτησαν γενέσθαι τὴν τῆς πίστεως ἔκθεσιν καθ' ἣν
D πεπληροφορήμεθα, ταῖς θεοπνεύστοις[e] φωναῖς καὶ τῇ παραδόσει τῶν πατέρων ἀκολουθοῦντες ἀναγκαῖον ἐλογισάμεθα
καὶ περὶ τούτων βραχέα διαλεχθῆναι.
   4. Ἡμεῖς τὴν τοῦ κυρίου διδασκαλίαν, ἣν πρὸς τοὺς
30 μαθητὰς ἐποιήσατο παραδιδοὺς αὐτοῖς τὸ τῆς εὐσεβείας
μυστήριον[f], θεμέλιον εἶναι καὶ ῥίζαν τῆς ὀρθῆς καὶ
1032 M. ὑγιαινούσης πίστεως ὁμολογοῦμεν, καὶ οὔτε ὑψηλότερον τῆς
παραδόσεως ἐκείνης οὔτε ἀσφαλέστερον ἄλλο τι εἶναι
πιστεύομεν. Ἡ δὲ τοῦ κυρίου διδασκαλία ἐστὶν αὕτη·
35 Πορευθέντες, φησί, μαθητεύσατε πάντα τὰ ἔθνη, βαπτίζοντες αὐτοὺς εἰς τὸ ὄνομα τοῦ πατρὸς καὶ τοῦ υἱοῦ καὶ τοῦ
ἁγίου πνεύματος[g]. **5.** Ἐπειδὴ τοίνυν ἡ ζωοποιὸς δύναμις
ἐπὶ τῶν ἐκ τοῦ θανάτου πρὸς τὴν αἰώνιον ζωὴν ἀναγεννω-
39 μένων[h] διὰ τῆς ἁγίας τριάδος παραγίνεται τοῖς μετὰ
94 P. πίστεως καταξιουμένοις τῆς χάριτος, καὶ ὁμοίως ἀτελὴς ἡ
χάρις ἑνός τινος οἵου δήποτε τῶν ἐκ τῆς ἁγίας τριάδος
ὀνομάτων παραλειφθέντος ἐν τῷ σωτηρίῳ βαπτίσματι — οὐ
γὰρ χωρὶς πατρὸς ἐν μόνῳ υἱῷ καὶ πνεύματι τὸ μυστήριον
44 τελεῖται τῆς ἀναγεννήσεως, οὔτε υἱοῦ σιωπηθέντος ἐν

V, Ba

42 οὐ V : οὕτω Ba ‖ 43 π̅ρ̅ς post χωρὶς add. Ba πνεύματος V ‖ π̅ν̅ι
Ba πατρὶ V

---

e. Cf. II Tim. 3, 16   f. I Tim. 3, 16   g. Matth. 28, 19   h. Cf.
Jn 5, 24 ; I Pierre 1, 3

---

1. Le texte qui suit est donc un exposé de foi destiné à être lu en
public.
   2. Grégoire juxtapose ici Écriture et Tradition, comme le fait
Basile dans un passage souvent invoqué du *Traité du Saint-Esprit*
(27, 66), mais dans la phrase suivante il unifie la perspective : c'est la
doctrine transmise aux apôtres qui est à la base de sa confession de
foi, mais elle s'exprime par une phrase de l'Écriture.

des frères qui nous sont unis de sentiments nous ont demandé que soit fait à nouveau de vive voix l'exposé de la foi auquel nous nous accordons pleinement[1], nous avons jugé nécessaire, en nous conformant aux paroles inspirées de Dieu[e] et à la tradition des Pères[2], de nous expliquer encore brièvement sur ce sujet.

4. Nous confessons, quant à nous, que l'enseignement donné par le Seigneur aux apôtres lorsqu'il leur transmit «le mystère de la piété[f]» est le fondement et la racine de la foi droite et saine, et nous croyons qu'il n'y a rien de plus sublime ni de plus sûr que cette tradition. Or l'enseignement du Seigneur est celui-ci : «Allez, dit-il, enseignez toutes les nations, baptisez-les au nom du Père, du Fils et du Saint-Esprit[g][3].» **5.** Ainsi, la puissance qui vivifie[4] ceux qui sont engendrés à nouveau de la mort à la vie éternelle[h] advient grâce à la Sainte Trinité à ceux qui, ayant la foi, sont jugés dignes de la grâce. Pareillement, imparfaite est la grâce lorsqu'un seul des noms de la Sainte Trinité, quel qu'il soit, est omis dans le baptême salutaire : ce n'est pas sans le Père, par le Fils et l'Esprit seulement, que s'accomplit le mystère de la renaissance, ce n'est pas en

---

3. Texte de référence dans la controverse trinitaire, déjà présent chez Athanase, mais très fréquent chez les Cappadociens. Chez Basile, cf. *Traité du Saint-Esprit*, 24, 8 ; 69, 34 ; 75, 27 ; *C. Eun.* I, 5, 73 ; III, 2, 14 ; III, 5, 29 ; chez Grégoire : *Epist.* 24, 1 ; *C. Eun,* I, 156, 197, 314 (*GNO 1*, p. 74, 84, 120) ; *Ref. conf. Eun.* 1-19 (*GNO 2*, p. 312-320). Il est pour Grégoire d'une importance fondamentale. Sur d'autres attestations avant Basile et chez Grégoire, cf. M. Van Parys, «Exégèse et théologie dans les livres Contre Eunome», dans *Écriture et culture philosophique*, p. 186-192.

4. Expression fréquente chez Grégoire, qui souligne toujours que cette «puissance vivifiante» est exercée par les trois personnes : cf. *De diff.* 4 (p. 85, 47) ; *Ad Eust.* (*GNO 3/1*, p. 7, 22) ; *Adv. Maced.* (*Id.*, p. 105, 24), *C. Eun.* I, 315 (*GNO 1*, p. 120, 15-16) ; *Ref. conf. Eun.* 206 (p. 400, 1) ; *De Spir. Sto* (*PG 46*, 697 A).

B   πατρὶ καὶ πνεύματι τὸ τέλειον τῆς ζωῆς παραγίνεται
    τῷ βαπτίσματι, οὔτε ἐν πατρὶ καὶ υἱῷ παρεθέντος τοῦ
    πνεύματος ἐκτελεῖται ἡ τῆς ἀναστάσεως χάρις —, διὰ τοῦτο
    πᾶσαν τὴν ἐλπίδα καὶ τὴν πεποίθησιν τῆς τῶν ψυχῶν ἡμῶν
    σωτηρίας ἐν ταῖς τρισὶν ὑποστάσεσιν ἔχομεν διὰ τῶν
50 ὀνομάτων τούτων γνωριζομένην· καὶ πιστεύομεν εἴς τε τὸν
    πατέρα τοῦ κυρίου ἡμῶν Ἰησοῦ Χριστοῦ, ὅς ἐστιν ἡ πηγὴ
    τῆς ζωῆς[i], καὶ εἰς τὸν μονογενῆ υἱὸν[j] τοῦ πατρός, ὅς ἐστιν
    <ὁ> ἀρχηγὸς τῆς ζωῆς[k], καθώς φησιν ὁ ἀπόστολος, καὶ εἰς
    τὸ πνεῦμα τὸ ἅγιον τοῦ θεοῦ, περὶ οὗ εἶπεν ὁ κύριος ὅτι
55 Τὸ πνεῦμά ἐστι τὸ ζωοποιοῦν[l].

    6. Καὶ ἐπειδὴ τοῖς λυτρωθεῖσιν ἡμῖν ἀπὸ τοῦ θανάτου[m]
    ἡ χάρις τῆς ἀφθαρσίας διὰ τῆς εἰς πατέρα καὶ υἱὸν καὶ
C   ἅγιον πνεῦμα πίστεως ἐν τῷ σωτηρίῳ βαπτίσματι, καθὼς
    εἰρήκαμεν, παραγίνεται, ἐκ τούτων ὁδηγούμενοι οὐδὲν
60 δοῦλον οὐδὲ κτιστὸν οὐδὲ τῆς μεγαλειότητος τοῦ πατρὸς
    ἀνάξιον τῇ ἁγίᾳ τριάδι συναριθμεῖσθαι πιστεύομεν, ἐπειδὴ
    μία ἐστὶν ἡ ζωὴ ἡμῶν ἡ διὰ τῆς εἰς τὴν ἁγίαν τριάδα
    πίστεως εἰς ἡμᾶς παραγενομένη, ἐκ μὲν τοῦ θεοῦ τῶν ὅλων
    πηγάζουσα, διὰ δὲ τοῦ υἱοῦ προϊοῦσα, ἐν δὲ τῷ ἁγίῳ
65 πνεύματι ἐνεργουμένη[n]. **7.** Ταύτην οὖν ἔχοντες τὴν πληρο-
    φορίαν βαπτιζόμεθα μὲν ὡς προσετάχθημεν, πιστεύομεν δὲ
    ὡς βαπτιζόμεθα, δοξάζομεν δὲ ὡς πιστεύομεν, ὥστε
    ὁμοφώνως τὸ βάπτισμα καὶ τὴν πίστιν καὶ τὴν δόξαν εἰς

V, Ba

45 τῆς ζωῆς V : om. Ba ‖ 46 πατρὶ Ba : πνεύματι V ‖ 47 π̅ν̅ς Ba
πατρὸς V ‖ 51-52 ὅς — ζωῆς V : om. Ba ‖ 53 ὁ ante ἀρχηγὸς add.
Pasquali ‖ καθὼς Ba : καθὰ V ‖ 63 εἰς ἡμᾶς Ba : om. V ‖ παραγενομένη
Ba : παραγινομένη V

---

i. Cf. Jn 4, 14 ; Ps. 35, 10   j. Cf. Jn 3, 16   k. Cf. Act. 3, 15
l. Jn 6, 63   m. Cf. Os. 13, 14   n. Cf. II Cor. 4, 12

---

1. Contre les Sabelliens, Grégoire développe une conception de la
Trinité selon laquelle chacune des hypostases joue son rôle dans une
même activité, ici le don de la vie aux hommes.

taisant le Fils, par le Père et l'Esprit, que la perfection de
la vie advient au baptême, ce n'est pas par le Père et le
Fils, en omettant l'Esprit, que s'accomplit la grâce de la
résurrection[1]. C'est pourquoi toute notre espérance, toute
l'assurance du salut de nos âmes, nous les avons dans les
trois hypostases, elles nous sont connues par ces trois
noms. Et nous croyons en le Père de notre Seigneur Jésus-
Christ, qui est la source de la vie[i], et en le Fils unique[j] du
Père, qui est le prince de la vie[k], comme le dit l'Apôtre, et
en le Saint-Esprit de Dieu, dont le Seigneur a dit : «C'est
l'Esprit qui vivifie[l]».

6. Et puisque, à nous qui avons été rachetés de la
mort[m], la grâce de l'incorruptibilité advient, dans le
baptême salutaire, par la foi dans le Père, le Fils et le
Saint-Esprit, comme nous l'avons dit, nous croyons, guidés
par cela, que rien de servile ni de créé ni d'indigne de la
majesté du Père ne peut être compté dans la Sainte Trinité
— puisque unique est la vie qui vient en nous par la foi en
la Sainte Trinité, elle qui prend sa source dans le Dieu de
tous, progresse par le Fils et accomplit son œuvre par le
Saint-Esprit[n2]. **7.** C'est donc en ayant cette pleine conviction que nous sommes baptisés comme nous en avons reçu
l'ordre, que nous croyons comme nous sommes baptisés,
que nous glorifions comme nous croyons, pour que soient
dans un même accord le baptême, la foi, la louange dans le

2. Contre les Ariens cette fois, Grégoire montre qu'aucune activité
n'est exercée séparément par les trois hypostases, mais qu'il y a un
unique mouvement partant du Père, passant par le Fils et
s'accomplissant dans l'Esprit. Cf. de même *Ad Abl.* (*GNO* 3/1,
p. 47, 24 - 48, 2 ; p. 50, 13-20). Sur ce thème, cf. G. Isaye, «L'unité de
l'opération divine dans les écrits de Grégoire de Nysse», *RechSR* 27,
1937, p. 422-439 ; D. González, «La identidad de operación en las
obras externas y la unidad de la naturaleza divina en la teologia
trinitaria de S. Gregorio de Nisa », *Gregorianum* 19, 1938, p. 280-301.

95 P.   πατέρα εἶναι καὶ υἱὸν καὶ πνεῦμα ἅγιον. **8.** Εἰ δέ τις δύο
70   ἢ τρεῖς θεοὺς ἢ τρεῖς θεότητας λέγει, ἀνάθεμα ἔστω· καὶ
     εἴ τις κατὰ τὴν Ἀρείου διαστροφὴν ἐκ μὴ ὄντων λέγει τὸν
D   υἱὸν ἢ τὸ πνεῦμα τὸ ἅγιον γεγενῆσθαι, ἀνάθεμα ἔστω.
     9. Ὅσοι δὲ τῷ κανόνι τῆς ἀληθείας[ο] στοιχήσουσι καὶ τὰς
     τρεῖς ὁμολογοῦσιν ὑποστάσεις εὐσεβῶς ἐν τοῖς ἑαυτῶν
75   ἰδιώμασι γνωριζομένας καὶ μίαν πιστεύουσιν εἶναι θεότητα
     μίαν ἀγαθότητα μίαν ἀρχὴν καὶ ἐξουσίαν καὶ δύναμιν[p], καὶ
     οὕτως τὸ τῆς μοναρχίας οὐκ ἀθετοῦσι κράτος καὶ οὔτε εἰς
     πολυθεΐαν ἐκπίπτουσιν οὔτε τὰς ὑποστάσεις συγχέουσιν οὔτε
     ἐξ ἑτερογενῶν καὶ ἀνομοίων τὴν ἁγίαν τριάδα συντίθενται,
80   ἀλλ' ἐν ἁπλότητι δέχονται τὸ τῆς πίστεως δόγμα πᾶσαν
     τὴν ἐλπίδα τῆς ἑαυτῶν σωτηρίας[q] ἐν πατρὶ καὶ υἱῷ καὶ
     ἁγίῳ πνεύματι καταπιστεύοντες, οὗτοι κατὰ τὴν ἡμετέραν
     κρίσιν τὰ αὐτὰ φρονοῦσι μεθ' ὧν καὶ ἡμεῖς ἔχειν ἐν κυρίῳ
     μέρος[r] εὐχόμεθα.

V, Ba

69 εἶναι καὶ υἱὸν V : καὶ υἱὸν εἶναι Ba ‖ 73 στοιχήσουσι V : στοιχοῦσι
Ba ‖ 76 ἀρχὴν καὶ ἐξουσίαν V : ἐξουσίαν ἀρχήν τε Ba ‖ 77 οὕτως — οὔτε
Ba : οὔτε τὸ τῆς μοναρχίας ἀθετοῦσι κράτος οὔτε V ‖ 84 μέρος V : μερίδα
Ba

o. Cf. Gal. 6,16   p. Cf. I Cor. 15,24   q. Cf. I Thess. 5,8
r. Cf. Jn 13,8

Père, le Fils et l'Esprit-Saint[1]. **8.** Si quelqu'un parle de deux ou trois dieux ou divinités, qu'il soit anathème, et si quelqu'un, suivant l'aberration d'Arius, dit que le Fils ou l'Esprit-Saint sont issus du néant, qu'il soit anathème[2]. **9.** Ceux qui se conforment à la règle[o] de la vérité et confessent pieusement les trois hypostases, reconnues avec leurs propres qualités, qui croient aussi qu'il existe une seule divinité, une seule bonté, un seul principe, une autorité, une puissance[p], et ainsi ne rejettent pas le pouvoir de la monarchie ni ne tombent dans le polythéisme, ne confondent pas les hypostases ni ne composent la Sainte Trinité d'éléments hétérogènes et dissemblables, mais reçoivent avec simplicité le dogme de la foi en confiant toute leur espérance de salut[q] au Père, au Fils et à l'Esprit-Saint[3], ceux-là, à notre avis, pensent comme nous ; avec eux, nous prions pour avoir part, nous aussi, avec le Seigneur[r].

1. Accord de la foi, de la formule baptismale et de la formule liturgique qui glorifie conjointement le Père, le Fils et l'Esprit : Grégoire reprend ce thème qu'on trouve déjà chez Basile, *Epist.* 159, 2 : « Nous croyons comme nous sommes baptisés et nous glorifions comme nous croyons » (II, p. 86 ; de même *Epist.* 125, 3, p. 33 ; 175, p. 112 et toute la problématique de son *Traité sur le Saint-Esprit*). On le retrouvera dans l'*Epist.* 24, 8-10. Dans sa traduction, Criscuolo fait un évident contresens en rendant δόξα par « il pensiero » ; il ne s'agit pas d'une opinion, mais d'une doxologie.

2. Reprise de quelques-uns des anathèmes qui concluent l'exposé de foi de Nicée (cf. *Conc. oecum. decreta*, p. 5).

3. La formule se veut équilibrée, à égale distance de la confusion des hypostases des Sabelliens et de la conception arienne de trois éléments hétérogènes : elle affirme des hypostases bien individualisées, mais une seule divinité. On notera qu'il n'y a pas d'insistance particulière sur la divinité de l'Esprit : si c'est bien à Sébastée que Grégoire a prononcé cette confession de foi, ses adversaires semblent avoir été des homéens classiques plutôt que des pneumatomaques.

VI

Ἀβλαβίῳ ἐπισκόπῳ

1. Διέσωσεν ἡμᾶς ὁ κύριος, ὡς εἰκὸς ἦν ὑπὸ τῶν σῶν
προπεμφθέντας εὐχῶν, καί σοι τεκμήριον τῆς εὐμενείας τοῦ
θεοῦ σαφὲς διηγήσομαι. **2.** Ὡς γὰρ ἤδη Κηλόσινα τὸ χωρίον
κατόπιν ἑαυτῶν κατελίπομεν, ἀθρόον ἐγένετο νεφῶν συσ-
5 τροφὴ καὶ εἰς βαθὺν ζόφον ὁ ἀὴρ ἐξ αἰθρίας μετέπεσεν·
ψυχρὰ δέ τις αὔρα τῶν νεφῶν διαπνέουσα, δροσώδης τε
καὶ ὑγροτάτη τοῖς σώμασιν ἡμῶν προσπίπτουσα, ὅσον
οὐδέπω τὸν ὑετὸν ἠπείλει, καὶ κατὰ τὸ εὐώνυμον βρονταὶ
συνεχεῖς ὑπερρήγνυντο, καὶ ἀστραπαὶ ὀξεῖαί τε καὶ ἐπάλ-
10 ληλοι τῶν βροντῶν προηγοῦντο, τά τε ὄρη πάντα πρόσω

PFV

Titulus : πρὸς ἀβλάβιον ἐπίσκοπον P τοῦ αὐτοῦ ἀβλαβίῳ F om. V
2-3 τοῦ θεοῦ PF : om. V ‖ 3 κηλόσινα τὸ P : ἥλιος ἦν ἀνὰ τὸ FV ‖ 4
κατόπιν P : ὁ κατόπιν FV ‖ ἑαυτῶν PF : ἐαρσοῦ V ‖ 5 ὁ ἀὴρ PF : om. V
‖ 6 τε PF : om. V

---

1. La lettre est adressée, selon un des deux manuscrits qui la
transmettent, à Ablabios *évêque*, ce que confirme le titre que lui donne
Grégoire en terminant (« Ta Sainteté »). On ne peut donc identifier cet
Ablabios avec le sophiste auquel est adressée la lettre 21, peut-être
aussi le traité *Quod non sint tres Dei*. Aucun autre document de
l'époque ne nous fait connaître un évêque de ce nom. Le fait que
Grégoire lui écrive dès son arrivée, avant même de prendre un peu de
repos (§ 11), semble indiquer qu'il a été accueilli par lui lors d'une des
dernières étapes de son voyage vers Nysse, puisque c'est son retour

Lettre 6

A Ablabios évêque[1]

1. Le Seigneur nous a conduit à bon port, comme on pouvait s'y attendre puisque nous étions accompagné de tes prières, et je vais te raconter une preuve certaine de la bienveillance de Dieu. **2.** A peine avions-nous laissé derrière nous la localité de Kèlosina[2] que survint subitement une masse compacte de nuages, et l'éclat d'un ciel serein se changea en une profonde obscurité. Un vent froid soufflant à travers les nuages et tombant, comme une rosée très humide, sur nos corps, annonçait une averse sans précédent. Sur notre droite éclataient continuellement des coups de tonnerre, et des éclairs aveuglants qui se succédaient sans interruption précédaient les coups de tonnerre ; toutes les montagnes, devant, derrière et des

dans cette ville qui est ici raconté. La mention des petites localités qu'il a traversées (Kèlosina, Ouesténa) laisse supposer en effet qu'elles étaient connues de ce destinataire, qu'il faudrait donc voir établi non loin de Nysse. On pourrait penser à l'évêque de Doara, dont on sait qu'il a été déposé en même temps que Grégoire (cf. BASILE, *Epist.* 239, 1) — si toutefois la lettre décrit le retour d'exil, comme on peut le supposer (cf. *supra*, p. 22-23) —, mais cette petite cité de Cappadoce est à trois étapes au moins au sud-est de Nysse, et elle me semble trop au sud pour que Grégoire prenne, pour se rendre de là dans sa ville, la route qui longe l'Halys. Sur cette route, cf. F. HILD, *Strassensystem* (1975), p. 67.

2. La localisation précise de ce site est inconnue, mais on le placera à l'est de Nysse, comme le montre ce que dit Grégoire au § 5 (cf. HILD-RESTLE, *Kappadokien,* p. 302).

τε καὶ ὀπίσω καὶ καθ' ἑκάτερα τῶν πλαγίων κατηρεφῆ τοῖς
νέφεσιν ἦν. 3. Καὶ ἤδη ὑπὲρ κεφαλῆς ἡμῶν βραχεῖα νεφέλη
πνεύματι βιαίῳ ὑποληφθεῖσα τὸν ὑετὸν ὤδινε, καὶ ἡμεῖς
B   κατὰ τὸ Ἰσραηλιτικὸν θαῦμα, μέσοι πανταχόθεν τῶν ὑδάτων
35 P.   διειλημμένοι[a], ἄβροχοι τὴν μέχρις Οὐεστηνῆς ὁδὸν ἐπερά-
16   σαμεν· ἐν ᾗ καταχθέντων ἡμῶν ἤδη καὶ τὰς ἡμιόνους
ἀναπαυσάντων, τότε παρὰ τοῦ θεοῦ ἐδόθη τῷ ἀέρι τοῦ
ὄμβρου τὸ σύνθημα. 4. Τριῶν δὲ ὡρῶν ἢ καὶ τεσσάρων
ἐκεῖσε διαγαγόντων ἡμῶν, ὡς ἱκανῶς εἴχομεν τῆς ἀνα-
20   παύσεως, πάλιν διέσχεν ὁ θεὸς τὸν ὄμβρον, καὶ τὸ ὄχημα
εὐδρομώτερον ἑαυτοῦ ἢ πρόσθεν ἦν, ἐν ὑγρῷ τε καὶ
ἐπιπολαίῳ τῷ πηλῷ τοῦ τροχοῦ δι' εὐκολίας ἐνολισθαίνον-
τος. 5. Ἔστι δὲ ὁδὸς ἀπ' ἐκείνου ἐπὶ τὴν πολίχνην ἡμῶν
πᾶσα ἐπιποτάμιος, κατὰ ῥοῦν συγκατιοῦσα τῷ ὕδατι, χωρία
25   τε συνεχῆ παρὰ τὰς ὄχθας τοῦ ποταμοῦ, παρόδια τὰ πάντα
καὶ οὐ πολλῷ τῷ μέσῳ ἀπ' ἀλλήλων διῳκισμένα. 6. Πᾶσα

PFV

11 καθ' ἑκάτερα FV : καθέτερα P ‖ 15 οὐεστηνῆς V : οὐεστινὴν F
οὐγκανῶν P malim ‖ 16 τὰς PV : τοὺς F ‖ 19 διαγαγόντων PF :
διαγόντων V ‖ 21 ἑαυτοῦ PF : ἑαυτῷ V ‖ ἢ πρόσθεν del. Pasquali ‖ 22
εὐκολίας V : εὐκολίαν FP ‖ 25 παρὰ P : περὶ FV

a. Cf. Ex. 14, 22

1. Tout ce passage est une *ecphrasis* du meilleur effet, composée
avec le plus grand souci de style. Mots poétiques (ζόφος, αὔρα,
δροσώδης, ὑγρότατος, ὑετός, ὑπορρήγνυμι, κατηρεφής), allitérations
(νεφῶν, συστροφή, ζόφον), homéotéleutes (διαπνέουσα/προσπίπτουσα,
ὑπερρήγνυντο/προηγοῦντο), etc.
2. Autre site inconnu. Un des manuscrits a la leçon Οὐγκανῶν, tout
aussi acceptable que Οὐεστηνῆς, malgré la remarque de Pasquali
(*apparat*, p. 34) selon laquelle le ἐν ᾗ qui suit ne va pas dans le sens
d'une forme au pluriel, car dans l'*Epist.* 20 Grégoire parle de ἡ
Οὐάνωτα au singulier, mais de τῶν Οὐανώτων au pluriel.
3. Sur le mode de transport utilisé par Grégoire, cf. *supra*, p. 88,
n. 1.

deux côtés, étaient complètement enveloppées de nuages[1]. **3.** Déjà, au-dessus de nos têtes, un petit nuage porté par un vent violent déversait une grosse pluie. Et nous, comme dans le miracle des Israélites, alors que nous étions entourés de tous côtés par les eaux[a], c'est sans nous mouiller que nous avons achevé notre route jusqu'à Ouesténa[2]. Là, à peine avions-nous mis pied à terre et mis les mules au repos qu'aussitôt Dieu donna au ciel le signal de la pluie. **4.** Après trois ou quatre heures passées là, alors que nous étions convenablement reposés, Dieu écarta à nouveau la pluie, et la voiture[3] était plus rapide qu'auparavant, car les roues glissaient plus facilement sur la boue humide et légère. **5.** La route qui va de cet endroit jusqu'à notre petite ville est tout entière située le long du fleuve, allant dans le sens du courant[4]. Près des rives du fleuve, il y a continuellement des villages, tous au bord de la route et séparés les uns des autres par de petites distances. **6.** Or

---

4. Cette indication nous montre clairement que Grégoire vient de l'est, puisque l'Halys coule d'est en ouest et que c'est vraisemblablement ce fleuve qu'il longe (MÜLLER, *Der zwanzigste Brief*, p. 83, pense à la vallée d'un affluent, mais les cartes ne permettent guère d'aller dans le sens de son hypothèse). Il ne peut donc venir de Constantinople (une des hypothèses proposées par le premier éditeur de la lettre, citée dans la *PG*), mais de la direction de Césarée. Il n'a pourtant pas suivi, au moins sur la dernière partie de son trajet, la voie romaine en provenance de cette ville : si celle-ci suit bien l'Halys de Saccasena à Zoropassos, elle s'en éloigne à plus de 20 à 30 km au sud entre Zoropassos et Nysse, en passant par Osièna (*Itin. Anton.* 206, 4-7 et HILD, *Strassensystem*, p. 67). Les cartes d'aujourd'hui montrent cependant l'existence d'une piste qui suit l'Halys de Zoropassos au pont (romain) de Kesik Köprü, à une vingtaine de km de Nysse. Cette ville d'ailleurs ne se trouvait pas sur le fleuve lui-même, mais à 6 ou 7 km au sud de celui-ci. Son site, longtemps discuté, est maintenant localisé avec précision à Büyükkale Tepe et Küçükkale Tepe, à 2 km au nord d'Harmandali (cf. F. HILD, M. RESTLE, *Kappadokien*, p. 247). Sur l'histoire de la localisation de Nysse, cf. P. MARAVAL, «Nysse en Cappadoce», *Rev. d'Hist. et de Phil. Rel.* 55, 1975, p. 237-242.

C   τοίνυν ἡ ὁδὸς ἐκ τῆς ἐπαλλήλου ταύτης οἰκήσεως, τῶν μὲν
    ὑπαντώντων τῶν δὲ παραπεμπόντων κατὰ τὸ συνεχὲς
    ἀνθρώπων ἐπεπλήρωτο πολὺ τῇ ἡδονῇ καταμιγνύντων τὸ
30 δάκρυον. 7. Ἦν δὲ ψεκὰς ἀνεπαχθὴς τὸν ἀέρα ὑπονοτί-
    ζουσα · μικρὸν δὲ πρὸ τῆς πολίχνης εἰς βιαιότερον ὄμβρον
    τὸ ὑπερκείμενον συνεθλίβετο νέφος, ὥστε καθ᾽ ἡσυχίαν
1036 M.   ἡμῖν γενέσθαι τὴν εἴσοδον, μηδενὸς προαισθομένου τῆς
    παρουσίας. 8. Ὡς δὲ ἤδη τῆς στοᾶς ἐντὸς ἐγενόμεθα, ἐπειδὴ
35 διὰ ξηροῦ τοῦ ἐδάφους κατεκτύπει τὸ ὄχημα, οὐκ οἶδα ὅθεν
    ἢ ὅπως, ὡς ἐκ μηχανῆς τινος ἀθρόον ἀνεφάνη δῆμος κύκλῳ
    περὶ ἡμᾶς πεπυκνωμένοι, ὡς μηδὲ κατελθεῖν τοῦ ὀχήματος
    εὔπορον εἶναι · οὐ γὰρ ἦν εὑρεῖν τόπον κενὸν ἀνθρώπων.
    9. Μόγις δὲ πείσαντες ἡμῖν τε δοῦναι καιρὸν πρὸς τὴν
40 κάθοδον καὶ ταῖς ἡμιόνοις ἐπιτρέψαι τὴν πάροδον, ἥειμεν
    παρὰ τῶν περιρρεόντων ἡμᾶς κατὰ πᾶν μέρος συνθλιβό-
36 P.   μενοι, ὥστε τὴν ὑπερβάλλουσαν αὐτῶν φιλοφροσύνην μικροῦ
    δεῖν καὶ λειποθυμίας γενέσθαι αἰτίαν. 10. Ὡς δὲ ἤδη
    ἔνδοθεν ἐγενόμεθα τοῦ περιστῴου, ὁρῶμεν ῥύακα πυρὸς ἐπὶ
45 τὴν ἐκκλησίαν εἰσρέοντα · ὁ γὰρ τῶν παρθένων χορὸς τὰς
    ἐκ κηροῦ λαμπάδας διὰ χειρὸς φέρουσαι στοιχηδὸν ἀλλήλαις

PFV

28 post συνεχὲς interpunxit Pasquali, delevi ‖ 29 πεπλήρωτο P ‖ 32
συνεθλίβετο P : ἐθλίβετο FV ‖ 35 κατεκτύπει FV : κατεκτυπεῖτο P ‖ 36
ἀθρόον P : ἀθρόως FV ‖ 37 πεπυκνωμένοι F : πυκνώμενοι P πεπυκνωμέ-
νος V ‖ 39 δὲ PV : τε F ‖ 40 ἥειμεν P : om. FV ‖ 41 περιρρεόντων PF :
παραρρεόντων V ‖ 42 αὐτῶν P : om. FV ‖ 43 καὶ FV : om. P ‖ ἤδη PF :
πλήσιον V ‖ 44 ἔνδοθεν ἐγενόμεθα τοῦ Wilamowitz, Pasquali : τοῦ
ἔνδοθεν ἐγενόμεθα P τοῦ ἔνδον ἐγενόμεθα FV ‖ 46 ἀλλήλαις PV : ἀλλήλοις
F

1. Une des rares données précises sur l'urbanisme de Nysse, dont
une exploration archéologique sommaire n'a relevé que peu de choses.
F. HILD et M. RESTLE ont vu sur le site les restes d'un mur d'enceinte
trapézoïdal ainsi que de trois portes au nord, à l'ouest et au sud et y
supposent un *cardo* et un *decumanus* (*Kappadokien*, p. 247). Les rues
et les places des villes antiques étaient souvent bordées de portiques.
La petite cité de Nysse comportait donc au moins une rue de ce type,

toute cette route, du fait de cette succession d'habitations, était pleine de gens, les uns qui venaient à notre rencontre, les autres qui nous escortaient, en mêlant force larmes à leur joie. **7.** Une petite bruine peu gênante rendait l'atmosphère humide, mais un peu avant notre petite ville le nuage qui se trouvait au-dessus de nous se répandait en une ondée plus forte ; de la sorte, notre entrée se fit en toute tranquillité, nul n'ayant eu vent de notre venue. **8.** Mais à peine étions-nous entré dans le portique[1], alors que la voiture retentissait sur le sol sec, que, je ne sais d'où ni comment, apparut soudain comme par enchantement une foule compacte de gens serrés en cercle autour de nous, de sorte qu'il n'était pas possible de descendre de la voiture, car il n'y avait pas moyen de trouver un emplacement vide de monde. **9.** Nous eûmes peine à les persuader de nous donner la possibilité de descendre et de laisser le passage aux mules, et nous avancions pressé de toutes parts par un flot de gens, de telle sorte qu'il s'en fallut de peu que l'excès de leur affection ne soit cause d'un évanouissement. **10.** A peine arrivé à l'intérieur du péristyle[2], nous voyons un fleuve de feu se précipitant vers l'église : le chœur des vierges[3], tenant en mains des torches de cire, avançait en rang, les unes derrière les autres, vers

pavée et bordée de colonnes, ou une place centrale sur laquelle eut lieu la réception de l'évêque. Réception qui est conforme à la manière dont on accueille un grand personnage, aussi bien l'empereur lors de son entrée solennelle (*aduentus*) dans une cité que les évêques ou d'autres personnages importants (cf. *V. Macr.* 16 et la note 3 ; Égérie, *Itin.* 3, 4, p. 132 Maraval et la n. 2).

2. Il s'agit vraisemblablement du péristyle de l'atrium de l'église : la description du martyrium construit par Grégoire (*Epist.* 25, 14) prévoit aussi un péristyle de 40 colonnes.

3. Ces vierges constituent probablement une communauté monastique installée à Nysse. Elles ne viennent pas à la rencontre de l'évêque à l'extérieur, mais le précèdent à l'église, comme le font en une autre circonstance celles d'Annisa (*V. Macr.* 16, p. 195).

B κατὰ τὴν εἴσοδον τῆς ἐκκλησίας προήεσαν, τοῖς πυρσοῖς
διόλου καταλαμπόμεναι. **11.** Ἐντὸς δὲ γενόμενος καὶ
συνησθεὶς τῷ λαῷ καὶ συνδακρύσας (ταῦτα γὰρ ἦν ἀμφότερα
50 πάσχειν τῷ κἂν τῷ πλήθει βλέπειν τὰ δύο πάθη), ὁμοῦ τε
τῶν εὐχῶν ἐπαυσάμην καὶ ταύτην τῇ ὁσιότητί σου τὴν
ἐπιστολὴν διεχάραξα, ἐπισπεύδων ὡς οἷόν τε, τῷ τῇ δίψῃ
καταναγκάζεσθαι προσασχοληθῆναι μετὰ τὸ γράμμα τῇ
θεραπείᾳ τοῦ σώματος.

VII

Ἱερίῳ ἡγεμόνι

C   **1.** Νόμος τίς ἐστιν ἡμέτερος κλαίειν μετὰ κλαιόντων
νομοθετῶν καὶ συγχαίρειν τοῖς χαίρουσιν[a], ἀλλὰ τούτων,
ὡς ἔοικε, τὸ ἕτερον ἐφ' ἡμῶν τῆς νομοθεσίας ἐνεργόν ἐστι
μόνον· πολλὴ γὰρ τῶν εὐθηνούντων ἡ σπάνις, ὡς μὴ ἔχειν

PFV

48 δὲ om. P¹ add. P² ‖ 50 τῷ κἂν FV : διὰ τὸ ἐν P ‖ τε FV : om. P ‖
52 τῷ FV : διὰ τὸ P ‖ 53 καταναγκάζεσθαι PF : προσαναγκάζεσθαι V

PFV

Titulus : τοῦ αὐτοῦ ἱερίῳ ἡγεμόνι F (πρ)ὸς (ἡγε)μόνα ἱερί(ον) in mg. P
om. V

1 τίς om. V ‖ 3 ἐφ' : ἀφ' P ‖ 4 εὐθηνούντων P : εὐθυμούντων FV

a. Cf. Rom. 12, 15

1. Cet accueil solennel et les larmes versées de concert par l'évêque
et son peuple laissent à penser que Grégoire revient après une longue
et tragique absence, peut-être après son exil (cf. *supra*, p. 22-23).
2. Peut-on identifier le gouverneur destinataire de cette lettre?
Pasquali (*apparat*, p. 36) signale un Hiérios, préfet d'Égypte en 364,
mais il est peu probable que celui-ci, déjà gouverneur de province en

l'entrée de l'église, toutes éclairées par ces flambeaux.
11. J'entrai, je me réjouis et je pleurai avec le peuple[1] — il
m'était possible d'éprouver à la fois ces deux sentiments en
voyant que la multitude aussi les éprouvait tous deux —,
puis, à peine les prières terminées, j'ai écrit cette lettre à ta
Sainteté, aussi vite que possible, pressé par l'envie de
m'occuper, après la lettre, du soin de mon corps.

Lettre 7

Au préfet Hiérios[2]

1. Nous avons une loi qui nous prescrit de pleurer avec
ceux qui pleurent et de nous réjouir avec ceux qui se
réjouissent[a], mais de ces deux prescriptions, à ce qu'il
semble, l'une seulement est appliquée chez nous. Grande

360, le soit redevenu après sa préfecture d'Égypte (sur ce personnage,
cf. *PLRE* 1, s.v. «Hierius» 4). On connaît en revanche un autre
Hiérios qui, le 23 mars 395, deviendra *vicarius Africae* (*Cod. Theod.*
XVI, 2, 29 et *PLRE* 1, s.v. «Hierius» 6); il pourrait, dans les années
380, être gouverneur de Cappadoce ou d'une des provinces dans
lesquelles Grégoire avait de la parenté (les provinces pontiques, voire
l'Arménie Première). C'est également à un certain Hiérios que
Grégoire dédiera son traité *De infant.* (et même, d'après un des
manuscrits qui la transmettent, la *V. Macr.* : cf. p. 136 apparat). Les
lettres d'intervention auprès de gouverneurs sont nombreuses chez les
Cappadociens ; elles font partie des devoirs d'un évêque, qui doit être
«sécurité pour les siens» (BASILE, *Epist.* 28, 1, p. 66 Courtonne I) et
exerce de fait un patronage économique et social. Cf. B. TREUCKER,
Politische Studien (1961), p. 359-363 et M. FORLIN PATRUCCO, «Social
Patronage and Political Mediation in the Activity of Basil of
Caesarea», *Studia Patristica* 17, p. 1102-1107.

5   εὑρεῖν ῥᾳδίως, τίσι τῶν ἀγαθῶν συμμετάσχωμεν, τῶν δ᾽ ὡς
    ἑτέρως πραττόντων ἀφθονία πολλή. **2.** Ταῦτα προοιμιά-
    ζομαι διὰ τὴν δυστυχῆ τραγῳδίαν, ἣν πονηρός τις δαίμων
37 P. ἐν τοῖς πάλαι γνησίοις ἐδραματούργησεν. Νέος τις τῶν
    εὐπατριδῶν, Συνέσιος ὄνομα αὐτῷ, οὐκ ἔξω τοῦ ἐμοῦ
10 γένους, ἐν ἀκμῇ τῆς ἡλικίας, οὔπω σχεδὸν τοῦ ζῆν
    ἀρξάμενος ἐν μεγάλοις κινδύνοις ἐστίν· ὃν ἐξελέσθαι μόνος
    ὁ θεὸς ἰσχὺν ἔχει, καὶ μετὰ τὸν θεὸν σὺ ὁ τὴν περὶ θανάτου
1037 M. καὶ ζωῆς ψῆφον πεπιστευμένος. **3.** Δυστύχημα γέγονεν
    ἀκούσιον· τίς δ᾽ ἂν ἑκὼν δυστυχήσειε; καὶ νῦν ἔγκλημα
15 τὴν δυστυχίαν πεποίηνται οἱ κατ᾽ αὐτοῦ τὴν ἐπιθανάτιον
    ταύτην δίκην συστήσαντες. **4.** Ἀλλ᾽ ἐκείνους μὲν ἰδίοις
    γράμμασι καθυφεῖναι τῆς ὀργῆς δυσωπῆσαι πειράσομαι, τὸ
    δὲ σὸν εὐμενὲς μετὰ τοῦ δικαίου καὶ μεθ᾽ ἡμῶν γενέσθαι
    παρακαλῶ, ὅπως ἂν τὴν ἀθλιότητα τοῦ νέου ἡ σὴ
20 φιλανθρωπία νικήσειε, πᾶσαν μηχανὴν ἐξευροῦσα, δι᾽ ἧς
    ἔξω κινδύνων ἔσται ὁ νέος, τὸν πονηρὸν κατ᾽ αὐτοῦ δαίμονα
    διὰ τῆς σῆς συμμαχίας νικήσας. **5.** Πάντα εἶπον ἐν
    κεφαλαίῳ ἃ βούλομαι· τὸ δὲ καθ᾽ ἕκαστον ὑποτείνεσθαι
    ὅπως ἂν κατορθωθείη τὸ σπουδαζόμενον, οὔτε ἐμὸν ἂν εἴη
25 τὸ λέγειν οὔτε σὸν τὸ διδάσκεσθαι.

PFV

5 τίσι FV : τίνι P ‖ 8 πάλαι PV (παλ V, λ sup. l.) : πάνυ F ‖ τις P :
om. FV ‖ 9 ὄνομα αὐτῷ PV : τοὔνομα F ‖ 12 τὴν FV : om. P ‖ 18 μεθ᾽
om. P ‖ ἡμῶν : ἡμῖν P² ‖ 19 ὅπως FV : οὕτως P ‖ ἀθλιότητα in mg. scr.
P ‖ 21 καθ᾽ αὐτοῦ F ‖ 23 ὑποτείνεσθαι P : ὑποτίθεσθαι FV ‖ 24 ὅπως FV :
ὅποι P ‖ 25 τὸ¹ om. P

1. Grégoire utilise la figure du cercle : la phrase commence et finit
par le même mot.

2. On pourrait traduire aussi «un mauvais sort, une male fortune».
Grégoire écrit en effet probablement à un gouverneur païen (auquel il
oppose le «chez nous» de la première phrase), et il ne parle pas ici du
démon chrétien.

en effet est la rareté de ceux qui prospèrent, de sorte qu'il n'est pas facile d'en trouver avec qui participer à des biens, alors que de ceux qui sont dans la situation inverse l'abondance est grande[1]. **2.** Je fais ce préambule à cause de la malheureuse tragédie qu'un méchant démon[2] a mise en scène avec pour acteurs des personnes depuis toujours honorables. Un jeune homme de bonne lignée, du nom de Synésios[3], qui n'est pas étranger à ma famille, dans la fleur de l'âge, se trouve dans de grands dangers alors qu'il n'a pratiquement pas encore commencé de vivre. De l'en délivrer Dieu seul a le pouvoir, et après Dieu toi, qui as reçu le droit de vie et de mort[4]. **3.** Un malheur est arrivé sans qu'on l'ait voulu — car qui chercherait le malheur de son plein gré ? Et maintenant ceux qui ont intenté contre lui ce procès où il risque la vie ont fait de ce malheur un chef d'accusation. **4.** Ces gens-là, j'essaierai, par une lettre particulière, de les persuader de renoncer à leur vengeance ; mais en ce qui concerne ta bienveillance[5], je la supplie d'être avec ce qui est juste et avec nous, pour que ta philanthropie l'emporte sur l'infortune du jeune homme en trouvant quelque moyen grâce auquel le jeune homme sera hors de danger, ayant vaincu grâce à ton assistance le méchant démon qui lui est contraire. **5.** Je t'ai dit sommairement tout ce que je souhaite ; quant à suggérer dans le détail comment régler cette affaire, ce n'est pas à moi de le dire, ni à toi d'en être instruit.

3. Ce Synésios est inconnu par ailleurs.

4. La tâche essentielle des gouverneurs était de rendre la justice, et ils disposaient du droit de glaive.

5. A la fois titre de politesse (bien qu'assez inhabituel) et qualité requise du personnage dans la situation présente. N'a pas été recensé comme titre de politesse par H. ZILLIACUS, *Untersuchungen zu den abstrakten Anredeformen*, Helsinki 1949, p. 104-108. On en trouve toutefois de très semblables dans la correspondance de Basile : cf. B. GAIN, *L'Église de Cappadoce* (1985), p. 399-402.

VIII

Ἀντιοχιανῷ

B   **1.** Ἐφ' ᾧ μάλιστα παρὰ τῶν σοφῶν ὁ βασιλεὺς τῶν
Μακεδόνων θαυμάζεται — θαυμάζεται γὰρ οὐ τοσοῦτον
τοῖς Μηδικοῖς τροπαίοις οὐδὲ τοῖς Ἰνδικοῖς τε καὶ περὶ τὸν
Ὠκεανὸν διηγήμασιν, ὅσον ἐπὶ τῷ εἰπεῖν τὸν θησαυρὸν ἐν
5 τοῖς φίλοις ἔχειν —, τολμῶ καὶ αὐτὸς ἐν τῷ μέρει τούτῳ
τοῖς ἐκείνου θαύμασιν ἐμαυτὸν ἀντεπᾶραι, καί μοι προσήκει
τὸν τοιοῦτον μᾶλλον λόγον εἰπεῖν, ὅτι δὴ πλουτῶ τῇ φιλίᾳ
καὶ ὑπεραίρω τῷ τοιούτῳ κτήματι τάχα καὶ αὐτὸν ἐκεῖνον
τὸν ἐπὶ τούτῳ μεγαλαυχούμενον. **2.** Τίς γὰρ ἐκείνῳ
10 τοιοῦτος φίλος, οἷος ἐμοὶ σύ, διὰ πάντων ἐν ἑκάστῳ τῆς
ἀρετῆς εἴδει πρὸς ἑαυτὸν ἁμιλλώμενος; **3.** Πάντως γὰρ
οὐκ ἄν τις ἐμοὶ ταῦτα λέγοντι κολακείαν ἐπικαλέσειε, πρός

FV

Titulus : τοῦ αὐτοῦ ἀντιοχιανῷ F om. V

3 τροπαίοις F : τρόποις V ‖ 6 προσήκει Wilamowitz, Pasquali :
προσήκειν codd. ‖ 7 τὸν τοιοῦτον μᾶλλον Pasquali : μᾶλλον τὸν τοιοῦτον
F τὸν τοιοῦτον μέλλει V ‖ δὴ F : δὲ V [δὲ] Wilamowitz, Pasquali ‖ 8
αὐτὸν F : αὐτὸς V ‖ 11 ἑαυτὸν V : σεαυτὸν F ‖ 12 λέγοντι F : λέγων V

1. On connaît un Antiochianos auquel Libanios adresse une de ses
lettres (*Epist.* 788), mais on ne peut dire s'il s'agit du même
personnage (aucun Antiochianos n'est recensé dans la *PLRE*, mais
seulement un Antiochinus). Le correspondant de Grégoire est sans
doute un personnage influent, puisque Grégoire lui adresse un de ses
« fils » en lui demandant de le prendre sous sa protection. S'agit-il d'un
chrétien ? Le fait que la lettre ne fasse aucune allusion à des réalités
chrétiennes et brode sur un exemple emprunté au vieux fonds des
rhéteurs ne va pas dans le sens de cette hypothèse ; on remarquera

Lettre 8

A Antiochianos[1]

1. C'est à ce qui fait le plus admirer le roi des Macédoniens par les sages — on l'admire en effet moins pour ses victoires sur les Mèdes et pour les récits sur l'Inde ou les régions proches de l'Océan que pour avoir dit que son trésor, c'étaient ses amis[2] —, c'est à cela que je prétends moi aussi m'élever à mon tour, à la hauteur de ce qu'on admire chez celui-ci. C'est même à moi qu'il convient davantage de tenir un tel discours, parce qu'en vérité je suis riche d'amitié et que, grâce à un tel bien, je surpasse peut-être celui-là même qui se glorifiait de cela. **2.** Car qui pour lui a été un ami tel que tu l'es pour moi, toi qui constamment luttes contre toi-même en toute espèce de vertu? **3.** En vérité, nul ne peut m'accuser de flatterie lorsque je dis cela, si l'on considère et mon âge et

cependant l'expression «luttant contre toi-même» (§ 2), qu'on peut comparer avec une expression appliquée à Macrine et son frère Pierre «luttant contre leur vie propre» (*V. Macr.* 13, 21). Encore doit-on dire qu'il s'agit d'un thème qui a des allures philosophiques et dont on retrouve des équivalents chez des philosophes païens de cette époque : la philosophie demande des efforts pour s'affranchir de l'esclavage du corps et des passions (cf. par exemple PORPHYRE, *De abst.* III, 27, 11 ; p. 192 Bouffartigue-Patillon).

2. Cette anecdote est volontiers citée par des contemporains de Grégoire (avec quelques variantes), ce qui est le signe qu'elle fait partie des *exempla* utilisés par les professeurs de rhétorique : cf. AMMIEN MARCELLIN, *Hist.* XXV, 4, 15 (p. 185 Fontaine); LIBANIOS, *Orat.* VIII, 9 (p. 182 Martin), THÉMISTIOS, *Orat.* XVI, 203 bc (p. 292 Downey). Autres témoignages rassemblés par L. STERNBACH, «De Gnomologio Vaticano inedito II», *Wiener Studien* 10, 1888, p. 7.

τε τὴν ἡλικίαν τὴν ἐμὴν καὶ πρὸς τὸν σὸν βίον βλέπων·
ἔξωρός τε γὰρ ἤδη πρὸς κολακείαν ἡ πολιά, καὶ τὸ γῆρας
15   εἰς θωπείαν ἀνεπιτήδειον, σοί τε, καὶ εἰ ἐν ὥρᾳ τοῦ
C   κολακεύειν ἤμην ποτέ, ὁ ἔπαινος πρὸς ὑπόληψιν κολακείας
οὐκ ἂν κατέπιπτε, τοῦ βίου πρὸ τῶν λόγων δεικνύντος τὸν
ἔπαινον. **4.** Ἀλλ' ἐπειδὴ τῶν καλῶς πλουτούντων ἴδιον τὸ
εἰδέναι κεχρῆσθαι οἷς ἔχουσιν, ἀρίστη δὲ χρῆσις τῶν
20   παρόντων τὸ κοινὰ προτιθέναι τοῖς φίλοις ἃ ἔχουσι, φίλος
δέ μοι πάντων μάλιστα διὰ πάσης γνησιότητος συνηρμοσμέ-
νος ὁ ποθεινότατος υἱὸς Ἀλέξανδρος, παρακλήθητι δεῖξαι
αὐτῷ τὸν ἐμὸν θησαυρόν, καὶ μὴ δεῖξαι μόνον ἀλλὰ καὶ
δαψιλῶς παρασχεῖν ἐμφορηθῆναι, τῷ προστῆναι αὐτοῦ ὑπὲρ
25   ὧν ἥκει τῆς σῆς προστασίας δεόμενος. **5.** Λέξει δὲ
δι' ἑαυτοῦ τὰ πάντα· οὕτω γὰρ εὐπρεπέστερον ἢ τὰ
καθ' ἕκαστον ἐμὲ διεξιέναι τῷ γράμματι.

FV

16 ἤμην Jaeger : εἴ codd. ‖ 17 οὐκ ἂν Jaeger, Pasquali : οὐ codd. ‖
19 ἔχουσιν F : ἔχει V ‖ 20 παρόντων F : περιόντων V

ta propre vie. Hors de saison est la flatterie pour les
cheveux blancs, et la vieillesse est impropre à la flagornerie. S'adressant à toi d'ailleurs, même si j'étais en âge de
flatter, la louange ne tomberait pas sous le soupçon de
flatterie, car ta vie, avant même les paroles, montre le
bien-fondé de la louange. **4.** Eh bien, puisque c'est le
propre de ceux qui sont vraiment riches de savoir se servir
de ce qu'ils possèdent et que le meilleur usage des biens
présents consiste à offrir aux amis, comme des biens
communs, ce qu'on possède, puisque enfin mon fils très
aimé Alexandre est un ami qui m'est attaché plus que tout
autre par une totale fidélité, permets, je t'en prie, que je
lui montre mon trésor, et pas seulement que je le lui
montre, mais aussi que je le lui offre généreusement pour
qu'il en use[1] — en profitant de ta protection dans les
affaires qui ont motivé sa venue, car il a besoin de ton
assistance. **5.** Il te dira lui-même toute l'affaire ; ce sera
ainsi plus convenable que si je te l'exposais dans le détail
par lettre.

---

1. Comparer Grég. Naz., *Epist.* 39, 2 : « J'ai pensé que je devais lui
accorder un bienfait entre tous : celui de ton amitié et de ta
protection » (II, p. 48).

Σταγειρίῳ

1. Τοιοῦτόν τι θέαμά φασιν ἐν τοῖς θεάτροις τοὺς θαυματοποιοῦντας τεχνάζεσθαι · μῦθον ἐξ ἱστορίας ἤ τινα τῶν ἀρχαίων διηγημάτων ὑπόθεσιν τῆς θαυματοποιίας
39 P. λαβόντες ἔργῳ τοῖς θεαταῖς διηγοῦνται τὴν ἱστορίαν.
5 Διηγοῦνται δὲ οὕτως τὰ κατάλληλα τῶν ἱστορουμένων · ὑποδύντες σχήματά τε καὶ πρόσωπα καὶ πόλιν ἐκ παραπετασμάτων ἐπὶ τῆς ὀρχήστρας δι' ὁμοιότητός τινος σχηματίσαντες καὶ τὸν τέως ψιλὸν τόπον τῇ ἐναργεῖ μιμήσει τῶν πραγμάτων οἰκειώσαντες, θαῦμα τοῖς θεωμένοις γίνονται
10 αὐτοί τε οἱ μιμηταὶ τῶν ἐν τῇ ἱστορίᾳ πραγμάτων καὶ τὰ παραπετάσματα, ἡ πόλις δή. **2.** Τί οὖν μοι τὸ διήγημα βούλεται ; ἐπειδὴ χρεία ἡμῖν τὴν μὴ οὖσαν πόλιν ὡς οὖσαν δεῖξαι τοῖς συνιοῦσι, παρακλήθητι γενέσθαι τῆς πόλεως
B ἡμῶν οἰκιστὴς αὐτοσχέδιος, αὐτῷ τῷ φανῆναι μόνον τὸ

PFV

Titulus : σταγειρίῳ F : πρὸς σταγείριον P om. V
1 θέαμα P : θαῦμα FV ‖ 7 ὁμοιότητος FV : ὁμοιότητα P ‖ 8 τὸν PF : om. V ‖ 12 ὡς PF : καὶ V ‖ 14 τὸ P : om. FV

1. Le destinataire de cette lettre, Stagirios, est très vraisemblablement le sophiste qui adresse à Grégoire la *Lettre* 26 (et auquel répond la *Lettre* 27). On le connaît aussi par Grégoire de Nazianze, qui lui adresse quatre lettres et parle de lui dans une autre. Il enseignait la rhétorique à Césarée et était probablement païen (cf. M.-M. HAUSER-MEURY, *Prosopographie*, p. 157-158).

Lettre 9

A Stagirios[1]

1. On dit que dans les théâtres les acteurs[2] réalisent un spectacle de la manière suivante : ils choisissent pour sujet de leur représentation une légende empruntée à l'histoire ou l'un des anciens récits et, par leur jeu, en racontent l'histoire aux spectateurs. Et c'est ainsi qu'ils racontent la succession des événements : après avoir revêtu vêtements et masques, représenté sur l'orchestre, au moyen de tentures, quelque chose qui ressemble à une ville et adapté ce lieu jusque-là neutre à la représentation vivante des événements[3], ils deviennent ainsi un objet d'émerveillement pour les spectateurs, aussi bien eux-mêmes, les imitateurs des événements de l'histoire, que les tentures — la ville en vérité. **2.** Où veut donc en venir mon exposé ? Comme nous avons besoin de montrer à ceux qui s'y réunissent que celle qui n'est pas une ville en est pourtant une, je te supplie de devenir un habitant occasionnel de

---

2. Littéralement : « les faiseurs de merveilles », terme utilisé aussi pour les prestidigitateurs ou d'autres gens du spectacle (dans le *De prof. chr.*, *GNO* 8, p. 132,1, il désigne le dresseur de singes). Il n'indique ici que les acteurs de théâtre dans un sens très général, tout en permettant à Grégoire de filer le thème de la merveille et de l'émerveillement. Même sens dans le *C. Eun.* I, 16 (*GNO 1*, p. 27,8). Je traduis de même θαυματοποιία par « représentation », bien qu'il y ait dans le mot l'idée de « représentation de merveilles ».

3. Notations brèves sur la représentation théâtrale, mais qui retient ses éléments caractéristiques : les acteurs costumés et masqués, la scène, le décor.

15 πόλιν εἶναι δοκεῖν τὸν ἔρημον χῶρον παρασκευάσας. 3. Ἔστι δέ σοι καὶ ἡ ὁδὸς οὐ πολλὴ καὶ ἡ χάρις, ἣν δώσεις, σφόδρα πολλή · βουλόμεθα γὰρ σεμνοτέρους ἑαυτοὺς δεῖξαι τοῖς συνιοῦσιν, ἀντ' ἄλλου τινὸς κόσμου τῇ φαιδρότητι ὑμῶν καλλωπιζόμενοι.

39 P.

X

Ὀτρηΐῳ ἐπισκόπῳ Μελιτηνῆς

C 1. Ποῖον τοιοῦτον ἄνθος ἐν ἔαρι, τίνες τοιαῦται τῶν ᾠδικῶν ὀρνίθων φωναί, ποία λεπταῖς καὶ προσηνέσι ταῖς αὔραις καταγλυκαίνεται γαληνιάζουσα θάλασσα, τίς ἄρουρα

PFV

15 παρασκευάσας PF : παρασκευάσω V ‖ 16 ἔστι P : ἔτι F ὅτι V ‖ δέ PF : om. V ‖ 17 σεμνοτέρους PF : φαιδροτέρους V ‖ 18 συνιοῦσιν P : συνοῦσιν FV

PFV

Titulus : Ὀτρηΐῳ ἐπισκόπῳ Μελιτηνῆς F : ὀτρείῳ ἐπισκόπῳ P om. V

1-2 τῶν ᾠδικῶν PF : μουσικῶν V ‖ 2 ποία P : ποίαις FV ‖ 3 γαληνιάζουσα PF : γαληνιῶσα V

---

1. Quel est cet endroit ? Pasquali (*Le Lettere*, p. 104) a supposé que Grégoire avait quitté son siège épiscopal, soit pour faire retraite dans la solitude, soit pour une simple villégiature à la campagne. Il est plus vraisemblable de penser qu'il se trouve à Nysse, assurément une toute petite ville (il l'appelle dans la *Lettre* 6,5 une πολίχνη, et selon F. Hild et M. Restle, *Kappadokien*, p. 262, l'aire urbaine de Nysse était de 125 000 m², ce qui est assez peu). Il exagère encore cette petitesse dans sa lettre au sophiste en disant que ce n'est même pas une ville, mais c'est pure rhétorique. Je pense donc que Grégoire

notre ville et de donner à ce lieu désert[1], par ta seule
présence, de sembler être une ville. **3.** Le trajet pour toi
n'est pas long[2] et la faveur que tu accorderas est très
grande. Nous voulons en effet nous montrer un peu plus
magnifiques aux yeux de ceux qui se réunissent, en nous
parant de votre splendeur à l'exclusion de tout autre
ornement.

Lettre 10

A Otréios, évêque de Mélitène[3]

1. Tel une fleur au printemps, tel des cris d'oiseaux
chanteurs, tel une mer sereine adoucie par de légères et
douces brises, tel un champ agréable à voir pour ceux qui

invite ici Stagirios à rehausser de sa présence une réunion qui a lieu à
Nysse, peut-être une réunion de lettrés.

2. Si le sophiste réside à Césarée, il est à trois jours de voyage de
Nysse. Il est possible toutefois qu'il ait une résidence à Osiéna, qui
n'est qu'à une étape (*Itin. Anton.* 206, 5 : 32 milles), car c'est au prêtre
d'Osiéna que Grégoire demandera du bois pour Stagirios (cf. *Epist.* 26-
27).

3. Le destinataire de cette lettre est bien connu : Otréios, évêque
de Mélitène sur l'Euphrate, en Arménie Seconde. Il est présent au
concile de Tyane de 367, qui voit les homéousiens se rallier à
l'ὁμοούσιος (SOZOMÈNE, *Hist. eccl.* VI, 12, 2, p. 251 Bidez-Hansen);
une lettre de Basile, la *Lettre* 181, qu'on peut dater du printemps 374,
montre qu'il est du parti néo-nicéen. Présent au concile de
Constantinople de 381 (MANSI, *Concilia*, III, 596 D), il sera avec
Helladios de Césarée et Grégoire de Nysse un des garants de
l'orthodoxie dans le diocèse du Pont (*Cod. Theod.* XVI, 1, 3;
SOZOMÈNE, *Hist. eccl.* VII, 9, 6, p. 312). C'est à lui qu'en 379 la mère
d'Euthyme, le futur moine de Palestine, confie son enfant
(CYRIL. SCYTHOPOL., *V. Euthymi*, 3, p. 10, 5-11 Schwartz).

τοῖς γεηπόνοις οὕτως ἡδεῖα, ἢ εὐθηνουμένη ληΐοις ἢ τοῖς
5 καρποῖς ἤδη τῶν ἀσταχύων ὑποκυμαίνουσα, τίς ἐξ ἀμπέλου
40 P. τοσαύτη χάρις, ὅτε κομῶσα διὰ τοῦ ἀέρος * καὶ τοῖς φύλλοις
κατασκιάζει τὴν κάμακα, ὅσον τὸ πνευματικὸν ἔαρ ἐκ τῆς
εἰρηνικῆς σου ἀκτῖνος διὰ τῆς ἐν τοῖς γράμμασι λαμπηδόνος
τὴν ζωὴν ἡμῶν ἐκ κατηφείας ἐφαίδρυνεν; 2. Οὕτω γὰρ
10 ἡμῖν τάχα τὸ προφητικὸν ἁρμόζει τοῖς παροῦσιν ἀγαθοῖς
ἐπιφθέγξασθαι, ὅτι Κατὰ τὸ πλῆθος τῶν ὀδυνῶν τῶν ἐν τῇ
καρδίᾳ αἱ τοῦ θεοῦ παρακλήσεις διὰ τῆς σῆς ἀγαθότητος τὴν
1041 M. ψυχὴν ἡμῶν εὔφραναν[a], ἀκτίνων δίκην κεκακωμένην τῇ
πάχνῃ τὴν ζωὴν ἡμῶν ἐπιθάλπουσαι· ἴση γάρ ἐστιν ἐν
15 ἀμφοτέροις ἡ ἀκρότης, τῆς τε τραχύτητος λέγω τῶν
λυπηρῶν καὶ τῆς γλυκύτητος τῶν σῶν ἀγαθῶν. 3. Καὶ εἰ
μόνον εὐαγγελισάμενος ἡμῖν τὴν παρουσίαν σου τοσοῦτον
ἐφαίδρυνας, ὥστε πάντα ἡμῖν ἐκ τῆς ἐσχάτης ἀλγηδόνος εἰς
φαιδρὰν μεταβληθῆναι κατάστασιν, τί ποτε ἄρα ποιήσει καὶ
20 ὀφθεῖσα μόνον ἡ τιμία σου καὶ ἀγαθὴ παρουσία; πόσην δὲ
δώσει ταῖς ψυχαῖς ἡμῶν παράκλησιν ἡ γλυκεῖά σου φωνὴ
ταῖς ἀκοαῖς ἐνηχήσασα; 4. Ἀλλὰ γένοιτο ταῦτα διὰ τάχους
κατὰ θεοῦ συνεργίαν τοῦ διδόντος ὀλιγοψύχοις ἄνεσιν καὶ
τοῖς συντετριμμένοις ἀνάπαυσιν[b]. Ἡμᾶς δὲ γίνωσκε, ἐὰν
25 μὲν εἰς τὸ ἡμέτερον βλέψωμεν, περιαλγεῖν τοῖς παροῦσι καὶ

PFV

4 ἢ[1] om. P ǁ 5 τῶν om. P ǁ ἀσταχύων FV : σταχύων P ǁ 5-7 τίς —
κάμακα P : om. FV ǁ 5 ἀμπέλου Pasquali : ἀμπέλων P ǁ 6 post ἀέρος
lacunam suspic. Pasquali, fortasse ἀείρεται aut αἴρεται ǁ 9 οὕτω FV :
ὄντως P ǁ 10-11 τοῖς — ἐπιφθέγξασθαι om. Pasquali, habent codd. ǁ 13
ηὔφραναν P ǁ 13-14 κεκακωμένην τῇ πάχνῃ P : κεκαυμένην τῇ πάχνῃ F
τῇ πάχνῃ κεκαυμένῃ V ǁ 15 τραχύτητος P : παχύτητος FV ǁ 16 καὶ ante
τῶν add. P ǁ 17 ante τὴν rasura ca 6 syll. P ǁ 20 σου post τιμία P :
post παρουσία FV ǁ 21 ταῖς ψυχαῖς PF : τῆς ψυχῆς V ǁ 23-24 καὶ —
ἀνάπαυσιν om. P ǁ 25 μὲν om. V sed add. sup. l.

a. Cf. Ps. 93, 19   b. Cf. Is. 57, 15

le cultivent, soit qu'il abonde en jeunes pousses, soit qu'il
ondoie déjà d'épis chargés de grain, tel le délice que
procure une vigne lorsque, bien fournie, (elle s'élève)[1] dans
les airs et ombrage la tonnelle de ses feuilles[2], ainsi le
printemps spirituel né de tes pacifiques rayons a illuminé
notre vie et chassé l'ombre grâce à la clarté présente dans
ta lettre. **2.** Ainsi peut-être nous convient-il de dire, à
propos des biens présents, le mot du prophète selon lequel
c'est en proportion de la multitude des douleurs qui sont
dans notre cœur que les consolations de Dieu, grâce à ta
bonté, ont réjoui notre âme[a], en réchauffant de leurs
rayons notre âme mise à mal par le gel. Dans les deux cas
l'intensité est aussi grande, je veux dire celle de la rigueur
des épreuves et celle de la douceur de tes biens. **3.** Et si,
rien qu'en nous annonçant la bonne nouvelle de ta venue,
tu nous as à ce point réjoui que tout est passé pour nous de
l'extrême douleur à une disposition sereine, que fera donc,
rien qu'en se faisant voir, ta précieuse et chère présence ?
Quelle grande consolation donnera à nos âmes ta douce
voix résonnant à nos oreilles ? **4.** Eh bien, puisse cela
arriver bientôt, avec l'aide de Dieu, qui donne du
soulagement à ceux qui perdent cœur et de l'apaisement à
ceux qui sont découragés[b]. Sache que, si nous considérons
notre situation, nous éprouvons de la douleur de notre état

---

1. Pasquali suppose ici une lacune, qu'on peut combler avec un
verbe qui serait le pendant de κατασκιάζει. Ce pourrait être ἀείρεται ου
αἴρεται, qui aurait pu tomber après ἀέρος.

2. Cette longue comparaison entre divers aspects du printemps et
la joie que la lettre d'Otréios a procurée à Grégoire permet à celui-ci
une *ecphrasis* du printemps — les fleurs, les oiseaux, la brise légère, les
jeunes pousses —, puis Grégoire dépasse son idée de départ et évoque
des réalités du plein été. Le style est très travaillé, avec une grande
variété de termes de comparaison (ποῖον τοιοῦτον, τίνες, ποία, τίς…
οὕτως, τίς… τοσαύτη) que j'ai uniformément rendus par «tel», des
termes rares ou poétiques (καταγλυκαίνεται, ἄρουρα, γεήπονος, ἄσταχυς,
ὑποκυμαίνω).

δυσφοροῦντας μὴ παύεσθαι, ἐὰν δὲ πρὸς τὴν σὴν ἀπίδωμεν
B   τιμιότητα, πολλὴν ὁμολογεῖν τῇ οἰκονομίᾳ τοῦ δεσπότου τὴν
χάριν, ὅτι ἔξεστιν ἡμῖν ἐκ γειτόνων ἀπολαύειν τῆς γλυκείας
σου καὶ ἀγαθῆς προαιρέσεως καὶ ἐμφορεῖσθαι κατ' ἐξουσίαν
30 μέχρι κόρου τῆς τοιαύτης τροφῆς, εἰ δή τις κόρος τῶν
τοιούτων ἐστίν.

41 P.   XI

Εὐπατρίῳ σχολαστικῷ

C   **1.** Ζητῶν τι προσφυὲς καὶ οἰκεῖον τῷ γράμματι δοῦναι
προοίμιον, ἀπὸ μὲν τῶν ἐμοὶ συνήθων, λέγω δὴ τῶν
γραφικῶν ἀναγνωσμάτων, οὐκ εἶχον ὅτῳ καὶ χρήσομαι, οὐ
τῷ μὴ εὑρίσκειν τὸ συμβαῖνον, ἀλλὰ τῷ περιττὸν κρίνειν

PFV

27 τιμιότητα FV : τελειότητα P

FV

Titulus : τοῦ αὐτοῦ εὐπατρίῳ σχολαστικῷ F om. V
1 οἰκεῖον V : οἷον F

1. Où se trouve Grégoire quand il écrit cette lettre ? Il est difficile
de croire qu'il soit à Nysse, puisqu'il déclare être proche de son
correspondant, dans son voisinage. Or Nysse se trouve à 13 étapes de
Mélitène, à 318 miles (*Itin. Anton.* 206, 4-7 et 210, 15 - 211, 4). Sébastée
pourrait convenir un peu mieux (bien qu'elle soit tout de même à 6
jours de Mélitène : *Ibid.* 176, 3 - 177, 5), car Grégoire se plaint de sa
situation présente et de la contrainte permanente qu'elle lui impose,
comme il le fait dans les autres lettres écrites de Sébastée (18, 19, 22).
Elle pourrait, en ce cas, être postérieure à la *Lettre* 18, où Grégoire
racontait dans le détail au même Otréios ses malheurs à Sébastée.

présent et ne cessons d'en être affligés ; mais si nous regardons vers ton Excellence, nous rendons infiniment grâce à la disposition providentielle du Maître, parce qu'il nous est possible, vu notre voisinage[1], de profiter de ton agréable et bon caractère et de nous remplir à satiété, autant que nous le pouvons, d'une telle nourriture, si toutefois il peut y avoir satiété de tels biens.

Lettre 11

Au scholastikos[2] Eupatrios[3]

1. En cherchant, pour donner une entrée en matière à ma lettre, quelque chose d'original et d'approprié dans ce qui m'est habituel, je veux dire mes lectures de l'Écriture[4], je me demandais de quoi me servir, non parce que je ne trouvais pas ce qui convenait, mais parce que je jugeais

2. Il est difficile de rendre par un mot français le terme σχολαστικός. C'est un lettré qui a reçu une formation plus ou moins poussée dans le domaine juridique et peut donc exercer des fonctions d'avocat ou de juge, ou faire partie de l'administration impériale. Cf. A. CLAUS, Ὁ σχολαστικός, Köln 1965.

3. Ce destinataire est inconnu. PASQUALI (apparat, p. 41) suggère que ce pourrait être le fils d'un correspondant de Basile du même nom (cf. BASILE, Epist. 159), mais rien ne permet de confirmer cette hypothèse, qui repose d'ailleurs sur une homonymie imparfaite (le correspondant de Basile s'appelle Eupatérios). Il reste que le père d'Eupatrios fait aussi partie des correspondants de Grégoire, comme le montre cette même lettre (§ 3). Il pourrait être, comme on le dira plus loin, le destinataire de la lettre suivante.

4. Ce n'est pourtant pas l'habitude de Grégoire de commencer ses lettres par une citation de l'Écriture, bien que cela lui arrive (cf. Epist. 7, 1 ; 17, 1 — la seconde relevant d'ailleurs d'un genre littéraire particulier, celui de la lettre « pastorale »).

5 πρὸς οὐκ εἰδότας τοιαῦτα γράφειν · ἡ γὰρ περὶ τοὺς ἔξωθεν
λόγους σπουδὴ τοῦ μηδεμίαν τῶν θείων μαθημάτων
ἐπιμέλειαν ἔχειν ἀπόδειξις ἡμῖν γέγονεν. Οὐκοῦν ἐκεῖνα μὲν
σιωπήσομαι, ἐκ δὲ τῶν σῶν πρὸς τὴν λογιότητά σου
προοιμιάσομαι. **2.** Πεποίηταί τις παρὰ τῷ διδασκάλῳ τῆς
10 ὑμετέρας παιδεύσεως πρεσβυτικῶς εὐφραινόμενος, μετὰ τὴν
χρονίαν αὐτοῦ κακοπάθειαν ἐν ὀφθαλμοῖς ἔχων τὸν ἑαυτοῦ
παῖδα καὶ τοῦ παιδὸς ἅμα τὸν παῖδα · ὑπόθεσις δὲ αὐτῷ τῆς
εὐφροσύνης ἡ περὶ τῶν πρωτείων τῆς ἀρετῆς Ὀδυσσεῖ πρὸς
1044 M. τὸν Τηλέμαχον μάχη. **3.** Εἰς τί οὖν ἡ μνήμη τῶν
15 Κεφαλλήνων πρὸς τὸν σκοπὸν τοῦ λόγου συμβάλλεται ; ὅτι
με διαλαβόντες μέσον ὑμεῖς, σύ τε καὶ ὁ τὰ πάντα θαυμάσιος
ὁ πατὴρ ὁ σός, ὥσπερ τὸν Λαέρτην ἐκεῖνοι, φιλοτίμως πρὸς
ἀλλήλους ἐν τῇ πρὸς ἡμᾶς τιμῇ τε καὶ φιλοφροσύνῃ περὶ τῶν
42 P. πρωτείων διαγωνίζεσθε, ὁ μὲν ἐκ τοῦ Πόντου, σὺ δὲ ἀπὸ
20 Καππαδοκίας τοῖς γράμμασι βάλλοντες. **4.** Τί οὖν ὁ γέρων
ἐγώ ; μακαριστὴν τίθεμαι τὴν ἡμέραν, ἐν ᾗ βλέπω τοιαύτην
παιδὶ πρὸς πατέρα τὴν ἅμιλλαν. **5.** Μή ποτε οὖν παύσαιο
χρηστοῦ καὶ θαυμαστοῦ πατρὸς εὐχὴν δικαίαν ἀποπληρῶν
καὶ τοῖς ἀγαθοῖς προτερήμασι τὴν πατρικὴν δόξαν ὑπερβαλ-
25 λόμενος · οὕτω παρ' ἀμφοτέροις ὑμῖν ἔσομαι κεχαρισμένος
κριτής, σοὶ μὲν τὰ πρωτεῖα πρὸς τὸν πατέρα νέμων, τῷ
B πατρὶ δὲ πρὸς σέ. **6.** Ἡμεῖς δὲ οἴσομεν τὴν τραχεῖαν

FV

5 εἰδότας V : εἰδότα F ‖ 5-6 ἔξωθεν λόγους Pasquali : ἔξω λόγων V
ἔξωθεν τῶν λόγων F ‖ 7 γέγονεν V : ἐγένετο F ‖ 9 τις V : λαέρτης F ‖ 11
αὐτοῦ V : ἐκείνην F ‖ 12 ὑπόθεσις δὲ αὐτῷ F : ὑπόθεσιν δόντος V ‖ 13 τῷ
ante ὀδυσσεῖ add. F ‖ 14 εἰς τί οὖν ἡ F : εἰ καὶ τῇ V εἰς del. Wilamowitz
‖ 16 μέσον ὑμεῖς F : νῦνι V ‖ 17-18 φιλοτίμως πρὸς ἀλλήλους F :
φιλοτίμους ὅλους V ‖ 19 ἐκ τοῦ πόντου F : οὕτως V ‖ 25 οὕτω F : om. V ‖
26-27 τῷ — σέ V : om. F

1. Un exemple de ces affirmations de principe que posent
volontiers les Pères de cette époque, pourtant tout imprégnés de
culture classique profane. Il faut y voir une bonne part d'artifice,
comme le montre, exprimé dans ce même corpus des lettres, l'intérêt

inopportun d'écrire de pareilles choses à ceux qui ne les connaissent pas. En effet, l'intérêt porté à la littérature profane est pour nous la preuve qu'on n'a aucun souci des sciences divines[1]. J'omettrai donc celles-ci, et c'est de ce qui est tien que je tirerai mon entrée en matière pour ta Sagesse. **2.** Le maître de votre culture[2] a imaginé un personnage[3] qui se réjouit, à la manière d'un vieillard, lorsqu'il a sous les yeux, après de longues souffrances, son propre fils en même temps que le fils de son fils. Et le motif de sa joie, c'est la querelle entre Ulysse et Télémaque pour obtenir le premier prix de valeur. **3.** En quoi donc le rappel des Céphalléniens[4] est-il utile au but de ce discours ? C'est que vous deux, toi et ton père admirable en tout, en me mettant entre vous comme ceux-ci l'ont fait de Laërte, vous rivalisez l'un et l'autre à l'envi, pour obtenir le premier prix, dans l'estime et la bienveillance à notre égard, en me poursuivant de vos lettres, l'un à partir du Pont, l'autre de la Cappadoce[5]. **4.** Et que fais-je donc, moi le vieillard ? Je regarde comme bienheureux le jour où je vois une telle rivalité entre un fils et son père. **5.** Puisses-tu donc ne jamais cesser d'accomplir le légitime souhait d'un père excellent et admirable et surpasser la gloire paternelle par des mérites supérieurs. Ainsi entre vous deux serai-je un juge heureux, en t'accordant le premier prix contre ton père, puis à ton père contre toi. **6.** Quant à

passionné que Grégoire porte aux œuvres de Libanios (*Epist.* 13, 4), sans parler de son souci de style. Cf. les remarques de L. MÉRIDIER, *L'influence de la seconde sophistique*, p. 58-68 et *supra*, p. 43-44. La réflexion de Grégoire semble du moins indiquer que son correspondant n'est pas chrétien, ou qu'il n'est qu'un chrétien assez tiède.

2. Le mot παίδευσις désigne l'éducation, mais aussi le résultat de l'éducation, la culture. La périphrase désigne Homère, comme on va le voir.

3. Il s'agit de Laërte, comme il est précisé plus loin (et comme l'explicite déjà un des manuscrits de la lettre). Cf. *Odyssée* 24, 514-515.

4. *Ibid.* 24, 377.

5. Cf. *Epist.* 12, 5 et la note.

188   GRÉGOIRE DE NYSSE

Ἰθάκην, οὐ λίθοις τοσοῦτον ὅσον τοῖς ἤθεσι τῶν οἰκητόρων
τραχυνομένην, ἐν ᾗ πολλοὶ <οἱ> μνηστῆρες καὶ τῶν
30 κτημάτων τῆς μνηστευομένης βρωτῆρες, οἱ καὶ αὐτῷ τούτῳ
τὴν νύμφην ὑβρίζοντες, τῷ ἐπαπειλεῖν τὸν γάμον τῇ
σωφρονούσῃ, Μελανθοῦς, οἶμαι, τινὸς ἢ ἄλλης τοιαύτης
ἀξίως πράττοντες, οὐδαμοῦ δὲ ὁ σωφρονίζων τῷ τόξῳ.
7. Ὁρᾷς ὅσον πρεσβυτικῶς ἐπὶ τὰ μηδὲν προσήκοντα ἡμῖν
35 παρεληρήσαμεν; ἀλλά μοι πρόχειρος ἔστω διὰ τὴν πολιὰν
ἡ συγγνώμη· ἴδιον γὰρ αὐτῆς, ὥσπερ τὸ κορυζοῦσθαι τὰ
ὄμματα καὶ τὰ μέλη πάντα ὑπὸ τῆς τοῦ γήρως ἀτονίας
βαρύνεσθαι, οὕτω καὶ τὸ ἀδολεσχεῖν ἐν τῷ λόγῳ. 8. Σὺ δὲ
ἡμᾶς τοῖς τροχαλοῖς τε καὶ διεγηγερμένοις τῶν λόγων
40 νεανικῶς δεξιούμενος ἀνανεώσῃ τὸ γῆρας, τῇ καλῇ καὶ
C πρεπούσῃ γηροκομίᾳ ταύτῃ τὸ κεκμηκὸς τῆς ἡλικίας
ἐπανορθούμενος.

FV

29 οἱ add. Pasquali ‖ 30 βρωτῆρες F : κρατῆρες V ‖ 36 αὐτῆς V :
αὐτῇ F ‖ 37 ἀτονίας F : ἀπονοίας V ‖ 41 γηρωκομία codd.

1. Poursuivant ses comparaisons homériques, Grégoire compare
l'endroit où il se trouve à l'île d'Ithaque, l'adjectif «rude» s'appli-
quant ici aux mœurs des habitants. Pasquali (Le lettere, p. 92-95)
s'est demandé si cette allusion et celles qui suivent sur les prétendants
et la fiancée n'évoquaient pas la situation de Sébastée lorsqu'il s'y
trouvait — les prétendants désignant les candidats au trône
épiscopal, la fiancée l'église de Sébastée. Il rejette finalement cette
hypothèse, essentiellement parce qu'il pense que la Lettre 12, qu'il
juge adressée au même destinataire, ne peut avoir été écrite à
Sébastée. Ajoutons qu'il serait étonnant que Grégoire raconte à un
correspondant ignorant de l'Écriture les difficultés d'une Église, et de
plus sous forme métaphorique. La même remarque vaut pour récuser
l'idée qu'il s'agirait de difficultés de l'Église de Nysse. De plus, on ne
pourrait alors comprendre que Grégoire déclare absent celui qui
pourrait rendre sage les prétendants, l'époux lui-même, l'évêque. Il
me semble préférable de prendre le texte dans son sens obvie.
Grégoire se plaint des mœurs des habitants de Nysse (comme dans la
lettre suivante), et dans le prolongement de ses allusions à l'Odyssée,
il donne l'exemple des nombreux prétendants qui visent la fortune de

nous, nous supporterons la rude Ithaque[1], elle qui est
rendue telle non tant par des pierres, mais par les mœurs
de ses habitants, elle où sont nombreux les prétendants et
ceux qui dévorent les biens de celle qu'ils cherchent à
épouser, ceux qui encore outragent la fiancée en cela même
qu'ils menacent la chasteté du mariage, se conduisant de la
manière qui conviendrait, je pense, à une Mélantho[2] ou
quelque autre femme semblable — mais il n'est pas là celui
qui les rend sages avec son arc ! 7. Tu vois combien, à la
manière d'un vieillard[3], nous avons radoté sur des sujets
qui ne nous conviennent en rien ? Que mes cheveux blancs
m'obtiennent un pardon facile ! Le propre de l'âge est
d'avoir les yeux chassieux et tous les membres accablés
par l'affaiblissement de la vieillesse, mais aussi de parler
pour ne rien dire. Toi pourtant, en nous honorant à la
manière d'un jeune homme, par la rapidité et la vivacité
de tes discours, tu renouvelleras notre vieillesse, en
restaurant la fatigue de l'âge par ce beau traitement, et qui
convient à un vieillard.

leurs fiancées, ce qui n'était peut-être pas rare dans la société du
temps. Grégoire de Nazianze, dans son éloge funèbre de Basile,
rapporte le cas d'une riche veuve de Césarée que l'on voulait forcer au
mariage et que l'évêque de Césarée prit sous sa protection (*Or.* 43, 56,
p. 170 Boulenger). On sait aussi qu'à cette époque le rapt des fiancées,
souvent lié à des questions d'argent, est une pratique assez fréquente
pour être évoquée dans les listes des fautes qui relèvent de la
pénitence publique (cf. Basile, *Epist.* 199, 22.30, II, p. 158, 160-161).

2. Mélantho, servante d'Ulysse, est de celles qui l'ont mal reçu à
son retour : elle l'accable d'injures en *Odyssée* 18, 327-336 et 19, 65-69.
Grégoire la présente ici comme une femme de mauvaise vie.

3. Grégoire se donne ici pour un vieillard et, se comparant à
Laërte, évoque ses cheveux blancs. Cette mention un peu convention-
nelle est fréquente chez lui (*Epist.* 13, 4 ; 27, 3 ; *De prof. chr.*, GNO 8, 1,
p. 130, 11 ; *Ref. conf. Eun.* 208, GNO 2, p. 401, 3 ; *V. Moys. pr.* 2). Elle
me semble toutefois exclure de dater la lettre des premières années
d'épiscopat de Grégoire, comme le fait Pasquali, *Le lettere*, p. 96 ; elle
indique en tout cas qu'il s'adresse à un correspondant plus jeune que
lui.

XII

Τῷ αὐτῷ

1. Οὐδὲ τοῦ ἔαρος ἡ χάρις διαλάμπειν κατὰ τὸ
43 P. ἀθρόον πέφυκεν, ἀλλὰ προοίμια τῆς ὥρας γίνεται ἀκτίς τε
1045 M. προσηνῶς τὸ πεπηγὸς τῆς γῆς ἐπιθάλπουσα καὶ ἄνθος
ἡμιφανῶς τῇ βώλῳ ὑποκρυπτόμενον καὶ αὖραι τὴν γῆν
5 ἐπιπνέουσαι, ὡς διὰ βάθους τὸ ἐκ τοῦ ἀέρος γόνιμόν τε καὶ
ζώφυτον εἰς αὐτὴν διαδύεσθαι. Ἔστι καὶ νεοθαλῆ πόαν
θεάσασθαι καὶ ὀρνίθων ἐπάνοδον, οὓς ὁ χειμὼν ἀπεξένωσε,
καὶ πολλὰ τοιαῦτα, ἃ σημεῖα μᾶλλόν ἐστι τοῦ ἔαρος, οὐκ
αὐτὸ τὸ ἔαρ· πλὴν ἀλλ᾿ ἡδέα καὶ ταῦτα, διότι καὶ τῶν
10 ἡδίστων μηνύματα γίνεται. **2.** Τί οὖν ὁ λόγος μοι βούλεται;
ἐπειδὴ πρόδρομος τῶν ἐν σοὶ θησαυρῶν ἡ διὰ τῶν
γραμμάτων σου φιλοφροσύνη πρὸς ἡμᾶς ἐλθοῦσα, καλῷ
προοιμίῳ τὸ παρὰ σοῦ προσδοκώμενον ἡμῖν εὐαγγελίζεται,
καὶ τὴν ἐν τούτοις χάριν δεχόμεθα ὥς τι πρωτοφανὲς ἄνθος
15 τοῦ ἔαρος, καὶ ὅλης ἀπολαῦσαι τῆς ὥρας ἐν σοὶ διὰ τάχους
εὐχόμεθα. **3.** Σφόδρα γάρ, εὖ ἴσθι, σφόδρα τῷ κρυμῷ καὶ τῇ

FV

Titulus : τῷ αὐτῷ in mg. F : om. V

2 γίνεται F : γίνονται V ‖ 8 ἔαρος V : ἀέρος F ‖ 9 ἡδέα Pasquali : ἡδῆ
codd. ‖ 15-16 εὐχόμεθα (β sup. l.) διὰ (α sup. l.) τάχους V ‖ 16 κρυμῷ F :
θυμῷ V

1. Le destinataire de cette lettre est-il vraiment le même que celui
de la précédente, comme le dit un des deux manuscrits qui la
transmettent ? Il s'agit cette fois incontestablement d'un chrétien,
dont Grégoire attend la visite pour Pâques et auquel il demande des
prières. Ce n'est pas, d'autre part, un correspondant plus jeune que
Grégoire, qui l'appelle «ta bienveillance» et s'adresse à lui sur un

Lettre 12

Au même[1]

1. La grâce du printemps, de sa nature, ne resplendit pas soudainement, mais, prélude à cette saison, voici un rayon qui réchauffe doucement le sol gelé, une fleur qui apparaît à demi cachée par une motte, des brises soufflant sur la terre, pour que la vertu fécondante et vivifiante de l'air s'insinue au plus profond d'elle. On peut admirer aussi l'herbe nouvelle, le retour des oiseaux que l'hiver avait fait émigrer, et plusieurs phénomènes semblables, qui sont davantage des signes du printemps que le printemps lui-même[2]. Eux aussi sont néanmoins agréables, car ils sont l'annonce de ceux qui sont les plus agréables. **2.** Que signifie donc mon discours? Puisque, précurseur des trésors qui sont en toi, ta Bienveillance est venue vers nous au moyen d'une lettre pour nous annoncer, par un beau prélude, ce que nous pouvons attendre de toi, nous accueillons les bons sentiments qui s'y manifestent comme une des premières fleurs qui apparaît au printemps, et nous formons le vœu de jouir bientôt de toute la belle saison qui est en toi. **3.** Car c'est rudement, sache-le bien, rudement

---

autre ton que celui de la *Lettre* 11. On peut donc douter qu'il s'agisse du même Eupatrios. L'hypothèse selon laquelle il s'agirait du père du précédent, qui réside présentement dans le Pont et écrit de là à Grégoire (cf. § 5 et *Epist.* 11, 3) alors que son fils réside en Cappadoce n'est peut-être pas à rejeter, bien qu'elle ait paru artificielle à Pasquali (*Le lettere*, p. 95, n. 4).

2. Nouvelle *ecphrasis* sur le printemps, avec comme dans celle de la *Lettre* 10 des termes rares ou poétiques : ἐπιθάλπουσα, ἡμιφανῶς (hapax), ὑποκρυπτόμενος, ἐπιπνέουσαι, νεοθαλῆ (forme dorienne), etc.

B   πικρία τῶν ἐπιχωρίων ἠθῶν πεπονήκαμεν. Καὶ ὥσπερ τοῖς
    δωματίοις ἐκ τῶν ἐπεισρεόντων ὑδάτων ὑποτρέφεται κρύσ-
    ταλλος (χρήσομαι γὰρ ἐκ τῶν ἡμετέρων τῷ ὑποδείγματι),
20 καὶ ἡ καταρρέουσα νοτίς, εἰ τῷ πεπηγότι ἐπιπολάσειε,
    λιθοῦται περὶ τὸν κρύσταλλον καὶ προσθήκη τοῦ ὄγκου
    γίνεται, τοιοῦτόν τι βλέπω <ἐν> τοῖς πολλοῖς τῶν κατὰ τὸν
    τόπον ἐπιχωριαζόντων τὸ ἦθος· ἀεί τι προσεπινοεῖται
    παρ' αὐτῶν εἰς πικρίαν καὶ ἐφευρίσκεται, καὶ τῷ προκατειρ-
25 γασμένῳ ἕτερον κακὸν ἐπιπήγνυται, κἀκείνῳ ἄλλο, καὶ
    πάλιν ἕτερον καὶ τούτῳ συνεχῶς ὑπαντᾷ, καὶ οὐδεὶς αὐτοῖς
    ὅρος τοῦ μίσους καὶ τῆς τῶν κακῶν ἐπαυξήσεως· ὥστε
44 P. πολλῶν εὐχῶν ἡμῖν εἶναι χρείαν, ἐπιπνεῦσαι διὰ τάχους τὴν
C   χάριν τοῦ πνεύματος καὶ διαχέαι τὴν πικρίαν τοῦ μίσους
30 καὶ διαθρύψαι τὸν ἐκ τῆς πονηρίας αὐτοῖς πηγνύμενον
    κρύσταλλον. 4. Διὰ ταῦτα γλυκὺ τὸ ἔαρ καὶ κατὰ φύσιν
    ὑπάρχον, ἑαυτοῦ ποθεινότερον γίνεται τοῖς ἀπὸ τοιούτων
    σε προσδεχομένοις χειμώνων. 5. Μὴ οὖν βραδυνέτω ἡ
    χάρις, ἄλλως τε καὶ τῆς ἁγίας ἡμῖν ἡμέρας πλησιαζούσης
35 εὐλογώτερον ἂν εἴη τὴν ἐνεγκοῦσαν τοῖς ἰδίοις μᾶλλον ἢ
    τὸν Πόντον τοῖς ἡμετέροις σεμνύνεσθαι. Ἐλθὲ οὖν, ὦ φίλη

FV

    18 ἐπεισρεόντων V : ἀπορρεόντων F ‖ 20 καὶ ἡ F : οὕτω V ‖ 22 βλέπω
F : βλεπέτω V ‖ ἐν addidi : ἐνὸν in textu uel ἐν in apparatu add. Jaeger
Pasquali ‖ 23 ὡς post ἦθος add. V ‖ 26 τούτῳ Pasquali : τοῦτο codd. ‖
ὑπαντᾷ V : γίνεται F ‖ αὐτοῖς F : αὐτῷ V ‖ 28 εὐχῶν ἡμῖν F : ὑμῖν εὐχῶν
V ἡμῖν εὐχῶν Pasquali ‖ 34 διότι ante τῆς ἁγίας add. Pasquali

---

1. Les témoignages sont nombreux sur la dureté de l'hiver
cappadocien : cf. BASILE, *Epist.* 48 (I, p. 128) : « Nous avons été
couverts d'une telle couche de neige que, enfouis avec nos maisons
elles-mêmes, nous nous tapissons depuis deux mois dans les profondeurs »... De même *Epist.* 121 (II, p. 26), 193 (p. 146), 198,1 (p. 153);
GÉRONTIUS, *Vie de Mélanie*, 56 (*SC* 90, p. 238-239 Gorce). Nombreux
textes cités dans GAIN, *L'Église de Cappadoce*, p. 19-21. Pour un
témoignage contemporain, cf. M. MAKAL, *Un village anatolien*, Paris
1964 (Coll. *Terre Humaine*).
    2. Grégoire va reparler ici de la dureté des mœurs des habitants de

que nous avons souffert du gel[1] et de la dureté des mœurs
de ce pays. De même que la glace s'épaissit sur les toits du
fait des eaux qui s'écoulent sur elle — je vais me servir
d'un exemple tiré de notre situation — et que l'humidité
qui ruisselle par-dessus, en se répandant sur ce qui est gelé,
se pétrifie autour de la glace et s'ajoute à sa masse, de
même je vois quelque chose de semblable, en ce qui
concerne les mœurs, chez la plupart de ceux qui habitent
cet endroit[2]. Continuellement ils préméditent et inventent
quelque nouvelle méchanceté, et au mal qu'ils ont
accompli s'en ajoute un autre, et à celui-ci un autre, et un
autre encore vient à la rencontre de celui-là, sans qu'il y
ait de cesse. Pour eux, il n'y a aucune limite à la haine et à
l'accroissement des vices[3], de sorte que nous avons besoin
de beaucoup de prières pour que la grâce de l'Esprit souffle
bientôt, qu'elle fasse fondre la dureté de la haine et brise la
glace de la méchanceté qui est figée en eux. **4.** C'est bien
pourquoi le printemps, qui déjà est agréable de sa nature,
est encore plus désirable qu'il ne l'est de lui-même pour
ceux qui t'attendent après de pareils hivers. **5.** Que la
grâce ne tarde donc pas, d'autant plus que, le saint jour
approchant, il serait plus raisonnable que la patrie soit
honorée par les siens plutôt que le Pont par les nôtres[4].

Nysse, ce qui s'explique mieux si son correspondant est différent de
celui de la lettre précédente.
  3. De tels tableaux, noircis à plaisir par l'amplification rhétorique,
ne sont pas rares chez Grégoire : ils décrivent tantôt les habitants de
Jérusalem (*Epist*. 2), tantôt ceux de Nysse (ici et dans la lettre
précédente), tantôt ceux de Sébastée (*Epist*. 18). On en rencontre aussi
dans d'autres de ses ouvrages (cf. par exemple *De or. dom*., hom. V,
PG 44, 1188 A - 1192 A) : Grégoire, chantre de la liberté, est souvent
très pessimiste dans le jugement qu'il porte sur les conduites
humaines.
  4. Ceci nous indique que Grégoire écrit de Cappadoce, vraisemblablement de Nysse, à un correspondant qui se trouve dans le Pont,
comme c'était le cas du père du destinataire de la lettre précédente
(11,3).

κεφαλή, φέρων ἡμῖν ἀγαθῶν πλῆθος, σαυτόν· τοῦτο γὰρ
ἔσται τῶν ἀγαθῶν τῶν ἡμετέρων τὸ πλήρωμα.

1048 M.
44 P.

XIII

Λιβανίῳ

1. Ἤκουσά τινος ἰατρικοῦ παράλογόν τι πάθος φύσεως
διηγουμένου, τὸ δὲ διήγημα τοιοῦτον ἦν· κατείχετό τις,
φησίν, ἀρρωστήματί τινι τῶν δυστροπωτέρων καὶ τὴν
τέχνην διήλεγχεν ἔλαττον τῆς ἐπαγγελίας ἰσχύουσαν· πᾶν
5 γὰρ τὸ ἐπινοούμενον εἰς θεραπείαν ἄπρακτον ἦν· εἶτά τινος
ἀγγελίας τῶν καταθυμίων παρ' ἐλπίδας αὐτῷ μηνυθείσης,
ἀντὶ τῆς τέχνης ἡ συντυχία γίνεται λύουσα τῷ ἀνθρώπῳ τὴν

FV

1 ἰατρικοῦ V : ἰατρ**οῦ F ‖ πάθος φύσεως F : φύσεως πάθος V
Pasquali ‖ 2 διηγουμένου FV² : διηγημένου V¹

1. Cette lettre et la suivante sont adressées à l'illustre rhéteur
d'Antioche, que Grégoire a rencontré quelque temps auparavant lors
d'un séjour dans cette ville, vraisemblablement lors du concile de 378.
Il répond, dans cette première lettre, à une lettre de Libanios.
Pasquali (*Le lettere*, p. 114-115) suppose que celui-ci y remerciait
Grégoire pour l'envoi du premier livre du *Contre Eunome*, dont nous
savons par la *Lettre* 15, adressée à deux étudiants de Libanios, que
Grégoire souhaitait le lui voir présenter. Libanios l'aurait donc
remercié, l'aurait félicité pour son beau style (§ 2) et lui aurait
demandé quels étaient ses maîtres (§ 4). Dans cette hypothèse,
Cynégios, dont la lettre suivante montre clairement qu'il est des
élèves de Libanios, serait l'occasion de cette lettre à Grégoire en en
étant le porteur (§ 3). L'hypothèse est plausible, mais reste une
hypothèse. La lettre de Libanios peut aussi bien avoir eu pour objet

Viens donc, mon cher ami, en nous apportant abondance de biens — toi-même, car ce sera la plénitude de tous nos biens.

Lettre 13

A Libanios[1]

1. J'ai entendu un expert en médecine raconter un étonnant phénomène de la nature, et tel était son récit[2]. Quelqu'un était, dit-il, sous l'emprise d'une maladie des plus difficiles à guérir, et il accusait l'art médical d'avoir moins d'effet que ce qu'il promettait, car tout ce qui était imaginé pour le soigner était inefficace. Là-dessus, comme on lui avait annoncé, contre toute attente, d'agréables nouvelles, c'est cet événement, au lieu de l'art médical, qui délivre l'homme de la maladie[3], soit que son âme, par

---

premier le sort du jeune Cynégios, dont Grégoire s'est peut-être fait l'introducteur auprès de lui dans une première lettre.

2. Très fréquentes allusions, chez Grégoire, aux dires et aux pratiques des médecins : cf par exemple *De virg.* XXII, 1, 16 (p. 512 Aubineau) ; *De or. dom.* 4 (*PG* 44, 1161 A) ; *De beat.* 1 (*PG* 44, 1201 D), 4 (1232 C) ; *De an et res.* (*PG* 46, 29 CD), etc. Ses connaissances médicales semblent ne pas avoir été négligeables : cf. M. E. KEENAN, « St Gregory of Nyssa and the medical Profession », *Bulletin of the History of the Medicine*, 15, 1944, p. 150-161, et J. JANINI CUESTA, *La antropologia y la medicina pastoral de San Gregorio de Nisa*, Madrid 1945. C'est dans le *De hominis opificio* surtout que Grégoire fait état de telles connaissances.

3. Cf. *De hom. op.* 12, où Grégoire développe longuement le thème des liens entre les dispositions de l'âme et celles du corps, relevant entre autres l'influence positive d'une bonne nouvelle sur l'état du corps (*PG* 44, 160 C). Le thème de la lettre comme remède qui donne la santé fait aussi partie des lieux communs de l'épistolographie : cf. THRAEDE, *Brieftopik*, p. 90.

νόσον, εἴτε τῆς ψυχῆς τῷ περιόντι τῆς ἀνέσεως καὶ τὴν τοῦ
σώματος ἕξιν ἑαυτῇ συνδιαθείσης, εἴτε καὶ ἄλλως, οὐκ ἔχω
10 λέγειν · οὔτε γὰρ ἐμοὶ σχολὴ τὰ τοιαῦτα φιλοσοφεῖν, καὶ τὴν
αἰτίαν ὁ εἰπὼν οὐ προσέθηκεν. **2.** Ἐπὶ καιροῦ δὲ νῦν ἐμνήσ-
θην, ὡς οἶμαι, τοῦ διηγήματος · διακείμενος γάρ, ὡς οὐκ ἂν
ἐβουλόμην (τὰς δὲ αἰτίας οὐδὲν δέομαι νῦν ἀκριβῶς
B   καταλέγειν τῶν ἀφ' οὗ γέγονα παρ' ὑμῖν καὶ μέχρι τοῦ νῦν
15 συμπεπτωκότων μοι λυπηρῶν), μηνύσαντος ἀθρόως μοί
45 P.   τινος περὶ τῶν γραμμάτων τῆς μονογενοῦς σου παιδεύσεως,
ἐπειδὴ τάχιστα τὴν ἐπιστολὴν ἐδεξάμην καὶ τοῖς γεγραμμέ-
νοις ἐπέδραμον, εὐθὺς μὲν τὴν ψυχὴν διετέθην ὡς ἐπὶ τοῖς
καλλίστοις ἐπὶ πάντων ἀνθρώπων ἀνακηρυσσόμενος · τοσού-
20 του τὴν σὴν μαρτυρίαν ἐτιμησάμην, ἣν διὰ τῆς ἐπιστολῆς
ἡμῖν κεχάρισαι · ἔπειτα δέ μοι καὶ ἡ τοῦ σώματος ἕξις εὐθὺς
πρὸς τὸ κρεῖττον μετεποιεῖτο, καί σοι τὸ ἴσον παράδοξον
καὶ αὐτὸς διήγημα δίδωμι, ὅτι τῆς αὐτῆς ἐπιστολῆς τὰ μὲν
ἀρρωστῶν τὰ δὲ καθαρῶς ὑγιαίνων ἐπέδραμον. **3.** Καὶ
25 ταῦτα μὲν εἰς τοσοῦτον · ἐπεὶ δέ μοι τῆς χάριτος ταύτης ὁ
C   υἱὸς Κυνήγιος ὑπόθεσις γέγονεν, οἷός <τ'> εἶ τῷ περιόντι τῆς
εἰς τὸ εὐεργετεῖν ἐξουσίας οὐχ ἡμᾶς μόνον ἀλλὰ καὶ τοὺς
εὐεργέτας ἡμῶν καλῶς ποιεῖν, εὐεργέτης δὲ ἡμῶν οὗτος,
καθὼς εἴρηται, τῶν παρὰ σοῦ γραμμάτων ἀφορμὴ γενόμενος
30 ἡμῖν καὶ ὑπόθεσις, καὶ διὰ τοῦτο εὖ παθεῖν ἄξιος.
4. Διδασκάλους δὲ τοὺς ἡμετέρους, εἰ μὲν ὧν τι δοκοῦμεν

FV

13 νῦν ἀκριβῶς F : ἀκριβῶς νῦν V ‖ 26 υἱὸς F : om. V ‖ τ' add.
Jaeger, Pasquali

---

1. Sur les ennuis de Grégoire après son voyage à Antioche, cf. la
Lettre 19, 10-18 et l'introduction, p. 26 s.

2. J. DANIÉLOU («Le mariage de Grégoire de Nysse et la chronologie de sa vie», *Rev. Et. Aug.* 2, 1956, p. 76) a proposé de voir dans ce
Cynégios un fils de Grégoire selon la chair. Rien ne permet de
confirmer cette hypothèse, Grégoire désignant pareillement comme
son fils un certain Alexandre (*Epist.* 8, 4), un certain Basile (*Epist.*
21, 2) ou l'évêque Létoios (*Ep. can.*, PG 45, 236 B), ce qui n'implique

l'excès du soulagement, ait transformé aussi l'état de son corps selon ses propres dispositions, soit autrement, je ne saurais le dire : je n'ai pas le loisir de réfléchir sur de tels sujets et celui qui me l'a rapporté n'a pas précisé la cause. **2.** Mais c'est bien à propos, je pense, que je me suis souvenu maintenant de ce récit. Je me trouvais en effet dans une situation où je n'aurais pas voulu être — il n'est pas nécessaire maintenant d'énumérer avec précision les raisons des ennuis qui me sont arrivés depuis que j'étais près de vous et jusqu'à présent[1] —, et quelqu'un tout à coup m'annonça une lettre de ton incomparable Culture. Dès que j'eus reçu la lettre et en eus parcouru le contenu, je me sentis aussitôt comme si j'avais été félicité devant tous les hommes pour les plus beaux exploits — tant j'ai attaché de prix au témoignage dont tu nous as gratifié par ta lettre. C'est ensuite l'état de mon corps également qui, aussitôt, a évolué vers le mieux, et moi aussi je peux te faire le même récit extraordinaire, car de la même lettre j'ai parcouru une partie en étant encore malade, une autre en étant tout à fait bien portant.

3. Mais c'est assez sur ce sujet. Puisque mon fils Cynégios[2] a été pour moi l'occasion de cette faveur, tu es capable, du fait de ton exceptionnelle propension à la bienveillance, de faire du bien non seulement à nous, mais aussi à nos bienfaiteurs ; or celui-ci est notre bienfaiteur, comme on l'a dit, puisqu'il a été pour nous la cause et l'occasion d'une lettre de ta part, et c'est pourquoi il mérite de recevoir une récompense.

4. Quant à nos maîtres, si tu cherches à savoir de qui nous paraissons avoir appris quelque chose, tu les trouve-

---

rien de plus qu'une paternité spirituelle, voire de simples relations de patronage. Cf. sur ce point les remarques de M. Aubineau, *Traité*, p. 76-77. Ce Cynégios n'est pas autrement connu, mais on en connaît un autre, un païen, qui fut étudiant de Libanios en 388-389 (cf. P. Petit, *Les étudiants de Libanius*, p. 57).

μεμαθηκέναι ζητοίης, Παῦλον εὑρήσεις καὶ Ἰωάννην καὶ
τοὺς λοιποὺς ἀποστόλους τε καὶ προφήτας, εἴ γε μὴ
τολμηρὸν ἡμῖν τὴν διδασκαλίαν οἰκειοῦσθαι τῶν τοιούτων
35 ἀνδρῶν · εἰ δὲ περὶ τῆς ὑμετέρας λέγοις σοφίας, ἣν οἱ κρίνειν
ἐπιστήμονές φασιν ἀπὸ σοῦ πηγάζουσαν ἐν μετοχῇ τοῖς
λοιποῖς γίνεσθαι πᾶσιν οἷς τινος καὶ μέτεστι λόγου (ταῦτα
1049 M.   γὰρ ἤκουσα πρὸς πάντας διεξιόντος τοῦ σοῦ μὲν μαθητοῦ,
πατρὸς δὲ ἐμοῦ καὶ διδασκάλου τοῦ θαυμαστοῦ Βασιλείου),
40 ἴσθι με μηδὲν ἔχειν λαμπρὸν ἐν τοῖς τῶν διδασκάλων
διηγήμασιν, ἐπ' ὀλίγον τῷ ἀδελφῷ συγγεγονότα καὶ τοσοῦτον παρὰ τῆς θείας γλώττης ἐκκαθαρθέντα, ὅσον ἐπιγνῶναι
μόνον τὴν ζημίαν τῶν ἀμυήτων τοῦ λόγου · ἔπειτα μέντοι
46 P.   τοῖς σοῖς, εἴ ποτε σχολὴν ἄγοιμι, κατὰ σπουδὴν πᾶσαν
45 ἐνδιατρίβοντα ἐραστὴν γενέσθαι τοῦ ὑμετέρου κάλλους,
<ἀπο>τυχεῖν δὲ μηδέπω τοῦ ἔρωτος. 5. Εἰ μὲν οὖν, ὥσπερ

FV

35 ἀνδρῶν · εἰ δὲ F : διηγημάτων οἷς V ‖ οἱ F : om. V ‖ 36-37 ἐν —
γίνεσθαι Pasquali : ἐν μετοχῇ τοῦ λοίπου γίνεσθαι V καὶ ἐν τοῖς λοιποῖς
γενέσθαι F ‖ 38 διεξιόντος F : διηγουμένου V ‖ 40 ἔχειν P : ἔχοντα V ‖
λαμπρὸν P : λυπρόν V ‖ περὶ ante τῶν διδασκ. add. Pasquali, del. Müller
(p. 89) ‖ 43 ζημίαν F : om. sp. rel. 4 litt. V ‖ 43-44 μέντοι τοῖς σοῖς F :
μέντοι γε καὶ τούτου V ‖ 46 ἀποτυχεῖν Müller (p. 86) : τυχεῖν FV ‖ ante
τυχεῖν add. καὶ V

1. Cf. Basile, *Epist.* 339 (III, p. 207) : il déclare à Libanios qu'il
fréquente « Moïse, Élie et les bienheureux qui leur ressemblent ».
2. Ce texte est le seul qui permette d'affirmer que Basile a bien été
l'élève de Libanios. Ce ne peut avoir été le cas que lors du deuxième
séjour que le rhéteur fit à Constantinople, entre 348 et 353, car Basile
a séjourné dans la ville impériale vers 348-349, avant d'aller s'établir
à Athènes (cf. Fedwick, « A Chronology of Basil », dans *Basil of
Caesarea*, p. 5). On sait qu'il existe une correspondance entre Basile et
Libanios, mais elle est d'authenticité très discutée. Laube (*De
litterarum Libanii et Basilii commercio*, Breslavia 1913) la juge
entièrement apocryphe (il va jusqu'à rejeter tout contact entre Basile
et Libanios, n'acceptant même pas ce témoignage de Grégoire).

ras en Paul et Jean et les autres apôtres et prophètes[1], si
toutefois ce n'est pas téméraire de notre part de nous
approprier l'enseignement de tels hommes. Mais si tu
parles de votre sagesse, dont les connaisseurs disent qu'elle
ruisselle de toi pour se communiquer à tous ceux qui ont
quelque part à l'éloquence — cela, je l'ai entendu de ton
disciple[2], mon père et mon maître[3], l'admirable Basile, qui
l'exposait à tous —, sache que pour ma part je n'ai rien de
remarquable à signaler dans l'énumération de mes maîtres.
Pendant peu de temps j'ai été l'élève de mon frère, et assez
dégrossi par sa divine parole pour pouvoir reconnaître le
dommage éprouvé par ceux qui n'ont pas été initiés à l'éloquence. Ensuite, passant mon temps à lire tes œuvres avec
grand zèle, quand j'en avais le loisir, je suis devenu amoureux de votre beauté et n'ai pas encore perdu cet amour[4].
5. Si donc, comme j'en juge moi-même, nos capaci-

L'éditeur des lettres de Libanios, Foerster (*Prolegomena*, IX, p. 198)
ne croit authentiques que les lettres 1603 (= Basile 358) et 647.
M. Bessières (*La tradition manuscrite de la correspondance de
S. Basile*, Oxford 1923, p. 165-174) distingue deux catégories de
lettres, les unes certainement inauthentiques, les autres peut-être
authentiques. Fedwick (*art. cit.*) admet l'authenticité de dix lettres :
Libanios 1580-1586, 1589, 1591, 1603 (= Basile 335-341, 344, 346,
348). Parmi ces lettres, l'une fait état d'une rencontre de Basile et de
Libanios à Constantinople, sans pourtant qu'on puisse en conclure
que le premier a été l'élève du second (*Epist.* 336, III, p. 203), l'autre
évoque un enseignement que Basile aurait reçu de Libanios (*Epist.*
339, p. 207).

3. Grégoire appelle plusieurs fois Basile son père (*De hom. op.*,
prol., *PG* 44, 125 B ; *Epist,* 29, 6) et son maître (*In Basil.*,
PG 46, 817 C ; *C. Eun.* I, 61, *GNO 1*, p. 43, 6 ; 81, p. 50, 14-15). Comme
l'a remarqué M. Aubineau, «l'enseignement de Basile dut être de
courte durée» (*Traité*, p. 55), quelques mois entre 355 et 358.

4. J'adopte ici la correction de Müller, qui seule donne un sens
vraiment satisfaisant à cette phrase. Ces affirmations de Grégoire
rappellent que dans son jeune âge il a abandonné le lectorat pour se
consacrer à la rhétorique.

αὐτὸς ἐγὼ κρίνω, τὰ καθ' ἡμᾶς ἐστιν οὐδέν, οὐδαμοῦ ὁ διδάσκαλος ἡμῶν · εἰ δὲ τὴν σὴν ὑπόληψιν, ἣν ἐφ' ἡμῖν ἔσχες, μὴ
ἀληθεύειν οὐ θέμις, ἀλλά τινες ἐν τῷ λόγῳ καὶ ὑμεῖς καὶ
50 ἡμεῖς οὐκ ἀπόβλητοι παρὰ σοί γε κριτῇ, δὸς τολμῆσαι σοὶ
B τῶν ἡμετέρων ἀναθεῖναι τὴν αἰτίαν. 6. Εἰ γὰρ Βασίλειος
μὲν τοῦ ἡμετέρου προστάτης λόγου, ἐκείνῳ δὲ ὁ πλοῦτος
ἐκ τῶν σῶν ἦν θησαυρῶν, τὰ σὰ κεκτήμεθα καὶ εἰ δι' ἑτέρων
ὑπεδεξάμεθα · εἰ δὲ ὀλίγα ταῦτα, ὀλίγον ἐν τοῖς ἀμφορεῦσι
55 τὸ ὕδωρ, ἀλλ' ἐκ τοῦ Νείλου ὅμως.

46 P.

XIV

Λιβανίῳ σοφιστῇ

C   1. Ἑορτὴν ἄγειν σύνηθες τοῖς Ῥωμαίοις περὶ τὴν
χειμέριον τροπὴν κατά τι πάτριον, ὅτε τοῦ ἡλίου πρὸς τὴν
ἄνω χώραν ἀναποδίζοντος, πλεονάζειν ἄρχεται τὸ ἡμερήσιον
μέτρον · ἱερὰ δὲ νενόμισται τοῦ μηνὸς ἡ ἀρχή, καὶ διὰ
5 ταύτης τῆς ἡμέρας τὸ πᾶν ἔτος οἰωνιζόμενοι δεξιάς τινας

FV

   47 οὐδέν, οὐδαμοῦ ὁ Pasquali : οὐδαμοῦ, ὁ V οὐδέν, ὅδε ὁ F ‖ 49 ἀλλά
τινες F : ἀλλ' ἀληθεῖς τινες V ‖ καὶ ὑμεῖς codd. : del. Pasquali ‖ 51
ἡμετέρων F : τοιούτων V ‖ τὴν αἰτίαν ἀναθεῖναι (sed β ante τὴν et α ante
ἀναθ. sup. l.) V ‖ 55 τοῦ om. F ‖ ὅμως om. F

FV

   Titulus : τοῦ αὐτοῦ λιβανίῳ σοφιστῇ F om. V

tés sont nulles[1], nulle part nous n'avons un maître. Pourtant, puisqu'il n'est pas permis de croire que l'opinion que tu t'es faite de nous n'est pas vraie, mais que vous êtes des experts en éloquence quand nous aussi ne sommes pas méprisables en cela[2], à ton jugement du moins, accepte que nous osions t'attribuer l'origine de nos capacités. **6.** Car si c'est Basile qui nous a initiés à l'éloquence, sa richesse venait de tes trésors ; nous nous sommes procuré de tes biens, même si nous les avons reçus par d'autres. Si c'est peu de chose, c'est peu de chose aussi que l'eau dans les amphores, mais elle n'en vient pas moins du Nil[3].

Lettre 14

Au sophiste Libanios

1. C'est une habitude chez les Romains, selon une règle ancestrale, de célébrer une fête du solstice d'hiver, au moment où le soleil remonte vers la région supérieure et où la mesure du jour commence à croître. Le commencement de ce mois est tenu pour sacré, et comme ils augurent de ce jour ce que sera toute l'année, ils s'adonnent à des visites,

---

1. Feintes protestations d'incompétence. Comparer avec celles de GRÉGOIRE DE NAZIANZE, *Epist.* 3, 2 : « L'éloquence chez nous n'est pas grand chose ! » (I, p. 2).

2. Bien que la phrase soit un peu lourde, je garde le καὶ ὑμεῖς des manuscrits supprimé par Pasquali, qui peut se justifier par la fin de la phrase : vous êtes des experts en éloquence et nous ne sommes pas sans quelque talent, or ce talent vient de vous.

3. L'eau du Nil était réputée avoir des vertus médicinales : « Il y a peu de fleuves qui lui soient comparables sous le rapport de la bonté de l'eau » (ORIBASE, *Coll. med.*, V, 3 : *De l'eau* [tiré de Rufus], p. 329 Bussemaker-Daremberg I). La phrase de Grégoire a des allures de proverbe.

συντυχίας καὶ εὐφροσύνας καὶ πόρους ἐπιτηδεύουσι. **2.** Τί
βουλόμενος ἐντεῦθεν τοῦ γράμματος ἄρχομαι ; ὅτι καὶ αὐτὸς
διήγαγον τὴν ἑορτὴν ταύτην παραπλησίως ἐκείνοις χρυσο-
φορήσας · ἦλθε γὰρ τότε καὶ εἰς τὰς ἐμὰς χεῖρας χρυσός,
10 οὗ τοι κατὰ τὸν πάνδημον τοῦτον χρυσόν, ὃν ἀγαπῶσιν οἱ
ἄρχοντες καὶ δωροφοροῦσιν οἱ ἔχοντες, τὸ βαρὺ καὶ αἰσχρὸν
καὶ ἄψυχον κτῆμα, ἀλλ᾽ ὃ παντὸς πλούτου τοῖς γε νοῦν
1052 M. ἔχουσιν ὑψηλότερόν ἐστι, τὸ κάλλιστον ὄντως δεξίωμα κατὰ
47 P. Πίνδαρον, τὰ σὰ φημὶ γράμματα καὶ ὁ πολὺς ἐν ἐκείνοις
15 πλοῦτος. **3.** Οὕτω γὰρ συνέβη κατὰ τὴν ἡμέραν ἐκείνην
ἐπιφοιτήσαντά με τῇ μητροπόλει τῶν Καππαδοκῶν ἐντυχεῖν
τινι τῶν ἐπιτηδείων, ὅς μοι τὸ δῶρον τοῦτο, τὴν ἐπιστολήν,
οἷόν τι σύμβολον ἑορτῆς προετείνατο. **4.** Ἐγὼ δὲ περιχαρὴς
τῇ συντυχίᾳ γενόμενος κοινὸν προύθηκα τοῖς παροῦσι τὸ

FV

6 πόρους codd. : πότους Pasquali ‖ 16 ἐπιφοιτήσαντα F : προσφοι-
τήσαντα V ‖ τῶν codd. : om. Pasquali ‖ 18 προετείνατο V : προετεί-
νετο F

1. PASQUALI (*Le lettere*, p. 106-108) fait remarquer que ce n'est pas
par hasard que Grégoire commence sa lettre par une description de la
fête des calendes de janvier. C'est un thème que Libanios a traité par
deux fois, dans un discours aux jeunes gens (*Or.* IX, p. 393 Förster I)
et dans une *ecphrasis* (VIII, p. 472-477 ; traduction française de
J. MARTIN, *Libanios, Discours II-IX*, p. 200-202). Or Grégoire, pense-
t-il, avait lu ces textes, ou du moins l'un des deux ; en adoptant le
même thème, il cherchait à honorer son correspondant. Cela n'a rien
d'impossible, d'autant que les discours de Libanios peuvent avoir été
composés à une période antérieure à celle de la lettre. On peut noter
toutefois qu'il n'y a aucun parallèle textuel et que Grégoire a enrichi
le thème en lui ajoutant l'idée du bon augure que présentent les
actions de cette journée. On peut aussi se demander si le fait que
Grégoire se soit inspiré de Libanios autorise à transformer le πόρους
des deux manuscrits en πότους, comme le fait Pasquali (même si ce
dernier terme se trouve dans l'*Or.* IX, 6). Πόρους en effet s'accorde
bien avec ce qui suit, car en recevant ce jour-là une lettre de Libanios,

des réjouissances et des acquisitions de bon augure[1].
2. Qu'est-ce que je veux dire en commençant ainsi ma
lettre ? C'est que moi aussi j'ai passé cette fête à peu près
de la même façon que ceux-là, en ayant de l'or sur moi.
Car à ce moment-là, de l'or vint aussi dans mes mains, non
certes cet or vulgaire qu'aiment les gouvernants et
qu'offrent en présent les possédants, cette chose pesante,
honteuse et sans vie, mais ce qui, pour ceux du moins qui
sont doués de quelque intelligence, est plus élevé que toute
richesse, ce qui est en vérité le plus beau cadeau selon
Pindare[2], je veux dire ta lettre et la grande richesse qui est
en elle. **3.** Il s'est trouvé en effet que ce jour-là, alors que
j'étais en visite dans la métropole de la Cappadoce[3], je
rencontrai un de mes familiers qui m'offrit ce don, la
lettre, comme un signe de fête[4]. **4.** Pour moi, tout joyeux
de cet événement, j'ai fait de mon acquisition un bien

Grégoire a fait une acquisition (πόρος) de très bon augure pour l'année
qui vient. J'ai donc préféré garder le texte des manuscrits. A l'opposé
de l'attitude de Grégoire, relevons celle d'Astérius d'Amasée, dont
une homélie critique sous tous ses aspects cette fête païenne (*Hom.* 4,
p. 39-43 Datema).

2. La citation de Grégoire se rapproche en fait d'un texte
d'Euripide (fr. 324 Nauck). Libanios aura-t-il souri de pitié de l'erreur
de Grégoire, comme le suppose Pasquali (*Le lettere*, p. 108)? Ces
erreurs d'attribution ne sont pas rares chez les Anciens, qui ne
disposaient pas d'une bibliothèque pour vérifier leurs allusions. Rares
sont d'ailleurs, même chez Libanios, les citations explicites de
Pindare (Foerster en relève 4 dans son index, tome XII).

3. Grégoire se trouve donc à Césarée. J. Daniélou suppose que
c'est ce jour-là qu'il a prononcé le panégyrique de son frère Basile, et
il entend même fixer « de façon sûre » cette prédication au 1er janvier
381 (*Chronologie des sermons*, p. 352-353). On peut pourtant en douter,
car rien ne prouve qu'il ait prêché cet éloge à Césarée : un passage du
texte semble même prouver le contraire (cf. Maraval, *La date de la
mort de Basile*, p. 26, n. 6).

4. Le thème de la lettre dont la réception est une fête est un topos
de l'épistolographie dont on trouve précisément de nombreux
exemples chez Libanios (cf. Thraede, *Brieftopik*, p. 154).

20 κέρδος, καὶ πάντες μετεῖχον τὸ ὅλον ἕκαστος ἔχειν
φιλονεικοῦντες, καὶ οὐκ ἠλαττούμην ἐγώ · διεξιοῦσα γὰρ τὰς
πάντων χεῖρας ἡ ἐπιστολὴ ἴδιος ἑκάστου πλοῦτος ἐγίνετο,
τῶν μὲν τῇ μνήμῃ διὰ τῆς συνεχοῦς ἀναγνώσεως τῶν δὲ
δέλτοις ἐναπομαξαμένων τὰ ῥήματα, καὶ πάλιν ἐν ταῖς ἐμαῖς
25 ἦν χερσί, πλέον εὐφραίνουσα ἢ τοὺς ὀφθαλμοὺς τῶν
B φιλοχρύσων ἡ ὕλη. 5. Ἐπειδὴ τοίνυν καὶ τοῖς γεωργοῖς
(χρήσομαι γὰρ ἐκ τῶν οἰκείων τῷ ὑποδείγματι) πολλὴν
δίδωσι πρὸς τοὺς δευτέρους τῶν πόνων τὴν προθυμίαν τὸ
τῶν πονηθέντων ἀπόνασθαι, σύγγνωθι καὶ ἡμῖν ἅπερ αὐτὸς
30 δέδωκας καταβαλλομένοις καὶ διὰ τοῦτο γράφουσιν, ἵνα σε
πάλιν πρὸς τὸ γράφειν ἐκκαλεσώμεθα.

6. Αἰτοῦμαι δὲ χάριν ὑπὲρ τοῦ βίου κοινήν, ὅσα
δι' αἰνίγματος ἡμῖν τὰ τελευταῖα τῆς ἐπιστολῆς ὑπηπεί-
λησας, μηκέτι διανοεῖσθαι · οὐδὲ γὰρ καλῶς ἔχειν φημὶ
35 κρίσεως, εἴ τινες ἁμαρτάνουσι πρὸς τὴν βάρβαρον γλῶσσαν
ἀπὸ τῆς Ἑλληνίδος αὐτομολοῦντες καὶ μισθοφόροι στρατιῶ-
ται γινόμενοι καὶ τὸ στρατιωτικὸν σιτηρέσιον ἀντὶ τῆς ἐν
τῷ λέγειν δόξης αἱρούμενοι, διὰ τοῦτό σε καταδικάζειν τῶν
39 λόγων καὶ ἀφωνίαν τοῦ βίου καταψηφίζεσθαι · τίς γὰρ ὁ

FV

20 ἔχειν F : οὐ V ‖ 22 ἐγίνετο F : ἐστι V ‖ 23 τῇ μνήμῃ V : τὴν μνήμην
F ‖ 24 ἐναπομαξαμένων V : ἐναπογραφομένων F ‖ 26 φιλοχρύσων F :
πολυχρύσων V Pasquali ‖ 29 ἀπόνασθαι F : ἀπόκροτον V ‖ 31
ἐκκαλεσώμεθα V : ἐκκαλέσωμεν F ‖ 33 ἡμῖν F : ἡμῶν V ‖ 35 εἰ F : om. V
‖ 37 γινόμενοι F : γενόμενοι V

1. On rencontre un récit un peu semblable dans une des lettres
données comme de Libanios à Basile : cf. Epist., Bas. 338 (III, p. 205-
206) : un groupe de lettrés se passe de main en main la lettre reçue par
le récipiendaire.
2. Le latin, à cette époque, ne conduit pas qu'aux carrières
militaires, comme semble le dire Grégoire, reprenant le thème
polémique souvent développé à l'époque qui assimile le fonctionnaire
à un soldat, mais aussi et surtout aux carrières administratives :
« Regarde cet autre. Il a appris le latin, il brille à la cour, il y dirige

commun pour ceux qui étaient présents[1] ; tous y avaient part, chacun rivalisant pour avoir le tout, cependant que moi-même n'en étais pas lésé. Car en passant par les mains de tous, la lettre devenait la richesse propre de chacun — les uns gravaient son texte dans leur mémoire, par une lecture répétée, les autres sur des tablettes —, et en revenant à nouveau dans mes mains, elle me réjouissait davantage que le métal ne réjouit les yeux de ceux qui aiment beaucoup l'or. **5.** Ainsi donc, puisque, pour les cultivateurs aussi — je vais me servir d'un exemple tiré de ce qui m'est familier —, profiter du fruit de leurs fatigues passées donne une grande ardeur pour d'autres fatigues, pardonne-nous si nous aussi, après avoir répandu comme une semence ce que tu nous as donné, nous t'écrivons encore pour te provoquer à écrire à nouveau.

6. Je te demande d'autre part, au nom des vivants, une faveur commune : de ne plus penser à ce dont tu nous as menacé par énigme à la fin de ta lettre. Je dis que ce n'est pas une bonne décision de ta part, si certains font une faute en désertant le grec pour adopter la langue barbare, devenant des soldats mercenaires et préférant la solde militaire à la gloire du bien-parler[2], de condamner pour autant l'éloquence et de décréter que la vie sera sans parole. Qui fera entendre un son si toi-même mets à

___

toutes les affaires intérieures » (JEAN CHRYSOSTOME, *Adv. oppugn. vitae monast.*, III, 5, *PG* 47, 357). Cf. G. DAGRON, « Aux origines de la culture byzantine : langue de culture et langue d'État », *Revue Historique* 241, 1969, p. 23-56. Libanios se plaint à plusieurs reprises parce que les jeunes gens quittent les écoles des sophistes pour aller apprendre le droit à Beyrouth (l'étude du droit impliquant celle du latin) ou le latin à Rome : « On fuyait la langue des Hellènes et on s'embarquait pour l'Italie, afin d'y apprendre à parler comme ces gens-là » (*Autobiogr.*, 214, p. 179 Martin-Petit ; cf. aussi 234 et 235, p. 186 et 193 ; *Or.* II, 44 Martin). Cf. aussi sur ce thème P. WOLF, « Libanius und sein Kampf um die hellenische Bildung », *Museum Helveticum* 11, 1954, p. 241.

C
48 P.
φθεγγόμενος, εἰ σὺ τὴν βαρεῖαν ταύτην ἀπειλὴν κατὰ τῶν
λόγων κυρώσειας ; **7.** Ἀλλὰ καλῶς ἔχει τάχα μνημονεῦσαί
τινος τῶν ἐκ τῆς ἡμετέρας Γραφῆς · κελεύει γὰρ ὁ ἡμέτερος
λόγος τοὺς δυναμένους εὖ τι ποιεῖν μὴ πρὸς τὰς γνώμας τῶν
εὐεργετουμένων βλέπειν, ὡς φιλοτιμεῖσθαι μὲν τοῖς εὐαισθή-
45 τοις, ἀποκλείειν δὲ τοῖς ἀχαρίστοις τὴν εὐποιίαν, ἀλλὰ
μιμεῖσθαι τὸν τοῦ παντὸς οἰκονόμον, ὃς κοινὴν προτίθησι
τῶν ἐν τῇ κτίσει καλῶν τὴν μετουσίαν ἀγαθοῖς τε καὶ μὴ
τοιούτοις[a]. **8.** Πρὸς ταῦτα βλέπων, ὦ θαυμάσιε, δὸς ἀεὶ
49 τοιοῦτον τῷ βίῳ σαυτόν, οἷον ὁ παρελθὼν ἔδειξε χρόνος · οὐ
1053 M.
γὰρ τὸν ἥλιον οἱ μὴ βλέποντες κωλύουσιν ἥλιον εἶναι ·
οὐκοῦν οὐδὲ τὴν ἀκτῖνα τῶν σῶν λόγων ἀμαυροῦσθαι καλῶς
ἔχει διὰ τοὺς μεμυκότας τὰ τῆς ψυχῆς αἰσθητήρια.
9. Τὸν δὲ Κυνήγιον εὔχομαι μὲν ὡς μάλιστα μὲν πόρρω
τῆς κοινῆς εἶναι νόσου, ἣ νῦν τοὺς νέους κατείληφε,
55 προσέχειν δὲ κατὰ τὸ ἑκούσιον τῇ περὶ τοὺς λόγους σπουδῇ ·
εἰ δὲ ἄλλως ἔχοι, δίκαιόν ἐστι καὶ μὴ βουλόμενον αὐτὸν
ἐκβιάζεσθαι, ἐφ᾽ ᾧ νῦν ὄντως οἱ πρὸ τούτου τῶν λόγων
ἀποστατήσαντες ἐλεεινοί τινές εἰσιν ὑπ᾽ αἰσχύνης καταδυό-
μενοι.

FV

43 ποιεῖν F om. sp. rel. V ‖ 47 μετουσίαν F : μετάνοιαν V ‖ 49 οἷον
codd. : οἷος falso Pasquali οἷόν σε Müller (p. 89) ‖ 53 ὡς Jaeger : ὥστε
codd. ‖ 55 ἑκούσιον F : ἀκούσιον V ‖ περὶ V : πρὸς F ‖ 57 ἐφ᾽ ᾧ
Caraccioli : ἐν ᾧ codd. lacunam ante ἐν ᾧ suspic. Pasquali ‖ ὄντως
Caraccioli : ὄντες codd.

a. Cf. Matth. 5, 43-45

1. J'ai gardé à dessein le terme grec dans la traduction, car il peut
prendre bien des valeurs (doctrine, parole, discours), et d'autre part
rappeler un titre du Christ très apprécié des chrétiens dans leur
dialogue avec les païens. On remarquera que Grégoire, tout en se
référant à l'Écriture, ne la cite pas *verbatim*, mais transforme le
parallèle biblique en une formule antithétique plus littéraire (cf.
KLOCK, *Untersuchungen zu Stil*, p. 94).
2. Ce texte montre bien que Cynégios fait partie des élèves de
Libanios et que Grégoire s'intéresse à son éducation.

exécution cette terrible menace contre l'éloquence?
7. Mais peut-être est-il bon de rappeler un des passages de
notre Écriture : notre *logos*[1] prescrit en effet à ceux qui
peuvent faire du bien de ne pas regarder les dispositions de
ceux à qui ils dispensent des bienfaits — ainsi d'être
généreux avec ceux qui ont de bons sentiments et de
retirer leur bienveillance aux ingrats —, mais d'imiter le
dispensateur de toutes choses, qui rend commune la
participation des biens de la création aux bons et à ceux
qui ne le sont pas[a]. **8.** En considérant cela, admirable ami,
continue de t'adonner toi-même à un mode de vie tel que
l'a montré le passé. Ceux qui ne voient pas le soleil
n'empêchent pas le soleil d'exister : aussi bien ne serait-il
pas bon non plus que disparaisse l'éclat de ton éloquence à
cause de ceux qui ont fermé les sens de leur âme.

9. Je fais des vœux pour que Cynégios reste le plus
possible éloigné de la maladie commune qui a maintenant
saisi les jeunes, et qu'il s'adonne de bon gré à l'étude zélée
de l'éloquence[2]. S'il en était autrement, il serait juste de
l'y contraindre[3], même contre son gré, parce qu'aujour-
d'hui, en réalité[4], ceux qui ont abandonné l'éloquence
avant lui sont des malheureux couverts de honte.

---

3. Cette contrainte, on le sait, pouvait aller jusqu'aux châtiments
corporels, que Libanios utilisait à l'occasion, bien que sur le tard il se
soit déclaré partisan de la persuasion plutôt que des coups. Sur le
comportement de Libanios avec ses élèves, cf. A. J. Festugière,
*Antioche païenne et chrétienne. Libanios, Chrysostome et les moines de
Syrie*, Paris 1959, p. 111-113, ou la note de J. Martin, *Libanios,
Discours II-IX*, p. 254-255.

4. J'ai adopté ici la correction de Carracioli, qui donne au texte un
sens à peu près satisfaisant. S'il faut garder le texte des manuscrits,
on supposera une lacune, comme le fait Pasquali ; celui-ci rapporte
aussi, quoique sans prendre parti, l'opinion de Wilamowitz selon
laquelle, après la lacune, Grégoire ferait allusion à une prison pour
étudiants indisciplinés, dans laquelle (ἐν ᾧ) se trouvent, couverts de
honte, ceux qui ont abandonné l'éloquence.

XV

Ἰωάννῃ καὶ Μαξιμιανῷ

B   **1.** Καὶ τῶν ἄλλων ἁπάντων μικροῦ δεῖν, ὅσα ποιεῖ τοὺς
κεκτημένους εὐδαίμονας, πένητες οἱ Καππαδόκαι ἡμεῖς,
πλέον δὲ πάντων πένητες τῶν γράφειν δυναμένων. **2.** Τοῦτό
4 τοι καὶ τῆς πολλῆς τοῦ λόγου βραδυτῆτος αἴτιον· πρὸ
49 P. πλείονος γάρ μοι χρόνου πεπονημένης τῆς πρὸς τὴν αἵρεσιν
ἀντιρρήσεως, ὁ μεταγράφων οὐκ ἦν, καὶ τῶν ὑπογραφέων
ἡ ἀπορία ῥαθυμίας ἡμῖν κατὰ τὸ εἰκὸς ἢ τῆς περὶ τὸν λόγον
ἀσθενείας προσετρίψατο ἂν ὑπόνοιαν. **3.** Ἀλλ' ἐπειδὴ νῦν
γοῦν κατὰ θεοῦ χάριν ὅ τε γράφων καὶ ὁ δοκιμάζων τὰ
10 γεγραμμένα εὑρέθησαν, ἀπέσταλκα ὑμῖν οὐ, καθώς φησιν
ὁ Ἰσοκράτης, δῶρον τὸν λόγον (οὐδὲ γάρ τι τοιοῦτον ἐν
τούτῳ λογίζομαι, ὡς ἀντὶ κτήματος τῷ δεξομένῳ γενέσθαι),
ἀλλ' ὡς ἂν γένοιτο ὑμῖν προτροπή, ὥστε σφριγῶντας τῇ
14 ἀκμῇ τῆς νεότητος καταθαρσῆσαι τῆς πρὸς τοὺς ἐναντίους

FV

Titulus : τοῦ αὐτοῦ ἰῶ καὶ μαξιμιανῷ F om. V

6 καὶ τῶν ὑπο F : om. sp. rel. V ‖ 8 τρίψατο ἂν ὑπόνοιαν F om. sp. rel.
V ‖ 10 εὑρέθησαν F : om. sp. rel. V ‖ 11 δῶρον F : εὗρον V ‖ τι F : om. V
‖ 11-12 τοιοῦτον ἐν τούτῳ F : τοι et om. reliqua sp. rel. V ‖ 13 ὑμῖν F :
ἡμῖν V ‖ προτροπὴ ὥστε F : om. sp. rel. V

---

1. Ces deux destinataires, inconnus par ailleurs, sont vraisemblablement des étudiants de Libanios, qui est le sophiste auquel Grégoire
demande que l'on montre une de ses œuvres. Ils sont absents des
listes établies par P. PETIT, *Les étudiants de Libanius*, Paris 1957.
Jean pourrait être le destinataire de l'*Epist.* 1576 de Libanios (XI,
p. 570).

Lettre 15

A Jean et à Maximianos[1]

1. De tous les autres biens, ou peu s'en faut, qui rendent heureux ceux qui les possèdent, nous Cappadociens sommes dépourvus, mais par-dessus tout nous sommes dépourvus de gens qui sachent écrire[2]. **2.** C'est cela qui est la cause du long retard de mon ouvrage, car alors que depuis longtemps j'étais venu à bout de la réfutation de l'hérésie[3], je n'avais pas de copiste, et le manque de scribes aurait pu à juste titre laisser soupçonner de notre part négligence ou incompétence sur le sujet. **3.** Mais puisque maintenant enfin, par grâce de Dieu, ont été trouvés et le scribe et le réviseur du texte écrit[4], je vous ai envoyé l'ouvrage, non, comme le dit Isocrate, en don[5] — car je ne pense pas qu'il y ait en lui de telles qualités que son destinataire le tienne pour un objet de prix —, mais afin qu'il soit pour vous un encouragement, pendant que vous êtes dans toute la vigueur de la jeunesse, à engager hardiment la lutte contre les adversaires, en réveillant

2. Même absence de scribe auprès de Basile. Cf. *Epist.* 134 (II, p. 48) et 135,2 : «C'est à une telle indigence qu'en est arrivé le sort enviable des Cappadociens!» (p. 51).

3. Il s'agit de l'hérésie d'Eunome, et l'ouvrage auquel la lettre fait allusion doit être le premier livre (ou les deux premiers livres) du *Contre Eunome.* Cf. *Lettre* 29,2.

4. S'agit-il d'un tachygraphe, qui prend rapidement le texte en dictée, et d'un calligraphe, qui le met au net (cf. BASILE, *Epist.*134 et R. DEVREESSE, *Introduction à l'étude des manuscrits grecs*, Paris 1954, p. 36-37)?

5. Cf. ISOCRATE, *A Demonicos*, 2 (p. 123 Mathieu-Brémond).

1056 M. μάχης, ἐν τῇ τοῦ γέροντος προθυμίᾳ τὸ τῆς νεότητος
εὐθαρσὲς ἀνεγείροντας. **4.** Εἰ δὲ φανείη τι τῶν ἐκ τοῦ λόγου
καὶ τῆς ἀκοῆς τοῦ σοφιστοῦ ἄξιον, δοκιμάσαντες μέρη τινά,
τὰ πρὸ τῶν ἀγώνων μάλιστα, ὅσα τῆς λεκτικῆς ἐστιν ἰδέας,
ἀνενέγκατε· ἴσως δέ τινα καὶ τῶν δογματικῶν φανήσεται
20 ὑμῖν οὐκ ἀχαρίστως ἡρμηνευμένα. Ἅπερ δ' ἀναγινώσκοιτε,
δῆλον ὅτι ὡς διδασκάλῳ καὶ διορθωτῇ ἀναγνώσεσθε.

49 P.

XVI

Στρατηγίῳ

B   **1.** Οἷόν τι ποιοῦσιν οἱ τῇ σφαίρᾳ παίζοντες, ὅταν τριχῇ
διαστάντες ἀντιπέμπωσιν ἀλλήλοις ἐν εὐστοχίᾳ τὴν βολὴν

FV

15 γέροντος προθυμίᾳ F : om. sp. rel. V ‖ 17 ἀκοῆς τοῦ σοφιστοῦ F :
om. sp. rel. V ‖ ἄξιον FV : ἄξια falso Pasquali ‖ 18 λεκτικῆς Müller
(p. 85) : ἐπιλεκτῆς F ἐπιλεκτικῆς Pasquali ἐπιλεκτῆς ἐστιν om. sp. rel. V
‖ 19 ἀνενέγκατε F : ἀνενέγκατο V ‖ 20 ἡρμηνευμένα F : om. sp. rel. V ‖
ἀναγινώσκοιτε Pasquali ἂν γινώσκοιτε codd. ‖ 21 δῆλον ὅτι F : δηλονότι
V

FV

Titulus : τοῦ αὐτοῦ στρατηγίῳ F : om. V nulla separatione cum ep.
15 constituta
2 ἀλλήλοις F : om. sp. rel. V

---

1. Pasquali, *apparat*, corrige le ἐπιλεκτῆς du seul manuscrit F (il y
a une lacune en V) en ἐπιλεκτικῆς : Grégoire demanderait que l'on
montre au sophiste les passages où il fait preuve de son habileté à
polémiquer, ceux du genre de l'invective. Mais outre le fait que
ἐπιλεκτικός n'est pas attesté ailleurs, on peut se demander pourquoi
Grégoire désirerait se limiter à ce seul aspect de son style. F. Müller
propose de lire λεκτικῆς, ce qui me semble une correction meilleure. Il
cite pour la justifier plusieurs textes — de Platon, *Pol.* 304 D, de
Denys d'Halicarnasse, *De comp. verb.*, 1,3, p. 7 Rad — qui
distinguent dans un texte rhétorique le fond et la forme et appliquent
le terme λεκτικός à celle-ci. Grégoire souhaite qu'on montre au

l'audace de la jeunesse grâce à l'ardeur d'un vieillard. **4.** Et si quelque partie de cet ouvrage paraît être digne également de l'oreille du sophiste, choisissez-en des passages, surtout parmi ceux qui précèdent les débats, ceux qui sont d'un beau style[1], et apportez-les lui. Peut-être également quelques passages des parties dogmatiques vous paraîtront-ils exprimés d'une manière qui n'est pas dénuée de grâce. Mais ce que vous lirez, il est clair que vous le lirez comme à un maître et un expert.

Lettre 16

A Stratégios[2]

1. Comme font ceux qui jouent à la balle[3], lorsque, disposés en triangle, ils se la renvoient mutuellement en

sophiste les passages dont la forme est particulièrement soignée, tout en n'excluant pas qu'on lui montre aussi ceux qui touchent au fond, les parties dogmatiques.

2. Trois lettres de Basile mentionnent un personnage du même nom, un prêtre qui lui a apporté des lettres de l'évêque d'Aigai et en a emporté une à un autre correspondant (*Epist.* 244, 245, 250, III, p. 73, 84 et 87); il semble faire partie de son clergé. Un autre Stratégios est le destinataire d'une lettre de Grégoire de Nazianze, mais il semble habiter Constantinople (*Epist.* 169). On ne peut dire si le correspondant de Grégoire est l'un des deux, ni quelle est sa condition. On pense toutefois à un clerc, vu le ton et les allusions. Il est vraisemblable, comme l'a supposé F. MÜLLER (*Der zwanzigste Brief*, p. 89-90), que la lettre de Grégoire est la réponse à une lettre de Stratégios dans laquelle celui-ci exposait ses difficultés. Grégoire lui répond en évoquant celles dans lesquelles il se trouve lui aussi.

3. Sur les jeux de balle des anciens, très prisés par eux, cf. *PW* 2, 2832-2834 (*s.v.* «Ballspiel»); *DS* IV, 477 (*s.v.* «Pilae»). Grégoire évoque ici une partie de balle à trois (τρίγωνον), où les joueurs, postés chacun au sommet d'un triangle, s'envoyaient et se renvoyaient des balles les uns aux autres sans s'avertir.

ἄλλος παρ' ἄλλου διαδεχόμενοι (διαπαίζουσι δὲ τὸν ἐν τῷ
50 P. μέσῳ πρὸς αὐτὴν ἀναπηδῶντα, τῇ ἐσχηματισμένῃ τοῦ
5 προσώπου ὁρμῇ καὶ τῇ ποιᾷ τῆς χειρὸς ἐνδείξει κατὰ τὸ
δεξιὸν ἢ εὐώνυμον τὴν βολὴν προδείξαντες, ἐφ' ὅπερ <δ'> ἂν
ἴδωσιν αὐτὸν ὁρμῶντα, κατὰ τὸ ἐναντίον ἀποπεμπόμενοι
καὶ τὴν ἐλπίδα δι' ἀπάτης ἐψεύσαντο), τοιαῦτα κατώρθωται
καὶ νῦν παρὰ τοῖς πολλοῖς ἡμῶν, οἳ τὸ σπουδάζειν ἀφέντες,
10 ἐν εὐφυΐᾳ τοὺς ἀνθρώπους σφαιρίζομεν, ἀντὶ τῆς δεξιᾶς
ἐλπίδος, ἣν προϊσχόμεθα, τῇ σκαιότητι τῶν γινομένων τὰς
ψυχὰς τῶν ἐπελπιζόντων ἡμῖν παρακρουόμενοι. 2. Γράμματα καταλλακτήρια, φιλοφροσύναι, σύμβολα, δῶρα,
C ἀγαπητικαὶ διὰ γραμμάτων περιπλοκαί, ταῦτά ἐστι τῆς
15 σφαίρας ἡ ἔνδειξις ἡ κατὰ τὸ δεξιὸν προδεικνυμένη ·
ἀλλ' ἀντὶ τῆς ἐλπισθείσης διὰ τούτων εὐφροσύνης κατηγο-
ρίαι, συσκευαί, διαβολαί, μέμψεις, ἐγκλήματα, μονομερῶν
ἀποφάσεων ὑφαρπαγαί. Μακάριοι τῶν ἐλπίδων ὑμεῖς οἱ διὰ
τῶν τοιούτων τὴν πρὸς τὸν θεὸν παρρησίαν πραγματευόμε-
20 νοι. 3. Ἀλλὰ παρακαλοῦμεν ὑμᾶς μὴ πρὸς τὰ ἡμέτερα
βλέπειν, ἀλλὰ πρὸς τὴν δεσποτικὴν τοῦ εὐαγγελίου διδασκαλίαν (τίς γὰρ ἑτέρῳ τῶν ὀδυνῶν παραμυθία γένοιτο ἂν ἄλλος
αὐτὸς ταῖς ὀδύναις ὑπερβαλλόμενος ;), ὡς ἂν τὴν ἰδίαν

FV

3 ἄλλος F : ἄλλο V ‖ 4 πρὸς αὐτὴν F : om. sp. rel. V ‖ 5 κατὰ τὸ F :
om. sp. rel. V ‖ 6 δ' add. Pasquali ‖ 7 κατὰ τὸ ἐναντίον F : om. sp. rel. V
‖ 9 ἡμῶν F : om. sp. rel. V ‖ 11 προϊσχόμεθα F : om. sp. rel. V ‖ 12
ἐπελπιζόντων ego (vide l. 26) : ἐλπιζόντων FV ἐφελπιζόντων Jaeger ἐφ'
post ἐλπιζ. add. Pasquali ‖ 14 περιπλοκαὶ F : -κὴ V ‖ 16 τούτων F : τῆς
V ‖ 18 διὰ codd. : δίχα Müller (p. 90) ‖ 19 τὸν F : om. V ‖ 22 ante ἑτέρῳ
add. ἄν V Pasquali : om. F ‖ ἂν ἄλλος del. Pasquali ‖ 23 αὐτὸς
Pasquali : αὐτῶν codd. αὐτὸν Zaccagni ‖ ὡς δ' ἂν codd. δ' del.
Wilamowitz

1. J'ai essayé de rendre dans la traduction le jeu de mots de
Grégoire : σκαιός désigne ce qui est de mauvais augure, funeste,
sinistre — placé à gauche, opposé à l'espérance favorable, droite.

faisant se succéder adroitement les passes de l'un à l'autre
— ils feintent celui qui, au milieu, s'élance vers elle ; ils
font mine, par le mouvement que fait leur personne ou un
geste de la main, de la jeter vers la droite ou vers la
gauche, dans la direction où ils le voient s'élancer, puis ils
l'envoient dans la direction opposée et trompent son
attente par cette ruse —, ainsi se conduisent aussi
maintenant la plupart d'entre nous : ayant abandonné le
sérieux, nous jouons à la balle d'habile manière avec les
hommes, trompant les âmes de ceux qui espèrent en nous
par des actions gauchies[1], au rebours de la droite espérance
que nous leur promettons. **2.** Lettres de réconciliation,
sentiments d'amitié, signes de reconnaissance, cadeaux,
affectueux embrassements par lettre, voilà l'indication
trompeuse que la balle ira vers la droite ; mais au lieu de la
bienveillance attendue, ce sont des accusations, des
suspicions, des calomnies, des reproches, des griefs, des
déclarations partiales et trompeuses[2]. Heureux êtes-vous
d'espérer, vous qui dans de telles circonstances vous
exercez à garder la pleine assurance devant Dieu[3].
3. Pourtant nous vous exhortons à ne pas considérer notre
situation, mais l'enseignement magistral de l'Évangile —
qui pourrait être pour autrui une consolation dans ses
douleurs, s'il est lui-même dominé par les douleurs ? —,

2. A quelle période de la vie de Grégoire rattacher cette lettre ? Les
difficultés qu'il évoque — « accusations, suspicions, calomnies, griefs »
— pourraient être un épisode de ses relations avec Helladios de
Césarée (cf. *Epist.* 1).

3. Phrase difficile à insérer dans le développement de la lettre. J'ai
gardé le texte des manuscrits, qui offre malgré tout un sens
acceptable, mais on peut être tenté par la correction de Müller (*Der
zwanzigste Brief*, p. 89-90), qui propose de lire δίχα au lieu de διά. La
phrase vient après l'exposé des malheurs de Grégoire et leur
opposerait la situation de son correspondant : « Heureux êtes-vous de
pouvoir espérer, vous qui sans (δίχα) de telles (difficultés) vous exercez
à la confiance en Dieu. »

διέξοδον λάβῃ τὰ πράγματα, ὥς φησιν · Ἐμοὶ ἐκδίκησις,
25 ἐγὼ ἀνταποδώσω, λέγει κύριος[a]. **4.** Σὺ δέ μοι, ὦ ἄριστε,
1057 M. πράττειν σεαυτοῦ ἀξίως καὶ τῷ θεῷ ἐπελπίζειν καὶ μὴ
ἐγκόπτεσθαι πρὸς τὸ καλός τε καὶ ἀγαθὸς εἶναι διὰ τὰ
παρ' ἡμῶν ὑποδείγματα, ἐπιτρέπειν δὲ τῷ θεῷ τῷ δικαίῳ
κριτῇ[b] τὴν συμφέρουσάν τε καὶ δικαίαν τῶν πραγμάτων
30 ἀπόβασιν, ταύτῃ τε ἄγειν, ὅπῃπερ ἂν ἡ θεία κατευθύνῃ
σοφία. **5.** Πάντως οὐδὲ ὁ Ἰωσὴφ τῷ φθόνῳ τῶν ἀδελφῶν
ἐδυσχέραινε, διότι τῶν ὁμογενῶν ἡ κακία ὁδὸς αὐτῷ πρὸς
τὴν βασιλείαν ἐγένετο[c].

XVII

Τοῖς ἐν Νικομηδείᾳ πρεσβυτέροις

B **1.** Ὑμᾶς μὲν Ὁ πατὴρ τῶν οἰκτιρμῶν καὶ θεὸς πάσης
παρακλήσεως[a], ὁ πάντα ἐν σοφίᾳ[b] πρὸς τὸ συμφέρον[c]
οἰκονομῶν, διὰ τῆς ἰδίας ἐπισκοπήσειε χάριτος καὶ παρακα-
λέσειεν, ἑαυτῷ ποιῶν ἐν ὑμῖν τὸ εὐάρεστον[d], καὶ ἔλθοι
5 ἐφ' ὑμᾶς ἡ χάρις τοῦ κυρίου ἡμῶν Ἰησοῦ Χριστοῦ καὶ ἡ
κοινωνία τοῦ ἁγίου πνεύματος[e] αὐτοῦ εἰς τὸ γενέσθαι ὑμῖν
θεραπείαν μὲν πάσης θλίψεως[f] καὶ δυσχερείας, εὐοδίαν δὲ
πρὸς πᾶν ἀγαθὸν εἰς καταρτισμὸν τῆς ἐκκλησίας καὶ

FV

26 ἐπελπίζειν F : ἐλπίζειν V ‖ 28-29 δικαίῳ κριτῇ FV : δικαιοκρίτῃ
Pasquali

FV

Titulus : τοῦ αὐτοῦ τοῖς ἐν νικομηδείᾳ πρεσβυτέροις F : om. V
4 ποιῶν V : om. F ‖ 7 εὐοδίαν δὲ F : om. sp. rel. V

a. Rom. 12, 19   b. Cf. II Tim. 4,8   c. Cf. Gen. 50,20-28

pour que ces affaires trouvent leur issue, comme il est dit :
« A moi de rendre la justice, c'est moi qui rétribuerai, dit le
Seigneur[a]. » **4.** Et toi, agis d'une manière digne de toi, mets
ton espérance en Dieu et ne sois pas dissuadé d'être droit
et bon par les exemples qui viennent de nous, mais confie à
Dieu, le juste juge[b], la solution convenable et juste de ces
affaires, et laisse-toi conduire là où te dirigera la divine
sagesse. En vérité, Joseph lui non plus ne souffrait pas de
l'envie de ses frères, car la méchanceté de ceux de sa race
était pour lui le chemin vers la royauté[c].

Lettre 17

Aux prêtres de Nicomédie[1]

1. Puisse « le Père des miséricordes et le Dieu de toute
consolation[a] », lui qui gouverne tout avec sagesse[b] dans
notre intérêt[c], vous visiter par sa grâce et vous consoler
« en faisant en vous ce qui lui est agréable[d] », et que vienne
sur vous « la grâce de notre Seigneur Jésus-Christ et la
communion de son Esprit-Saint[e] », afin qu'elles soient pour
vous un remède à toute affliction[f] et tribulation et une voie
droite vers tout bien, pour le perfectionnement de l'Église,

---

a. II Cor. 1, 3   b. Cf. Ps. 103, 24   c. Cf. I Cor. 12, 7   d.
Hébr. 13, 21   e. II Cor. 13, 13   f. Cf. II Cor. 1, 4

---

1. Sur les circontances de cette lettre, cf. *supra*, p. 39-40, les
études de Daniélou, *L'évêque d'après une lettre* (1967) et Staats, *Das
Bischofsamt* (1973). La lettre est adressée aux prêtres de Nicomédie,
mais à travers eux à toute la communauté, qui doit élire un nouvel
évêque.

οἰκοδομὴν[g] τῶν ὑμετέρων ψυχῶν καὶ εἰς προσθήκην τῆς
10 δόξης τοῦ ὀνόματος αὐτοῦ.

   2. Ἡμεῖς δὲ ταύτην ὑπὲρ ἑαυτῶν τὴν ἀπολογίαν πρὸς
τὴν ἀγάπην ὑμῶν ποιούμεθα, ὅτι οὐκ ἠμελήσαμεν πρὸς τὴν
ἀπόδοσιν τῆς κεχρεωστημένης ὑμῖν ἐπισκέψεως ἢ ἐν τῷ
14 παρελθόντι χρόνῳ ἢ καὶ νῦν μετὰ τὴν γενομένην τοῦ
C μακαρίου Πατρικίου μετάστασιν, ἀλλ' ὅτι πολλαὶ μὲν αἱ τῶν
καθ' ἡμᾶς ἐκκλησιῶν ἀσχολίαι, πολλὴ δὲ καὶ ἡ τοῦ σώματος
σαθρότης, ὡς εἰκὸς προϊόντι τῷ χρόνῳ συνεπιδιδοῦσα,
πολλὴ δὲ καὶ ἡ τῆς ὑμετέρας ἀγαθότητος εἰς ἡμᾶς ῥᾳθυμία,
ὅτι οὐδεὶς οὐδέποτε λόγος εἰς προτροπὴν ἐν γράμματι ἢ
20 δηλωματικὴ σχέσις πρὸς τὴν καθ' ἡμᾶς ἐκκλησίαν, τοῦ
μακαρίου Εὐφρασίου τοῦ ἐπισκόπου διὰ πάσης γνησιότητος
1060 M. ἑαυτῷ τε καὶ ὑμῖν οἷον σειραῖς τισι τῇ ἀγάπῃ τὴν βραχύτητα
ἡμῶν συνδήσαντος. **3.** Ἀλλ' εἰ καὶ μὴ πρότερον τὸ τῆς
24 ἀγάπης χρέος ἢ παρ' ἡμῶν διὰ τῆς ἐπισκέψεως ἢ παρὰ τῆς

FV

   9 προσθήκην F : om. sp. rel. V ‖ 11 ἑαυτῶν F : αὐτῶν V ‖ 12
ποιούμεθα ὅτι F : ποιούμενοι V ‖ 13 ὑμῖν F : ἡμῖν V ‖ 14 ἢ καὶ νῦν μετὰ
F : om. sp. rel. V ‖ 16 ἀσχολίαι F : om. sp. rel. V ‖ 19-20 ἢ δηλωματικὴ
F : om. sp. rel. V ‖ 21 γνησιότητος F : ὁσιότητος V

g. Cf. Éphés. 4, 12 ; II Cor. 13, 9-10

   1. Cette solennelle introduction, truffée de citations bibliques, est
dans le style de celles des épîtres pauliniennes. Elle convient
parfaitement à un texte qui s'apparente à une véritable lettre
pastorale. On y remarquera le grand nombre de citations de l'Apôtre.
   2. Grégoire fait allusion au mandat que lui a confié le concile de
Constantinople en le faisant gardien de l'orthodoxie dans le diocèse
civil du Pont, dont Nicomédie fait partie.
   3. L'évêque Patricios n'est pas autrement connu. Grégoire le
qualifie de «bienheureux», terme classique pour un défunt (cf. *supra*,
p. 86, n. 1).
   4. Une des nombreuses allusions de Grégoire à son mauvais état de
santé (cf. aussi *Epist.* 1, 12 ; 8, 3). Elle s'accorde, sans qu'on doive en
majorer l'importance, à la datation assez avancée que l'on peut
proposer de cette lettre, autour de 385.

l'édification[g] de vos âmes et le progrès de la gloire de son nom[1].

2. Pour nous, nous présentons à votre Charité cette défense en notre faveur : nous n'avons pas été négligents à nous acquitter du devoir de surveillance dont nous avons été chargé à votre endroit[2], que ce soit dans le passé, que ce soit maintenant encore, après la mort du bienheureux Patricios[3]. Mais nombreuses sont les occupations que nous procurent les Églises de chez nous, grande aussi la faiblesse de notre corps[4] — elle s'accroît, c'est naturel, avec le temps qui passe —, grande également la négligence de votre Bonté à notre égard : jamais un seul mot pour nous inviter par lettre, aucun signe d'amitié adressé à l'Église de chez nous, alors que le bienheureux évêque Euphrasios[5], en toute sincérité, avait uni notre petitesse à lui-même et à vous comme par des chaînes — par l'amour. **3.** Mais même si, par le passé, le devoir de charité n'a pas été accompli, soit par nous-même au moyen d'une visite,

---

5. L'évêque Euphrasios était présent au concile de Constantinople : cf. Mansi, *Concilia* III, 572 A. Grégoire lui donne ici le titre d'ἐπίσκοπος, un terme qu'il utilise certes assez souvent (cf. *Epist.* 1, 7.28 ; 19, 15 ; 27, 2 ; *V. Macr.* 15, 2 ; 37, 12 ; *De castig.*, PG 46, 312 C, 313 C), mais il lui préfère souvent d'autres termes. Les uns insistent sur la fonction de direction : ἐπιστάτης (*Epist.* 17, 5 ; cf. aussi ἐπιστασία en 17, 15), προστάτης (*Epist.* 17, 6 ; *V. Macr.* 14, 2 ; cf. προστασία en 17, 9.14, et *In Mel.*, GNO 9, p. 441, 14), προέχων (*Epist.* 17, 24), προεστηκώς (17, 23), προεστώς (*Epist.* 2, 12), πρόεδρος (*De benef.*, GNO 9, p. 93, 3 ; *In diem lum.*, GNO 9, p. 226, 4), καθηγούμενος (*Epist.* 17, 18, 20, 24), καθηγέμων (*De benef.* p. 93, 14). Ailleurs il utilise les termes du vocabulaire sacerdotal, sans distinguer toujours entre prêtre et évêque : ἀρχιερεύς (*V. Greg. Thaum.*, PG 46, 933 C), ἱερεύς (*Ibid.* 901 A, 938 C ; *In diem lum.*, p. 225, 26 ; *In Mel.*, p. 448, 9 ; 454, 6 ; *V. Macr.* 20, 22), ἱερωσύνη (très nombreuses attestations). Il utilise enfin des périphrases diverses, telles que διδάσκαλος εὐσεβείας, μυστηρίων μυσταγωγός (*In diem lum.*, p. 226, 4-5 ; *De benef.*, p. 93, 2), etc. Cf. sur ce sujet les remarques de A. Van Heck, *Gregorii Nysseni de Pauperibus amandis orationes duo*, Leiden 1964, p. 41-44, et J. Daniélou, *L'évêque d'après une lettre*, p. 89-90.

52 P.   ὑμετέρας εὐλαβείας διὰ τῆς προτροπῆς ἀπεπληρώθη, νῦν
γοῦν εὐχόμεθα τῷ θεῷ, σύμμαχον πρὸς τὴν ἐπιθυμίαν ἡμῶν
καὶ τὴν ὑμετέραν πρὸς θεὸν συμπαραλαβόντες εὐχήν, διὰ
τάχους ὥς ἐστι δυνατόν, ἐπιδημῆσαί τε ὑμῖν καὶ συμπα-
ρακληθῆναι καὶ συσπουδάσαι, ὡς ἂν ὑφηγῆται ὁ κύριος[h],
30   ὥστε καὶ τῶν ἤδη γεγενημένων λυπηρῶν διόρθωσιν ἐξευρεῖν
καὶ εἰς τὸν ἐφεξῆς χρόνον ἀσφάλειαν· ὥστε μηκέτι ὑμᾶς ἐν
τῇ ἀσυμφωνίᾳ ταύτῃ διεσπασμένους, ἄλλου κατ᾽ ἄλλην
ὁρμὴν ἑαυτὸν τῆς ἐκκλησίας ἀπάγοντος, γέλωτα προκεῖσθαι
34   τῷ διαβόλῳ, ᾧ βούλημα καὶ ἔργον ἐστὶν ἐξ ἐναντίου τῷ θείῳ
B   θελήματι τὸ μηδένα σωθῆναι μηδὲ εἰς ἐπίγνωσιν ἀληθείας
ἐλθεῖν[i]. **4.** Πῶς γὰρ οἴεσθε ἡμᾶς, ἀδελφοί, θλίβεσθαι πρὸς
τὴν ἀκοὴν τῶν διαγγειλάντων ἡμῖν τὰ ὑμέτερα, ὅτι οὐδεμία
γέγονεν τῶν ἐφεστώτων ἐπιστροφή, ἀλλ᾽ ἡ τῶν ἅπαξ
ἀποκλινάντων προαίρεσις ἐπὶ τῆς αὐτῆς ὁρμῆς ἀεὶ φέρεται,
40   καὶ ὥσπερ ἐκ τοῦ ὀχετοῦ ὕδωρ πολλάκις εἰς τὴν παρακει-
μένην ὄχθην ὑπερεκχεῖται καὶ κατὰ τὸ πλάγιον διαδυὲν
ἀπορρέει, μὴ ἀπασφαλισθέντος δὲ τοῦ ὑπαιτίου τόπου
δυσανάκλητον γίνεται κοιλανθέντος τοῦ ὑποκειμένου πρὸς
τὴν τοῦ ῥείθρου φοράν, οὕτως ἡ τῶν ἀποστάντων ὁρμή,
45   ἅπαξ τῆς εὐθείας τε καὶ ὀρθῆς πίστεως ἐκ φιλονεικίας
παραρρυεῖσα, ἐνεβάθυνεν ἤδη τῇ συνηθείᾳ καὶ οὐκ εὐχερῶς
C   ἐπὶ τὴν ἀρχαίαν ἐπανέρχεται χάριν. **5.** Διὸ σοφοῦ τινος καὶ
μεγάλου χρήζει τὰ καθ᾽ ὑμᾶς ἐπιστάτου καλῶς τὰ τοιαῦτα

FV

25 ὑμετέρας F : ἡμετέρας V ‖ 27 ὑμετέραν πρὸς θεὸν συμπ. εὐχ. F :
ὑμ. εὐχ. πρ. θεὸν συμπ. V ‖ 31 ὑμᾶς Zaccagni, Pasquali : ἡμᾶς codd. ‖
32 ἄλλην V : ἄλλου F ‖ 42 ἀπορρέη F ‖ ἀπασφαλισθέντος Wilamowitz,
Pasquali : ἀποσφαλισθέντος F ἀποσφαλέντος V

h. Cf. Rom. 1, 12   i. Cf. I Tim. 2, 4; II Tim. 2, 25-26

1. Signe que le concile de 381 n'a pas tout réglé dans les Églises :
les divisions antérieures subsistent, dont les traces persisteront
plusieurs décennies durant, parfois davantage. Notons que STAATS,
après avoir relevé plusieurs rapprochements de contenu et de langue
entre cette lettre et des textes antimessaliens, émet l'hypothèse que

soit par votre Révérence au moyen d'une invitation,
maintenant du moins nous prions Dieu, en prenant aussi
votre prière à Dieu comme alliée de notre désir, de pouvoir
dès que possible nous rendre chez vous pour nous
réconforter mutuellement et nous manifester un empresse-
ment réciproque, comme le Seigneur nous l'inspirera[h], de
manière à trouver à la fois le moyen de réparer ce qui
auparavant a causé du chagrin et une garantie pour le
temps à venir. De la sorte, en n'étant plus divisés par cette
discorde où l'un s'éloigne de l'Église dans une direction,
l'autre dans une autre, vous ne serez pas un objet de risée
pour le diable, lui dont la volonté et l'action consistent, à
l'inverse de la volonté divine, à ce que personne ne soit
sauvé ni ne parvienne à la connaissance de la vérité[i].
4. Considérez en effet, frères, combien nous avons été
affligé en entendant ceux qui nous informaient de vos
affaires dire qu'il n'y avait aucun changement de la
situation, mais que le choix de ceux qui avaient naguère
fait dissidence les portait toujours dans la même direction[1]. Or de même que l'eau souvent déborde d'un canal
sur la rive adjacente, s'étale et se répand sur les côtés, et
que, si on ne répare pas l'endroit qui est à l'origine (de la
fuite), il est difficile de la ramener dans son lit, le sol
s'étant raviné sous la poussée du flot, de même l'élan de
ceux qui ont fait sécession, quand il a débordé une fois, par
goût de la querelle, de la foi juste et droite, s'est déjà
creusé un lit par l'habitude[2] et ne revient pas aisément à la
grâce primitive. **5.** C'est pourquoi la situation chez vous
requiert un administrateur sage et fort, qui sache bien

---

les troubles évoqués par Grégoire pourraient avoir été provoqués par
des ascètes de tendance messalienne (*Das Bischofsamt*, p. 170-172).

2. Un terme fréquent chez Grégoire, qui souligne l'influence
contraignante de l'habitude, tantôt pour le bien, tantôt pour le mal
(cf. par exemple *De virg.* IX, p. 362-369 ; on notera dans ce contexte
l'utilisation de la même image du cours d'eau qui déborde et se
détourne de son lit : *Ibid.*, VIII, 7 s. et déjà VI, 2, 7-11).

ὀχετηγεῖν ἐπισταμένου, ὥστε δυνηθῆναι πάλιν τὴν ἄτακτον
50 τοῦ ῥεύματος τούτου παρατροπὴν εἰς τὸ ἀρχαῖον κάλλος
ἀνακαλέσασθαι, ὡς ἂν πάλιν ὑμῖν τὰ τῆς εὐσεβείας
ἀδρύνοιτο λήια τῇ τῆς εἰρήνης ἐπιρροῇ καταρδόμενα.

53 P.   **6.** Διὰ ταῦτα πολλὴ χρεωστεῖται τῷ πράγματι παρὰ
πάντων ὑμῶν σπουδή τε καὶ προθυμία πρὸς τὸ ἀναδειχθῆναι
55 προστάτην ὑπὸ τοῦ ἁγίου πνεύματος τοιοῦτον ὃς ὅλῳ τῷ
ὀφθαλμῷ τὰ τοῦ θεοῦ ὄψεται μόνα, πρὸς οὐδὲν τῶν ἐν τῇ
ζωῇ σπουδαζομένων μετεωρίζων τὸ ὄμμα. **7.** Διὰ τοῦτο
D γὰρ οἶμαι τὸν λευιτικὸν νόμον ἀπόκληρον τῆς γηΐνης κληρο-
νομίας τὸν λευίτην ποιεῖν, ὡς ἂν μερίδα κτήσεως, καθὼς
60 γέγραπται, τὸν θεὸν μόνον ἔχοι[j] καὶ τοῦτο περιέποι διὰ
παντὸς ἐν ἑαυτῷ τὸ κτῆμα, πρὸς οὐδὲν ὑλῶδες τῆς ψυχῆς
καθελκομένης. **8.** Εἰ δέ τινές εἰσιν ἢ καί ἐσμεν ἀδιάφοροι,
μηδεὶς πρὸς τοῦτο βλέπων ἐπὶ τῶν ἰδίων βλαπτέσθω· οὐ
1061 M. γὰρ νόμος ἐστὶ τοῖς ἄλλοις πρὸς τὸ μὴ τὰ δέοντα πράσσειν
65 τὸ παρ' ἑτέροις μὴ δεόντως γινόμενον. 'Αλλ' ὑμᾶς χρὴ τὰ
ἑαυτῶν βλέπειν, ὅπως ἂν πρὸς τὸ κρεῖττον γένοιτο ἡ τῆς
ἐκκλησίας ἐπίδοσις, τῶν διεσκορπισμένων[k] πάλιν εἰς τὴν
τοῦ ἑνὸς σώματος ἁρμονίαν ἐπανελθόντων καὶ τῆς πνευμα-
τικῆς εἰρήνης ἐν τῷ πλήθει τῶν εὐσεβῶς τὸν θεὸν
70 δοξαζόντων εὐθηνουμένης. **9.** Πρὸς τοῦτο καλῶς ἔχειν
οἶμαι σκοπεῖν ⟨τὸν⟩ τὰ καλὰ τῇ ἐκκλησίᾳ βουλόμενον,
ὅπως ἂν ὁ ἀναδεικνύμενος εἰς προστασίαν ἐπιτηδείως ἔχοι.

FV

50 παρατροπὴν V : περιτροπὴν F ‖ 56 ὄψεται F : om. sp. rel. V ‖ 58
λευιτικὸν F : om. sp. rel. V ‖ 59-60]ὼς γέγραπται F : om. sp. rel.
V ‖ 61 ἐν ἑαυτῷ τὸ κτῆμα V : τὸ κτῆμα ἑαυτῷ F ‖ 61-62 τῆς ψυχῆς
κατελκόμενος F : om. sp. rel. V corr. Wilamowitz ‖ 65 μὴ δεόντως
F : om. sp. rel. V ‖ 66 πρὸς F : om. V ‖ 66-67 τῆς ἐκκλησίας ἐπίδοσις
F : om. sp. rel. V ‖ 69 ἐν τῷ πλήθει τῶν F : om. sp. rel. V ‖ 70 ἔχειν
F : ἔχει V ‖ 71 τὸν add. Pasquali ‖ 71-72 ἐκκλησίᾳ βουλόμενον ὅπως
F : ἐκ et spat. V

j. Nombr. 18,20   k. Cf. Jn 11,52

1. La première qualité de l'évêque idéal, selon Grégoire, est donc
celle du chrétien idéal, qui élève son regard vers la lumière intelligible

canaliser de tels écarts, de façon à pouvoir ramener à sa beauté première ce flot aux débordements désordonnés, pour qu'à nouveau mûrissent chez vous les moissons de la piété, arrosées par le courant de la paix.

6. Aussi, dans cette affaire, un grand zèle et une grande ardeur sont-ils nécessaires de votre part à tous, pour que soit désigné par le Saint-Esprit un chef tel qu'il n'ait d'yeux que pour les choses de Dieu et qu'il n'élève son regard vers aucune de celles dont on se préoccupe en cette vie[1]. **7.** C'est pour cela, je pense, que la loi lévitique prive le lévite de l'héritage terrestre : pour que, comme il est écrit, il n'ait que Dieu comme part de fortune[j] et qu'il conserve toujours ce bien en lui-même, sans que son âme soit attirée vers rien de matériel. **8.** S'il en est d'indifférents, ou que nous-mêmes le soyons, que personne en voyant cela ne soit troublé dans sa propre conduite : ce qui est fait par les uns d'une manière qui ne convient pas n'autorise pas les autres à mettre en œuvre ce qui ne convient pas. Vous, en revanche, devez prendre en considération vos propres affaires pour que l'Église progresse vers le mieux[2], lorsque ceux qui étaient dispersés seront revenus dans l'harmonie d'un seul corps[k] et que la paix de l'Esprit aura refleuri dans la multitude de ceux qui glorifient Dieu pieusement[3]. **9.** Pour cela, je pense qu'il est bon d'avoir en vue quelqu'un qui veuille le bien de l'Église, en sorte que l'élu soit capable de la

---

sans se laisser attirer par le sensible, le terrestre. Il tient le même langage, pour ne citer qu'un exemple, dans le *De virg.* V, 20-21 : «(Notre âme) détournera des biens corporels sa puissance d'aimer pour la reporter sur la contemplation intellectuelle et immatérielle du beau» (p. 37 Aubineau). Langage de saveur plotinienne, proche du μόνος πρὸς μόνον *(Ennéades* 6, 8) que cite volontiers Grégoire.

2. Le thème du progrès, qui pour Grégoire définit la perfection (cf. *V. Moys.*, prol. 5), est ici appliqué à l'Église.

3. «pieusement» : de manière orthodoxe (cf. *supra*, p. 109, n. 4).

10. Γένος δὲ καὶ πλοῦτον καὶ κοσμικὴν περιφάνειαν ζητεῖν
ἐν τοῖς ἐπισκοπικοῖς κατορθώμασιν ὁ ἀποστολικὸς οὐκ
75 ἐνομοθέτησε λόγος[1]· ἀλλ' εἰ μέν τι τούτων κατὰ τὸ
αὐτόματον ἔποιτο τοῖς προηγουμένοις, ὡς σκιὰν κατὰ τὸ
συμβὰν ἀκολουθοῦσαν οὐκ ἀποβάλλομεν· εἰ δὲ μή, οὐδὲν
54 P. ἧττον ἀγαπήσομεν τὰ προτιμότερα, κἂν χωρὶς τούτων τύχῃ.
B 　**11.** Αἰπόλος ἦν ὁ προφήτης Ἀμώς[m], ἁλιεὺς ὁ Πέτρος, καὶ
80 τῆς αὐτῆς τέχνης ὅ τε τούτου ἀδελφὸς Ἀνδρέας[n] καὶ ὁ
ὑψηλὸς Ἰωάννης[o], σκηνορράφος ὁ Παῦλος[p], καὶ ὁ Ματθαῖος
τελώνης[q], καὶ οἱ ἄλλοι κατὰ τὸν αὐτὸν τρόπον ὁμοίως
ἅπαντες, οὐχ ὕπατοί τινες καὶ στρατηλάται καὶ ὕπαρχοι ἢ
κατὰ ῥητορικὴν καὶ φιλοσοφίαν περίβλεπτοι, ἀλλὰ πένητες
85 καὶ ἰδιῶται καὶ ἀπὸ τῶν ταπεινοτέρων ἐπιτηδευμάτων
ὁρμώμενοι· καὶ ὅμως Εἰς πᾶσαν τὴν γῆν ἐξῆλθεν ὁ φθόγγος
αὐτῶν καὶ εἰς τὰ πέρατα τῆς οἰκουμένης τὰ ῥήματα αὐτῶν[r].
12. Βλέπετε, φησί, τὴν κλῆσιν ὑμῶν, ἀδελφοί, ὅτι οὐ πολλοὶ
σοφοὶ κατὰ σάρκα, οὐ πολλοὶ δυνατοί, οὐ πολλοὶ εὐγενεῖς·
90 ἀλλὰ τὰ μωρὰ τοῦ κόσμου ἐξελέξατο ὁ θεός[s]. **13.** Ἴσως τι
μωρὸν καὶ νῦν ἐν τοῖς φαινομένοις τῶν ὀφθαλμῶν τῶν
C ἀνθρωπίνων νομίζεται, ὅταν ἀσθενὲς ὑπὸ πενίας ἢ ἄδοξον ᾖ
διὰ τὴν σωματικὴν δυσγένειαν· ἀλλὰ τίς οἶδεν εἰ μὴ τούτῳ

FV

73 κοσμικὴν περιφάνειαν ζητεῖν F : κοσμιχ et spat. V ‖ 75 μέν τι
τούτων F : om. sp. rel. V ‖ 77 εἰ δὲ μὴ οὐδὲν F : om. sp. rel. V ‖ 78
τούτων P : om. V ‖ 79 ἀμώς F : om. sp. rel. V ‖ 83 οὐχ ὕπατοι F : πατοι
post sp. V ‖ 88 φησί V : φησίν post ἀδελφοί F ‖ 89 οὐ πολλοὶ δυνατοί V :
om. F

l. Cf. I Tim. 3,1-7; Tite 1,7-9　　m. Cf. Amos 7,14　　n. Cf.
Matth. 4,18　　o. Cf. Matth. 4,21　　p. Cf. Act. 18,3　　q. Cf.
Matth. 10,3　　r. Ps. 18,5; Rom. 10,18　　s. I Cor. 1,26-27

1. Seconde qualité de l'évêque : avoir en vue le bien commun,
l'unité de l'Église, non les intérêts d'un parti. Ces deux premières
qualités sont tout à fait indépendantes de la condition sociale, d'où le
long développement qui suit sur cette question. On sait que les

diriger[1]. **10.** Chercher la naissance, la richesse et l'éclat mondain parmi les qualités d'un évêque, ce n'est pas ce que nous a prescrit la parole de l'Apôtre[l]. Si quelqu'une de ces qualités se trouve être naturellement l'apanage de ceux qui ont des fonctions de direction, comme une ombre qui suit fortuitement la réalité, nous ne la rejetons pas ; mais si ce n'est pas le cas, nous n'apprécierons pas moins les qualités qui ont plus de prix, même si elles ne sont pas accompagnées de celles-là. **11.** Le prophète Amos était chevrier[m], Pierre était pêcheur et le frère de celui-ci, André[n], ainsi que le sublime Jean[o], étaient du même métier ; Paul était fabricant de tentes[p] et Matthieu collecteur de taxes[q], et les autres pareillement étaient tous non des consuls, des généraux, des gouverneurs ou des personnages qui s'étaient rendus célèbres par la rhétorique ou la philosophie, mais des pauvres, des ignorants, issus de conditions fort humbles. Et pourtant «par toute la terre a retenti leur voix et leurs paroles jusqu'aux limites du monde[r]». **12.** «Considérez votre appel, frères, dit (l'Apôtre) : il n'y a pas beaucoup de sages selon la chair, pas beaucoup de puissants, pas beaucoup de gens bien nés, mais ce qui est fou dans le monde, Dieu l'a choisi[s].» **13.** Peut-être, aujourd'hui encore, dans ce qui est visible aux yeux des hommes, considère-t-on comme quelque chose de fou l'absence de crédit dont est cause la pauvreté et l'obscurité que procure une basse extraction. Mais qui

Cappadociens, pourtant issus eux-mêmes de l'aristocratie, ont dans un cas au moins ordonné évêque un esclave (BASILE, *Epist.* 115, GRÉG. NAZ., *Epist.* 79). Grégoire de Nysse rapporte de même que Grégoire le Thaumaturge choisit un charbonnier pour être évêque de Comane (*V. Greg. Thaum.*, PG 46, 936-937). Il reste que bien souvent le choix des évêques est déterminé par leur rang social, ce qui s'explique non seulement parce que la culture est l'apanage des hautes classes, mais aussi par le rôle social que l'évêque doit assurer auprès de ses fidèles : il les protège d'autant mieux des excès des magistrats qu'il est d'un même niveau social, voire d'un niveau supérieur (cf. B. TREUCKER, *Politische Studien*, p. 26-28 et l'*Epist.*7).

τὸ κέρας τῆς κρίσεως παρὰ τῆς χάριτος ἐπικλίνεται, κἂν
95 τῶν ὑψηλῶν τε καὶ ἐμφανεστέρων μικρότερος ᾖ ; **14.** Τί
λυσιτελέστερον ἦν τῇ Ῥωμαίων πόλει, τὸ κατ' ἀρχὰς τῶν
εὐπατριδῶν τινα καὶ ὑπερόγκων ἐκ τῆς ὑπάτου βουλῆς εἰς
προστασίαν λαβεῖν, ἢ τὸν ἁλιέα Πέτρον, ᾧ μηδὲν ἦν ἐκ
τοῦ κόσμου τούτου πρὸς εὐδοξίαν ἐφόλκιον ; τίς οἰκία, τίνες
100 οἰκέται, ποία κτῆσις διὰ προσόδων τρυφὴν χορηγοῦσα ;
ἀλλ' ὁ ξένος καὶ ἄστεγος καὶ ἀτράπεζος τῶν τὰ πάντα
ἐχόντων πλουσιώτερος ἦν, ὅτι διὰ τοῦ μηδὲν ἔχειν τὸν θεὸν
εἶχεν ὅλον. **15.** Οὕτω καὶ οἱ Μεσοποταμῖται βαρυπλούτους
104 ἔχοντες ἐν ἑαυτοῖς σατράπας, πάντων ἐδοκίμασαν τὸν
55 P. Θωμᾶν εἰς ἐπιστασίαν ἑαυτῶν προτιμότερον, καὶ Τίτον
Κρῆτες[t] καὶ Ἱεροσολυμῖται Ἰάκωβον, καὶ ἡμεῖς οἱ Καππα-
1064 M. δόκαι τὸν ἑκατόνταρχον τὸν ἐπὶ τοῦ πάθους τὴν θεότητα
τοῦ κυρίου ὁμολογήσαντα[u], πολλῶν ὄντων κατὰ τὸν χρόνον
ἐκεῖνον λαμπρῶν ἐν γένει καὶ ἱπποτρόφων καὶ τοῖς ἐν τῇ

FV

95 ἐμφανεστέρων V : ἀφανεστέρων F ‖ 100 χορηγοῦσα V : διαχορη-
γοῦσα F ‖ 104 σατράπας Vitelli Pasquali : σατραπείας codd.

t. Cf. Tite 1,5   u. Cf. Matth. 27,54

1. La mention de Pierre ne me semble pas avoir ici de signification
particulière : il est cité comme un exemple particulièrement remarquable, avec Thomas et quelques autres. J. Daniélou croit voir dans
le texte «à la fois une reconnaissance de la prééminence de l'Église
romaine et une critique discrète du choix des évêques de Rome au
IVᵉ siècle» (L'évêque d'après une lettre, p. 92-93). Une telle
interprétation ne s'impose pas : cf. Staats, Das Bischofsamt, p. 162.
2. Littéralement : «sans toit ni table».
3. Grégoire fait de Thomas un des évangélisateurs (et le premier
évêque) d'Édesse, ce qui n'est pas la tradition la plus ancienne, qui
fait de Thomas l'apôtre des Indes (cf. Actes de Thomas,1), mais rejoint

sait si ce n'est pas sur celui-là que la grâce déverse la corne
de l'onction, même s'il est plus petit que les grands et
illustres personnages? **14.** Qu'est-ce qui était plus avanta-
geux pour la ville de Rome, aux origines, de prendre pour
la diriger un des nobles et orgueilleux membres du sénat,
ou bien le pêcheur Pierre, qui n'avait aucun prestige de ce
monde pouvant lui valoir la célébrité[1]? Quels étaient sa
maison, ses serviteurs, quels biens lui procuraient, grâce à
leurs revenus, luxe et confort? Mais cet étranger sans feu
ni lieu[2] était plus riche que ceux qui possédaient tout, car
en ne possédant rien il possédait Dieu tout entier. **15.** De
même, les Mésopotamiens, qui avaient parmi eux des
satrapes immensément riches, ont estimé Thomas supérieur à tous pour les diriger[3], et les Crétois Tite[4], les
habitants de Jérusalem Jacques[5], et nous les Cappadociens
le centurion[6], celui qui lors de la Passion a confessé la
divinité du Seigneur[u] — alors qu'il y avait en ce temps-là
beaucoup de gens de haut lignage, des éleveurs de

celle que rapporte Égérie à la même époque (*Itin.* 17,1, p. 198
Maraval). Rappelons que le tombeau de Thomas est vénéré dans cette
ville depuis le IIIᵉ siècle (cf. P. MARAVAL, *Lieux saints*, p. 351).

4. Tite apparaît bien comme le premier ἐπίσκοπος de Crète : cf.
Tite 1,5. Son tombeau était vénéré à Gortyne à date ancienne (*Ibid.*,
p. 399).

5. Jacques premier évêque de Jérusalem : cf EUSÈBE, *Hist. eccl.* II,
1,2 (d'après CLÉMENT D'ALEX., *Hypolyposes*, *fr.* 10) et II, 23,4
(d'après HÉGÉSIPPE). Autre mention sans précision de source en IV,
5,3.

6. La tradition qui fait du centurion qui confessa le Christ
l'évangélisateur de la Cappadoce trouve ici sa plus ancienne
attestation ; ce n'est pas la tradition la plus ancienne, qui attribue ce
rôle à Pierre (Cf. *I Pierre* 1,1 ; EUSÈBE, *Hist. eccl.* III, 1,1-2). Sur le
développement de cette tradition, cf. l'introduction de M. AUBINEAU
à l'homélie du Ps.-Hésychius sur le centurion Longin, in *Les homélies
cathédrales d'Hésychius de Jérusalem,* Bruxelles 1965, p. 796-900. Un
sanctuaire de S. Longin existait à Andralès, en Cappadoce II, au plus
tard au VIᵉ s. (cf. P. MARAVAL, *Lieux saints*, p. 374).

110 συγκλήτῳ πρωτείοις σεμνυνομένων· καὶ κατὰ πᾶσαν δὲ
ἐκκλησίαν εὕροι τις ἂν τοὺς κατὰ θεὸν μεγάλους τῆς
κοσμικῆς περιφανείας προτιμηθέντας. **16.** Πρὸς ταῦτα
βλέπειν ἐπὶ τοῦ παρόντος οἶμαι δεῖν καὶ ὑμᾶς, εἴ γε μέλλοιτε
πάλιν τὸ ἀρχαῖον τῆς ἐκκλησίας ὑμῶν ἀνακαλεῖσθαι ἀξίωμα.

115 **17.** Οἴδατε γὰρ παντὸς μᾶλλον τὰ ὑμέτερα διηγήματα,
ὅτι ἐξ ἀρχαίου, πρὶν τὴν γείτονα ὑμῶν ἐξανθῆσαι πόλιν,
B παρ' ὑμῖν ἦν τὰ βασίλεια, καὶ τὸ προέχον ἐν πόλεσιν ὑπὲρ
τὴν ὑμετέραν οὐκ ἦν· καὶ νῦν, εἰ καὶ ὁ τῶν οἰκοδομημάτων
καλλωπισμὸς ἠφανίσθη, ἀλλ' ἡ ἐν τοῖς ἀνθρώποις πόλις ἐν
120 πλήθει τε καὶ δοκιμότητι τῶν οἰκητόρων πρὸς τὸ ἀρχαῖον
ἐξισοῦται κάλλος. **18.** Οὐκοῦν πρέπον ἂν εἴη μὴ ταπεινότερον τῶν προσόντων ὑμῖν ἀγαθῶν ἔχειν τὸ φρόνημα, ἀλλὰ
συνεπαίρειν τῇ περιφανείᾳ τῆς πόλεως τὴν περὶ τῶν
προκειμένων σπουδήν, ὡς ἂν τοιοῦτον εὕρητε παρὰ τοῦ θεοῦ
125 τὸν τοῦ λαοῦ καθηγούμενον, ὡς μὴ ἀνάξιον ὑμῖν ἐπιδειχθῆ-
ναι. **19.** Αἰσχρὸν γάρ, ἀδελφοί, καὶ παντάπασιν ἄτοπον
νεὼς μὲν κυβερνήτην μὴ γίνεσθαι εἰ μὴ τῆς κυβερνητικῆς
ἐπιστήμων εἴη, τὸν δὲ ἐπὶ τῶν οἰάκων τῆς ἐκκλησίας

FV

110 πρωτείοις Zaccagni, Pasquali : πρώτοις codd. ‖ 111 εὕροι τίς ἂν
F : om. sp. rel. V ‖ 116 ὑμῶν F : ἡμῶν V ‖ 118 εἰ καὶ om. V ‖ 120 τῶν
οἰκητόρων F : om. sp. rel. V ‖ 122 ἔχειν τὸ φρόνημα F : om. sp. rel. V ‖
124-125 θεοῦ τὸν τοῦ om. V ‖ 126-127 ἄτοπον νεὼς F : om. sp. rel. V

1. La Cappadoce est réputée dans l'Antiquité pour être une région
d'élevage de chevaux : cf. L. Frank, «Sources classiques concernant
la Cappadoce», *Revue Hittite et Asianique* 24, 1966, p. 78-81. Des
témoignages du ive siècle sont rassemblés par B. Gain, *L'Église de
Cappadoce*, p. 16, n. 46.

2. A l'époque de Dioclétien, Nicomédie était la capitale de
l'Empire ; elle fut alors ornée de beaucoup de constructions qui
devaient en faire l'égale de Rome : cf. Lactance, *De morte persec.*
7, 8-10 (p. 85-86 Moreau). Le choix fait par Constantin de Byzance
comme nouvelle capitale lui porta le premier coup.

3. Nicomédie fut détruite par un tremblement de terre le
24 août 358. Cf. le tableau tragique tracé par Ammien Marcellin,

chevaux[1], des gens honorés des premières places au Sénat.
Et dans chaque église on pourrait trouver que ceux qui
sont grands selon Dieu ont été préférés à l'éclat mondain.
16. Je pense que vous aussi devez considérer ces exemples
dans la situation présente, si toutefois vous désirez faire
renaître l'ancienne dignité de votre Église.

17. Mieux que personne vous connaissez votre histoire :
autrefois, avant que ne fleurisse la cité voisine de la vôtre,
le siège de l'Empire était chez vous[2], et parmi les cités il
n'y en avait aucune qui eût la prééminence sur vous.
Aujourd'hui, même si a disparu l'ornement des édifices[3],
en ce qui concerne les hommes, la ville égale son antique
splendeur par le nombre de ses habitants. **18.** Il conviendrait donc que vos sentiments ne soient pas plus humbles
que les biens qui sont les vôtres, mais que vous éleviez
votre sollicitude pour la situation présente à la hauteur du
renom de la ville, afin que vous trouviez, avec l'aide de
Dieu, un chef du peuple tel qu'il soit reconnu non indigne
de vous[4]. **19.** Car il est honteux, frères, et totalement
dépourvu de sens qu'on ne soit pas pilote d'un navire si
l'on ignore l'art du pilotage, mais que celui qui est assis au
gouvernail de l'Église[5] ignore comment faire rentrer dans

Hist. XVII, 7, 1-8 (p. 56-57 Sabbah) et LIBANIOS, *Or.* 61 (p. 329 s.
Förster IV). Grégoire fait encore allusion à cette catastrophe dans le
Contra Fatum (*GNO 3/2*, p. 52, 1-2 ; p. 54, 17-55, 2 = *PG* 45, 165 B,
168 C).

4. Grégoire flatte ici le patriotisme local, comme le faisait Basile
dans des ciconstances semblables : cf. BASILE, *Epist.* 204, 2 (II,
p. 174, 13-14).

5. L'image de l'évêque-pilote est classique : cf. aussi *In Mel.*
(*GNO* 9, p. 444, 9). Elle sert à Grégoire de point de départ pour un
développement sur la troisième qualité de celui qui doit être élu : la
compétence. Celle-ci est essentiellement la rectitude dans la foi,
l'orthodoxie : les naufrages dont il est question sont ceux qu'a
provoqués l'hérésie. Il est possible que Grégoire pense aussi à
l'expérience acquise dans le ministère, ce qui pourrait bien viser le
candidat Gérontius.

56 P.   καθήμενον ἀγνοεῖν ὅπως ἂν τὰς τῶν συμπλεόντων ψυχὰς εἰς
C   τὸν λιμένα τοῦ θεοῦ καθορμίσειε. **20.** Πόσα γέγονε δι' ἀπει-
131   ρίαν τῶν καθηγουμένων αὔτανδρα τῶν ἐκκλησιῶν ἤδη
ναυάγια ; τίς ἂν ἐξαριθμήσαιτο τὰ ἐν ὀφθαλμοῖς κακὰ μὴ ἂν
συμβάντα εἴ τις ἦν που ἐν τοῖς καθηγουμένοις · κυβερνητικὴ
ἐμπειρία ; **21.** Ἀλλὰ καὶ τὸν σίδηρον οὐ τοῖς ἀτέχνοις, τοῖς
135   δὲ ἐπιστήμοσι τῆς χαλκευτικῆς εἰς τὴν τῶν σκευῶν ἀπεργα-
σίαν καταπιστεύομεν · οὐκοῦν καὶ τὰς ψυχὰς τῷ καλῶς ἐπι-
σταμένῳ τῇ τοῦ ἁγίου πνεύματος ζέσει καταμαλάσσειν
ἐγχειριστέον, ὃς διὰ τῆς τῶν λογικῶν ὀργάνων τυπώσεως
139   σκεῦος ἐκλογῆς[v] τε καὶ εὐχρηστίας ἕκαστον ὑμῶν ἐπιτελέ-
1065 M.   σειε. **22.** Τοιαύτην ποιεῖσθαι τὴν πρόνοιαν ὁ θεῖος ἀπόστολος ἐγκελεύεται, διὰ τῆς πρὸς Τιμόθεον ἐπιστολῆς πᾶσι
νομοθετῶν τοῖς ἀκούουσιν, ἐν οἷς φησι δεῖν τὸν ἐπίσκοπον
ἀνεπίληπτον εἶναι[w]. **23.** Ἆρ' οὖν τούτου μόνου τῷ ἀποστό-
λῳ μέλει ὅπως ὁ τῆς ἱερωσύνης προεστηκὼς τοιοῦτος εἴη ;
145   καὶ τί τοσοῦτον κέρδος, εἰ ἐν ἑνὶ τὸ ἀγαθὸν κατακλείοιτο ;
24. Ἀλλ' οἶδεν ὅτι τῷ προέχοντι συμμορφοῦται τὸ ὑποχείριον, καὶ τὰ κατορθώματα τοῦ καθηγουμένου τῶν ἑπομένων
γίνεται · ὃ γάρ ἐστιν ὁ διδάσκαλος, τοῦτο καὶ τὸν μαθητὴν
ἀπεργάζεται · οὐ γάρ ἔστι τὸν τῇ χαλκευτικῇ τέχνῃ
150   μαθητευόμενον ὑφαντικὴν ἐξασκῆσαι, ἢ ἱστουργεῖν διδασκό-
μενον ῥήτορα ἢ γεωμέτρην γενέσθαι, ἀλλ' ὅπερ ἐν τῷ
καθηγουμένῳ βλέπει ὁ μαθητής, τοῦτο καὶ εἰς ἑαυτὸν
μετατίθησι. Διὰ τοῦτό φησι · Κατηρτισμένος ἔσται πᾶς
B   μαθητὴς ὡς ὁ διδάσκαλος αὐτοῦ[x]. **25.** Τί οὖν, ἀδελφοί ;
155   ἆρα δυνατὸν ταπεινόφρονα γενέσθαι καὶ κατεσταλμένον τῷ
ἤθει καὶ μέτριον καὶ φιλοκερδείας κρείττονα καὶ τὰ θεῖα
σοφὸν καὶ πεπαιδευμένον τὴν ἐν τοῖς τρόποις ἀρετήν τε
καὶ ἐπιείκειαν, ταῦτα ἐν τῷ διδασκάλῳ μὴ βλέποντα ;

FV

130 γέγονε F : om. sp. rel. V ‖ 132 ἐξαριθμήσαιτο F : ἐξαριθμήσηται
V ‖ ὀφθαλμοῖς κακὰ F : ὁ V rel. om. ‖ 133 ἦν V : om. F ‖ 134 οὐ τοῖς F :
om. sp. rel. V ‖ 138 διὰ V : καὶ F ‖ 140 τοιαύτην F : τοιαῦτα V ‖ 150
ἱστουργεῖν V : ἱστουργικὴν F

le port de Dieu les âmes de ceux qui naviguent avec lui.
20. Combien de naufrages d'Églises, avec tous leurs membres, ont eu lieu à cause de l'impéritie de leurs chefs ! Qui pourrait compter les malheurs que nous avons sous les yeux et qui ne seraient pas arrivés si les chefs avaient eu quelque expérience du pilotage ! **21.** Autre exemple : ce n'est pas à des gens inexpérimentés que nous confions le fer pour la fabrication des outils, mais à ceux qui connaissent l'art du forgeron. Il faut donc remettre les âmes, elles aussi, à qui sait les amollir à la chaleur de l'Esprit-Saint et, au moyen d'outils de modelage spirituels, fera de chacun de vous un instrument de choix[v] et de bon usage. **22.** C'est d'une telle prévoyance que le divin Apôtre nous ordonne de faire preuve lorsque, dans l'épître à Timothée, il édicte des lois pour tous ses auditeurs, disant entre autres que l'évêque doit être irréprochable[w]. **23.** Est-ce que le désir de l'Apôtre est que soit tel celui-là seulement qui est préposé au sacerdoce ? Quel grand avantage ce serait si le bien était enfermé en un seul ? **24.** Mais il sait que le subordonné se conforme au supérieur et que les vertus du chef deviennent celles de ceux qui le suivent, car le maître fait du disciple ce qu'il est lui-même. Il n'est pas possible que celui qui est instruit dans l'art du forgeron exerce celui du tisserand ou que celui qui a appris à tisser soit rhéteur ou géomètre, mais ce que le disciple voit dans le maître, c'est cela qu'il fait passer en lui. C'est pourquoi il est dit : « Tout disciple accompli sera comme son maître[x]. » **25.** Quoi donc, frères ? Est-il possible qu'il devienne humble, d'un caractère paisible, mesuré, supérieur à l'amour du gain, sage dans les choses divines, formé à la vertu et à la douceur dans sa manière d'être, celui qui ne

v. Cf. Act. 9, 15 ; II Tim. 2, 21   w. Cf. I Tim. 3, 2   x. Lc 6, 40

159 **26.** Ἀλλ' οὐκ οἶδα πῶς οἷόν τε τὸν κοσμικῷ μαθητευθέντα
57 P. πνευματικὸν γενέσθαι· πῶς γὰρ ἂν μὴ κατ' ἐκεῖνον εἶεν οἱ
πρὸς αὐτὸν ὁμοιούμενοι;
27. Τί κέρδος ἐστὶ τοῖς διψῶσι τῆς τοῦ ὑδρείου
μεγαλουργίας, ὕδατος ἐν αὐτῷ μὴ ὄντος; κἂν ἐν ποικίλοις
σχήμασιν ἡ τῶν κιόνων ἐπάλληλος θέσις ἐπὶ τοῦ ὕψους
165 ἀνέχῃ τὸν πέτασον, τί μᾶλλον ἂν ὁ διψῶν ἕλοιτο πρὸς τὴν
ἑαυτοῦ χρείαν, λίθους εὖ διακειμένους βλέπειν, ἢ κρουνὸν
C εὑρεῖν, κἂν ἀπὸ ξυλίνου σωλῆνος ῥέῃ, μόνον διειδές τε καὶ
πότιμον τὸ νᾶμα προχέοντα; **28.** Οὕτως, ἀδελφοί, τοῖς
πρὸς τὴν εὐσέβειαν βλέπουσιν ἀμελητέον ἂν εἴη τῆς ἔξω
170 σκηνῆς· καὶ εἴ τις κομᾷ φίλοις καὶ καταλόγοις ἀξιωμάτων
ἁβρύνεται καὶ πολλὰς ἐτησίους ἀπαριθμεῖται προσόδους καὶ
πρὸς τὸ γένος ἑαυτοῦ βλέπων περιογκοῦται καὶ πανταχόθεν
τῷ τύφῳ περιαυτίζεται, τὸν τοιοῦτον ἐᾶν ὡς ξηρὸν ὑδρεῖον,
εἴπερ μὴ ἔχοι ἐν τῷ βίῳ τὰ προηγούμενα, ἀναζητεῖν δὲ
175 καθὼς ἂν ᾖ δυνατόν, τῷ λύχνῳ τοῦ πνεύματος πρὸς τὴν
ἔρευναν κεχρημένους, εἴ πού τίς ἐστι Κῆπος κεκλεισμένος
καὶ πηγὴ ἐσφραγισμένη[y], καθὼς φησιν ἡ γραφή, ἵνα διὰ
τῆς χειροτονίας ἀνοιχθείσης ἡμῖν τῆς ἐν τῷ κήπῳ τρυφῆς[z]

FV

170 καὶ[1] Pasquali : ἢ codd. ‖ 171 ἐτησίους F : ἐτησίας V ‖ ἀπαριθμεῖται προσόδους F : om. sp. rel. V ‖ 172 βλέπων περιογκοῦται F : om. sp.
rel. V ‖ 173 προσήκει ante τὸν τοιοῦτον add. Pasquali (in apparatu) ‖ τὸν
F : om. V ‖ 176 κεχρημένους F : κεχρημένοι V ‖ εἴ πού τίς ἐστι F : om.
V ‖ 177 καθώς F : καθά V ‖ 178 ἀνοιχθείσης ἡμῖν τῆς ἐν F : om.sp. rel. V

y. Cant. 4, 12   z. Cf. Éz. 36, 35

1. La compétence de l'évêque implique aussi qu'il ait une vie
irréprochable, que rend nécessaire le caractère exemplaire de sa
conduite. On rencontre des traits semblables dans les *Règles
monastiques* de Basile : «Le supérieur fera de sa vie un modèle
manifeste d'observance de la loi divine» (*Magn. asc.*, *GR* 43, *PG* 31,
1028 B). Il est possible, ici encore, qu'à travers ce portrait idéal
Grégoire vise Gérontius (en particulier lorsqu'il souligne que l'évêque
ne doit pas être mondain).

voit pas ces qualités chez son maître ? **26.** Mais non, je ne sais comment pourrait devenir un spirituel celui qui a été le disciple d'un mondain : comment pourraient ne pas être à son image ceux qui se conforment à lui[1] ?

27. Quel avantage, pour ceux qui ont soif, présente la magnificence d'une citerne s'il n'y a pas d'eau en elle ? Même si la disposition symétrique des colonnes, dans la variété de leurs formes, en élève le fronton dans les hauteurs[2], que préférerait l'assoiffé pour satisfaire son envie : voir des pierres bien disposées ou trouver une source, même si elle coule d'un conduit de bois, mais qui du moins laisse échapper un flot liquide et potable ? **28.** De même, frères, ceux qui prennent en considération la piété ne devraient pas tenir compte de l'apparence extérieure. Même si quelqu'un est fier de ses amis et s'enorgueillit de la liste de ses dignités, s'il compte de nombreux revenus annuels, s'enfle d'orgueil en considérant sa lignée et, de tous les côtés, est enveloppé des fumées de sa vanité, il faut laisser un tel homme comme une citerne asséchée, s'il est vrai qu'il ne possède pas les qualités qui sont essentielles dans la vie. Il faut en revanche rechercher autant que possible, en vous servant pour cette enquête de la lampe de l'Esprit, si par hasard quelqu'un est «un jardin fermé et une source scellée[y][3]», comme le dit l'Écriture. Ainsi, parce que les délices du jardin[z], grâce à l'ordination,

2. Les citernes dans l'Antiquité sont souvent de véritables monuments, avec piliers et arcades (cf. *DS* 2, 1211, *s.v.* «Cisterna»).

3. Cette phrase du *Cantique* est longuement commentée par Grégoire dans l'*In Cant.* hom. IX (p. 273-277), mais dans un contexte et avec une visée tout différents. En revanche, dans son éloge de Basile, Grégoire propose (à partir d'images empruntées à Moïse) un portrait idéal de l'évêque un peu semblable à celui qu'il trace ici, où celui-ci est à la fois modèle et source de bienfaits pour les fidèles (*In Basil.*, *PG* 46, 809 D - 811 B).

καὶ ἀναστομωθέντος τοῦ τῆς πηγῆς ὕδατος κοινὸν γένηται
180 κτῆμα τῆς καθόλου ἐκκλησίας ἡ ἐν ἐκείνῳ χάρις. **29.** Καὶ
D παράσχοι ὁ κύριος εὑρεθῆναι διὰ τάχους ἐν ὑμῖν τοιοῦτον
ὃς ἔσται σκεῦος ἐκλογῆς[a], στῦλός τε καὶ ἑδραίωμα τῆς
ἀληθείας[b]· πιστεύομεν δὲ τῷ κυρίῳ ἔσεσθαι ταῦτα, εἴπερ
184 ὑμεῖς βουληθείητε διὰ τῆς ὁμονοητικῆς συμπνοίας πρὸς τὸ
1068 M. κοινὸν ἀγαθὸν συμφώνως ἰδεῖν, προτιμήσαντες τῶν ἰδίων
58 P. θελημάτων τὸ θέλημα τοῦ κυρίου ἡμῶν Ἰησοῦ Χριστοῦ τὸ
ἀγαθὸν καὶ εὐάρεστον καὶ τέλειον[c], ἵνα κατορθούμενον ἐν
ὑμῖν τοιοῦτον ᾖ ᾧ καὶ ἡμεῖς ἐγκαυχησόμεθα καὶ ὑμεῖς
ἐντρυφήσετε καὶ ὁ θεὸς τῶν ὅλων ἐνδοξασθήσεται[d], ᾧ
190 πρέπει ἡ δόξα εἰς τοὺς αἰῶνας.

58 P.   XVIII

                   Ὀτρηίῳ ἐπισκόπῳ Μελιτηνῆς

B   **1.** Ὡς καλὰ τῶν καλῶν ἐστι τὰ ὁμοιώματα, ὅταν ἐναργῆ
τοῦ πρωτοτύπου κάλλους τὸν χαρακτῆρα τῆς μορφῆς καὶ
ἐφ' ἑαυτῶν διασῴζηται. **2.** Τῆς γὰρ ψυχῆς σου τῆς ὄντως

FV

180 καθόλου F : καθολικῆς V ‖ ἐν ἐκείνῳ χάρις F : om. sp. rel.
V ‖ 182-183 τε καὶ ἑδραίωμα τῆς ἀληθείας F : om. sp. rel. V ‖ 184-185
συμπνοίας πρὸς τὸ κοινὸν F : om. sp. rel. V ‖ 186-187 ι̅υ̅ χ̅υ̅ τὸ ἀγαθὸν
F : om. sp. rel. V ‖ 188 ἐγκαυχησόμεθα καὶ ὑμεῖς F : om. sp. rel. V

PFV

Titulus : τοῦ αὐτοῦ ὀτρηίῳ ἐπισκόπῳ μελιτηνῆς F τοῦ αὐτοῦ πρὸς
ὀτρέϊ****ον ἐπίσκοπον in mg. P om. V
2 τῆς μορφῆς P : om. FV ‖ 2-3 καὶ — διασῴζηται PF : om. sp. rel. V

a. Act. 9, 15   b. I Tim. 3, 15   c. Rom. 12, 2   d. Cf.
II Thess. 1, 4.10

nous deviendront accessibles et que l'eau de la source pourra s'écouler, la grâce qui est en lui deviendra le bien commun de toute l'Église. **29.** Que le Seigneur vous accorde de trouver rapidement un tel homme parmi vous, qui sera «un instrument de choix[a]», «une colonne et un support de vérité[b]». Nous avons confiance dans le Seigneur qu'il en sera ainsi si, dans une aspiration unanime[1], vous voulez regarder de concert vers le bien commun, en faisant passer avant vos propres volontés la volonté de notre Seigneur Jésus-Christ, «ce qui est bon, ce qui lui plaît, ce qui est parfait[c]», pour qu'il y ait chez vous une telle réussite, grâce à laquelle nous aussi pourrons nous glorifier, vous vous réjouir et le Dieu de tous être glorifié[d], lui à qui revient la gloire pour les siècles !

Lettre 18

A Otréios évêque de Mélitène[2]

1. Comme sont belles les images des belles choses, lorsqu'elles conservent aussi en elles-mêmes, fidèlement, le caractère et la forme de la beauté primitive ! **2.** De ton

---

1. La συμπνοία, c'est l'unité active des membres d'un corps dans la poursuite du même but. Le terme a de riches implications chez Grégoire : cf. J. Daniélou, «Conspiratio chez Grégoire de Nysse», dans *L'homme devant Dieu... Mélanges Henri de Lubac*, Paris 1961, p. 295-308 (= *L'être et le temps*, Leiden 1970, p. 51-74).
2. Otréios est également le destinataire de la lettre 10. Celle-ci est écrite à Sébastée (comme l'autre sans doute), Grégoire y décrivant longuement (§ 5-10) à son correspondant les désagréments que lui vaut son séjour dans cette ville. On a l'impression que cette lettre est antérieure à la *Lettre* 10, où Grégoire, au milieu de ses malheurs, se réjouit à la pensée de la visite prochaine de son correspondant.

καλῆς εἶδον ἐναργεστάτην εἰκόνα ἐν τῇ τῶν γραμμάτων
5 γλυκύτητι, οἷς ἡμᾶς, καθώς φησί που τὸ εὐαγγέλιον, Ἐκ τοῦ
περισσεύματος τῆς καρδίας[a] σου ἐμελίτωσας· καὶ διὰ τοῦτο
αὐτόν σε προσορᾶν καὶ τὴν ἐν τοῖς ὀφθαλμοῖς εὐφροσύνην
καρποῦσθαι καὶ διὰ τῆς ἐν τοῖς γράμμασι φιλοφροσύνης
ἐνόμιζον, καὶ πολλάκις ὑφ᾽ ἡδονῆς ἐπαναλαμβάνων τὰ
10 γράμματα καὶ συνεχῶς ἐπιὼν πρὸς μείζονα τῆς ἀπολαύσεως
ἐπιθυμίαν ἐξεκαιόμην, καὶ κόρος τῶν πινομένων οὐκ ἦν,
ὡς οὐδὲ ἄλλου τινὸς τῶν κατὰ φύσιν καλῶν καὶ τιμίων τὴν
ἡδονὴν ὁ κόρος διαλυμαίνεται. 3. Οὔτε γὰρ τοῦ προσορᾶν
C   τὸν ἥλιον ἡ συνεχὴς μετουσία τὴν ὄρεξιν ἤμβλυνεν, οὔτε τῆς
15 ὑγείας ἡ διηνεκὴς ἀπόλαυσις τὴν ἐπιθυμίαν ἔστησεν, οὔτε
59 P. τῆς σῆς ἀγαθότητος, ἣν κατὰ πρόσωπον πολλάκις καὶ νῦν
διὰ τοῦ γράμματος ἔγνωμεν, δυνατὸν εἶναι πεπείσμεθα
μέχρι κόρου προελθεῖν τὴν ἀπόλαυσιν· ἀλλ᾽ οἷόν τι πάσ-
χουσιν οἱ ἔκ τινος περιστάσεως διψῶντες ἀτέλεστα, οὕτω
20 καὶ ἡμεῖς, ὅσον ἐμφορούμεθα τῶν σῶν ἀγαθῶν, τοσούτῳ
μᾶλλον διψώδεις γινόμεθα. 4. Εἰ δὲ μὴ θωπείαν τινὰ καὶ
ψευδῆ κολακείαν τὸν ἡμέτερον λόγον ὑπολήψῃ (πάντως δὲ
οὐχ ὑπολήψῃ, τά τε ἄλλα τοιοῦτος ὢν οἷος εἶ, καὶ περὶ ἡμᾶς
διαφερόντως, εἰ καί τις ἄλλος, χρηστός τε καὶ γνήσιος), πάν-
25 τως πιστεύσεις τοῖς λεγομένοις, ὅτι τὴν συνεχῆ τῶν
D   δακρύων ἐπιρροὴν ἡ τῶν γραμμάτων χάρις, οἷόν τι φάρμα-
κον ἰαματικὸν τοῖς ὀφθαλμοῖς γενομένη, ἀνέστειλε, καὶ

PFV

5 οἷς ἡμᾶς καθὼς PF : om. sp. rel. V ‖ 6 σου FV : om. P ‖ 7 καὶ τὴν
ἐν τοῖς ὀφθαλμοῖς P : om. sp. rel. V ‖ τοῖς om. F ‖ 8 καὶ P : om. FV ‖ 9
ὑφ᾽ ἡδονῆς PF : om. sp. rel. V ‖ 11 ἐξεκαιόμην PF : om. sp. rel. V ‖
πινομένων Jaeger : γινομένων codd. ‖ 12 ὡς οὐδὲ P : ὃς καὶ ὡς V ὃς καὶ
F ‖ 13 ὁ κόρος P : om. FV ‖ διαλυμαίνεται PF : δια et sp. V ‖ 17 δυνατὸν
εἶναι PF : δύναμιν V ‖ 20 τοσούτῳ Pasquali : τοσοῦτο FP τοσοῦτον V ‖
23 ὑπολήψῃ F : ἅπαξ λήψῃ V ὑπολαμβάνειν P ‖ τοιοῦτος ὢν FV : ὢν
οὗτος P ‖ 24 εἰ καί FV : ἢ εἴ P ‖ 25 τοῖς om. P ‖ 27 ἰαματικὸν P :
ἰατρικὸν FV ‖ γενομένη P : ἐγγενομένη FV

âme, qui est véritablement belle, j'ai vu une image très
fidèle dans la douceur de ta lettre, par laquelle tu nous as
rempli de miel «de la surabondance de ton cœur[a]», comme
le dit l'Évangile. C'est pourquoi j'avais l'impression de te
voir en face et de jouir du bonheur de t'avoir devant les
yeux à travers même les sentiments d'amitié présents dans
ta lettre[1]. Maintes fois, reprenant cette lettre par plaisir et
la relisant d'un bout à l'autre, j'étais enflammé d'un désir
toujours plus vif de m'en délecter, et je n'avais aucune
satiété de cette boisson, parce que la satiété ne peut gâter
le plaisir d'aucune de ces choses qui par nature sont belles
et précieuses. **3.** La faculté permanente de regarder le
soleil n'en a pas émoussé l'envie, la jouissance continue de
la santé empêché de la désirer; quant à profiter de ta
Bonté, que nous avons maintes fois rencontrée en personne
— et maintenant par ta lettre —, il est impossible, nous en
sommes persuadé, que cela aille jusqu'à la satiété. Au
contraire, ce que ressentent ceux qui, par suite de quelque
circonstance, ont une soif inextinguible, nous le ressentons
nous aussi : plus nous nous emplissons de tes biens, plus
nous en sommes assoiffés. **4.** Si tu ne prends pas nos
paroles pour une flagornerie et une flatterie mensongère —
mais tu ne les prendras sûrement pas ainsi, car en plus
d'être tel que tu es, plus que tout autre tu es particulièrement dévoué et généreux envers nous —, tu croiras
certainement ce que je dis: que la grâce de ta lettre,
comme un remède salutaire appliqué à mes yeux, a stoppé
le flot continu des larmes, et nous attendons de la

a. Matth. 12,34

1. Sur la lettre comme substitut de la personne absente, cf.
THRAEDE, *Brieftopik*, p. 157-158.

προσδοκῶμεν τῇ τῶν ἁγίων εὐχῶν σου ἰατρείᾳ ὀκλάζουσαν
ἤδη τὴν ψυχὴν ἡμῶν ὑπὸ τῆς τῶν κακῶν συνεχείας ὑπερει-
30 δούσῃ ὅτι τάχα καὶ καθ᾽ ὅλου τὸ τοιοῦτον τῆς ψυχῆς ἡμῶν
1069 M. πάθος ἐξιαθήσεται · ἐπεί, τό γε νῦν ἔχον, ἐν τοιούτοις ἐσμὲν
ὡς φείδεσθαι τῆς ἀγαπώσης ἡμᾶς ἀκοῆς καὶ ἐπικρύπτεσθαι
σιωπῇ τὴν ἀλήθειαν, ἵνα μὴ πρὸς κοινωνίαν τῶν ἡμετέρων
κακῶν τοὺς γνησίως ἡμᾶς ἀγαπῶντας ἐφελκυσώμεθα.
35 **5.** Ὅταν γὰρ ἐνθυμηθῶμεν ὅτι τῶν φιλτάτων ἀπολειφθέντες
ἐν πολέμοις ἀναστρεφόμεθα καί, ἃ μὲν καταλιπεῖν ἐβιάσ-
θημεν, τέκνα ἐστὶν ἃ ταῖς πνευματικαῖς ἡμῶν ὠδῖσι τῷ θεῷ
γεννῆσαι κατηξιώθημεν, σύμβιος νόμῳ συνηρμοσμένη, κιν-
60 P. δύνῳ καὶ κακοπαθείαις ἐν τοῖς τῶν πειρασμῶν καιροῖς
40 ἐπιδειξαμένη πρὸς ἡμᾶς τὸ φιλόστοργον, καὶ ἔτι πρὸς
τούτοις οἶκος κεχαριτωμένος, ἀδελφοί, συγγενεῖς, οἰκεῖοι,
συνήθεις, φίλοι, ἑστία, τράπεζα, ταμεῖον, στιβάς, τὸ βάθρον,
ὁ σάκκος, ἡ γωνία, ἡ προσευχή, τὸ δάκρυον, ἃ ὥς ἐστι

PFV

28-30 ὀκλάζουσαν — ὑπερειδούσῃ Jaeger, Pasquali : τὰς ἐλπίδας
ἑαυτῶν ἐπερείδοντες codd. ‖ 31 ὀκλάζουσαν ἤδη τὴν ψυχὴν ἡμῶν ὑπὸ
τῆς τῶν κακῶν συνεχείας ὑπερειδούς (incertum) post ἐξιαθήσεται add.
P ‖ 37 ταῖς FV : δὲ P ‖ 38 σύμβιος PF : om. sp. rel. V ‖ νόμῳ PV :
νόσῳ F ‖ συνηρμοσμένα V ‖ 38-39 κινδύνῳ P : κινδύνοις F om. sp.
rel. V ‖ 40 ἐπιδειξαμένη PF : om. sp. rel. V ‖ 41 συγγενεῖς οἰκεῖοι PF :
om. sp. rel. V ‖ 43 γωνία · ἡ προσευχὴ PF : om. sp. rel. V ‖ γωνία :
fortasse πενία ‖ ἃ FV : om. P

1. L'audacieuse correction de Jaeger-Pasquali a l'inconvénient de
supprimer quatre mots qui se trouvent dans tous les manuscrits et
donnent à la phrase un sens convenable : « Nous attendons de la
médecine de tes saintes prières, *en y fixant solidement nos espérances*,
que soit bientôt... ». Elle a toutefois l'avantage de récupérer
habilement un fragment de phrase qui se trouve dans le seul P, mais à
une place qui n'est évidemment pas la sienne. Je l'adopte donc faute
de mieux.

médecine de tes saintes prières[1], soutenant notre âme déjà chancelante sous les maux qui ne cessent de l'accabler, que soit bientôt complètement guérie la si grave maladie de notre âme. Car nous sommes dans une situation telle, du moins présentement, que nous épargnons l'oreille de qui nous aime et cachons la vérité en la taisant, pour ne pas entraîner ceux qui nous aiment fidèlement à participer à nos propres malheurs. **5.** Lorsque en effet nous revient à l'esprit que nous avons abandonné ce qui nous était le plus cher pour nous trouver transporté dans les conflits, et que ce que nous avons été forcé d'abandonner — des enfants que nous avions été jugé digne d'engendrer pour Dieu dans les douleurs spirituelles, une épouse qui nous avait été unie par la loi[2] et avait montré son amour pour nous, à ses risques et périls, dans les temps d'épreuve, et encore une maison pleine de grâce, des frères, des parents, des intimes, des familiers, des amis, un foyer, une table, une cellule, une paillasse, la stalle, le cilice, le coin, la prière, les larmes[3]... Combien ces réalités sont douces, à quel point elles sont aimables par suite de l'habitude, je n'ai nul

---

2. Pasquali (*Le lettere*, p. 78-80) a bien montré que l'expression désignait non l'épouse de Grégoire selon la chair, mais l'Église de Nysse. De même les enfants mentionnés auparavant sont les fidèles de Grégoire, peut-être aussi ses communautés monastiques (même image de l'engendrement spirituel dans l'*Epist.* 19, 6).

3. Plusieurs de ces éléments renvoient à un contexte monastique : la maison «pleine de grâce» (le terme emprunté à *Lc* 1, 28), les frères, la cellule (sur ce sens monastique de ταμεῖον, cf. Basile, *Asc. magn.*, PR 277, PG 31, 1277 A), la stalle (je traduis ainsi τὸ βάθρον, qui chez Eusèbe, *Hist. eccl.* X, 4, 44 désigne le banc d'église), le cilice (cf. *Lc* 10, 13 ; Grég. Nyss., *V. Macr.* 16, 15, p. 197 ; Basile (?), *Lettre* 44, 1 : I, p. 110 Courtonne ou mieux p. 225 Forlin Patrucco, qui a bien traduit σακκός par cilice), la prière (faut-il traduire «le lieu de prière», «la chapelle»?). La table peut être celle de la liturgie (cf. Basile, *Epist.* 251, 3 ; III, p. 91) ou la table commune. «Le coin» est un peu étrange ; faut-il corriger γωνία en πενία, pauvreté (monastique)? Noter l'anacoluthe : la phrase commencée au début du paragraphe reste en suspens.

B γλυκέα καὶ διὰ συνήθειαν ὅσον ἐράσμια, οὐδὲν δεήσομαι
45 πρὸς εἰδότα σε γράφειν· τὰ δὲ ἀντ' ἐκείνων, ἵνα μή τι
ἐπαχθὲς λέγειν δόξω, πάντα ὡς ἄλλως ἔχει σκόπησον.
6. Πρὸς τῷ τέλει τῆς ἐμαυτοῦ ζωῆς ὤν, πάλιν τοῦ ζῆν
ἄρχομαι· μανθάνειν ἀναγκάζομαι τὴν εὐδοκιμοῦσαν νῦν τῶν
ἠθῶν ποικιλίαν, ὀψιμαθὴς κακοτροπίας καὶ τοιαύτης πα-
50 νουργίας γινόμενος, ὡς ἐνερυθριᾶν ἀεὶ τῇ ἀφυΐᾳ τοῦ
πράγματος. 7. Οἱ δὲ ἀντιτεταγμένοι διδάσκαλοι τῆς σοφίας
ταύτης εἰσὶν ἱκανοὶ καὶ φυλάξαι ὃ ἔμαθον καὶ ἐφευρεῖν ὃ οὐκ
ἔμαθον· συστάδην πολεμοῦσι, πόρρωθεν ἀκροβολίζονται, ἐπὶ
παρατάξεως καταπυκνοῦσι τὴν φάλαγγα, κατὰ τὸ ἀφανὲς
55 προλοχίζονται, ταῖς ὑπερβολαῖς προκατέχουσι, τοὺς συμμά-
C χους ἑαυτοῖς πανταχόθεν προσπεριβάλλονται. 8. Πολὺς δὲ
παρ' αὐτοῖς καὶ ἀκαταγώνιστος τῇ δυνάμει ὁ Μαμωνᾶς[b],
εἰς στρατηγίαν προβεβλημένος ὥσπερ τις ἀγωνιστὴς περι-
δέξιος διπλῇ τῇ χειρὶ τοῦ ἰδίου στρατοῦ προμαχόμενος, πῇ
60 μὲν δασμολογῶν τοὺς ὑποχειρίους, πῇ δὲ βάλλων τοὺς
προστυγχάνοντας.
9. Εἰ δὲ καὶ τὴν εἴσω ἡμῶν διαγωγὴν ἐξετάζοις,
εὑρήσεις ἄλλα τοιαῦτα· οἰκίδιον πνιγηρὸν κρυμῷ καὶ ζόφῳ
61 P. καὶ στενοχωρίᾳ καὶ πᾶσι τοῖς τοιούτοις καλοῖς εὐθηνούμε-
65 νον, βίον ὑπὸ πάντων μωμοσκοπούμενον, φωνὴν καὶ βλέμμα
καὶ ἱματίου περιβολὴν χειρός τε κίνησιν καὶ ποδῶν ποιὰν

PFV

44 ἐράσμιον P ‖ 44-45 δεήσομαι πρὸς PF : δεῇ sp. rel. V ‖ 45 εἰδότες
V ‖ γράφειν PF : γράψαι V ‖ 46 δόξω FV : δείξω P ‖ ὡς — ἔχει PF : om.
sp. rel. V ‖ 47 ὤν FV : νῦν P ‖ 48 μανθάνειν PF : om. sp. rel. V ‖ 49
κακοτροπίας καὶ τοιαύτης PF : κακοτροπ^π sp. της V ‖ 50 ἐνερυθριᾶν P :
καὶ ἐνερυθριᾶν F ἐρυθριᾶν V ‖ 51 διδάσκαλοι PF : τῇ διδασκαλίᾳ V ‖ 52
ταύτης post σοφίας PV post ἱκανοὶ F ‖ ὃ¹ FV : ἃ P ‖ 53 συστάδην PF :
om. sp. rel. V ‖ πολεμοῦσι FV : πολεμοῦντες P ‖ 54 ἀφανὲς FP : om. sp.
rel. V ‖ 56 προσπεριβάλλονται PF : προσπαραβάλλονται V ‖ 57 μαμωνᾶς
PF : μα sp. rel. V ‖ 59 μαχόμενος P ‖ 60 βάλλων P : ἄλλων FV ‖ 62 τὴν
εἴσω V : τὴν ἐν ἴσῳ F τῇ νόσῳ P

b. Cf. Lc 16, 9

besoin de te l'écrire, car tu le sais bien ! Et à la place de cela — pour que je n'aie pas l'air de dire quelque chose d'insupportable —, considère combien tout est différent ! **6.** Alors que je suis proche du terme de ma vie, je recommence à vivre : je suis contraint d'apprendre la variété des mœurs qui sont aujourd'hui en faveur, je commence sur le tard à apprendre la tromperie, et une fourberie telle que je rougis toujours de mon inaptitude en la matière[1]. **7.** Mes adversaires, en revanche, sont des maîtres en cette sagesse, capables de retenir ce qu'ils ont appris et d'inventer ce qu'ils n'ont pas appris. Ils font la guerre de près, ils lancent des traits de loin, regroupent la phalange pour la bataille, tendent des embuscades en secret, l'emportent par leurs coups de main, se font de tous côtés un rempart de leurs alliés. **8.** Mammon est puissant chez eux[b] et invincible par sa puissance : préposé au commandement comme un guerrier ambidextre qui combat des deux mains au premier rang de son armée, tantôt imposant des tributs à ceux qui lui sont soumis, tantôt frappant ceux qui viennent à sa portée[2].

9. Si tu veux apprendre aussi ce qui concerne notre vie privée, tu trouveras d'autres traits semblables : un tout petit logis étouffant, où règnent le froid, l'obscurité, l'absence d'espace et tous les biens[3] de cette sorte, une vie en butte à l'inquisition de tous, la voix, le regard, la façon de se vêtir, le mouvement de la main, la manière dont on pose le pied, tout indiscrètement surveillé — si la

---

1. Cette réflexion de Grégoire rappelle le jugement que portait son frère sur sa naïveté, sa simplicité (cf. *supra*, p. 50).
2. La lettre suivante explicitera davantage ces plaintes (en 16-17). On notera ici combien Grégoire file longuement des comparaisons tirées de l'art militaire, tel du moins que le lui a appris la lecture des auteurs classiques.
3. Ironique.

στάσιν καὶ πάντα πολυπραγμονούμενα, καὶ εἰ μὴ δασὺ τὸ
ἄσθμα καὶ διὰ πολλοῦ προχεόμενον καὶ εἰ μὴ συνεκδίδοται
D στεναγμός τις τῷ ἄσθματι, καὶ εἰ μὴ διεκπίπτοι τῆς ζώνης
70 ἡμῶν τὸ χιτώνιον, καὶ αὐτὸ δὲ τὸ μὴ κεχρῆσθαι τῇ ζώνῃ,
1072 M. **10.** καὶ εἰ μὴ περιρρέοι κατὰ τὸ πλάγιον ἡμῶν ἡ διπλοῖς
μηδὲ τοῖς ὤμοις τῶν ὀφρύων τὴν ἑτέραν ἐπισπάσαιμεν,
ταῦτα πάντα μὴ γινόμενα πολεμούντων πρὸς ἡμᾶς ὑπόθεσις
γίνεται, καὶ ἐπὶ τούτοις κατ' ἄνδρας καὶ δήμους καὶ
75 ἐσχατιὰς πρὸς τὴν καθ' ἡμῶν μάχην συνίστανται.

11. Ἐπεὶ δὲ οὐκ ἔστι διὰ πάντων πράττειν καλῶς ἢ
κακῶς — μέμικται γὰρ ὡς ἐπὶ τὸ πολὺ διὰ τῶν ἐναντίων
πᾶσιν ὁ βίος —, εἰ δὴ τὸ σὸν ἡμῖν κατὰ θεοῦ χάριν διηνεκῶς
παρείη, ὑποίσομεν τῶν παρόντων ἀηδῶν τὴν δαψίλειαν
80 ἐπ' ἐλπίδι τοῦ τῆς σῆς ἀγαθότητος διὰ παντὸς μετέχειν.
Μή ποτε οὖν παύσαιο τοιαῦτα χαριζόμενος δι' ὧν καὶ ἡμᾶς
ἀναπαύσεις καὶ σαυτῷ τὸν ἐπὶ ταῖς ἐντολαῖς μισθὸν[c] πλείω
παρασκευάσεις.

PFV

67 τὸ P : om. FV ǁ 68 καὶ[1] P : om. FV ǁ συνεκδίδοται P : συνεχὴς
διαδίδοται FV ǁ 69 τις P : om. F σὺν V ǁ διεκπίπτοι P : διεκπίπτει FV ǁ
72 μηδὲ — ἐπισπάσαιμεν om. FV ǁ μηδὲ Vitelli, Pasquali : μήτε P ǁ
ἐπισπάσαιμεν Pasquali : ἐπισπασάμενος P ǁ 73 πολεμούντων PF :
πολέμου τοῦ V ǁ 76 ἐπεὶ δὲ Pasquali : ἐπειδὴ codd. ǁ 77 τὸ PF : om. V ǁ
78 δὴ Vitelli : δὲ codd. ǁ 79 τῶν παρόντων ἀηδῶν τὴν P : τὴν τῶν
ἀηδῶν FV ǁ 80 ἐπ' FV : om. P

c. Cf. Matth. 5,12

respiration n'est pas sifflante et si elle se produit à intervalles réguliers, si on n'émet pas un gémissement en même temps que le souffle, si la tunique ne sort pas de notre ceinture[1] — et même de ne pas se servir de ceinture —, **10,** si notre manteau double ne tombe pas librement sur les côtés et si nous n'avons pas tiré un de ses bords sur les épaules... Toutes ces choses, même si elles n'ont pas lieu, deviennent un prétexte pour ceux qui nous font la guerre, et dans ce but s'allient entre eux pour nous combattre, que ce soient des hommes, des assemblées ou des lieux retirés[2].

11. Mais puisqu'il n'est pas possible d'agir bien ou mal en tout — car pour tous, le plus souvent, la vie est un mélange de contraires —, si en vérité ce qui vient de toi, par la grâce de Dieu, nous assiste constamment, nous supporterons la multitude des désagréments présents dans l'espoir d'avoir toujours part à ta bonté. Ne cesse donc pas de nous accorder une telle faveur : grâce à elle, tu nous apporteras le soulagement et te procureras à toi-même dans une plus large mesure la récompense attachée aux commandements[c].

---

1. Le vêtement monastique basilien suppose la ceinture (*Magn. asc.*, GR 23, PG 31, 981 AC ; *Epist.* 2, 6, I, p. 11). Grégoire a sans doute adopté cet usage ; lorsqu'il mentionne le fait de ne pas se servir d'une ceinture, et plus loin que l'on trouve prétexte à critique « même si cela n'a pas eu lieu », il veut montrer jusqu'où se porte l'indiscrète inquisition des habitants de Sébastée.

2. Le mot ἐσχατία, chez Grégoire, a plusieurs fois le sens de « lieu retiré », « solitude » où s'est installé un couvent. Cf. *V. Macr.*, index : les six occurrences ont cette signification.

XIX

Πρός τινα Ἰωάννην περί τινων ὑποθέσεων
καὶ περὶ τῆς διαγωγῆς
καὶ καταστάσεως τῆς τοιαύτης ἀδελφῆς
αὐτοῦ Μακρίνης

1. Οἶδά τινὰς τῶν ζωγράφων φιλοτιμίαν ἀνόνητον
χαρίζεσθαι μέν τι καὶ τοῖς εἰδεχθεστέροις τῶν φίλων ἐν τῷ
μεταγράφειν τὴν μορφὴν εἰς εἰκόνα προθυμουμένων, ἐναντίον δέ τι ποιούντων ἢ βούλονται · ἐν οἷς γὰρ διορθοῦνται
5 δῆθεν τῇ μιμήσει τὴν φύσιν τοῖς εὐανθεστέροις τῶν
χρωμάτων τὸ τῆς μορφῆς ἀηδὲς ἐπὶ τοῦ πίνακος κρύψαντες,
τὸν χαρακτῆρα παραλλάττουσιν, καὶ ἡ πρόθεσις τοῦ τιμᾶν
τὸν φίλον διὰ τῆς πρὸς τὸ κρεῖττον μιμήσεως ἀφορμὴ
γίνεται τοῦ μηδ' ὅλως αὐτὸν ἐν τῇ εἰκόνι βλέπειν τὸν φίλον.
10 **2.** Ὡς οὖν ἐπ' ἐκείνων κέρδος οὐκ ἔστιν οὐδὲν κόμη ξανθὴ
καὶ βαθεῖα ἐπικυρτουμένη τῷ μετώπῳ καὶ περιστίλβουσα
καὶ τὸ ἐπὶ τοῦ χείλους ἄνθος καὶ τὸ ἐπὶ τῆς παρειᾶς ἐρύθημα
βλεφάρων τε κύκλος καὶ ἀκτὶς ὀμμάτων καὶ ὀφρύες ἐν τῷ

PF

Titulus : ἐπιστολὴ τοῦ αὐτοῦ πρὸς ... F τοῦ αὐτοῦ P

1 τινὰς F : τινὰ P Pasquali ‖ 2 μέν τι καὶ P : om. F ‖ τι suspic.
Pasquali (in app.) ‖ 6 κρύψαντες P : κρύπτοντες F ‖ 7-8 καὶ — φίλον P :
om. F ‖ 9 μηδ' Jaeger Pasquali : μὴ codd. ‖ 11 ἐπικυρτουμένη F

---

1. Ce destinataire de la lettre est inconnu par ailleurs. Grégoire l'a
rencontré à Antioche (§ 10 ; cf. aussi *V. Macr.* 15, 1-3) et lui a promis
un écrit d'édification (§ 19) pour sa communauté (§ 4, 20), sans doute
une communauté monastique dont il est le supérieur ou une Église

Lettre 19

A un certain Jean[1], sur divers sujets et sur le mode de vie et le caractère de sa célèbre sœur Macrine

1. Je sais que certains peintres gratifient d'un honneur inutile, en quelque sorte, même les plus laids de leurs amis, quand ils s'efforcent de représenter leur aspect dans une image, mais qu'ils font le contraire de ce qu'ils veulent[2]. Car lorsque, dans leur reproduction, ils corrigent la nature en dissimulant sur le tableau la laideur de l'apparence au moyen des couleurs les plus éclatantes, ils en transforment les traits, et le désir d'honorer l'ami par une reproduction retouchée a pour conséquence que, dans l'image, on ne voit absolument pas l'ami lui-même. **2.** Pour ces amis donc, ce n'est nullement un gain qu'une chevelure blonde et fournie, s'incurvant sur le front et resplendissant tout autour, que l'éclat des lèvres, l'incarnat des joues, l'arc des paupières, l'éclat des yeux, les sourcils d'un noir brillant, le

dont il est l'évêque, ou du moins un des responsables. Il est difficile de trancher : Grégoire n'utilise aucun des termes de politesse appliqués habituellement aux évêques, mais il parle à son correspondant de difficultés qui ont saisi son Église (ἐκκλησία σου). On peut rappeler d'autre part qu'on n'a pas de preuve certaine de l'existence d'un monastère à Antioche même vers la fin du IVᵉ siècle (autour de 390) : cf. P. Canivet, *Le monachisme syrien selon Théodoret de Cyr*, Paris 1977, p. 47-48.

2. Le texte grec est ambigu, et j'ai conservé cette ambiguïté dans la traduction : le verbe βούλονται peut se rapporter aux peintres (« ce qu'ils ont l'intention de faire ») ou à ceux dont on fait le portrait, que l'on gratifie d'un honneur inutile, qu'*ils* ne désirent pas obtenir.

C   μέλανι στίλβουσαι καὶ ἐπιλάμπον τῇ ὀφρύι τὸ μέτωπον, καὶ
15 εἴ τι ἄλλο τοιοῦτο τὴν τῆς μορφῆς ὥραν συναπεργάζεται
    — ἐὰν γὰρ μὴ παρὰ τῆς φύσεως ἔχῃ ταῦτα ὁ τῷ ζωγράφῳ
    προτεθεὶς εἰς τὴν μίμησιν, οὐδὲν ἀπώνατο τῆς τοιαύτης
    φιλανθρωπίας, ἀλλ' ὁ μὲν πίναξ ἡδύ τι καὶ περιηνθισμένον
    τὸ διὰ τῆς ζωγραφίας πρόσωπον ἔδειξεν, ἐλέγχει δὲ τὸ
20 περιττὸν τῆς φιλοτιμίας ἄλλο δεικνύμενον τοῦ φίλου τὸ
    πρόσωπον —, κατὰ τὸν αὐτὸν τρόπον, δοκεῖ μοι, καὶ εἴ τις
    ὑπὸ φιλίας ἐπαίνων ὑπερβολὰς τῷ ἀγαπωμένῳ χαρίζοιτο καὶ
63 P. ἀναπλάσσοι τῷ λόγῳ μὴ οἷός ἐστιν, ἀλλ' οἷον εἶναι προσήκει
1073 M. τὸν ἐν παντὶ τὸ τέλειον ἔχοντα, τῷ μὲν λόγῳ τὸν ὀρθὸν βίον
25 ἀνετυπώσατο, τὸν δὲ φίλον οὐ μᾶλλον ἐσέμνυνε ταῖς τῶν
    ἐπαίνων ὑπερβολαῖς ἢ διήλεγξεν ἀντιφθεγγόμενον διὰ τοῦ
    βίου τῷ λόγῳ καὶ ἄλλον δεικνύμενον ἢ οἷος νομίζεται. 3. Τί
    οὖν ὁ λόγος μοι βούλεται; εἶδον ἐν τοῖς γράμμασι τῆς
    ἀγάπης σου οἷον ἀνδριάντα τινὰ πρὸς τὸ ἀκρότατον
30 ἀπηκριβωμένον, ᾧ ὄνομα ἦν ἐγώ, ἐμὲ γὰρ ἐδήλου τὸ
    γράμμα· ἀλλ' ἐπειδὴ ὥσπερ ἐν κατόπτρῳ τῷ βίῳ ἐγὼ τῷ
    ἐμαυτοῦ κατὰ πᾶσαν ἀκρίβειαν ἐνιδών, ἐμαυτὸν ἔγνων
    πάμπολυ κεχωρισμένον τῆς διὰ τοῦ λόγου γραφῆς, σὲ μὲν
    ἀπεδεξάμην καὶ διὰ τούτων τὸ φιλάγαθον δείξαντα· δι' ὧν
35 γὰρ τοιοῦτον εἶναι νομίσας ἔπειτα τοσοῦτον ἠγάπησας,
    ἐναργεστάτην ἀπόδειξιν τῆς τῶν τρόπων σου πεποίησαι
    δεξιότητος ὡς οὐδεμίαν ἄλλην <ἔχων> τοῦ ἀγαπᾶν ἀφορμὴν

PF

15 τοιοῦτον P ‖ 18-21 ἀλλ' ὁ — κατὰ P : om. F ‖ 21 καὶ P : om. F ‖
23 ἀναπλάσσει F ‖ 25 ἀνετυπώσατο P : ἐτυπώσατο F ‖ 26 ἀντιφθεγγόμε-
νον F : ἀντιφθειρόμενον P ‖ 31 ἐγὼ F : λέγω P ‖ 32 ἐμαυτὸν ἔγνων P :
ἔγνων ἐμαυτὸν F ‖ 34 τούτων F : τοῦτο P ‖ φιλάγαθον F : φιλάνθρωπον P
‖ 35 νομίσας — ἠγάπησας Pasquali : ἐνόμισας ἔπειτα τοσ. ἀγαπήσας P
νομίσας τοσ. ἠγάπησας F ‖ 37 ἔχων add. Pasquali

1. Tout le § 2, fait d'une seule phrase, est une longue comparaison
(je n'ai pas traduit le premier «de même que» pour ne pas trop
alourdir la traduction) entre les artifices de la peinture et les louanges

front resplendissant au-dessus des sourcils[1] et tout ce qu'il peut y avoir de pareil pour contribuer à la beauté de l'apparence. Car si celui qui se tient devant le peintre pour qu'il le représente n'a pas reçu tout cela de la nature, il n'a rien gagné à une telle bienveillance : le tableau a montré agréable et florissant le visage dépeint, mais le visage de l'ami, en montrant autre chose, convainc de fraude cet excès de prévenance. Il en est de même, me semble-t-il, si quelqu'un, par amitié, gratifie celui qu'il aime de louanges exagérées et le décrit non tel qu'il est, mais tel qu'il conviendrait que soit celui qui posséderait en tout la perfection : dans ses paroles il a dépeint une vie droite, mais il a moins honoré son ami par l'excès de ses louanges qu'il ne l'a critiqué, car celui-ci contredit les paroles par sa vie, en se montrant autre que ce qu'on le croit. **3.** Que signifie donc mon discours ? J'ai vu dans la lettre de ta Charité comme une statue travaillée avec un soin extrême ; elle portait mon nom, car c'est moi que la lettre désignait ; mais après avoir moi-même considéré ma propre vie avec grande attention, comme dans un miroir, je me suis avisé que j'étais tout à fait différent de la description que tu as faite de moi par tes paroles, et j'ai compris que, de ton côté, tu montrais en cela aussi ton amour du bien. C'est en effet dans la mesure où tu as cru que j'étais ainsi que tu m'as ensuite aimé à ce point, et tu as fait la démonstration la plus claire de la droiture de ton caractère : n'ayant pour

---

excessives décernées par un correspondant. Le premier terme de la comparaison donne lieu de la part de Grégoire à une *ecphrasis* où il «reproduit un lieu commun de la monodie sophistique» (L. MÉRIDIER, *L'influence de la seconde sophistique*, p. 146), la description d'un visage. On peut la comparer à celle du *Traité de la virginité* sur le charme de la jeune épouse (*De virg.*, III, 3, 30-35) ou à celle de l'éloge funèbre de Pulchérie sur une jeune morte (*In Pulch.*, *GNO 9*, p. 464, 23-26 ; cf. aussi *De beat.* I, *PG* 44, 1197 C). On retrouve dans tous ces textes les mêmes mots prisés par poètes et sophistes : βλεφαρόν, ὄμμα, ὀφρῦς, χεῖλος, κόμη βαθεῖα, περιστίλβουσα, ἐρύθημα.

B πλὴν τὴν ἀρετὴν μόνην, ἧς καὶ ἡμῖν τι μετεῖναι νομίζων ἐν
   τοῖς γνησιωτάτοις τῶν φίλων ἔσχες· διὸ καλῶς ἔχειν
40 ᾠήθην δι' ἐμαυτοῦ μᾶλλον τὰ ἐμαυτοῦ γινώσκειν ἢ ταῖς
   ἑτέρων μαρτυρίαις παράγεσθαι, κἂν ἐν τοῖς ἄλλοις πᾶσιν
   ἀληθεῖς ὦσιν οἱ μάρτυρες· τοῦτο γὰρ καὶ ὁ παροιμιώδης
   λόγος παρεγγυᾷ, ἑαυτῶν ἐπιγνώμονας γίνεσθαι τοὺς μέλ-
   λοντας κατὰ τὸν ἔξωθεν λόγον ἑαυτοὺς γινώσκειν[a].

45   4. Ἀλλὰ ταῦτα μὲν εἰς τοσοῦτον, ὡς ἂν μὴ δοκοίην
   αὐτῷ τῷ παραιτεῖσθαι τὸν ἔπαινον τῶν ἐπαίνων κατειρω-
   νεύεσθαι· ἐπειδὴ δὲ διεκελεύσω λόγους τινὰς περὶ τῶν ἐν
64 P. ἡμῖν ζητουμένων πονήσαντα ὠφελῆσαί τι τὸ κοινὸν διὰ τῆς
   τοιαύτης σπουδῆς, γίνωσκε νῦν σχολῆς ἡμᾶς τοσοῦτον
50 μετεσχηκέναι, ὅσον μικροῦ δεῖν ἐκεῖνος περὶ οὗ φησί τις τῶν
   προφητῶν[b] ὅτι συμπλακεὶς λέοντι καὶ μόγις διεκδὺς τὸ
C χάσμα καὶ τὴν τῶν ὀνύχων ἀκμήν, καθ' ὃ μέρος ᾤετο
   φεύγειν, ἔλαθε κατὰ στόμα τῆς ἄρκτου γινόμενος, εἶτα
   διαδρὰς σὺν ἀγῶνι πολλῷ καὶ τοῦτον τὸν κίνδυνον καὶ πρὸς
55 τὸν τοῖχον ἑαυτὸν ἀναπαύων ἐνέδρᾳ καὶ δήγματι ὄφεως
   συνηνέχθη· τοιαύτη τις γέγονε τῶν συμπεπτωκότων ἡμῖν
   ἀνιαρῶν ἡ συνέχεια καὶ οὕτως ἐπάλληλοι τῶν λυπηρῶν αἱ
   διαδοχαί, ἀεὶ ταῖς ὑπερβολαῖς τῶν ἐπιγινομένων μικρὰ τὰ
   φθάσαντα δοκεῖν εἶναι παρασκευάζουσαι. 5. Εἰ δὲ μὴ
60 φορτικόν ἐστι λύπην τοῖς ἀγαπῶσι χαρίσασθαι σκυθρωποῖς
   διηγήμασιν, ἐκθήσομαί σοι δι' ὀλίγου τὴν κακὴν ἱστορίαν.

PF

   38 μόνην P : om. F ‖ νομίζων F : om. P ‖ 39 διὸ F : διὰ τοῦτο P δι' ὃ
Pasquali ‖ ante δι' ὃ lac. statuit Pasquali ‖ 40 ἐμαυτοῦ¹ P : ἐμαυτὸν F ‖
43 παρεγγυᾷ F : ἐγγυᾷ P ‖ 47 ἐπειδὴ P : ἐπεὶ F ‖ 48 πονήσαντα Fᵖᶜ :
ποιήσαντα Fᵃᶜ πονέσαντα P ‖ 49-50 γίνωσκέ τε νῦν σχολῆς ἡμᾶς τοσοῦτον
μετ. P γίνωσκε τοσ. ἡμᾶς μετ. σχολῆς F τε del. Pasquali ‖ 53 ἄρκτου F :
ἄρκου P ‖ γινόμενος P : γενόμενος F ‖ 59 παρασκευάζουσαι F :
παρασκευάζουσιν P ‖ 60 τοῖς ante σκυθρωποῖς add. F

   a. Cf. Prov. 13, 10   b. Cf. Amos 5, 19

aimer d'autre motif que la seule vertu et estimant que
nous aussi participions quelque peu de celle-ci, tu nous as
compté au nombre de tes amis les plus authentiques. Aussi
bien ai-je pensé qu'il était préférable de connaître mes
propres qualités par moi-même plutôt que d'être trompé
par les témoignages d'autrui, même si les témoins sont
véridiques entre tous. C'est cela que recommande aussi le
proverbe[1] : que sachent s'examiner eux-mêmes ceux qui
sont amenés à se connaître[a] selon le jugement d'autrui.

4. Mais c'est assez sur ce sujet, pour que je ne paraisse
pas, au moment même où je récuse la louange, faire de
l'ironie au sujet des louanges. Puisque tu m'as exhorté à
me donner la peine d'écrire quelques mots sur ce dont nous
avons discuté, afin d'être de quelque utilité pour la
communauté grâce à cette entreprise, sache maintenant
que nous avons disposé d'un loisir à peu près semblable à
celui dont parle un des prophètes[b] : attaqué par un lion et
ayant échappé avec peine à sa gueule béante et à ses griffes
acérées, il tomba sans le savoir, du côté où il comptait fuir,
devant la gueule d'un ours ; ensuite, ayant échappé à ce
danger aussi au prix d'une violente lutte, il dut affronter,
alors qu'il se reposait auprès d'un mur, la ruse et la
morsure d'un serpent. Telles, ou presque, ont été pour nous
la série des ennuis qui nous sont tombés dessus et la
succession pareillement ininterrompue de chagrins qui, du
fait de l'excès de ceux qui survenaient, faisaient paraître
petits ceux qui précédaient. **5.** Mais s'il n'est pas importun
de gratifier d'un chagrin, avec des récits affligeants, ceux
que l'on aime, je t'exposerai en peu de mots cette triste
histoire.

---

1. Allusion probable au «connais-toi toi-même», mais avec référence au texte de *Prov.* 13, 10, qui déclare sages ceux qui s'examinent
eux-mêmes.

6. Ἦν ἡμῖν ἀδελφὴ τοῦ βίου διδάσκαλος, ἡ μετὰ τὴν
μητέρα μήτηρ, τοσαύτην ἔχουσα τὴν πρὸς τὸν θεὸν
παρρησίαν ὥστε πύργον ἡμῖν ἰσχύος[c] εἶναι καὶ ὅπλον
65 εὐδοκίας[d], καθώς φησιν ἡ γραφή, καὶ πόλιν περιοχῆς[e] καὶ
D πᾶν ἀσφαλείας ὄνομα διὰ τὴν προσοῦσαν ἐκ τοῦ βίου αὐτῇ
πρὸς τὸν θεὸν παρρησίαν. **7.** Ὤκει δὲ τοῦ Πόντου τὰ
ἔσχατα, τοῦ βίου τῶν ἀνθρώπων ἑαυτὴν ἐξοικίσασα· χορὸς
ἦν περὶ αὐτὴν παρθένων πολύς, ἃς αὐτὴ διὰ τῶν πνευματι-
70 κῶν ὠδίνων γεννήσασα καὶ εἰς τελείωσιν διὰ πάσης
ἐπιμελείας προάγουσα, τὴν τῶν ἀγγέλων ἐμιμεῖτο ζωὴν ἐν
ἀνθρωπίνῳ τῷ σώματι. **8.** Οὐκ ἦν διάκρισις ἐν αὐτῇ νυκτὸς
καὶ ἡμέρας, ἀλλὰ καὶ νὺξ ἐνεργὸς ἐν τοῖς τοῦ φωτὸς ἔργοις[f]
74 ἐδείκνυτο καὶ ἡμέρα τὴν νυκτερινὴν ἡσυχίαν τῷ ἀταράχῳ
65 P. τῆς ζωῆς ὑπεκρίνετο· φωνῆεν ἦν αὐτῇ διὰ παντὸς τοῦ
χρόνου τὸ οἴκημα νυκτὸς καὶ ἡμέρας ταῖς ψαλμῳδίαις
1076 M. περιηχούμενον. **9.** Εἶδες ἂν πρᾶγμα καὶ ὀφθαλμοῖς ἀπι-
στούμενον, σάρκα μὴ ζητοῦσαν τὰ ἴδια[g], γαστέρα, καθάπερ
ἐπὶ τῆς ἀναστάσεως[h] ὑποπτεύομεν, πρὸς τὰς οἰκείας ὁρμὰς
80 κατηργημένην, δακρύων λιβάδας πρὸς τὸ τῆς πόσεως μέτρον
ἐξησκημένας, στόμα μελετῶν δι' ὅλου τὸν νόμον[i], ἀκοὴν

PF

62 ἀδελὴ P ‖ 63 τὸν om. F ‖ 75 ὑπεκρίνατο P ‖ αὐτῇ F : αὐτοῖς P ‖ τοῦ
om. F

c. Ps. 60,4   d. Ps. 5,13   e. Ps. 30,22; 59,11; 107,11
f. Cf. Rom. 13,12   g. Cf. I Cor. 13,5   h. Cf. Matth. 22,30
i. Cf. Ps. 118,70

1. Il s'agit de sa sœur Macrine, dont la *Vie* sera également adressée
à un destinataire résidant à Antioche (mais Grégoire y a rencontré
celui-ci lorsqu'il est repassé dans cette ville pour se rendre à
Jérusalem : cf. *V. Macr.*, 1, 6-10). J'ai donné une traduction des § 6-10
dans mon édition de la *Vie de Macrine* (p. 269-271). Sur l'importance
de Macrine et sa place dans le développement du monachisme féminin

6. Nous avions une sœur[1], pour nous un maître de vie, la mère après la mère ; elle avait devant Dieu une telle assurance qu'elle était pour nous «une tour fortifiée[c]» et «une armure favorable[d]», comme dit l'Écriture, «une ville forte[e]» et toute espèce de sécurité, à cause de cette assurance devant Dieu qui lui venait de sa vie. **7.** Elle habitait au fin fond du Pont[2], s'étant exilée de la vie des hommes. Autour d'elle, un chœur nombreux de vierges, qu'elle avait engendrées par des douleurs spirituelles et qu'elle mettait tout son soin à conduire vers la perfection, en imitant dans un corps humain la vie des anges[3]. **8.** Il n'y avait pas de différence pour elle entre la nuit et le jour, mais même la nuit se montrait active dans les œuvres de lumière[f], cependant que le jour imitait le repos nocturne par la sérénité de la vie[4]. Bruissante en tout temps était sa demeure, qui résonnait nuit et jour du chant des psaumes[5]. **9.** On voyait une réalité incroyable, même pour qui l'a sous les yeux : une chair qui ne recherchait pas ce qui lui est propre[g], un ventre tel que nous supposons qu'il sera lors de la résurrection[h], libéré de ses propres instincts, des larmes versées à la mesure de la boisson[6], une bouche qui méditait parfaitement la loi[i], une oreille attentive aux

en Asie Mineure, cf. R. ALBRECHT, *Das Leben der hl. Makrina auf dem Hintergrund der Thekla-Traditionen. Studien zu den Ursprüngen des weiblichens Mönchtums im 4. Jahrhundert in Kleinasien*, Göttingen 1986.

2. Sur Annisa dans l'Hélénopont, lieu du séjour de Macrine (mais aussi de Basile lors de ses premières années de vie monastique), cf. MARAVAL, *Vie de Macrine*, p. 38-44.

3. Sur le thème de la vie angélique, cf. *V. Macr.* 11, 20.39 ; 12, 29 ; 15, 24 ; 22, 27-29 et l'introduction à ce texte, p. 96-97.

4. On sait le goût de Grégoire pour ces formules paradoxales, presque des oxymorons.

5. Cf. *V. Macr.* 11, 30-32 et l'introduction p. 68-74 (l'organisation de la prière à Annisa).

6. Expression bien alambiquée pour signaler à la fois les larmes de Macrine (cf. *V. Macr.* 31, 25-27) et sa sobriété. Allusion possible au *Ps.* 79, 6.

τοῖς θείοις σχολάζουσαν, χεῖρα πρὸς τὰς ἐντολὰς ἀεικίνη-
τον ʲ · καὶ πῶς ἄν τις ὑπ' ὄψιν ἀγάγοι πρᾶγμα ὑπερβαῖνον
84 τὴν διὰ τῶν λόγων γραφήν;

B   **10.** Ἐπειδὴ τοίνυν ἐπέστην παρ' ὑμῶν τοῖς Καππαδό-
καις, εὐθύς τις ἡμᾶς ἀκοὴ περὶ αὐτῆς διετάραξε · δέκα δὲ ἦν
ἡμερῶν ἡ διὰ τοῦ μέσου ὁδός, καὶ ταύτην πᾶσαν διὰ τῆς
ἐνδεχομένης ἐπείξεως διανύσας γίνομαι κατὰ τὸν Πόντον
καὶ εἶδον καὶ ὤφθην · ἀλλ' ὥσπερ εἴ τις διὰ μεσημβρίας
90 ὁδεύων καὶ καταφρυγεὶς τῷ ἡλίῳ τὸ σῶμα, ἐπί τινα κρήνην
ἀναδραμών, πρὶν ἐπιψαῦσαι τοῦ ὕδατος, πρὶν καταψῦξαι τὴν
γλῶσσαν, ἀθρόως αὐτῷ τῆς πηγῆς ὑποξηρανθείσης κόνιν
εὕροι τὸ ὕδωρ γενόμενον, οὕτω καὶ αὐτός, ἐνιαυτῷ δεκάτῳ
τὴν ἀντὶ μητρός μοι καὶ διδασκάλου καὶ παντὸς ἀγαθοῦ
95 ποθουμένην ἰδών, πρὶν ἀποπληρῶσαι τὸν πόθον, ἡμέρᾳ τρίτῃ
κηδεύσας ὑπέστρεφον. Ταῦτά μοι τῆς πατρίδος μετὰ τὴν
ἐπάνοδόν μου τὴν ἐξ Ἀντιοχείας τὰ εἰσιτήρια.

        11. Εἶτά μοι, πρὶν καταπεφθῆναι τὴν συμφοράν, οἱ
C   πρόσχωροι τῆς ἐμῆς ἐκκλησίας Γαλάται, τὸ σύνηθες αὐτοῖς
66 P.   περὶ τὰς αἱρέσεις ἀρρώστημα πολλαχοῦ τῆς ἐμῆς ἐκκλησίας
101 κατὰ τὸ λεληθὸς ὑποσπείραντες, ἀγῶνα παρέσχον οὐ μικρόν,

PF

84 τῶν λόγων F : τοῦ λόγου P ‖ 86 δὲ P : om. F ‖ 87 ἡ P : om. F ‖ 90
καὶ P : om. F ‖ 92 γλῶτταν P ‖ 94 καὶ¹ F : om. P ‖ 98 καταπε * φθῆναι F
καταπεμφθῆναι P

j. Cf. Ps. 118, 48

1. Cf. *V. Macr.* 20, 24-25. La formulation de Grégoire s'inspire ici
du *Ps.* 118, 48, mais le mot ἀεικίνητος est platonicien (*Phèdre* 245 C).
Noter la mention des larmes, comme dans l'énumération des regrets
de Grégoire dans la lettre précédente.
2. Dans la *V. Macr.* 15, 5-6, Grégoire dit simplement qu'il lui prit
le désir d'aller voir sa sœur ; un rêve prémonitoire durant le trajet lui
donna le pressentiment de sa fin prochaine, et on lui annonça qu'elle
était malade alors qu'il se trouvait à trois jours de voyage d'Annisa
(p. 190-195). Sur les différences entre les deux récits, cf. P. MARAVAL,
Vie de Macrine, p. 25, 32-35.

choses de Dieu, une main sans cesse en mouvement[1] pour pratiquer les commandements[j]. Comment pourrait-on mettre sous les yeux une réalité qui surpasse sa description par des paroles ?

10. Lors donc que, venant de chez vous, je m'arrêtai en Cappadoce, aussitôt vint nous troubler une nouvelle à son sujet[2]. La distance entre nous était de dix jours de voyage ; quand je l'eus toute parcourue avec autant de hâte que je le pus, me voici dans le Pont, je la vis et elle me vit[3]. Mais de même qu'un voyageur cheminant en plein midi, le corps desséché par le soleil, qui s'élance vers une source et, avant d'avoir atteint l'eau, avant d'avoir rafraîchi sa langue, trouve l'eau devenue poussière, la source s'étant soudainement asséchée pour lui, de même moi aussi, qui voyais après neuf ans[4] celle que je chérissais à l'égal d'une mère, d'un maître et de tout bien, avant d'avoir accompli mon désir, je m'en retournai deux jours plus tard, après l'avoir mise en terre[5]. Telle fut mon entrée dans ma patrie après mon retour d'Antioche.

11. Ensuite, avant que j'aie digéré ce malheur, les Galates qui habitent auprès de mon Église, ayant répandu secrètement en plusieurs lieux de mon Église la maladie qui leur est habituelle, celle des hérésies, provoquèrent un conflit qui n'était pas mince[6], au point que c'est seulement

3. On notera la sobriété du récit, qui vise à en faire ressortir le côté dramatique.

4. Cf. *V. Macr.* 15, 12 : « huit ans, ou peu s'en faut ». Grégoire n'est donc pas revenu à Annisa au moins depuis qu'il est évêque (372).

5. Cf. *V. Macr.* 36, 1-2.

6. Cf. *supra*, p. 26. Sur l'hérésie comme maladie habituelle aux Galates, cf. à la même époque le commentaire de Jérôme sur *Gal.* 3, 1-3 (Ô Galates insensés... ») : « Il le sait, celui qui a vu comme moi la ville d'Ancyre, métropole de la Galatie, de combien de schismes elle est déchirée jusqu'à ce jour, de quelle variété de doctrines elle est corrompue... Il reste aujourd'hui des traces de l'antique sottise » (*Comm. in Gal.* II, *PL* 36, 382 B).

ὥστε πανταχοῦ διὰ θεὸν μόγις ἐξισχῦσαι περιγενέσθαι τοῦ
πάθους. **12.** Εἶτα ἐπὶ τούτοις ἄλλα · Ἴβωρα πόλις ἐστὶν τοῖς
ὁρίοις τοῦ Πόντου κατῳκισμένη, ἔχουσα πρὸς ἡμᾶς ἐξ
105 ἀρχαίου καὶ πρὸς τὴν ὑγιαίνουσαν πίστιν ἐπιρρεπῶς · καὶ
τοῦ ἐπισκοποῦντος αὐτὴν προσφάτως ὑπεξελθόντος τὸν
βίον, πανδημεὶ πρὸς ἡμᾶς ἐπρεσβεύσαντο μὴ περιιδεῖν αὐτὴν
ἔκδοτον ταῖς χερσὶ τῶν ἐναντίων σπαρασσομένην. **13.** Δάκρυα, προσπτώσεις, οἰμωγαί, ἱκετηρίαι, πάντα τὰ τοιαῦτα,
110 δι' ὧν ἐγίνετο ἡμῖν ἡ τῶν παρόντων κακῶν ἀκολουθία.
D Ἐπειδὴ γὰρ ἐγενόμεθα κατὰ τὸν Πόντον καὶ κατὰ τὸν
προσήκοντα τύπον τῆς παρ' αὐτοῖς ἐκκλησίας ἐπεμελήθημεν
συνεργίᾳ θεοῦ, εὐθὺς ἡμᾶς ἐπὶ τοῦ τόπου καταλαμβάνουσιν
ὁμοιότροποι πρεσβεῖαι παρὰ τοῦ πλήθους τῶν Σεβαστηνῶν
115 φθάσαι τὴν τῶν αἱρετικῶν ἐπιδρομὴν ἀξιούντων. **14.** Τὰ δὲ
1077 M. ἐπὶ τούτοις σιωπῆς ἄξια καὶ στεναγμῶν ἀλαλήτων[k] καὶ
κατηφείας διηνεκοῦς καὶ πένθους τὴν ἐκ τοῦ χρόνου λύσιν
οὐκ ἀναμένοντος · τὰ μὲν γὰρ λοιπὰ τῶν κακῶν τῷ
προσεθισμῷ ῥᾶον οἱ ἄνθρωποι φέρουσι, τὰ δὲ ἐνταῦθα
120 προϊόντι τῷ χρόνῳ ταῖς ἐφευρέσεσι τῶν ἀηδεστέρων
συναύξεται.

15. Ἀλλὰ γὰρ ὑπὲρ τὴν ἀκολουθίαν γίνομαι μετὰ τῶν
λοιπῶν ἐπισκόπων τῶν εἰς αὐτὸ τοῦτο συγκεκλημένων ὡς
124 ψήφους ὑπὲρ χειροτονίας δεξόμενος, ἡ ψῆφος δὲ ἤμην ἐγὼ

PF

102 ἐξισχῦσαι P : ἐξίσχυσα F ‖ 103 ἐν ante τοῖς add. Vitelli,
Pasquali ‖ 106-107 τὸν βίον F : τοῦ βίου P ‖ 107 περιιδεῖν e περιδεῖν P² ‖
112 τύπον P : om. F ‖ 114 ὁμοότροποι P ‖ 117 τὴν F : τοῦ P ‖ post λύσιν
ras. 12 litt. F ‖ 119 προεθισμῷ P ‖ 122 ὑπὲρ τὴν ἀκολουθίαν P : γὰρ F
γὰρ κατὰ τὴν ἀκολουθίαν dubitans Pasquali ‖ 124 δεξόμενος Diekamp,
Pasquali : δεξάμενος codd.

---

k. Cf. Rom. 8, 26

---

1. Sur Ibora, aujourd'hui Iverönü, cf. MARAVAL, *Vie de Macrine*,
p. 39, n. 3.

2. Sur cette mission à Ibora, lors de laquelle Grégoire installe
l'évêque Pansophios, cf. *supra*, p. 28.

avec peine, Dieu aidant, que j'eus la force de me sortir de cette situation. **12.** Ensuite, là-dessus, autre chose. Ibora est une ville située aux confins du Pont[1] ; depuis longtemps elle nous est acquise, ainsi qu'à la foi saine. Comme celui qui en était l'évêque venait de mourir, toute la population nous envoya une ambassade pour que nous ne la laissions pas livrée aux mains des adversaires pour être déchirée par eux[2]. **13.** Larmes, prosternations, sanglots, supplications et toutes choses semblables, qui furent pour nous à l'origine des malheurs présents. En effet, après avoir été dans le Pont et nous être occupé de leur Église de la manière qui convenait, avec l'aide de Dieu, voici qu'aussitôt, en ce lieu, des ambassades semblables nous arrivent d'un grand nombre d'habitants de Sébastée, qui estimaient qu'il fallait devancer l'attaque des hérétiques[3]. **14.** Ce qui arriva là-dessus mérite le silence, des gémissements inénarrables[k], une affliction continuelle et une tristesse qui n'espère pas que le temps la fasse cesser. Les autres maux, en effet, les hommes les supportent assez facilement grâce à l'habitude, mais ceux d'ici s'accroissent avec le temps qui passe par l'invention de plus désagréables encore.

15. Et de fait, après les prières rituelles[4], me voici, avec les autres évêques convoqués dans ce but, en train de recueillir les votes concernant l'élection. Or, le résultat du

---

3. Sur le séjour à Sébastée, cf. *supra*, p. 29-31.

4. Pasquali a corrigé le texte donné par le seul manuscrit P en κατὰ τὴν ἀκολουθίαν, en donnant à ce dernier mot le sens de «règle, procédure», qu'on trouve, mais dans un contexte différent, chez THÉODORET, *Hist. eccl.* II, 16, 2 (p. 131, 21 Parmentier). J'ai gardé le texte du manuscrit et vu dans ἀκολουθία la prière rituelle qui précédait les réunions conciliaires (ce sens est attesté à date plus tardive). CRISCUOLO fait cette conjecture en note, mais conserve dans sa traduction la correction de Pasquali (*Le lettere*, p. 137, n. 18).

67 P. καὶ ἠγνόουν ὁ δείλαιος τοῖς ἐμαυτοῦ πτεροῖς ἁλισκόμενος.
16. Στάσεις ἐπὶ τούτοις, ἀνάγκαι, δάκρυα, προσπτώσεις,
φυλακαί, τάγμα στρατιωτικὸν καὶ αὐτὸς ὁ ἐπιτεταγμένος
αὐτοῖς κόμης καθ' ἡμῶν στρατηγῶν καὶ τὴν τοῦ ἡγεμόνος
δυναστείαν ἐφ' ἡμᾶς κινῶν καὶ πᾶσαν ἀφορμὴν πρὸς τὴν
130 τυραννίδα τὴν καθ' ἡμῶν συναγείρων, ἕως ἐναφῆκεν ἡμᾶς
B τοῖς Βαβυλωνίοις κακοῖς. **17.** Παρ' οἷς τοσαύτη τις γέγονεν
ἡ περὶ τὴν πίστιν τῶν ἀνθρώπων ἐκ παλαιῶν χρόνων
διαφορά, ὥστε αὐτοῖς ἐνσκιρωθῆναι τὴν νόσον καὶ δυσδιάλυ-
τον εἶναι, καὶ μάχεσθαι πρὸς τοὺς θεραπεύειν ἐπιχειροῦντας
135 τὸ πάθος. **18.** Ἀμαθεῖς δὲ ἄλλως ὄντες καὶ τὴν γλῶσσαν
πλέον ἢ βάρβαροι δασεῖς τε τὴν φωνὴν καὶ θηριώδεις τὴν
δίαιταν, κατὰ τὰ δολερὰ τῶν θηρίων τὴν πρὸς τὸ κακὸν
εὐμηχανίαν οὕτως ἐξήσκηνται, ὡς μηδὲν αὐτοῖς εἶναι τὸν
Ἀρχιμήδην, μᾶλλον δὲ Σίσυφον ἢ Κερκυόνα ἢ Σκείρωνα
140 ἢ εἴ τινας τοιούτους ἄλλους ἐν ταῖς ἱστορίαις ἀκούομεν, τὸ
μὲν γὰρ ψεῦδος πάσης ἀληθείας ἐστὶν αὐτοῖς ἑτοιμότερον·
οὕτω δὲ ἐπιθαρσοῦσιν ὑπ' ἀναισχυντίας τῷ ψεύδεσθαι ὡς

PF

126-127 προσπτώσεις φυλακαὶ F : om. P ‖ 129 ἡμᾶς F : ἡμῶν P ‖ 130
συναγείρων F : συνεγείρων P ‖ ἐναφῆκεν P : ἐνεφῆκεν F ‖ 131 lac. post
κακοῖς statuit Pasquali παρ' ὅσον Wilamowitz nulla lacuna constituta
παρ' <αὐτ>οῖς conieci ‖ 135 ἀμαθεῖς Pasquali : βαθεῖς codd. ‖ δὲ P : γὰρ
F ‖ 137 κατὰ F : καὶ P ‖ 137-138 τὴν ... εὐμηχανίαν Pasquali : τὴν ...
ἀμηχανίαν P τῇ ... εὐμηχανίᾳ F ‖ 138 οὕτως ἐξήσκηνται om. P ‖ μηδὲν :
δὲν P sed corr. ‖ 139 κερκύωνα F

1. Il y avait à Sébastée un *comes rei militaris*, car l'Arménie dont
elle était la capitale était une province frontière. Cf. BASILE, *Epist.* 99
et 214, adressées à Térence, *comes et dux Armeniae*. CRISCUOLO me
semble compliquer à plaisir le sens du texte en supposant que c'est
Grégoire qui s'applique à lui-même ce titre de *comes*. On ne peut guère
s'étonner de voir le représentant du pouvoir civil s'opposer à la
tendance néo-nicéenne de Grégoire, puisque ce n'est pas encore
l'orthodoxie officielle.

vote, ce fut moi, et sans le savoir, malheureux que j'étais,
j'étais pris au piège par mes propres ailes ! **16.** Là-dessus,
contestations, violences, larmes, attaques, surveillance,
escorte militaire, le *comes* lui-même placé à leur tête
dirigeant une expédition contre nous[1], mettant en mouvement contre nous l'autorité du gouverneur, rassemblant
tous les moyens pour exercer contre nous sa tyrannie,
jusqu'à nous conduire dans les maux de Babylone !
17. Chez eux[2], en ce qui concerne la foi, la différence avec
les hommes des anciens temps est d'autant plus grande que
la maladie s'est invétérée en eux jusqu'à devenir inguéris-
sable et qu'ils combattent ceux qui essaient de les guérir de
cette affection. **18.** En outre, alors qu'ils sont ignorants et
plus que barbares quant à la langue, rudes quant à la voix
et sauvages quant au mode de vie, ils exercent à ce point
leur habileté à faire le mal, à la manière perfide des bêtes
sauvages, qu'Archimède[3] n'est rien à côté d'eux, ou pour
mieux dire Sisyphe, Cercion, Sciron[4] ou d'autres personnages semblables dont nous entendons parler dans les
histoires. Le mensonge est plus à leur portée que toute
vérité, et ils sont plus hardis à mentir, dans leur

2. Faut-il supposer ici une lacune avant παρ' οἷς, comme le fait
Pasquali, ou corriger comme le fait Wilamowitz ? Il est clair que le
relatif ne peut se rapporter à κακοῖς (maux), mais ne peut-il se
rapporter aux habitants de Sébastée (que Grégoire a toujours dans sa
pensée), désignés plus haut par αὐτοῖς ? On peut être tenté en ce cas de
corriger en παρ' [αὐτ]οῖς (cf. *Lettre* 2, 7). On pourrait aussi penser, à la
rigueur, que les Βαϐυλωνίοι κακοί désignent les Sébasténiens, « les
méchants Babyloniens » : en ce cas il n'est pas nécessaire de corriger,
mais le sens est moins satisfaisant.

3. La mention du célèbre savant antique est curieuse, car la
tradition ne le présente nullement comme un méchant homme ; sans
doute Grégoire fait-il seulement allusion à son ingéniosité.

4. Sisyphe, roi de Corinthe, est d'abord renommé pour sa
fourberie. Cercion et Sciron sont des brigands mis à mort par Thésée.

οὐδὲ τῷ ἀληθεύειν οἱ περὶ τοῦτο σφοδροί, καὶ τὸ ἐλεγχθῆναι
C παρ' αὐτοῖς ἐπὶ τοῖς μεγίστοις κακοῖς ἀφορμὴ τῆς παρὰ
145 τοῖς πολλοῖς εὐδοκιμήσεως γίνεται, ὕβρις τε καὶ τραχύτης
καὶ ἀναισθησία καὶ ἡ τῶν λεγομένων δυσωδία πολιτισμὸς
εἶναι καί τις τοιαύτη φιλοκαλία νομίζεται.

68 P.   **19.** Ταῦτά σοι ἀπὸ πολλῶν ὀλίγα, φεύγοντες τὴν
ἀμετρίαν τῆς ἐπιστολῆς, ἐξεθέμεθα, ὡς ἂν μὴ ῥαθυμίαν
150 ἡμῶν καταγινώσκοις τὸ λογογραφεῖν ἐπὶ τοῦ παρόντος
παραιτουμένων· τὸν γὰρ ἐν τούτοις ὄντα πῶς ἐστι δυνατὸν
καὶ τὸ ἴδιον ὄνομα διὰ στόματος ἐν εὐκολίᾳ φέρειν;

1080 M.   **20.** Ἀλλ' εἴ σοι πάντως καταθύμιόν ἐστιν ἐν τούτοις ἡμᾶς
ἀσχοληθῆναί ποτε, χρῆσον ἡμῖν σεαυτὸν μάλιστα καὶ τοῦ
155 συναγαγεῖν χρόνον, ἐὰν μή σε πλέον τῆς ἡμετέρας ἀγάπης
ὁ λωτὸς καταγλυκαίνῃ τῆς πόλεως· εἰ δέ σε κρατοίη τὰ
καθ' ὑμᾶς (ἀκούω γὰρ ἔχεσθαί σου πᾶσαν ἐκκλησίαν),
ἱκανῶς ἡμῖν συμμαχήσεις λύσιν τινὰ τῶν κακῶν παρὰ τοῦ
θεοῦ γενέσθαι ἡμῖν ἐπευξάμενος· καὶ τάχα, θεοῦ διδόντος,
160 εἴποτε τύχοιμεν τοιαύτης σχολῆς, οὐκ ἀσυντελεῖς τῷ κοινῷ
λογισόμεθα.

PF

143 τοῦτο F : ταῦτα P ‖ 144-145 παρὰ τοῖς F : παρ' αὐτοῖς P ‖ 145
τραχύτης P : θρασύτης F ‖ 150 καταγινώσκεις F¹ corr. F² sup. l. ‖ 150-
152 παρόντος — φέρειν P : νῦν ἀναβαλλομένοις F ‖ 155 συναγαγεῖν
codd. : συνδιάγειν Wilamowitz ‖ μή σε F : μηδὲ P ‖ 157 ὑμᾶς Pasquali :
ἡμᾶς codd. ‖ τὴν ante ἐκκλ. add. F ‖ 158 συμμαχεύσῃς P ‖ 160 οὔσης
post σχολῆς add. P ‖ 161 λογισόμεθα P : φανησόμεθα F

impudence, que ceux qui sont passionnés par la vérité n'en mettent à la dire[1]. Chez eux, être accusé des crimes les plus grands est un motif de renommée auprès du grand nombre. L'orgueil, l'irascibilité, l'insensibilité et la grossièreté des actions que j'ai dites sont considérés comme de la civilité, presque de l'amour des belles actions.

19. Ces événements — quelques-uns parmi un grand nombre — nous te les avons exposés en évitant que la lettre ait une longueur excessive[2], pour que tu ne nous accuses pas de paresse pour avoir refusé d'en écrire présentement. Mais celui qui se trouve dans une telle situation, comment lui serait-il possible de prononcer facilement même son propre nom ? **20.** Pourtant, si tu désires vraiment que nous nous occupions un jour de cela, donne-nous avant tout toi-même, puis le temps de composer — si le lotus de ta cité[3] ne t'est pas plus doux que notre affection. Et si les difficultés qui existent chez vous te retiennent — j'entends dire que toute ton Église en est saisie —, tu lutteras suffisamment avec nous en priant pour que quelque répit dans les maux nous advienne de la part de Dieu ; alors peut-être, avec l'aide de Dieu, si nous disposons un jour d'un tel loisir, on pourra estimer que nous ne sommes pas inutiles à la communauté.

---

1. Cf. Grég. Naz., *Or.* 43 (*in Bas.*), 17 : «Je trouve que les Arméniens sont une race qui manque de franchise et qui est pleine de dissimulation et de perfidie» (p. 95 Boulenger).

2. Topos fréquent chez Grégoire : cf. *De prof. chr.*, *GNO 8/1*, p. 129, 9-11 ; *C. fatum*, *GNO 3/2*, p. 32, 4-9 = *PG* 45, 148 AB.

3. Le lotus mangé par les compagnons d'Ulysse chez les Lotophages leur a fait oublier leur patrie (*Odyssée*, 9, 94-95).

B   **Πρὸς Ἀδέλφιον σχολαστικόν**

    1. Ἐκ τῶν ἱερῶν Οὐανώτων, εἴ γε μὴ ἀδικῶ καλῶν
ἐπιχωρίως τὸν τόπον, ταύτην σοι τὴν ἐπιστολὴν διεχάραξα·
ἀδικεῖν δέ φημι τὸν χῶρον, ὅτι μηδὲν ἔχει γλαφυρὸν ἡ
ἐπωνυμία, καὶ ἡ τοσαύτη τοῦ τόπου χάρις οὐ συνεμφαίνεται
5 τῷ Γαλατικῷ τούτῳ προσρήματι, ἀλλ' ὀφθαλμῶν ἐστι χρεία
69 P. τῶν ἑρμηνευόντων τὴν χάριν. **2.** Πολλὰ γὰρ ἐγὼ καὶ παρὰ
πολλοῖς ἤδη τεθεαμένος, πολλὰ δὲ καὶ διὰ τῆς τῶν λόγων

P (usque 38 βοτρύων) F

    Titulus : τοῦ αὐτοῦ πρὸς ἀδέ(λφιον) σχολαστικόν P : τοῦ αὐτοῦ
ἐπιστολαί· ὧν ἡ παροῦσα πρὸς ἀδέλφιον σχολαστικόν F

    1 οὐανωτῶν F

---

    1. Cette lettre a donné lieu à une précieuse étude de Friedrich
Müller, «Der zwanzigste Brief des Gregors von Nyssa», *Hermes* 74,
1939, p. 66-91 (cf. surtout p. 74-84).

    2. Le destinataire de cette lettre est sans doute aussi celui de
l'*Epist.* 204 de Grégoire de Nazianze, peut-être aussi celui de l'*Epist.*
1049 (ou 969) de Libanios ; il fut *consularis Galatiae* après 392 (cf.
Seeck, *s.v.* «Adelphios» 3, *PW* 1, 357), mais à l'époque à laquelle
Grégoire lui écrit, il ne remplit pas encore une telle fonction, puisqu'il
est simplement *scholasticos* (sur cette fonction, cf. *supra*, p. 185).
Toute cette lettre va être une description, une *ecphrasis*, de son
domaine de campagne. *Ecphrasis* qui n'est pas une pure fiction, qui
garde quelque chose de spontané et d'authentique, malgré le recours à
des *topoi* littéraires, car Grégoire a bien visité le domaine qu'il décrit
en l'absence de son propriétaire, et c'est à lui qu'il envoie le récit de
cette visite. On connaît d'autres lettres du même type, ainsi la
description de ses villas par Pline le Jeune (*Epist.* II, 17 ; V, 6), où
l'on retrouve bien des traits semblables : description du paysage, avec
forêts et vignes, des édifices, des jardins, avec piscines et allées
ombragées de platanes ou bordées de rosiers.

Lettre 20[1]

Au scholastikos Adelphios[2]

1. C'est de la sainte Ouanôta[3], si toutefois je ne fais pas injure à ce lieu en le désignant dans la langue du pays[4], que j'ai fait copier pour toi cette lettre. Je dis que je fais injure à cet endroit parce que son appellation n'a rien d'élégant, et que le si grand charme de ce lieu ne se laisse pas deviner sous cette dénomination galate ; on a besoin de le voir pour en saisir le charme. **2.** Moi qui en ai déjà vu beaucoup et en bien des endroits, qui ai appris à en

3. Οὐάνωτα (je ne vois pas pourquoi on devrait le latiniser en Vanota, sauf à prononcer le terme à la latine) est sans doute à identifier avec le site que Grégoire de Nazianze appelle Οὐήνασα (*Epist.* 246, 2). C'est la moderne Avanos, à deux étapes au sud-est de Nysse. Sur ce site, cf. Nicole Thierry, « Avanos-Venasa, Cappadoce », dans *Geographica Byzantina*, Paris 1981, p. 119-129. Elle donne (p. 119, n. 1) la liste de ceux qui se rallient à l'identification : F. Hild et M. Restle, *Kappadokien* (p. 302) l'acceptent, quoique avec un peu de réserve (« vielleicht identisch ») ; F. Müller ne la connaît pas, mais ne lui serait sans doute pas très favorable, car le nom du lieu incite à chercher du côté de la Galatie (*Der zwanzigste Brief*, p. 82, n. 1). On peut souligner en faveur de cette hypothèse que Grégoire parle de Ouanôta « la sacrée » (en utilisant le terme païen ἱερός et non le terme chrétien ἅγιος) : or le site de Ouènasa était, pour les païens, la seconde ville sacrée de Cappadoce (la première étant Comane), abritant un temple de Zeus fort important (cf. Strabon, *Geogr.* XII, 2, 5, p. 54 Lasserre).

4. Grégoire est témoin de la persistance de la langue galate dans la région (même si l'on est en Cappadoce, la Galatie est une province limitrophe). A la même époque, Jérôme confirme la persistance de cette langue (*In Epist. ad. Gal.* II, *PL* 26, 379 B), la source de son information étant Lactance. Sur la validité de son témoignage, cf. F. Müller, *Der zwanzigste Brief*, p. 67-74.

ὑπογραφῆς ἐν τοῖς διηγήμασι τῶν ἀρχαίων κατανοήσας,
λῆρον ἡγοῦμαι τὰ πάντα ὅσα τε εἶδον καὶ ὅσα ἤκουσα
10 συγκρίσει τῶν τῇδε καλῶν. 3. Οὐδὲν ἐκεῖνος ὁ Ἑλικών·
μῦθος τῶν μακάρων αἱ νῆσοι· μικρόν τι χρῆμα τὸ πέδον
τὸ Σικυώνιον· κόμπος τις ἄλλως ποιητικὸς τὰ κατὰ τὸν
C   Πηνειὸν διηγήματα, ὅν φασι πλουσίῳ τῷ ῥείθρῳ τὰς ἐκ
πλαγίων ὄχθας ὑπερχεόμενον τὰ πολυύμνητα πεδία τοῖς
15 Θετταλοῖς ἀπεργάζεσθαι. 4. Τί γὰρ τοιοῦτόν ἐστιν παρ' ἑ-
1081 M. κάστῳ τῶν εἰρημένων, οἷον ἡμῖν ἡ Οὐάνωτα τοῖς οἰκείοις
ἐπεδείξατο κάλλεσιν; εἴτε γάρ τις τὴν φυσικὴν ἐπιζητοίη
τοῦ τόπου χάριν, ἀπροσδεής ἐστι τῶν ἐκ τῆς τέχνης καλῶν,
εἴτε τὰ ἐκ τῆς ἐπιτεχνήσεως προσγινόμενα βλέποι, τοιαῦτα
20 καὶ τοσαῦτά ἐστιν ὡς καὶ φύσεως δύνασθαι δυσκληρίαν
νικῆσαι. 5. Ἃ μὲν γὰρ ἡ φύσις τῷ τόπῳ χαρίζεται τῇ
ἀκατασκεύῳ χάριτι τὴν γῆν ὡραΐζουσα, τοιαῦτά ἐστι·
κάτωθεν μὲν ποταμὸς Ἅλυς ταῖς ὄχθαις καλλωπίζων τὸν
τόπον, οἷόν τις ταινία χρυσῆ διὰ βαθείας ἀλουργίδος
25 ὑποστίλβει, διὰ τῆς ἰλύος ἐρυθραίνων τὸ ῥεῖθρον· 6. Ἐκ δὲ

P (usque 38 βοτρύων) F

10 οὐδὲν F : λῆρος P ‖ 11 πέδον F : πεδίον P ‖ 12 ἄλλως Wilamowitz,
Pasquali : ἄλλος codd. ‖ 14 πεδία P : τέμπη F ‖ 16 οὐανώτα F ‖ 20 ὡς
F : ὥστε P

1. Topos classique dans ces descriptions : le lieu qu'on va louer est
le plus beau du monde (cf. PASQUALI, Le lettere, p. 126, qui cite
l'exemple d'Horace). Grégoire renforce cette affirmation en soulignant
le contraste entre le nom (barbare) et la chose.

2. L'Hélicon, montagne de Béotie, était célèbre par son temple de
Zeus et des Muses ; son sol était réputé des plus fertiles (cf.
PAUSANIAS, Descr. Graeciae IX, 28,1). Éloges de l'Hélicon chez les
sophistes : cf. MÉNANDRE 7,30, p. 432 Spengel III.

3. Les Iles des bienheureux, situées aux confins de la terre, sont le
lieu de séjour des créatures de la quatrième race, les héros ou demi-
dieux (cf. HÉSIODE, Travaux et jours, 171), mais aussi les hommes qui
se sont gardés du mal (PINDARE, Olymp. II, 75-83, avec description).

4. Sicyone était une ville située à l'ouest de Corinthe ; la fertilité de
sa plaine située en bordure de mer était réputée dans l'Antiquité : cf.
DIODORE DE SICILE, Bibl. hist. VIII, 21,3 (p. 413-414 Oldfather).

connaître beaucoup à travers les descriptions qu'on trouve
dans les récits des anciens, je tiens pour sans valeur toutes
celles que j'ai vues et celles dont j'ai entendu parler
lorsque je les compare aux beautés d'ici[1]. **3.** Ce n'est rien
du tout ce fameux Hélicon[2], ce sont un mythe les Iles des
bienheureux[3], une bagatelle la plaine de Sicyone[4], de
l'emphase poétique enfin les récits sur le Pénée, dont on dit
qu'en débordant et en répandant son flot abondant le long
de ses berges, il fertilise pour les Thessaliens leurs plaines
très renommées[5]. **4.** Qu'y a-t-il en effet d'aussi beau en
chacun des lieux susdits que notre Ouanôta n'ait pas
manifesté par ses propres beautés? Si l'on recherche le
charme naturel du lieu, il n'a pas besoin des embellisse-
ments de l'art; si l'on considère les ajouts procurés par
l'art, ils sont d'une telle qualité et si nombreux qu'ils
peuvent triompher même des défauts de la nature[6]. **5.** Les
biens dont la nature favorise cet endroit, en parant le
terrain d'une grâce spontanée, sont les suivants. En bas, le
fleuve Halys[7], embellissant l'endroit de ses rives escarpées,
brille comme un galon d'or sur une longue robe de pourpre,
grâce au limon qui rougit ses flots. **6.** En haut, une vaste

5. Le Pénée est le fleuve principal de Thessalie, et avec ses
affluents il irrigue toute cette région. Un récit d'Hérodote (*Hist.* VII,
129) rapporte qu'avant qu'une gorge étroite ne leur permit de
s'écouler dans la mer, le Pénée et ses affluents faisaient de la Thessalie
tout entière une nappe d'eau. Est-ce à ce passage que Grégoire fait
allusion ?

6. Grégoire annonce ici son plan : il parlera d'abord des beautés
naturelles (φύσις) : ce sera la description du fleuve, de la montagne,
des cultures au pied de celle-ci (§ 6-8), puis de celles que l'art (τέχνη) a
ajoutées aux premières — les bâtiments, les jardins et leurs
aménagements (§ 9-20). Ici encore, il adopte un topos littéraire que
l'on rencontre ailleurs.

7. L'Halys, aujourd'hui le Kizil Irmak (fleuve rouge) : le nom
moderne en indique la couleur (en fait une teinte plutôt ocrée).

τοῦ ἄνωθεν μέρους ὄρος ἀμφιλαφές τε καὶ λάσιον μακρᾷ τῇ
ῥαχίᾳ παρατείνεται δρυσὶν ἀπανταχόθεν κατάκομον, ἄξιον
Ὁμήρου τινὸς ἐπιτυχεῖν ἐπαινέτου μᾶλλον ἢ τὸ Νήριτον
29 ἐκεῖνο τὸ Ἰθακήσιον, ὅ φησιν ὁ ποιητὴς ἀριπρεπές τε εἶναι
70 P. καὶ εἰνοσίφυλλον. 7. Ἐπικατιοῦσα δὲ πρὸς τὸ πρανὲς ἡ
B αὐτόματος ὕλη τοῖς ἀπὸ τῆς γεωργίας κατὰ τὴν ὑπώρειαν
συνάπτεται· εὐθὺς γὰρ ἄμπελοι διηπλωμέναι κατὰ τὰ
πλάγιά τε καὶ ὕπτια καὶ κοῖλα τῆς ὑπωρείας, οἷον ἱμάτιόν
τι χλοερὸν τὴν βαφήν, πάντα τὸν ὑποκείμενον χῶρον ἀπο-
35 λαμβάνουσι· προσετίθει δὲ τῇ ὥρᾳ καὶ ὁ καιρὸς θεσπέσιόν
τι χρῆμα τῶν βοτρύων ὑποδεικνύς, ὃ δὴ καὶ μᾶλλον εἰς
ἔκπληξιν ἤγαγεν, ὅτι τῆς γείτονος χώρας ἐν ὄμφακι τὸν
καρπὸν δεικνυούσης, ἐνταῦθα κατατρυφᾶν ἐξῆν τῶν βοτρύων
καὶ κατ᾽ ἐξουσίαν ἐμφορεῖσθαι τῆς ὥρας. 8. Εἶτα πόρρωθεν
40 ἡμῖν οἷόν τις πυρσὸς ἐκ φρυκτωρίας μεγάλης ἡ τῶν
οἰκοδομημάτων χάρις ἐπέλαμπεν, ⟨ἐν⟩ ἀριστερᾷ μὲν εἰσιόν-
C των ὁ εὐκτήριος οἶκος τοῖς μάρτυσιν ἡτοιμασμένος, οὔπω
μὲν τὸ τέλειον τῆς δομήσεως ἔχων ἀλλ᾽ ἔτι τῷ ὀρόφῳ
λειπόμενος, λάμπων δὲ ὅμως· 9. Κατ᾽ εὐθὺ δὲ ἦν τῆς ὁδοῦ
45 τὰ τῆς οἰκήσεως κάλλη, ἄλλο πρὸς ἄλλο τι τῶν κατὰ τρυφὴν
ἐπινενοημένων μεμερισμένα, πύργων προβολαὶ καὶ συμπο-

P (usque 38 βοτρύων) F

27 παρατείνεται F : παραγίνεται P ‖ 34 τὴν βαφὴν P : τῇ βαφῇ F ‖ 35
προσετίθει codd. : προσετίθετο Pasquali ‖ 37 ἤγαγεν P : ἦγεν F ‖ 38
post βοτρύων deficit P (in ora inf. [ζήτει] τὰ λείποντα prima m.) ‖ 39
ὥρας F : ὀπώρας Schöne (in Müller p. 74) ‖ 41 ἐν add. Pasquali ‖
ἀριστερὰ F

1. Il s'agit de l'Idis Dağ (1 584 m), qui aujourd'hui a perdu sa
couverture forestière (cf. N. Thierry, «Avanos-Venasa», p. 122).
Peut-être d'ailleurs la description de Grégoire est-elle, de ce point de
vue, plus imaginaire que réelle : Strabon déclare en effet que la
Cappadoce manque de bois presque partout, sauf sur les flancs du
mont Argée, couvert de forêts de chênes (Geogr. XII, 2,7, p. 56
Lasserre). Mais la description d'un site qui est dit le plus beau du
monde ne saurait avouer que la montagne est pelée !

montagne boisée[1] s'étend le long d'une grande arête
couverte de tous côtés d'une chevelure de chênes ; elle est
digne de rencontrer un Homère pour la célébrer, bien plus
que ce fameux Nérite d'Ithaque, dont le poète dit qu'il est
«visible de loin et agite son feuillage[2]». **7.** Descendant le
long de la pente, la garrigue qui a poussé d'elle-même
rejoint les champs cultivés au pied de la montagne, car
tout aussitôt des vignes[3] déployées le long des coteaux, des
plaines et des ravines du bas de la montagne, comme un
manteau de couleur verte, couvrent toute l'étendue qui se
trouve là. La saison ajoutait encore à la beauté, en offrant
aux regards une extraordinaire abondance de raisins. Ce
qui surprenait encore davantage, c'est que, quand la
région avoisinante montrait des fruits encore verts, on
pouvait ici se régaler de raisins et se rassasier à volonté de
leur bel aspect. **8.** Ensuite, comme le feu d'un grand
phare, la beauté des habitations resplendissait[4] de loin à
nos yeux ; à gauche de l'entrée, il y avait la maison de
prière préparée pour les martyrs[5], pas encore complètement achevée — il lui manquait le toit —, mais
resplendissante également. **9.** Droit devant la route,
c'étaient des bâtiments élégants, dont les différentes
parties offraient successivement quelque ingénieuse
commodité, des tours élevées, des aires aménagées pour les

2. Cf. *Odyssée* IX, 22 (cité textuellement).

3. Les vignes sont toujours présentes dans la région (cf.
N. Thierry, «Avanos-Venasa», p. 122). Selon Strabon, un vin
cappadocien, celui de la région de Mélitène, le disputait en qualité aux
vins grecs (*Geogr.* XII, 2, 1, p. 50 Lasserre).

4. Métaphore empruntée à Homère, *Odyssée* VII, 84.

5. Ces martyrs ne sont pas précisés. Le pluriel fait penser aux
Quarante de Sébastée, mais ce n'est qu'une possibilité parmi d'autres.
L'édifice n'est pas «dédié» aux martyrs (c'est ainsi que Criscuolo
traduit le ἡτοιμασμένος), mais préparé pour recevoir leurs reliques, qui
ne sont pas encore là, puisqu'il n'est pas achevé.

σίων παρασκευαὶ ἐν εὐρυχώροις τε καὶ ὑψορόφοις πλατάνων
στίχοις πρὸ τῶν θυρῶν στεφανοῦντες τὴν εἴσοδον, εἶτα περὶ
τοὺς οἴκους οἱ Φαιάκιοι κῆποι. **10.** Μᾶλλον δὲ μὴ ὑβριζέσ-
50 θω τῇ πρὸς ἐκεῖνα συγκρίσει τὰ Οὐανώτων κάλλη · οὐκ εἶδεν
Ὅμηρος τὴν ἐνταῦθα μηλέαν τὴν ἀγλαόκαρπον πρὸς τὴν τοῦ
ἰδίου ἄνθους χροιὰν τῷ ὑπερβάλλοντι τῆς εὐχροίας ἐπα-
νιοῦσαν, οὐκ εἶδε τὴν ὄγχνην λευκοτέραν τοῦ νεοξέστου
1084 M. ἐλέφαντος. **11.** Τί δ' ἄν τις εἴποι τῆς Περσικῆς ὀπώρας τὸ
55 ποικίλον τε καὶ πολυειδὲς καὶ ἐξ ἑτερογενῶν συμμεμιγμένον
καὶ σύνθετον; ὥσπερ γὰρ οἱ τοὺς τραγελάφους καὶ ἱπποκεν-
ταύρους καὶ τὰ τοιαῦτα μιγνύντες ἐκ διαφόρων καὶ τὴν
φύσιν παρασοφιζόμενοι γράφουσιν, οὕτω καὶ ἐπὶ τῆς
71 P. ὀπώρας ταύτης τὸ μὲν πρὸς ἀμυγδαλῆν, τὸ δὲ πρὸς κάρυον,
60 ἕτερον δὲ πρὸς τὸ δωράκινον κατά τε τὸ ὄνομα καὶ τὴν
γεῦσιν μεμιγμένον τυραννηθεῖσα παρὰ τῆς τέχνης ἡ φύσις
ἐποίησε · καὶ ἐπὶ πᾶσι τούτοις τὸ ἐφ' ἑκάστῳ πλῆθος ὑπὲρ τὸ
κάλλος ἐδείκνυτο. **12.** Ἀλλὰ καὶ τὴν ἐν τῇ φυτείᾳ διάθεσιν
καὶ τὴν εὔρυθμον ζωγραφίαν ἐκείνην (ἀληθῶς γὰρ γραφέως

F
    60 δοράκινον F
_____

1. On remarquera, dans le texte grec, les expressions abstraites :
les beautés de la construction, les «élancements» des tours, les
«préparations» des banquets — sans doute, pour Grégoire, des
élégances de style !

2. La description des bâtiments de Ouanôta, aux yeux de
Pasquali, est celle d'une villa de type romain, où les édifices sont
dispersés çà et là sans continuité (Le lettere, p. 127). Müller conteste ce
point de vue, en particulier parce que la maison décrite par Grégoire
ne comporte pas de portique sur une des façades ou une des cours
intérieures. Il en conclut qu'il s'agissait d'une villa de type grec, avec
péristyle (Der zwanzigste Brief, p. 78).

3. L'Odyssée VII, 114-131, décrit ces jardins et leurs fruits, au
premier rang desquels pommes et poires, ce qui explique le
développement qui suit. Cf. sur le même thème l'Ecphrasis 9 de
LIBANIOS (p. 480-486 Förster VIII). STRABON ne mentionne que peu
de vergers en Cappadoce même, à l'inverse du Pont (Geogr. XII, 2, 1
et 10, et XII, 3, 15). Sur l'état présent des vergers de Cappadoce, cf.

repas[1], parmi les larges et hautes files des platanes, qui couronnaient l'entrée devant les portes[2]. Ensuite, autour des maisons, les jardins des Phéaciens[3]. **10.** Ou plutôt, qu'on ne fasse pas injure aux beautés de Ouanôta en les comparant avec celles-là ! Homère n'a pas vu le pommier aux fruits éclatants que nous avons ici, qui reprend la couleur de ses propres fleurs grâce à l'intensité de la couleur de ses fruits, il n'a pas vu le poirier plus blanc que l'ivoire qu'on vient de polir ! **11.** Et que pourrait-on dire de la variété et de la multiplicité des pêches, mélange et combinaison de diverses espèces ? De la même manière que ceux qui mélangent des éléments variés et surpassent l'ingéniosité de la nature pour dessiner des hircocerfs, des hippocentaures ou des monstres semblables[4], de même, pour ce fruit aussi, la nature forcée par l'art a mélangé, selon le nom et le goût, ceci en vue de l'amande, cela en vue du noyau, autre chose en vue de la chair ferme[5]. Outre cela, l'abondance de chaque espèce se montre supérieure à leur beauté. **12.** Mais même la disposition des plantes et l'harmonieux tableau qui en résulte — en vérité un chef-

---

N. Thierry, «Avanos-Venasa», p. 122, ou M. Coindoz, «Avanos vu par Grégoire de Nysse au ive siècle», *Dossiers Histoire et Archéologie* 121, 1987, p. 28-29 (avec une traduction de la lettre par Christian Jouvenot et quelques photos commentées du site).

4. Cf. de même *De perf.* (*GNO* 8/1, p. 178, 20-22 C = *PG* 46, 256 D) : l'art des peintres fait des bucéphales, des hippocentaures, des animaux aux pieds de dragon. Le thème se trouve déjà dans Platon, *Répub.*, 488 C, avec mention comme ici d'hircocerfs — moitié boucs, moitié cerfs.

5. Grégoire utilise pour désigner la chair de la pêche un mot inhabituel en grec. Il vient en fait du mot latin *duracina*, qui désigne une espèce de pêche (cf. Pline l'Ancien, *Hist. nat.* XV, 39 ou 113). Grégoire pense que le mot (comme la chose) est un composé, de même que les animaux fantastiques qu'il vient de citer. Ce fruit lui apparaît par ailleurs comme un bon exemple de la transformation de la nature par l'art, d'autant plus qu'il en voit diverses variétés, sans doute obtenues par des greffes.

65 μᾶλλον ἢ γεωπόνου τὸ θαῦμα, οὕτω τῇ ἐπιθυμίᾳ τῶν ταῦτα
διατιθέντων ἡ φύσις εὐκόλως ἐπηκολούθησεν) οὐκ οἶμαι
B δυνατὸν εἶναι διὰ λόγων ἐνδείξασθαι. **13.** Τὴν δὲ ὑπὸ τὰς
ἀναδενδράδας ὁδὸν καὶ τὴν γλυκεῖαν ἐκείνην ἐκ τῶν βοτρύων
σκιὰν καὶ τὴν καινὴν ἐκ πλαγίων τειχοποιΐαν, ῥόδων ὅρπηξι
70 καὶ κληματίσιν ἀμπέλων ἀλλήλαις συνδιαπλεκομένων καὶ
ἀντὶ τοίχων διατειχιζόντων τὴν ἐπὶ τὰ πλάγια πάροδον,
τήν τε κατὰ τὸ ἄκρον τοῦ τοιούτου δρόμου κολυμβήθραν
τοῦ ὕδατος καὶ τοὺς ἐν αὐτῷ τρεφομένους ἰχθύας τίς ἂν
ἐνδείξαιτο πρὸς ἀξίαν τῷ λόγῳ; **14.** Ἐν γὰρ τούτοις πᾶσι
75 μετά τινος ἐλευθερίου φιλοφροσύνης οἱ τὴν οἰκίαν ἐπιτρο-
πεύοντες τῆς εὐγενείας σου κατὰ σπουδὴν περιηγοῦντο, καὶ
ὑπεδείκνυον τὰ καθ' ἕκαστον τῶν σοι πεπονημένων, ἐπιδεικνύμενοι ὡς ἂν αὐτῷ σοι δι' ἡμῶν χαριζόμενοι. **15.** Ἔνθα
C καί τις τῶν νεανίσκων, καθάπερ τις θαυματοποιός, ἐπεδεί-
80 ξατο ἡμῖν θέαμα μὴ λίαν ἐπιχωριάζον τῇ φύσει· καταβὰς
γὰρ ἐπὶ τὸ βάθος, κατ' ἐξουσίαν ἀνηρεῖτο τῶν ἰχθύων τοὺς
κατὰ γνώμην, κἀκεῖνοι πρὸς τὴν ἐπαφὴν τοῦ ἁλιέως οὐκ
ἐξενίζοντο, οἷόν τινες χειροήθεις σκύλακες τιθασοὶ ὄντες τῇ
χειρὶ τοῦ τεχνίτου καὶ ὑποχείριοι. **16.** Εἶτά με παρῆγον ἐπί

F

77 ἐπιδεικνύμενοι suspic. Pasquali ἐπεδείκνυντο corr. (in apparatu) ‖
83 τιθασσοὶ F

1. L. Mᴇʀɪᴅɪᴇʀ note à ce propos : « L'ecphrasis confond sans cesse
les effets littéraires et ceux qui sont réservés à la peinture (...) Il faut
donc voir, dans cet aveu d'impuissance qui laisse à la peinture le
privilège d'un effet dont la parole est incapable, l'expression d'un
regret. On sent percer ici le virtuose du style, habitué à rivaliser avec
la peinture pour la finesse et la variété des nuances » (L'influence de la
seconde sophistique, p. 150).

2. On a de nombreuses attestations du goût des anciens pour les
jardins de leurs villas : cf. en milieu grec les descriptions de Lᴏɴɢᴜs,
Pastorales II,3 (p. 29 Dalmeyda) ; Lɪʙᴀɴɪᴏs, Ecphr. 9 (p. 485-486

d'œuvre de peintre plutôt que d'horticulteur, tant la
nature s'est conformée avec docilité au désir de ceux qui
ont disposé cela —, je crois qu'il n'est pas possible de les
représenter par des mots[1]. **13.** L'allée sous les treilles et
cette douce ombre de leurs grappes, les clôtures d'un
nouveau genre sur les côtés, où branches de rosiers et
sarments de vigne s'entremêlent et, comme des murs, en
interdisent l'accès par les côtés, la pièce d'eau située à
l'extrémité d'une telle promenade et les poissons qu'on y
élève, qui pourrait les décrire comme il convient avec des
mots[2]? **14.** Pendant tout ce temps, les administrateurs de
la demeure de ta Noblesse, avec une libérale bienveillance,
s'empressaient de nous faire voir en détail et de nous
indiquer successivement les travaux qu'ils avaient fait
faire pour toi, nous les montrant comme si, à travers nous,
c'est à toi qu'ils faisaient plaisir. **15.** A cet endroit, un des
jeunes gens, comme un magicien, nous fit voir un spectacle
qui n'est pas très habituel dans la nature : descendu au
fond de la pièce d'eau, il prenait à volonté ceux des
poissons qu'il lui plaisait de prendre, et ceux-ci ne fuyaient
pas le contact du pêcheur, comme de petits chiens
domestiques dociles et soumis à la main de l'homme de
l'art[3]. **16.** Ils me conduisaient ensuite, comme pour me

Förster VIII); Julien, *Epist.* 98 (p. 181, 8-13 Bidez). Pline le Jeune décrit longuement les siens : *Epist.* II, 17, 13-15 ; V, 6, 16-18, 38-
40. Cf. *PW* VII, 768-841, *s.v.* «Gartenbau».

3. Ici encore, Grégoire oppose nature et art : le spectacle est
inhabituel dans la nature, il est l'œuvre d'un homme de l'art
(τεχνίτης). Sur le dressage des poissons dans l'antiquité, cf.
O. Keller, *Die antike Tierwelt*, II, Leipzig 1913 : ceux de la fontaine
Aréthuse à Syracuse se laissaient prendre en main (p. 343) ; on connaît
aussi chez les Romains plusieurs exemples de murènes apprivoisées
(p. 361). Sur les pièces d'eau avec poissons, cf. *DS* V, 959-962, *s.v.*
«Vivarium» ; Rutilius Namatianus, *De reditu*, 376-380 (p. 20 Vesse-
reau-Préchac).

85 τινα οἶκον, δῆθεν ὡς ἀναπαυσόμενον · οἶκον γὰρ ἐνεδείκνυτο
ἡμῖν ἡ εἴσοδος, ἀλλ' ἐντὸς τῆς θύρας γενομένους ἡμᾶς οὐχὶ
οἶκος ἀλλὰ στοὰ διεδέξατο · ἡ δὲ στοὰ μετέωρος ἦν λίμνη
βαθείᾳ ἐκ πολλοῦ τοῦ ὕψους ἐπῃωρημένη. Προσεκλύζετο δὲ
72 P.   τῷ ὕδατι ἡ κρηπὶς ἡ τὴν στοὰν ἀνέχουσα τριγώνῳ τῷ
1085 M.   σχήματι, οἷόν τι προπύλαιον τῆς ἔνδον τρυφῆς. **17.** Κατ'
91 εὐθεῖαν γὰρ ἐπὶ τὰ ἐντὸς οἶκός τις τὴν τοῦ τριγώνου
προβολὴν διεδέχετο ὑψηλὸς τὸν ὄροφον, πανταχόθεν ταῖς τοῦ
ἡλίου ἀκτῖσι περιλαμπόμενος, γραφαῖς ποικίλαις διηνθισμέ-
νος · ὥστε ἡμᾶς περὶ τὸν τόπον τοῦτον λήθην μικροῦ δεῖν
95 τῶν προλαβόντων ποιήσασθαι. **18.** Ὁ οἶκος πρὸς ἑαυτὸν
ἐπεσπάσατο, ἡ στοὰ πάλιν <ἡ> ἐπὶ λίμνῃ ἴδιόν τι θέαμα ἦν ·
οἱ γὰρ βέλτιστοι ἰχθύες, ὥσπερ ἐξεπίτηδες τοὺς χερσαίους
ἡμᾶς διαπαίζοντες, ἐκ τῶν βυθῶν ἐπὶ τὴν ἐπιφάνειαν
ἀνενήχοντο, οἷόν τινες πτηνοὶ καὶ αὐτοῦ τοῦ ἀέρος
100 κατασκιρτῶντες · ἡμιφανεῖς γὰρ γινόμενοι καὶ διακυβιστῶν-
τες τὸν ἀέρα, πάλιν εἰς τὸν βυθὸν κατεδύοντο. **19.** Ἄλλοι
δὲ κατ' ἀγέλας στοιχηδὸν ἀλλήλοις ἑπόμενοι θέαμα τοῖς ἀή-
θεσιν ἦσαν · ἦν δὲ ἰδεῖν ἑτέρωθι ἄλλην ἰχθύων ἀγέλην
B   βοτρυδὸν περὶ τρύφος ἄρτου πεπυκνωμένους καὶ ἄλλον
105 ὑπ' ἄλλου παρωθουμένους καὶ ἕτερον ἐφαλλόμενον καὶ ἄλλον
ὑποδυόμενον. **20.** Ἀλλὰ καὶ τούτων ἐποίει λήθην ἐν
κληματίσι καὶ ταλάροις ὁ βότρυς ἡμῖν εἰσκομιζόμενος καὶ

F
96 ἡ add. Pasquali ‖ 102 θέαμα F : θαῦμα coni. Pasquali (in
apparatu)

1. Cette maison est-elle différente des bâtiments décrits plus haut ?
Pour Müller, si la grande piscine décrite au § 15 était quelque part
dans le parc, on peut penser que les accompagnateurs de Grégoire
l'ont ensuite ramené vers la demeure principale par l'allée bordée de
rosiers et de vignes pour lui servir une collation (*Der zwanzigste Brief*,
p. 77).
2. On ne connaît pas d'autres exemples, dans l'Antiquité, de tels
péristyles triangulaires (cf. la reconstitution du plan par Müller, *ibid.*).
3. Sur les peintures murales (fresques ou mosaïques) décorant les
maisons romaines, il suffit de renvoyer aux exemples bien connus de

faire m'y reposer, vers une maison[1] : l'entrée nous indiquait en effet une maison, mais une fois passée la porte, ce n'est pas une maison, mais un portique qui nous accueillit. Ce portique élevé surplombait à une grande hauteur un bassin profond. La base en forme de triangle[2] qui soutenait le portique était baignée par les eaux : c'était comme un vestibule précédant les délices de l'intérieur. **17.** Droit devant nous, en arrière, une maison au toit élevé occupait le sommet du triangle ; elle était éclairée de tous côtés des rayons du soleil et ornée de peintures variées[3] — au point que peu s'en faut si, en ce lieu, nous n'avons pas oublié tout ce qui avait précédé ! **18.** La maison nous attira vers elle ; puis à nouveau le portique, au-dessus du bassin, était un spectacle unique[4]. Les magnifiques poissons, comme s'ils voulaient amicalement jouer avec nous, les terrestres, remontaient des profondeurs jusqu'à la surface et bondissaient comme des oiseaux jusque dans les airs. Ils se montraient à moitié et cabriolaient en l'air[5], puis plongeaient à nouveau dans les profondeurs. **19.** D'autres, se suivant les uns les autres en files ordonnées, offraient un spectacle admirable à qui n'en avait pas l'habitude ; ailleurs on pouvait voir une autre troupe de poissons s'agglutinant par grappes autour d'un morceau de pain, se poussant l'un l'autre, l'un bondissant, l'autre s'échappant sous les eaux. **20.** Mais même cela fut relégué dans l'oubli par les grappes qui nous furent

Pompéi ou d'Herculanum. Cf. A. Maiuri, *La peinture romaine*, Paris 1953.

4. Le péristyle précède immédiatement la maison où Grégoire prendra son repas. Il voit l'un et l'autre, et ne sait s'il doit admirer les peintures de celle-ci ou le bassin que surplombe celui-là, où des poissons lui offrent un autre spectacle. Il ne s'agit pas ici du même bassin que celui où un dresseur a montré à Grégoire des poissons apprivoisés.

5. Le terme διαχυϐιστάω est un hapax.

ἡ ποικίλη τῆς ὀπώρας φιλοτιμία καὶ ἡ τοῦ ἀρίστου
παρασκευὴ καὶ τὰ ποικίλα ὄψα καὶ καρυκεῖαι καὶ πέμματα
110 καὶ φιλοτησίαι καὶ κύλικες.

21. Ἐπεὶ οὖν ἤδη μετὰ τὸν κόρον πρὸς ὕπνον κατεφε-
ρόμην, παραστησάμενος τὸν ὑπογράφοντα, ταύτην σου τῇ
λογιότητι καθάπερ ἐνύπνιον τὴν ἐπιστολὴν ἀπελήρησα·
εὔχομαι δὲ μὴ διὰ χάρτου καὶ μέλανος, ἀλλὰ δι' αὐτῆς τῆς
115 ἐμαυτοῦ φωνῆς τε καὶ γλώττης τὰ παρὰ σοὶ καλά σοί τε
αὐτῷ καὶ τοῖς ἀγαπῶσί σε διὰ παντὸς διηγεῖσθαι.

73 P.   XXI

c   Ἀβλαβίῳ

1. Τέχνη τίς ἐστι περιστερῶν θηρευτικὴ τοιαύτη· ὅταν
τῆς μιᾶς ἐγκρατεῖς γένωνται οἱ τὰ τοιαῦτα σπουδάζοντες

PF β (ed. basiliana Courtonne ; βᵛ : var.)

Titulus : τοῦ αὐτοῦ ἀβλαβίῳ ἐπισκόπῳ F τοῦ αὐτοῦ P πρὸς ἐλευθέραν
β πρὸς ἐλευθέραν προτρεπτικὴ εἰς τὸ μεταθέσθαι πρὸς τὸν ὑψηλὸν βίον βᵛ
1 θηρευτικὴ περιστερῶν βᵛ ‖ ὅταν Fβ : ὅτε P ‖ 2 τῆς PF : om. β

1. L'énumération de Grégoire comporte tous les éléments importants d'un repas antique. Noter la mention des sauces épicées, qui
rappelle l'importance des condiments dans la cuisine de cette époque
(cf. J. ANDRÉ, *L'alimentation à Rome*, Paris 1981, p. 191 s.).

2. Les propos de Grégoire montrent que c'est à Ouanôta même
qu'il a dicté son texte : ce sont bien les impressions immédiates d'un
visiteur, quoique embellies par la forme littéraire, non une pure
fiction.

3. Cette lettre se rencontre également parmi celles de Basile, où sa
tradition est bien attestée (BASILE, *Epist.* 10). Sur son authenticité
grégorienne, relevée tout d'abord par P. MAAS (*Drei neue Stücke*,
p. 990, n. 5), cf. PASQUALI, *Le lettere*, p. 99-102. M. FORLIN PATRUCCO
en donne un bon commentaire dans *Basilio di Cesarea, Le lettere,* I,
Torino 1983, p. 307-308.

4. Il ne s'agit pas du destinataire de la lettre 6, bien que le
manuscrit F accole à son nom le titre d'évêque, puisque Grégoire veut
l'inviter à adopter la vie monastique (rappelons que dans le corpus

apportées dans des paniers et des corbeilles, ainsi que par des fruits magnifiques et variés, l'ordonnance du déjeuner, les divers mets, les sauces épicées, les pâtisseries, les toasts amicaux et les coupes[1].

21. Une fois rassasié, comme je me sentais glisser dans le sommeil, j'ai fait venir le scribe et j'ai dicté comme en rêve cette lettre plaisante à ton Éloquence[2]. Mais ce n'est pas avec du papier et de l'encre, c'est avec ma propre voix et ma propre langue que je souhaite décrire complètement ces beautés qui sont tiennes, pour toi et pour ceux qui t'aiment.

Lettre 21[3]

A Ablabios[4]

1. Il existe pour chasser les colombes une technique qui est la suivante[5] : lorsque ceux qui s'adonnent à un tel

basilien la lettre est adressée « à une femme libre »). Pasquali pense que l'Ablabios auquel Grégoire s'adresse est le destinataire de la *Lettre* 233 de Grégoire de Nazianze et des *Lettres* 921 et 1015 de Libanios. Cet Ablabios était alors sophiste, ou du moins « entiché de sophistique » (II, p. 124), mais on le retrouve prêtre, puis évêque novatien de Nicée sous Théodose II (cf. O. SEECK, *PW, s.v.* « Ablabios » 2). Est-ce aussi le destinataire du traité *Ad Ablabium quod non sint tres dii*, qui, d'après un des manuscrits de ce texte, serait moine (cf. *GNO* 3, 1, p. 37 apparat) ? Rien ne permet de l'affirmer avec certitude.

5. Cette technique de chasse à la colombe a-t-elle réellement existé ? Il semble que Grégoire réinterprète ici une donnée qu'il a pu lire dans les *Geoponica* (qui la donnent comme de Julius Africanus), mais qui est plutôt une méthode pour maintenir les colombes dans leur volière ou y en attirer d'autres, non une méthode de chasse (cf. Ilona OPELT, « Die duftgesalbte Taube als Lockvogel », *Jahrb. f. Ant. u. Chr.* 1, 1958, p. 109-111 ; cf. *Geoponica* 14, 3, 1, p. 407 Beckh). On retrouve le thème chez un auteur byzantin du XIIe s. : cf. P. WIRTH, « Manuel Karantenos, 'Plagiator Basileios' des Grossen », *Byzant. Forsch.* 3, 1968, p. 248-250. Grégoire fait une autre allusion aux animaux qui se laissent apprivoiser et aident ensuite l'homme à la chasse dans le *De hom. op.* 7 (*PG* 44, 144 A).

καὶ χειροήθη αὐτὴν καὶ ὁμόσιτον ἑαυτοῖς ἀπεργάσωνται,
1088 M. τότε μύρῳ τὰς πτέρυγας αὐτῆς ὑποχρίσαντες ἐῶσι συναγε-
5 λασθῆναι ταῖς ἔξωθεν· ἡ δὲ τοῦ μύρου τῇ εὐωδίᾳ τὴν
αὐτόνομον ταύτην ἀγέλην τιθασὸν ποιεῖται τῷ προεμένῳ·
πρὸς γὰρ τὰς εὐπνοούσας καὶ αἱ λοιπαὶ συνεφέπονταί τε
καὶ εἰσοικίζονται. 2. Τί βουλόμενος ἐντεῦθεν προοιμιάζομαι; ὅτι τὸν υἱὸν
10 Βασίλειον τόν ποτε Διογένην τῷ θείῳ μύρῳ τὰς τῆς ψυχῆς
πτέρυγας διαχρίσας ἐξέπεμψα πρὸς τὴν σὴν σεμνοπρέπειαν,
74 P. ὥστε καὶ σὲ αὐτῷ συναναπτῆναι καὶ καταλαβεῖν τὴν καλιάν,
ἣν παρ' ἡμῖν ὁ προειρημένος ἐπήξατο. 3. Εἰ ταῦτα γένοιτο
καὶ ἴδοιμι ἐπὶ τῆς ἐμῆς ζωῆς τὴν σὴν εὐγένειαν πρὸς
15 τὸν ὑψηλότερον βίον μετατεθεῖσαν, τὴν χρεωστουμένην
παρ' ἐμοῦ τῷ θεῷ εὐχαριστίαν ἀποπληρώσω.

PF β (ed. basiliana Courtonne ; βᵛ : var.)

3 καὶ χειροήθη PFβᵛ Müller : χειροήθη τε β Pasquali || αὐτὴν PF
Müller : ταύτην β Pasquali || ὁμόσιτον Pβ : ὁμότιμον F || ἑαυτοῖς (post
ἀπεργ. βᵛ) add. β Pasquali : om. PF Müller || 4 ὑποχρίσαντες PF :
χρίσαντες β || 5 τῇ PF : ἐκείνου β || 6 ταύτην : ἐκείνην β || τιθασὸν
ποιεῖται τῷ προεμένῳ F ποιεῖται τῷ προεμένῳ τιθασὸν P κτῆμα ποιεῖται
τῷ κεκτημένῳ τὴν τιθασὸν β κ.π. τῷ ἑπομένῳ τιθασὸν βᵛ || 7-8 πρὸς —
εἰσοικίζονται om. βᵛ || 7 εὐπνοούσας FP²β : εὐπνούσας P¹ || 9 δὲ post τί
add. β Pasquali om. PF Müller || προοιμιάζομαι PF : ἄρχομαι τοῦ
γράμματος β || λαβών post ὅτι add. β || 10 βασίλειον PF : διονύσιον β ||
διογένην PF : διομήδην β || καὶ post διομήδην add. β || αὐτοῦ post ψυχῆς
add. β Pasquali om. PF Müller || 12 σὲ αὐτῷ συναναπτῆναι PF : σὲ
αὐτὴν συναναπτῆναι (συναναστῆναι βᵛ) αὐτῷ β || 13 ἐπήξατο ὁ
προειρημένος β || εἰ PF : ἐὰν οὖν β (οὖν om. βᵛ) || 13-14 γένοιτο καὶ PF :
om. β || 14 καὶ ante τὴν add. β Pasquali om. PF Müller || εὐγένειαν PF :
σεμνοπρέπειαν β || 15 μετατεθεῖσαν PF Müller : μεταθεμένην β Pasquali
|| πολλῶν προσώπων ἀξίων τοῦ θεοῦ δεηθήσομαι ante τὴν χρ. add. β || 16
ἀποπληρώσω P Müller : ἀποπληρώσαιμι F <ἂν> ἀποπληρώσαιμι Jaeger,
Pasquali <πῶς ἂν> τὴν χρ. — ἀποπληρώσαιμι dubitans Pasquali (in
app.)

exercice en ont capturé une, qu'ils l'ont apprivoisée et dressée à prendre sa nourriture avec eux, ils enduisent ses ailes de parfum et la laissent se mêler à celles de l'extérieur. Celle-là, grâce à la bonne odeur de son parfum, apprivoise cette troupe indépendante pour celui qui l'a envoyée, car les autres suivent celles qui sentent bon et s'établissent auprès d'elles.

2. Quelle est mon intention en commençant de la sorte[1]? C'est que, après avoir enduit les ailes de son âme[2] d'un parfum divin, j'ai envoyé vers ta Révérence ton fils Basile, celui qui fut Diogène[3], de manière que toi aussi tu prennes ton envol avec lui et que tu gagnes le nid qu'a bâti près de nous celui dont je viens de parler[4]. **3.** Si cela arrivait et que je puisse voir de mon vivant ta Noblesse[5] passer à la vie plus haute[6], je rendrais à Dieu pleine action de grâces.

---

1. Type d'interrogation fréquent chez Grégoire (cf. *Epist.* 1, 3), indice de l'authenticité grégorienne de la lettre.

2. Sur les ailes de l'âme, thème biblique (*Ps.* 54, 7) et platonicien (*Phèdre* 246 ae), cf. THRAEDE, *Brieftopik*, p. 174-179.

3. Attestation intéressante sur un changement de nom, soit à la profession monastique, soit au baptême. Rappelons que Macrine, si elle n'a pas officiellement changé de nom, a du moins un nom secret, signe de l'état qu'elle a choisi, celui de Thècle (*V. Macr.* 2, 25-34, p. 146-149). Le terme υἱός, comme dans la *Lettre* 13, n'implique rien de plus qu'une paternité spirituelle.

4. Ce Basile semble donc être celui qui a fondé le monastère de Nysse.

5. Ce titre est utilisé dans la correspondance de Basile pour des évêques (*Epist.* 82, I, p. 184 ; 127, 1, II, p. 37) et un *comes rei militaris* (*Epist.* 149, II, p. 71).

6. Le terme ὑψηλός, et plus encore son comparatif, est souvent utilisé par Grégoire pour désigner la vie monastique ou ses occupations : cf. *Epist.* 2, 1, mais aussi le *De virg.* ou la *V. Macr* (cf. les index des mots grecs de ces deux textes dans leurs éditions de *SC*).

XXII

Τοῖς ἐπισκόποις

1. Τρεῖς ἦσαν ἡμέραι[a] αἱ τὸν προφήτην ἐν τῷ κήτει κατέχουσαι, ἀλλ' ὅμως ὁ Ἰωνᾶς ἠκηδίασεν · ἐγὼ δὲ τοσοῦ- τον χρόνον ἔχω ἐν τοῖς ἀμετανοήτοις Νινευΐταις[b], ἐν τοῖς σπλάγχνοις τοῦ θηρίου κρατούμενος, καὶ οὔπω ἐξεμηθῆναι 5 τῆς ἀχανοῦς ταύτης φάρυγγος[c] ἠδυνήθην. **2.** Εὔξασθε οὖν τῷ κυρίῳ τελειωθῆναι τὴν χάριν, ἵνα ἔλθῃ τὸ πρόσταγμα τὸ τῆς συνοχῆς ταύτης ῥυόμενον καὶ καταλάβω τὴν ἐμαυτοῦ σκηνὴν καὶ ὑπ' αὐτὴν ἀναπαύσωμαι[d].

F

Titulus : τοῦ αὐτοῦ τοῖς ἐπισκόποις F

___

a. Cf. Jonas 2,1   b. Cf. Jonas 1,2   c. Cf. Jonas 2,11
d. Cf. Jonas 4,5

___

1. Dans cette brève lettre, connue par un seul manuscrit et adressée à des évêques non précisés, Grégoire se plaint de sa situation présente et espère en être bientôt libéré. L'allusion aux Ninivites impénitents rappelle les acerbes remarques sur les habitants de

Lettre 22

Aux évêques[1]

1. C'est pendant trois jours[a][2] seulement que le prophète fut retenu dans le monstre marin, et pourtant Jonas fut découragé ! Pour moi, je suis depuis si longtemps parmi les Ninivites impénitents[b], prisonnier dans les entrailles de la bête, et je n'ai pas encore pu être vomi de cet immense gosier. **2.** Priez donc le Seigneur que sa grâce s'accomplisse, pour que vienne l'ordre qui me délivrera de cette étroite prison, que je retrouve ma tente et que je me repose à son ombre[c].

Sébastée, auprès desquels Grégoire a souffert « les maux de Babylone » (*Epist.* 19, 16-18) et laisse à penser que cette lettre a été écrite lors du séjour à Sébastée et adressée à des évêques réunis pour traiter à nouveau du problème du titulaire du siège épiscopal de cette ville. Grégoire attend d'eux la décision officielle (πρόσταγμα) qui lui permettra de regagner sa tente, c'est-à-dire l'église de Nysse.

2. Ces trois jours sont-ils, comme le pense Crıscuolo (*Le lettere*, p. 145) une allusion à trois mois passés à Sébastée ? Je ne le crois pas, car il est impossible de dire combien de temps a duré son séjour : Diekamp n'a nullement *démontré* que le séjour de Sébastée avait duré trois mois (cf. *supra*, p. 28, n. 1).

XXIII

Ἀνεπίγραφος

C Φείδομαι πολλῶν λόγων, ἐπειδὴ φείδομαι τῶν σῶν καμάτων. Ὑπομνήσθητι τῶν σεαυτοῦ, καὶ πάντα ἕξει τῷ Φαιδίμῳ καλῶς. Τάχους χρεία τῇ χάριτι· μέχρι τούτου ἡμῶν ἡ παράκλησις.

XXIV

D ## Ἡρακλειανῷ αἰρετικῷ

1. Ὁ τῆς ὑγιαινούσης πίστεως[a] λόγος τοῖς εὐγνωμόνως τὰς θεοπνεύστους[b] φωνὰς παραδεχομένοις ἐν τῇ ἁπλότητι τὴν ἰσχὺν ἔχει καὶ οὐδεμιᾶς λόγου περινοίας εἰς παράστασιν

PF
    Titulus : τοῦ αὐτοῦ ἀνεπίγραφος F om. P

F
    Titulus : τοῦ αὐτοῦ Ἡρ. αἱρ. F

---

a. Cf. Tite 1, 13 ; II Tim. 4, 3   b. Cf. II Tim. 3, 16

---

1. On ne connaît ni le destinataire de ce court billet, ni à quoi il fait allusion ; ce peut être une lettre de recommandation. Pasquali (*apparat*, p. 74) propose de voir dans Φαιδίμῳ un nom propre, mais note que ce terme peut aussi être un adjectif («illustre») accompa-

Lettre 23

Sans titre[1]

J'épargne beaucoup de paroles pour t'épargner des fatigues. Souviens-toi de tes devoirs, et tout ira bien avec Phaidimos. Pour la gratitude, il est nécessaire d'être prompt. Notre exhortation va jusque-là.

Lettre 24

A l'hérétique Héraclianos[2]

1. L'énoncé de la foi saine[a], pour ceux qui reçoivent les Écritures inspirées de Dieu[b] avec un esprit droit, tient sa force de sa simplicité et n'a besoin d'aucune habileté du

gnant un nom propre qui a disparu. La brièveté de la lettre est voulue ; elle en fait une de ces ἐπιστολαὶ Λακωνικαί dont toute collection de lettres se devait de comporter quelques exemples : cf. G. PRZYCHOCKI, *De Gregorii Nazianzeni epistulis quaestiones selectae*, Cracovie 1912, p. 15 (259) et 133 (377). On y remarquera l'allitération φείδομαι (répété) φαιδίμῳ.

2. Ce personnage n'est pas autrement connu. Un Héraclianos originaire de Constantinople se trouve bien parmi les correspondants de Grégoire de Nazianze (*Epist.* 97, I, p. 116) : le ton amical de la lettre exclut qu'il s'agisse d'un hérétique, donc du même destinataire que celui de cette lettre (si toutefois on peut se fier à l'intitulé de l'unique manuscrit qui la transmet). KLOCK la date de la même période que l'*Adv. Maced.* (*Untersuchungen zu Stil*, p. 61, n. 84) ; T. ZIEGLER la situe entre l'*Adv. Maced.* et le *C. Eun. III* (*Les petits traités trinitaires*, p. 360).

τῆς ἀληθείας προσδεῖται, αὐτόθεν ὢν ληπτὸς καὶ σαφὴς ἐκ
5 τῆς πρώτης παραδόσεως, ἣν ἐκ τῆς τοῦ κυρίου φωνῆς
1089 M. παρελάβομεν ἐν τῷ λουτρῷ τῆς παλιγγενεσίας[c] τὸ τῆς
σωτηρίας μυστήριον παραδόντος · Πορευθέντες γάρ, φησί,
μαθητεύσατε πάντα τὰ ἔθνη, βαπτίζοντες αὐτοὺς εἰς τὸ
ὄνομα τοῦ πατρὸς καὶ τοῦ υἱοῦ καὶ τοῦ ἁγίου πνεύματος,
10 διδάσκοντες τηρεῖν πάντα ὅσα ἐνετειλάμην ὑμῖν[d]. **2.** Διαι-
ρῶν γὰρ εἰς δύο τὴν τῶν Χριστιανῶν πολιτείαν, εἴς τε τὸ
ἠθικὸν μέρος καὶ εἰς τὴν <τῶν> δογμάτων ἀκρίβειαν, τὸ
μὲν σωτήριον δόγμα ἐν τῇ τοῦ βαπτίσματος παραδόσει
κατησφαλίσατο, τὸν δὲ βίον ἡμῶν διὰ τῆς τηρήσεως τῶν
15 ἐντολῶν αὐτοῦ κατορθοῦσθαι κελεύει. **3.** Ἀλλὰ τὸ μὲν κατὰ
τὰς ἐντολὰς μέρος, ὡς μικροτέραν φέρον τῇ ψυχῇ τὴν
ζημίαν, ἠφείθη παρὰ τοῦ διαβόλου ἀπαρεγχείρητον · ἐπὶ δὲ
τοῦ κυριωτέρου καὶ μείζονος ἡ πᾶσα γέγονε τοῦ ἀντικει-
19 μένου σπουδή, τοῦ παρατραπῆναι τῶν πολλῶν τὰς ψυχὰς
B εἰς τό, μηδὲ εἴ τι διὰ τῶν ἐντολῶν κατορθωθῇ, κέρδος εἶναι,
τῆς μεγάλης καὶ πρώτης ἐλπίδος ἐν τῇ περὶ τὸ δόγμα
πλάνῃ τοῖς ἀπατηθεῖσι μὴ συμπαρούσης.

4. Διὰ τοῦτο συμβουλεύομεν τῆς ἁπλότητος τῶν πρώτων
ῥημάτων τῆς πίστεως μὴ ἀποχωρεῖν τοὺς ἀντιποιουμένους
25 τῆς ἑαυτῶν σωτηρίας, ἀλλὰ παραδεχομένους ἐν τῇ ψυχῇ
πατέρα καὶ υἱὸν καὶ πνεῦμα ἅγιον, μὴ μίαν ὑπόστασιν

F

12 τῶν ante δογμάτων add. Pasquali ‖ 20 κατορθωθῇ F Pasquali :
κατωρθώθη Wilamowitz κατορθωθείη Jaeger

c. Cf. Tite 3,5   d. Matth. 28,19-20

1. Cf. supra, Epist. 5,4 et la note.
2. Thème fréquent dans les traités qui visent des hérétiques : leur
bonne conduite ne sert de rien, puisque leur foi est mauvaise. On le
trouve largement développé dans la littérature monastique (cf.

discours pour démontrer sa vérité. Il est par lui-même facile à comprendre, il tire sa clarté de sa tradition première, que nous avons reçue de la voix du Seigneur lorsqu'il nous a transmis le mystère du salut dans le bain de la régénération[c] : « Allez, dit-il, enseignez toutes les nations en les baptisant au nom du Père, du Fils et de l'Esprit-Saint, en leur apprenant à observer tout ce que je vous ai prescrit[d1]. » **2.** En distinguant deux éléments dans la manière d'être des chrétiens — la partie morale et l'exactitude des doctrines —, il a solidement établi la doctrine salutaire dans la tradition du baptême et il ordonne que notre vie soit dirigée grâce à l'observance de ses commandements. **3.** Or la partie qui concerne les commandements, parce qu'elle procure à l'âme un dommage moindre, est restée inattaquée de la part du diable. Mais c'est contre ce qui est le plus important et le plus grand que s'est portée toute l'ardeur de l'adversaire, pour fourvoyer les âmes de beaucoup en faisant en sorte qu'il n'y ait même pas d'avantage à se bien conduire grâce aux commandements[2], puisque la grande et première espérance est absente pour qui se laisse induire en erreur sur la doctrine.

4. C'est pourquoi nous conseillons à ceux qui se préoccupent de leur salut de ne pas s'éloigner de la simplicité des paroles premières de la foi[3], mais, en recevant dans leur âme Père, Fils et Saint-Esprit, de ne pas penser qu'il s'agit d'une unique hypostase ayant

---

JEAN CHRYSOSTOME, *La virginité*, I-II (la virginité des hérétiques ne comporte pas de récompense : les hérétiques sont même châtiés pour leur pratique de la virginité — p. 92-101 Grillet). C'est l'orthodoxie de la foi qui est nécessaire pour le salut. Cf. de même *Adv. Maced.* : ceux qui rejettent la divinité de l'Esprit, « pourquoi partent-ils en guerre contre leur propre vie ? Pourquoi se séparent-ils de l'espoir de ceux qui sont sauvés ? » (*GNO 3/1*, p. 109, 19-21).

3. Cf. *Epist.* 3, 26.

76 P. πολυώνυμον εἶναι νομίζειν· οὔτε γὰρ δυνατόν ἐστι τὸν
πατέρα ἑαυτοῦ πατέρα λέγεσθαι, μὴ ἀληθῶς ἐξ αὐτοῦ τοῦ
υἱοῦ τῷ πατρὶ τὴν κλῆσιν ἐπαληθεύοντος, οὔτε τὸ πνεῦμα
30 ἓν τῶν εἰρημένων εἶναι νομίζειν, ὥστε εἰς πατρὸς ἢ υἱοῦ
ἔννοιαν διὰ τῆς τοῦ πνεύματος προσηγορίας ἐνάγεσθαι τὸν
ἀκούοντα· ἀλλ᾽ ἰδίως καὶ ἀποτεταγμένως ἐν ἑκάστῳ τῶν
C ὀνομάτων συνυπακούεται ἡ ἐνσημαινομένη ταῖς προσηγο-
ρίαις ὑπόστασις, καὶ τὸν πατέρα ἀκούσαντες τὴν τοῦ παντὸς
35 αἰτίαν ἠκούσαμεν, τὸν δὲ υἱὸν μαθόντες τὴν ἐκ τῆς πρώτης
αἰτίας ἀναλάμψασαν δύναμιν εἰς τὴν τοῦ παντὸς σύστασιν
ἐδιδάχθημεν, τὸ δὲ πνεῦμα γνόντες τὴν τελειωτικὴν δύναμιν
τῶν διὰ κτίσεως εἰς τὸ εἶναι παραγομένων ἐκ τοῦ πατρὸς
διὰ τοῦ υἱοῦ ἐνοήσαμεν.
40 **5.** Αἱ μὲν οὖν ὑποστάσεις κατὰ τὸν εἰρημένον τρόπον
ἀσυγχύτως ἀπ᾽ ἀλλήλων διακεχωρισμέναι εἰσί, πατρὸς λέγω
καὶ υἱοῦ καὶ ἁγίου πνεύματος· ἡ δὲ οὐσία αὐτῶν, ἥτις ποτὲ
αὕτη ἐστίν — ἄφραστος γάρ ἐστι λόγῳ καὶ νοήματι ἄληπτος
— εἰς ἑτερότητά τινα φύσεως οὐ διαμερίζεται· διότι τὸ
45 ἀκατάληπτον καὶ ἀπερινόητον καὶ λογισμοῖς ἀπερίδρακτον
ἴσον ἐστὶν ἐφ᾽ ἑκάστου τῶν ἐν τῇ τριάδι πεπιστευμένων
D προσώπων. **6.** Ὁ γὰρ ἐρωτηθεὶς τί κατ᾽ οὐσίαν ἐστὶν ὁ
πατήρ, εὐγνωμόνως καὶ ἀληθῶς ὁμολογήσει τὸ ὑπὲρ γνῶσιν
εἶναι τὸ ζητούμενον· ὡσαύτως καὶ περὶ τοῦ μονογενοῦς

F

28 αὐτοῦ Pasquali : αὐτοῦ F ‖ 46 ἑκάστου Pasquali : ἑκάστῳ F ‖ 48
τὸ del. Wilamowitz

1. Le développement du § 4 vise le sabellianisme : les trois
hypostases sont distinctes et nettement individualisées. Grégoire
souligne pour le démontrer la distinction du rôle de chaque hypostase
dans l'économie de la création. Cf. de même *De diff.* 4 (p. 84, 1 - 85, 44
Courtonne I), *Ex comm. not.* (*GNO* 3/1, p. 25, 12-14), *Ad Abl.* (p. 56, 1-
10), *Ref. conf. Eun.* 5-13 (*GNO* 2, p. 313-318).
    2. Grégoire va maintenant démontrer (§ 5-6) l'identité de l'essence
divine dans les trois personnes, et il le fait en invoquant le caractère

plusieurs noms[1]. Il n'est pas possible de dire que le Père est père de lui-même, car en vérité le Fils ne peut tenir pour vraie de lui-même la dénomination qui appartient au Père, ni de croire que l'Esprit est une des réalités qu'on vient de nommer — avec pour conséquence que l'auditeur, en entendant nommer l'Esprit-Saint, soit conduit au concept de Père ou de Fils. Mais c'est proprement et exclusivement que l'hypostase qui est signifiée par les dénominations est à comprendre dans chacun des noms. En entendant parler du Père, nous avons entendu parler de la cause du Tout ; en apprenant à connaître le Fils, nous avons été instruits de la puissance qui resplendit à partir de la cause première pour que subsiste l'univers ; en connaissant l'Esprit, nous avons compris la puissance capable de parfaire ce qui, dans la création, est venu à l'être à partir du Père par le Fils.

5. Les hypostases sont donc distinctes les unes des autres de la manière qu'on vient de dire, je veux dire celles du Père, du Fils et du Saint-Esprit. Quant à leur essence[2], quelle que puisse être celle-ci — car elle ne peut s'exprimer par la parole ni être saisie par l'intelligence —, on n'y distingue pas de différence de nature : ce qui ne peut se saisir, ni se concevoir, ni être embrassé par le raisonnement est égal pour chacune des personnes auxquelles nous croyons dans la Trinité. **6.** Celui qu'on interroge sur ce qu'est le Père selon l'essence confessera avec rectitude et vérité que cet objet de recherche est au-dessus de la connaissance ; interrogé de la même façon au sujet du Fils

---

incompréhensible, inexprimable de celle-ci, caractère qu'il justifie, pour le Fils et l'Esprit, par des citations bibliques. On sait que la théologie négative, avec Grégoire, franchit une étape importante : cf. W. VÖLKER, « Zur Gotteslehre Gregors von Nyssa », *Vig. Chr.* 9, 1955, p. 111, et, parmi d'autres textes, cette phrase des *Hom. in Eccl.* VII : « Lorsque la recherche se tourne vers l'essence divine, il est temps de se taire » (*GNO* 5, p. 415, 17-19). Même type de démonstration dans le *De diff.* 3 (p. 83, 38-44), 4 (p. 85, 45-50).

50 υἱοῦ^e οὐδενὶ λόγῳ τὴν οὐσίαν καταληφθῆναι δυνατὸν εἶναι
συνθήσεται · Τὴν γὰρ γενεὰν αὐτοῦ, φησί, τίς διηγήσεται^f;
ὁμοίως δὲ καὶ περὶ τοῦ πνεύματος τοῦ ἁγίου τὸ ἴσον τῆς
κατὰ τὴν κατάληψιν ἀμηχανίας ὁ τοῦ κυρίου λόγος
ἐνδείκνυται λέγων ὅτι τῆς μὲν φωνῆς αὐτοῦ ἀκούεις, οὐκ
55 οἶδας δὲ πόθεν ἔρχεται καὶ ποῦ ὑπάγεις^g.

7. Ἐπειδὴ τοίνυν οὐδεμίαν ἐν τῷ ἀκαταλήπτῳ τῶν τριῶν
προσώπων διαφορὰν ἐννοοῦμεν (οὐ γὰρ τὸ μὲν μᾶλλον
ἀκατάληπτον τὸ δὲ ἧττον, ἀλλ᾽ εἷς ἐπὶ τῆς τριάδος ὁ τῆς
1092 M. ἀκαταληψίας λόγος), διὰ τοῦτό φαμεν, αὐτῷ τῷ ἀλήπτῳ
77 P. καὶ ἀκατανοήτῳ χειραγωγούμενοι, μηδεμίαν τῆς οὐσίας ἐπὶ
61 τῆς ἁγίας τριάδος διαφορὰν ἐξευρίσκειν ἐκτὸς τῆς τάξεως
τῶν προσώπων καὶ τῆς τῶν ὑποστάσεων ὁμολογίας · τάξις
μὲν γάρ ἐστιν ἐν τῷ εὐαγγελίῳ παραδοθεῖσα, καθ᾽ ἣν ἐκ
πατρὸς ἡ πίστις ἀρχομένη διὰ μέσου τοῦ υἱοῦ εἰς τὸ πνεῦμα
65 τὸ ἅγιον καταλήγει · ἡ δὲ διαφορὰ τῶν προσώπων <ἐν>
αὐτῇ τῇ τάξει τῆς τῶν ὑποστάσεων παραδόσεως φαινομένη
οὐδεμίαν σύγχυσιν ἐμποιεῖ τοῖς δυναμένοις ἐπακολουθεῖν
ταῖς σημασίαις τοῦ λόγου, ἰδίαν ἔννοιαν τῆς τοῦ πατρὸς
69 προσηγορίας ἐμφαινούσης καὶ τοῦ υἱοῦ πάλιν καὶ τοῦ ἁγίου
B πνεύματος ἰδίαν, κατ᾽ οὐδένα τρόπον τῶν σημαινομένων ἐν
ἀλλήλοις συγχεομένων. 8. Βαπτιζόμεθα τοίνυν, ὡς παρελάβομεν, εἰς πατέρα καὶ υἱὸν καὶ πνεῦμα ἅγιον · πιστεύομεν
δὲ ὡς βαπτιζόμεθα — σύμφωνον γὰρ εἶναι προσήκει τῇ
ὁμολογίᾳ τὴν πίστιν — · δοξάζομεν δὲ ὡς πιστεύομεν —
75 οὐδὲ γὰρ ἔχει φύσιν μάχεσθαι τῇ πίστει τὴν δόξαν, ἀλλ᾽ εἰς
ἃ πιστεύομεν, ταῦτα καὶ δοξάζομεν.

9. Ἐπειδὴ τοίνυν εἰς πατέρα καὶ υἱὸν καὶ πνεῦμα ἅγιον
ἡ πίστις ἐστίν, ἀκολουθεῖ δὲ ἀλλήλοις ἡ πίστις ἡ δόξα τὸ
βάπτισμα^h, διὰ τοῦτο καὶ ἡ δόξα οὐ διακρίνεται ἡ πατρὸς

F

65 ἐν add. Pasquali

---

e. Cf. Jn 1, 18   f. Is. 53, 8; Act. 8, 33   g. Jn 3, 8   h. Cf.
Éphés. 4, 5

monogène[e], il conviendra qu'il est impossible que son
essence soit saisie par les mots, car «sa génération, qui la
racontera[f]?» De même encore, au sujet de l'Esprit-Saint,
la parole du Seigneur montre qu'on est également impuissant à le comprendre, lorsqu'elle dit : «Tu entends sa voix,
mais tu ne sais d'où il vient ni où il va[g].»

7. Donc, puisque nous ne concevons aucune différence
dans le caractère incompréhensible des trois personnes —
car l'une n'est pas plus incompréhensible et l'autre moins,
mais unique dans la Trinité est la mesure de l'incompré-
hensibilité —, nous disons de ce fait, guidés par ce concept
même d'insaisissable et d'incompréhensible, qu'on ne peut
trouver dans la Trinité aucune différence d'essence,
excepté l'ordre des personnes et la confession des hypostases[1]. L'ordre en effet est transmis dans l'Évangile : selon
cet ordre, la foi qui commence avec le Père passe par le
Fils et s'achève dans l'Esprit-Saint. Quant à la différence
des personnes qui apparaît dans l'ordre même dans lequel
sont transmises les hypostases, elle ne provoque aucune
confusion chez ceux qui savent comprendre le sens des
mots, car la dénomination de Père exprime un concept
propre, et pareillement celle de Fils et celle de Saint-
Esprit, sans que d'aucune manière les réalités signifiées se
confondent entre elles. **8.** Nous sommes donc baptisés
comme nous l'avons reçu, au nom du Père, du Fils et du
Saint-Esprit; nous croyons comme nous sommes baptisés
— il convient en effet que la foi soit en accord avec la
confession; nous glorifions comme nous croyons — car il
n'est pas naturel que la gloire combatte la foi, mais ce en
quoi nous croyons, cela aussi nous le glorifions.

9. Ainsi, puisque la foi est dans le Père, le Fils et
l'Esprit-Saint, que la foi, la gloire et le baptême[h] se

---

1. Aucune différence dans l'essence, sinon l'ordre des personnes :
Grégoire emploie le mot πρόσωπον comme un synonyme d'ὑπόστασις
(cf. de même *Ex comm. not.*, p. 33, 3).

80 καὶ υἱοῦ καὶ ἁγίου πνεύματος. **10.** Αὕτη δὲ ἡ δόξα ἣν
ἀναπέμπομεν τῇ ἰδίᾳ φύσει, οὐδὲν ἄλλο ἐστὶν ἀλλ' ἡ τῶν
προσόντων τῇ μεγαλειότητι τῆς θείας φύσεως ἀγαθῶν
C ὁμολογία· οὐ γὰρ ἐξ ἡμετέρας δυνάμεως τιμὴν προστίθεμεν
τῇ ἀτιμήτῳ φύσει, ἀλλὰ τὰ προσόντα ὁμολογήσαντες τὴν
85 τιμὴν ἐπληρώσαμεν. **11.** Ἐπεὶ οὖν πρόσεστιν ἑκάστῳ τῶν
ἐν τῇ ἁγίᾳ τριάδι πιστευομένων προσώπων ἀφθαρσία
ἀϊδιότης ἀθανασία ἀγαθότης δύναμις ἁγιασμὸς σοφία, πᾶν
νόημα μεγαλοπρεπές τε καὶ ὑψηλόν, ἐν τῷ λέγειν τὰ
89 προσόντα ἀγαθὰ τούτῳ τῆς δόξης ποιούμεθα τὴν ἀπόδοσιν.
78 P. **12.** Καὶ ἐπεὶ πάντα μὲν τὰ τοῦ πατρὸς ὁ υἱὸς ἔχει[i], πάντα
δὲ τὰ τοῦ υἱοῦ ἀγαθὰ ἐνθεωρεῖται τῷ πνεύματι, οὐδεμίαν
εὑρίσκομεν ἐν τῇ ἁγίᾳ τριάδι κατὰ τὸ ὕψος τῆς δόξης πρὸς
ἑαυτὴν διαφοράν· οὔτε γὰρ κατά τινα σωματικὴν σύγκρισιν
94 τὸ μὲν ὑψηλότερόν ἐστι τὸ δὲ ταπεινότερον — τὸ γὰρ ἀόρα-
D τον καὶ ἀσχημάτιστον μέτρῳ οὐ καταλαμβάνεται —, οὔτε
κατὰ δύναμιν ἢ ἀγαθότητα τὸ διάφορον συγκριτικῶς ἐπὶ
τῆς ἁγίας τριάδος εὑρίσκεται, ὡς εἰπεῖν παρὰ τὸ πλεῖον
καὶ ἔλαττον εἶναι ἐν τούτοις παραλλαγήν· ὁ γὰρ ἰσχυρότερον
τὸ ἓν τοῦ ἑτέρου εἰπὼν κατὰ τὸ σιωπώμενον ὡμολόγησε
100 τὸ ἐλαττούμενον ἐν τῇ δυνάμει ἀσθενέστερον εἶναι τοῦ
δυνατωτέρου, τοῦτο δὲ τῆς ἐσχάτης ἀσεβείας ἐστὶν ἔμφασίν
τινα ἀσθενείας ἢ ἀδυναμίας εἴτε ἐν ὀλίγῳ εἴτε ἐν πλείονι
περὶ τὸν μονογενῆ θεὸν καὶ περὶ τὸ πνεῦμα τοῦ θεοῦ ἐννοεῖν·

F

81 ἡ Pasquali : ἢ F ‖ 89 ἀπόδοσιν : οσιν in rasura F ‖ 90 ὁ υἱὸς om.
F¹, add. sup. l. F² ‖ 92 τὸ ὕψος Pasquali : τοῦ ὕψους F

i. Cf. Jn 16, 15 ; 17, 10

1. Comme dans la *Lettre* 5, Grégoire souligne l'accord de la foi, de
la formule baptismale et de la doxologie qui rend gloire aux trois
personnes. Ici encore, corriger la traduction italienne, qui rend δόξα
par « concetto ».

2. Grégoire démontre qu'une même gloire doit être rendue aux
trois personnes en deux temps : du § 11 au § 13, il montre que les
attributs qui caractérisent leur nature sont identiques et qu'ils les

tiennent mutuellement, à cause de cela on ne distingue pas non plus la gloire du Père, du Fils et du Saint-Esprit[1]. **10.** Cette gloire que nous faisons remonter à leur propre nature n'est rien d'autre que la confession des biens qui sont propres à la majesté de la nature divine : car ce n'est pas à partir de ce qui est en notre pouvoir que nous procurons quelque honneur à la nature inestimable, mais c'est en confessant ses attributs que nous lui avons rendu honneur[2]. **11.** Donc, puisque incorruptibilité, éternité, immortalité, bonté, puissance, sanctification, sagesse et toute notion magnifique et sublime sont propres à chacune des personnes auxquelles on croit dans la sainte Trinité, lorsque nous disons ces biens qui sont leurs attributs, nous leur rendons gloire par là-même. **12.** Et puisque ce qui est au Père, le Fils le possède[i], et que tous les biens du Fils se peuvent voir dans l'Esprit, nous ne trouvons dans la sainte Trinité aucune différence intrinsèque quant à la sublimité de la gloire. Pour prendre une comparaison corporelle, l'un n'est pas plus haut, l'autre plus bas — ce qui est invisible et sans forme n'est pas susceptible d'être mesuré — et on ne trouve pas non plus de disparité dans la sainte Trinité si l'on y compare puissance et bonté, comme si l'on pouvait dire qu'en ces attributs il y a différence selon le plus et le moins. Celui qui dit qu'une chose est plus forte que l'autre a reconnu tacitement que l'inférieur en puissance est plus faible que le plus puissant, mais c'est de la dernière impiété de concevoir quelque apparence de faiblesse ou d'impuissance, soit en plus, soit en moins, en ce qui concerne le Dieu monogène[3] et l'Esprit-Saint. C'est

possèdent tous trois de manière parfaite (communauté des attributs, perfection de la nature divine), aux § 14 et 15 que leurs opérations sont communes (unité d'énergie).

3. Grégoire préfère généralement l'expression « Dieu monogène » à celle de « Fils monogène » (qu'il emploie cependant au § 6). Cf. K. HOLL, *Amphilochius von Ikonium*, p. 212-213.

τέλειον γὰρ ἐν δυνάμει καὶ ἀγαθότητι καὶ ἀφθαρσίᾳ καὶ
105 πᾶσι τοῖς ὑψηλοῖς νοήμασι καὶ τὸν υἱὸν καὶ τὸ πνεῦμα
ὁ τῆς ἀληθείας παραδίδωσι λόγος. **13.** Εἰ οὖν παντὸς
1093 M. ἀγαθοῦ ἡ τελειότης ‹ἐφ'› ἑκάστου τῶν ἐν τῇ ἁγίᾳ τριάδι
πιστευομένων προσώπων εὐσεβῶς ὁμολογεῖται, οὐκ ἔχει
φύσιν τὸ αὐτὸ καὶ τέλειον λέγειν καὶ πάλιν διὰ συγκρίσεως
110 ἀτελὲς ὀνομάζειν · τὸ γὰρ ἔλαττον ‹λέγειν› κατὰ τὸ μέγεθος
τῆς δυνάμεως ἤτοι τῆς ἀγαθότητος οὐδὲν ἄλλο ἐστὶν ἢ
ἀτελὲς εἶναι κατὰ τοῦτο διισχυρίζεσθαι. Εἰ οὖν τέλειος ὁ
υἱός, τέλειον καὶ τὸ πνεῦμα, τελείου τέλειον οὔτε ἀτελέστε-
ρον οὔτε τελειότερον ἐπινοεῖ ὁ λόγος.
115   **14.** Ἀλλὰ καὶ ἐκ τῶν ἐνεργειῶν τὸ ἀδιαίρετον τῆς δόξης
καταμανθάνομεν. Ζωοποιεῖ ὁ πατήρ, καθὼς ἔφη τὸ εὐαγγέλιον[j] · ζωοποιεῖ καὶ ὁ υἱός · ζωοποιεῖ δὲ καὶ τὸ πνεῦμα
79 P. κατὰ τὴν τοῦ κυρίου μαρτυρίαν τοῦ εἰπόντος ὅτι « Τὸ πνεῦμά
ἐστι τὸ ζωοποιοῦν[k]. » **15.** Προσήκει οὖν δύναμιν ἐκ πατρὸς
120 ἀρχομένην καὶ δι' υἱοῦ προϊοῦσαν καὶ ἐν πνεύματι ἁγίῳ
τελειουμένην νοεῖν · ἐμάθομεν γὰρ πάντα ἐκ θεοῦ εἶναι, καὶ
B πάντα διὰ τοῦ μονογενοῦς καὶ ἐν αὐτῷ συνεστάναι, καὶ διὰ
πάντων διήκειν τὴν τοῦ πνεύματος δύναμιν, πάντα ἐν πᾶσι
καθὼς βούλεται ἐνεργοῦσαν[l], ὥς φησιν ὁ ἀπόστολος.

F

107 ‹ἐφ'› ἑκάστου Pasquali : ἑκάστῳ F ‖ 110 λέγειν add. Pasquali

j. Cf. Jn 5, 21   k. Jn 6, 63   l. Cf. I Cor. 12, 6. 11

parfaits en puissance, bonté, incorruptibilité et en tous les concepts sublimes que la parole de vérité nous déclare que sont le Fils et l'Esprit[1]. **13.** Si donc la perfection de tout bien est pieusement confessée en chacune des personnes auxquelles on croit dans la Trinité, il est absurde de dire qu'une même chose est parfaite et d'assurer ensuite qu'elle est imparfaite par comparaison. Car parler d'infériorité selon la grandeur de la puissance ou de la bonté n'est pas autre chose que soutenir qu'il y a imperfection sous ce rapport. Si donc le Fils est parfait, et parfait aussi l'Esprit, la raison ne conçoit pas un parfait qui soit plus imparfait ou plus parfait.

14. Mais c'est aussi à partir des opérations que nous apprenons le caractère indivisible de la gloire. Le Père vivifie, comme le dit l'Évangile[j], et le Fils aussi vivifie, et l'Esprit aussi vivifie, selon ce témoignage du Seigneur qui dit : «C'est l'Esprit qui vivifie[k].» **15.** Il convient donc de concevoir une puissance qui tire son origine du Père, progresse par le Fils et trouve son achèvement dans l'Esprit-Saint. Nous avons appris en effet que tout vient de Dieu, que tout subsiste par le Monogène et en lui et que la puissance du Saint-Esprit se répand en toutes choses, «opérant tout en tous comme il le veut», ainsi que le dit l'Apôtre[l].

---

1. Même type de raisonnement appliqué au seul Saint-Esprit dans l'*Adv. Maced.* (*GNO 3/1*, p. 92, 10-25).

XXV

C

Ἀμφιλοχίῳ

1. Ἤδη μοι πέπεισμαι κατορθώσασθαι κατὰ θεοῦ χάριν τὴν ἐπὶ τῷ μαρτυρίῳ σπουδήν. Θελήσειας· πέρας τὸ σπουδαζόμενον ἕξει τῇ δυνάμει τοῦ θεοῦ ἔργον ποιῆσαι δυναμένου τὸν λόγον ᾗ ἂν εἴπῃ. Ἐπειδή, καθώς φησιν ὁ
5 ἀπόστολος, Ὁ ἐναρξάμενος ἔργον ἀγαθὸν καὶ ἐπιτελέσει[a], παρακλήθητι καὶ ἐν τούτῳ μιμητὴς[b] γενέσθαι τοῦ μεγάλου Παύλου καὶ εἰς ἔργον ἡμῖν προαγαγεῖν τὰς ἐλπίδας καὶ τεχνίτας ἡμῖν τοσούτους πέμψαι, ὥστε ἱκανοὺς πρὸς τὸ
9 ἔργον εἶναι. **2.** Γένοιτο δ' ἂν ἐκ συλλογισμοῦ τῇ τελειότητί
1096 M. σου γνώριμον εἰς ὅσον μέτρον ἅπαν τὸ ἔργον συλλογισθή-

F

Titulus : τοῦ αὐτοῦ ἀμφιλοχίῳ F

---

a. Phil. 1, 6   b. Cf. I Cor. 11, 1

---

1. Le destinataire est l'évêque Amphiloque d'Iconium, auquel Grégoire demande de lui envoyer des ouvriers pour la construction d'un martyrium à Nysse. C'est une deuxième lettre sur ce sujet : la première phrase laisse entendre que le correspondant est déjà au courant du projet. La date ne se laisse pas aisément déterminer. Le *terminus ad quem* est 373, date de l'installation d'Amphiloque sur le siège d'Iconium. On s'est demandé si les reproches qui avaient été adressés à Grégoire aux synodes d'Ancyre et de Nysse de 375/376 et qui visaient des malversations financières, ou plus probablement un usage des biens de l'église contraire au droit (cf. BASILE, *Epist.* 225,

Lettre 25

A Amphiloque[1]

1. Je suis maintenant persuadé que, par la grâce de Dieu, le projet concernant le martyrium est en bonne voie de réalisation. Puisses-tu le vouloir! Ce qui est projeté se réalisera par la puissance de Dieu qui peut, où qu'il la dise, transformer la parole en œuvre. Puisque, comme le dit l'Apôtre, «celui qui a commencé une œuvre bonne la mènera aussi à son terme[a]», je t'exhorte à être en cela aussi[2] un imitateur du grand Paul[b], de faire se réaliser nos espérances et de nous envoyer des ouvriers assez nombreux pour suffire à ce travail. **2.** Il doit être possible, à partir d'une estimation, de faire connaître à ta Perfection les

III, p. 22), n'étaient pas motivés par les dépenses entraînées par cette construction. C'est l'opinion de M. RESTLE, qui propose donc pour cette lettre la période 373-375 (*Studien zur Architektur*, 1979, p. 80). C. KLOCK a fait remarquer par ailleurs que lors du retour de Grégoire à Nysse que nous rapporte la *Lettre* 6, l'église était terminée (*Gregor von Nyssa als Kirchenbauer*, 1983, p. 165). Je ne suis pas convaincu par ce dernier argument, car l'église de la *Lettre* n'est pas nécessairement le martyrium : on assiste à cette époque à la construction de nombreux édifices en l'honneur des martyrs qui ne sont pas le lieu de réunion habituel de la communauté. D'autre part il me semble que Grégoire n'aurait pas publié une lettre qui puisse rappeler d'anciennes accusations et ne contienne rien qui lui permît de s'en défendre. Je pense que cette lettre, comme toutes les autres, est issue de la période durant laquelle Grégoire est un personnage en vue, donc d'après 381.

2. Amphiloque est l'évêque d'une communauté fondée par Paul (cf. *Act.* 14, 1-3).

σεται · οὗ χάριν φανεράν σοι ποιῆσαι πειράσομαι πᾶσαν τὴν
κατασκευὴν διὰ τῆς τοῦ λόγου γραφῆς.

3. Σταυρός ἐστι τοῦ εὐκτηρίου τὸ σχῆμα τέσσαρσιν,
ὡς εἰκός, οἴκοις ἀπανταχόθεν ἀναπληρούμενος · ἀλλ' ⟨οὐ⟩
15 καταλαμβάνουσιν ἀλλήλας αἱ συμβολαὶ τῶν οἴκων, ὥσπερ
80 P. ὁρῶμεν πανταχοῦ ἐν τῷ σταυροειδεῖ τύπῳ γινόμενον.
'Αλλ' ἔγκειται τῷ σταυρῷ κύκλος ὀκτὼ γωνίαις διειλημμέ-
νος (κύκλον δὲ διὰ τὸ περιφερὲς ὠνόμασα τὸ ὀκτάγωνον
σχῆμα), ὥστε τὰς τέσσαρας τοῦ ὀκταγώνου πλευρὰς τὰς ἐκ
20 διαμέτρων ἀλλήλαις ἀντικειμένας δι' ἁψίδων τοῖς τετραχῇ
παρακειμένοις οἴκοις τὸν ἐν τῷ μέσῳ συνάπτειν κύκλον.
4. Αἱ δὲ ἄλλαι τέσσαρες τοῦ ὀκταγώνου πλευραὶ αἱ μεταξὺ
τῶν τετραγώνων οἴκων διήκουσαι, οὐδὲ αὐταὶ κατὰ τὸ
B συνεχὲς εἰς οἴκους ἀποταθήσονται, ἀλλ' ἑκάστη τούτων
25 ἡμικύκλιον περικείσεται κοχλοειδῶς κατὰ τὸ ἄνω ἐπὶ ἁψῖδος
ἀναπαυόμενον · ὥστε ὀκτὼ γενέσθαι ἁψῖδας τὰς πάσας,

F

14 οὗ add. Klock (p. 167) ‖ 18 ὀκτάγωνον ex ὀκταγώνου corr. F ‖ 25
κογχλοειδῶς F κογχωειδῶς Sykutris

---

1. Cette description d'un martyrium (encore une *ecphrasis*, comme
dans la *Lettre* 20, même si ce l'est d'un édifice qui n'existe pas encore)
a donné lieu à de nombreux commentaires. Citons ceux de
J. STRZYGOWSKI, *Kleinasien, ein Neuland der Kunstgeschichte*, Leipzig
1903, p. 71-90, avec des plans p. 74 (Abb. 62) et 76 (63) (les p. 71-74 et
77-90 sont dues à B. KEIL. La recension de l'ouvrage par O. WULFF,
Byz. Zeitsch. 13, 1904, p. 557-558, revient sur les problèmes posés par
cette lettre); de A. BIRNBAUM, «Die Oktogone von Antiocheia,
Nazianz und Nyssa», *Repertorium für Kunstwissenschaft* 36, 1913,
p. 181-204 ; de S. GUYER, «Die Bedeutung der christlichen Baukunst
des Inneren Kleinasiens», *Byz. Zeitsch.* 33, 1933, p. 78-104 et 313-330,
avec un plan p. 104-106 ; de C. MANGO, *Architecture byzantine*, Paris
1981, p. 26-27, avec un plan ; de RESTLE, *Studien zur Architektur*,
1979, p. 76-80 ; de KLOCK, *Gregor von Nyssa als Kirchenbauer*, 1983.
Je me référerai le plus souvent à l'étude de RESTLE, qui a étudié cette
lettre dans le cadre plus général d'une enquête sur l'architecture
cappadocienne.

dimensions qu'on peut évaluer pour tout l'édifice : pour cela, j'essaierai de t'en expliquer toute la structure par une description[1].

3. La forme de l'oratoire est celle d'une croix[2], constituée dans toutes ses directions, comme il convient, par quatre salles, mais les jointures de ces salles ne se touchent pas[3], comme nous le voyons partout dans un plan cruciforme. A l'intérieur de la croix, il y a un cercle réparti en huit angles — j'ai appelé cercle cette forme octogonale parce qu'elle est arrondie —, de sorte que les quatre côtés de l'octogone qui sont diamétralement opposés les uns aux autres unissent par leurs arcs le cercle du milieu et les salles disposées sur quatre côtés. **4.** Les quatre autres côtés de l'octogone situés entre les salles rectangulaires ne se prolongeront pas[4], eux, pour constituer des salles, mais à chacun de ceux-ci sera adjointe une absidiole qui, en forme de conque, s'achève vers le haut par un arc[5]. Ainsi y aura-

2. Le plan en croix n'est pas rare à cette époque pour les martyria, même si ce n'est qu'un plan parmi d'autres : cf. celui de S. Jean à Éphèse, de S. Babylas à Antioche. Sur la signification de cette architecture, cf. F. W. Deichmann, *Einführung in die christliche Archäologie*, Darmstadt 1983, p. 98-99.

3. Il faut adopter sans hésitation la correction de Klock, qui introduit une négation dans le membre de phrase introduit par ἀλλά : Grégoire précise que, contrairement à ce qui est le cas ailleurs, les quatre branches de la croix ne se touchent pas, puisque des absidioles les séparent (voir le plan à la fin de ce volume).

4. Jusqu'ici les verbes étaient au présent, mais ils passent maintenant au futur. Doit-on en conclure que ce qui est décrit jusqu'à présent est déjà debout, alors que le reste n'est qu'en projet ? A l'appui de cette thèse, Restle souligne que seules les mesures pour cette construction de base sont précises, alors que pour la construction en élévation Grégoire donnera seulement des proportions (*Studien*, p. 76). L'argument ne convainc qu'à moitié, car la mesure en hauteur de l'octogone (donnée au futur) est, elle aussi, précise.

5. On a donc sur quatre côtés des salles rectangulaires, sur quatre autres des absides aveugles en cul-de-four.

δι' ὧν ἐκ παραλλήλου τὰ τετράγωνά τε καὶ ἡμικύκλια πρὸς
τὸ μέσον τὴν συνάφειαν ἕξει. **5.** Ἔσωθεν δὲ τῶν διαγωνίων
πεσσῶν ἰσάριθμοι παραστήσονται κίονες εὐκοσμίας τε καὶ
30 ἰσχύος χάριν · ἀνέξουσι δὲ καὶ οὗτοι ὑπὲρ ἑαυτῶν ἁψῖδας
ταῖς ἔξωθεν δι' ἴσου συγκατεσκευασμένας. **6.** Ἄνω δὲ τῶν
ὀκτὼ τούτων ἁψίδων διὰ τὴν συμμετρίαν τῶν ὑπερκειμένων
θυρίδων ὁ ὀκτάγωνος οἶκος ἐπὶ τέσσαρας αὐξηθήσεται
πήχεις. Τὸ δὲ ἀπ' ἐκείνου στρόβιλος ἔσται κωνοειδής, τῆς
35 εἰλήσεως τὸ σχῆμα τοῦ ὀρόφου ἐκ πλατέος εἰς ὀξὺν σφῆνα
1097 M. κατακλειούσης. **7.** Διάστημα δὲ κατὰ τὸ πλάτος ἑκάστου
τῶν τετραγώνων οἴκων ὀκτὼ πήχεις ἔσται, ἡμιολίῳ δὲ
πλέον εἰς τὸ μῆκος, ὕψος δὲ ὅσον ἡ ἀναλογία τοῦ πλάτους
βούλεται. **8.** Τοσοῦτον ἔσται καὶ ἐπὶ ⟨τῶν⟩ ἡμικυκλίων ·
40 ὡσαύτως ὅλον μὲν εἰς ὀκτὼ πήχεις τὸ μεταξὺ τῶν πεσσῶν
81 P. διαμετρεῖται · ὅσον δὲ δώσει ἡ τοῦ διαβήτου περιγραφή, ἐν
τῷ μέσῳ τῆς πλευρᾶς πηγνυμένου τοῦ κέντρου καὶ ἐπὶ τὸ

F

28 ἕξει Pasquali : ἔχει F ‖ διαγωνιῶν F ‖ 31 ἔξωθεν Pasquali :
ἔνδοθεν F ‖ 35 τὸ σχῆμα τοῦ ὀρόφου F : τὸν οἶκον Klock ‖ 36 διάστημα
Caraccioli, Pasquali : διαστῇ F ‖ κατὰ Pasquali : κάτω F ‖ 37 εἰς ante
ὀκτὼ add. Keil ‖ πήχεις Keil, Pasquali : πήχεσιν F ‖ 38 πλέον
Wilamowitz, Pasquali : πλέονας ex πλείονας F ‖ εἰς del. Keil ‖ 39
τοσοῦτον F : τοιοῦτον coni. Wilamowitz, Klock ‖ τῶν add. Keil,
Pasquali

1. Il faut imaginer les huit colonnes de l'octogone adossées aux
piliers d'angle, et l'arc qui les joint comme une doublure de celui qui
joint ceux-ci, au-dessus certes, mais dans la même épaisseur du mur.
Ainsi le double arc renforce l'épaisseur du mur (pour la solidité) tout
en servant à son ornementation. Cf. M. RESTLE, *Studien*, p. 77. Celui-
ci montre les difficultés de la solution de WULFF et GUYER, qui
plaçaient les colonnes à l'intérieur de l'octogone, mais à nette distance
des piliers d'angle. Les dimensions réduites de l'édifice ne favorisent
pas cette hypothèse.

2. Faut-il comprendre que le soubassement octogonal de la
coupole, le tambour, mesure quatre coudées (env. 1,85 m) fenêtre

t-il huit arcs en tout, grâce auxquels les salles rectangulaires et les absidioles feront pareillement leur jonction avec
le centre. **5.** A l'intérieur des piliers d'angle se dresseront
des colonnes en nombre égal, pour l'ornement et la solidité,
et celles-ci à leur tour supporteront au-dessus d'elles des
arcs construits de la même manière que les extérieurs, et
adossés à eux[1]. **6.** Au-dessus de ces huit arcs, en raison des
proportions des fenêtres qui les surmontent, l'édifice
octogonal s'élèvera de quatre coudées[2]. Ce qui s'élèvera
au-dessus sera de forme conique, la voûte contraignant la
forme du toit à passer d'une large ouverture à un coin
pointu[3]. **7.** La dimension en largeur de chacune des salles
rectangulaires sera de huit coudées, en longueur elle sera
plus grande de la moitié[4], mais la hauteur sera ce que
requiert la proportion avec la largeur. **8.** Même dimension
pour les parties en demi-cercle : l'espace entre les piliers
mesurera de même en tout huit coudées, et autant donnera
le tracé d'un compas dont la pointe est fixée au milieu du
côté et qu'on fait passer à ses extrémités, autant il aura de

comprise, ou que, en raison de la présence de celles-ci, il y aura quatre
coudées du sommet des arcs à la base des fenêtres ? En ce cas ce
chiffre nous donnerait aussi, en se référant à une proportion dont
Grégoire nous laisse ignorer les termes, une indication sur la
dimension de ces fenêtres (cf. RESTLE, *Studien*, p. 78).

3. La description du toit ne permet pas a priori de savoir s'il s'agit
d'une coupole, d'un cône arrondi (ayant la forme d'une pomme de pin,
comme l'indique le terme κωνοειδής) ou il s'agit d'un toit pyramidal à
huit côtés. M. RESTLE penche pour la deuxième solution (*Studien*,
p. 77), et de fait on connaît des toits semblables dans cette région : cf.
par exemple le toit de l'«église rouge» (*kizil kilise*) reproduite dans N.
et M. THIERRY, *Nouvelles églises rupestres de Cappadoce*, Paris 1963,
p. 25 et pl. 6). Cependant nous verrons plus loin que le toit est fait de
briques et de pierres et sans charpente, ce qui me semble exclure une
forme octogonale, qui exigerait des poutres aux rayons de l'octogone,
et rendre plus plausible une coupole, ou plutôt une forme conoïde
(Grégoire parle d'un coin pointu).

4. Les salles rectangulaires ont donc environ 3,90 m sur 5,75.

ἄκρον αὐτῆς διαβαίνοντος, τοσοῦτον πλάτος ἕξει· τὸ δὲ
ὕψος ἡ ἀναλογία τοῦ πλάτους καὶ ἐπὶ τούτων ποιήσει.
45 **9.** Τὸ δὲ τοῦ τοίχου βάθος ἔξωθεν τῶν κατὰ τὸ ἐντὸς
μεμετρημένων διαστημάτων, <ὂν> τριῶν ποδῶν, ὅλον
περιδραμεῖται τὸ ἔργον.

10. Ταῦτά σου τῆς ἀγαθότητος μετὰ σπουδῆς κατελή-
ρησα τοῦτον ἔχων σκοπόν, ὥστε σε διά τε τοῦ βάθους τῶν
50 τοίχων καὶ διὰ τῶν ἐν μέσῳ διαστημάτων ἐπιγνῶναι
B δι' ἀκριβείας εἰς ὅ τι κεφαλαιοῦται μέτρον ὁ τῶν ποδῶν
ἀριθμός· διότι περιδέξιός ἐστί σοι πάντως ἡ φρόνησις,
ὅπουπερ ἂν θέλῃς, ἐν ἐκείνῳ κατὰ θεοῦ χάριν εὐοδουμένη[c],
καὶ δυνατὸν ἔσται σοι διὰ τῆς κατὰ λεπτὸν συναριθμήσεως
55 ἐπιγνῶναι τὸ συναθροιζόμενον ἐκ πάντων κεφάλαιον, ὡς
μήτε πλείονας μήτε ἐνδέοντας τῆς χρείας ἡμῖν τοὺς
οἰκοδόμους ἐκπέμψαι. **11.** Τούτου δὲ μάλιστα παρακλήθητι
πολλὴν ποιήσασθαι τὴν φροντίδα, ὡς εἶναί τινας ἐξ αὐτῶν
καὶ τὴν ἀνυπόσκευον εἴλησιν ἐπισταμένους· ἔμαθον γὰρ ὅτι
60 τοιοῦτο γινόμενον μονιμώτερόν ἐστι τοῦ ἐπαναπαυομένου
τοῖς ὑπερείδουσιν· ἡ γὰρ τῶν ξύλων σπάνις εἰς ταύτην ἄγει
ἡμᾶς τὴν ἐπίνοιαν, ὥστε λίθοις ἐρέψαι τὸ οἰκοδόμημα ὅλον
διὰ τὸ μὴ παρεῖναι τοῖς τόποις ἐρέψιμον ὕλην. **12.** Πεπεί-
C σθω δὲ ἡ ἀψευδής σου ψυχὴ ὅτι τῶν ἐνταῦθά τινες τριάκοντά
65 μοι τεχνίτας συνέθεντο εἰς τὸν χρύσινον ἐπὶ τῷ τετραπεδικῷ
ἔργῳ, δηλαδὴ καὶ τῆς τετυπωμένης τροφῆς τῷ χρυσίνῳ

F

43 πλάτος F : βάθος coni. Keil ‖ 45 ἔξωθεν Keil, Pasquali : ἔσωθεν F
‖ 46 διαστημάτων Keil, Pasquali : διάστημα τῶν F ‖ ὂν add. Pasquali,
post ποδῶν iam Keil ‖ 49 ἔχων Pasquali : ἔσχων F ‖ 51 κεφαλαιοῦται
Keil, Pasquali : κεφαλαίου τοῦ F ‖ 52 πάντως Pasquali : πάντων F ‖ 65
συνέθεντο F : συνετίθεντο Keil

c. Cf. Rom. 1, 10

profondeur[1] ; la hauteur, c'est la proportion avec la largeur qui la déterminera pour eux aussi. **9.** L'épaisseur des murs, à l'extérieur des espaces intérieurs déjà mesurés, sera de trois pieds[2] ; elle ceinturera tout l'ouvrage.

10. En exposant cela avec soin, j'ai diverti[3] ta Bonté tout en ayant pour but que tu puisses évaluer, à partir de l'épaisseur des murs et des dimensions intérieures, à combien se monte le nombre de pieds (carrés). Parce que ton Intelligence est très habile en toutes choses et qu'elle réussit[c], par grâce de Dieu, en tout ce que tu veux, il te sera possible également, à partir de cette énumération minutieuse, d'évaluer la masse d'ensemble à laquelle arrive tout cela, de manière à ne nous envoyer ni trop ni trop peu de maçons. **11.** Je te prie surtout de veiller attentivement à ce que quelques-uns d'entre eux sachent construire une voûte sans charpente[4]. J'ai appris en effet que, quand on la construit de cette façon, elle est plus solide que celle qui repose sur des supports. C'est la pénurie de bois qui nous suggère l'idée de couvrir tout l'édifice d'un toit de pierre, parce qu'il n'y a pas en ces lieux du bois de charpente[5]. **12.** Sache, ami sincère, que quelques gens d'ici m'ont promis par contrat, pour un ouvrage en pierre taillée, trente ouvriers contre une pièce d'or, la nourriture

---

1. Les absidioles ont donc 1,95 m de rayon.

2. Les murs ont environ 90 cm d'épaisseur (un pied a entre 29 et 32 cm).

3. Le terme rappelle qu'on vient de lire une *ecphrasis*, faite pour charmer le lecteur (à moins qu'il ne faille corriger le texte).

4. La suite du texte montre qu'il ne s'agit pas seulement de bâtir des voûtes sans échafaudages provisoires, mais des voûtes sans charpente, faites uniquement de pierres et de briques. On a donc sans doute, pour les salles rectangulaires, des voûtes en berceau (ou peut-être en fer à cheval) et pour l'octogone un cône ou une coupole.

5. Sur la pénurie de bois dans cette région de Cappadoce, cf. *supra*, p. 262, n. 1.

ἀκολουθούσης · ἡμῖν δὲ ἡ τοιαύτη τῶν λίθων <κατασκευὴ>
οὐ πάρεστιν, ἀλλ' ὀστρακίνη πλίνθος ὕλη τοῦ οἰκοδομήμα-
82 P.   τος ἔσται καὶ οἱ ἐπιτυχόντες λίθοι, ὡς μὴ εἶναι αὐτοῖς
70   ἀνάγκην τρίβειν τὸν χρόνον ἐν τῷ τὰ μέτωπα τῶν λίθων
συγχέειν ἐναρμονίως πρὸς ἄλληλα. Ἐγὼ δὲ κατὰ τὴν τέχνην
καὶ τὴν περὶ τὸν μισθὸν εὐγνωμοσύνην ἐπίσταμαι τοὺς
1100 M.   αὐτόθεν κρείττους εἶναι τῶν ἐνταῦθα κατεμπορευομένων τῆς
χρείας ἡμῶν. **13.** Τὸ δὲ τῶν λαοξόων ἔργον οὐ μόνον ἐν
75   τοῖς κίοσίν ἐστι τοῖς ὀκτώ, οὓς χρὴ αὐτοὺς τῷ καλλωπισμῷ
βελτιῶσαι, ἀλλὰ βωμοειδεῖς σπείρας ἀπαιτεῖ τὸ ἔργον καὶ
κεφαλίδας διαγλύφους κατὰ τὸ Κορίνθιον εἶδος. **14.** Καὶ
εἴσοδος ἐκ μαρμάρων τῷ καθήκοντι κόσμῳ κατειργασμέ-
νων, <καὶ> καθυπερκείμενα τούτων θυρώματα τοιαύταις

F

67 <κατασκευὴ> addidi : λιθ<οξό>ων <ἀπόδοσις> Klock ‖ 72 καὶ
Keil : κατὰ F ‖ 75 δὶς ante ὀκτώ add. Keil ‖ 79 καὶ add. Keil, Pasquali

1. La proposition faite à Grégoire prévoit qu'il paiera un sou d'or
(un *solidus*) par jour pour trente ouvriers — des tailleurs de pierre —,
auxquels il fournira aussi la nourriture. C. Mango a calculé que cela
correspondait à un revenu annuel de 10 *solidi* pour chaque ouvrier, ce
qui est une grosse somme (le revenu moyen annuel est vers cette
époque de 5 à 7 *solidi*). Cf. C. Mango, *Architecture byzantine*, Paris
1981, p. 27.

2. Je suis ici l'interprétation de Restle, qui s'oppose à tous les
commentateurs du texte de Keil à Mango. Ceux-ci supposaient que
Grégoire renonçait à bâtir en pierre taillée parce qu'il manquait de ce
matériau et traduisaient : « Il n'existe pas chez nous de pierres de
cette espèce.» Mais le texte de Grégoire montre qu'il y a sur place des
tailleurs de pierre, qui lui ont proposé un contrat, et qu'il y a aussi du
travail pour eux — les colonnes et l'entrée dont il est question plus
loin. On sait d'autre part qu'il existe de la pierre à bâtir dans la région
de Nysse. Restle propose donc de comprendre : cette manière de
travailler la pierre n'est pas dans le domaine de nos possibilités
(financières). C. Klock constate qu'il manque dans la phrase un
substantif qui réponde à τοιαύτη : il propose donc ἀπόδοσις et corrige
λίθων en λιθοξόων (*Gregor als Kirchenbauer*, p. 172-173) — «Un tel
salaire pour les tailleurs de pierre n'est pas dans nos possibilités».
L'hypothèse est séduisante, et elle donnerait un clair antécédent au

convenue accompagnant évidemment la pièce d'or[1]. Mais une telle manière de préparer les pierres n'est pas dans nos possibilités[2], et le matériau de construction sera la brique de terre cuite et des pierres ordinaires, pour qu'il ne leur soit pas nécessaire de passer du temps à ajuster harmonieusement les uns avec les autres les côtés des pierres[3]. Je sais que, pour l'habileté et la modération en matière de salaire, les ouvriers de là-bas sont meilleurs que ceux qui s'engagent ici à notre service[4]. **13.** Le travail des tailleurs de pierre concerne non seulement les huit colonnes, qu'il faut retoucher et embellir, mais consiste encore à faire des bases de colonnes en forme d'autel[5] et des chapiteaux sculptés de style corinthien. **14.** Une entrée faite de marbres ouvragés d'un décor convenable, des portails placés au-dessus qui soient ornés avec art des représenta-

mot αὐτοῖς de la ligne 69. Cependant on constate un peu plus loin que, dans cette lettre, le mot utilisé par Grégoire pour désigner les tailleurs de pierre est λαοξόος, non λιθοξόος. Je propose donc simplement d'ajouter le substantif qui manque, peut-être κατασκευή, que Grégoire utilise parfois pour désigner l'aspect extérieur des édifices (cf. cette lettre, § 3 et *In Eccl. 3*, p. 320, 19 ; 322, 14).

3. Cette phrase montre bien que ce n'est pas l'absence de matériau adéquat qui retient Grégoire, mais le trop long temps — et donc l'argent — que prendrait la taille des pierres.

4. On n'a pas de renseignements particuliers sur l'habileté des constructeurs de Lycaonie ; on sait en revanche que les habitants de l'Isaurie, province limitrophe de la Lycaonie, étaient des constructeurs renommés. Cf. sur ce sujet C. MANGO, « Isaurian Builders », in *Polychronion. Festschrift F. J. Dölger*, Münster 1966, p. 358-365. Quelques exemples dans mes *Lieux saints*, p. 115. On constate en tout cas qu'il existe à l'époque une main-d'œuvre flottante, prête à faire 160 km (la distance d'Iconium à Nysse) pour trouver du travail.

5. Le modèle des bases de colonne est l'autel païen (βώμος), non l'autel chrétien (τράπεζα, θυσιαστήριον), qui était en forme de table. Grégoire pense sans doute à des bases à piètement carré. BIRNBAUM (*Die Oktogone*, p. 206) propose des exemples tirés de S. Apollinare in Classe : cf. F. W. DEICHMANN, *Ravenna, Hauptstadt des spätantiken Abendlandes*, Baden-Baden 1969-1976, II, 2, p. 241 (Abb. 119-120) et III (Abb. 382).

80 γραφαῖς τισι, καθὼς ἔθος ἐστίν, εἰς κάλλος κατὰ τὴν τοῦ
γεισίου προβολὴν ἐξησκημένα — ὧν πάντων αἱ μὲν ὗλαι
δῆλον ὅτι παρ' ἡμῶν πορισθήσονται, τὸ δὲ ἐπὶ τῇ ὗλῃ εἶδος
ἡ τέχνη δώσει —, πρὸς τούτοις δὲ καὶ κατὰ τὸ περίστωον
κίονες, οὐχ ἥττους ὄντες τῶν τεσσαράκοντα, λαοξικὸν ἔργον
85 καὶ οὗτοι πάντως εἰσίν.

15. Εἰ τοίνυν ἐνέφηνεν ὁ λόγος δι' ἀκριβείας τὸ ἔργον,
B δυνατὸν ἂν γένοιτό σου τῇ ὁσιότητι κατιδούσῃ τὴν χρείαν
διὰ πάντων ἡμῖν παρασχεῖν τὸ ἐπὶ τοῖς τεχνίταις ἀμέριμνον.
Εἰ δὲ μέλλοι τὸ πρὸς ἡμῶν ὁ τεχνίτης συντίθεσθαι,
90 προσκείσθω, εἴπερ οἶόν τε, φανερὸν μέτρον τοῦ ἔργου τῇ
ἡμέρᾳ, ἵνα μή, ἄπρακτος παρελθὼν τὸν χρόνον, μετὰ ταῦτα
μὴ ἔχων ἐπιδεῖξαι τὸ ἔργον, ὡς τοσαύταις ἡμέραις ἡμῖν
ἐργασάμενος τὸν ὑπὲρ αὐτῶν μισθὸν ἀπαιτῇ. 16. Οἶδα
δ' ὅτι μικρολόγοι τινὲς τοῖς πολλοῖς δόξομεν, οὕτω περὶ
95 τὰς συνθήκας διακριβούμενοι· ἀλλὰ παρακλήθητι συγγνώ-
μην ἔχειν· ὁ γὰρ Μαμωνᾶς ἐκεῖνος, πολλὰ πολλάκις
παρ' ἡμῶν ἀκούσας κακῶς, τέλος ἀπῴκισεν ἑαυτὸν ἡμῶν
83 P. ὡς πορρωτάτω, μισήσας οἶμαι τὴν ἀεὶ γινομένην κατ' αὐτοῦ
φλυαρίαν, καί τινι χάσματι ἀδιαβάτῳ[d], τῇ πενίᾳ λέγω,

F

84 λαοξοικὸν Keil ‖ 89 μέλλοι τὸ Keil, Pasquali : μέλλοιτο F ‖ 97
ἀπῴκησεν F corr. Keil

d. Cf. Lc 16, 26

1. Grégoire ne précise malheureusement pas ce que sera cette
ornementation. Il est un peu plus prolixe dans sa description du
martyrium de S. Théodore d'Euchaïta : le sculpteur sur bois a
représenté des animaux, le tailleur de pierre a poli les blocs jusqu'à les
rendre lisses comme de l'argent, le peintre à mis de la couleur... (*In
Theod.*, *PG* 46, 737 D).

2. Cette précision ne nous indiquerait-elle pas que les titulaires de
cet oratoire sont les Quarante Martyrs de Sébastée? L'idée a été
avancée par A. WILSON-CRABBE (Colloque de Belfast sur les Quarante
Martyrs, avril 1986) et mérite peut-être d'être retenue. Il reste difficile
de rendre compte de la disposition de ces colonnes. S'agit-il d'un
portique qui entoure la bâtisse (comme le suggère Mango) ou d'un

tions habituelles[1] le long des moulures de l'entablement — pour tout cela, il est entendu que c'est nous qui fournirons les matériaux, mais c'est l'art qui donnera forme à la matière —, enfin les colonnes du péristyle, qui ne sont pas moins de quarante[2], sont elles aussi tout à fait un travail de tailleurs de pierre.

15. Si mon exposé a décrit avec précision l'œuvre à réaliser, il devrait être possible à ta Sainteté, qui s'est rendu compte de ce qui est nécessaire, de nous tranquilliser complètement au sujet des ouvriers. Si tel ouvrier veut s'engager chez nous, qu'on fixe si possible une quantité déterminée de travail par jour, pour qu'il n'arrive pas que, ayant passé le temps sans rien faire et ne pouvant après cela montrer son travail, il réclame, en disant avoir travaillé pour nous tant de jours, son salaire pour eux[3].

16. Je sais que nous semblerons mesquin aux yeux de la plupart en examinant ainsi les contrats dans le détail. Mais je te prie de m'en excuser, car ce fameux Mammon, à nous entendre souvent dire du mal de lui[4], s'est finalement éloigné de nous à très grande distance, par haine, je pense, des constantes moqueries contre lui, et il est séparé de nous comme par un gouffre infranchissable[d][5], je veux dire par la

portique qui relie l'octogone à une rue ou une place de Nysse ? Restle penche pour la deuxième solution, tout en soulignant qu'elle est invérifiable puisque nous ignorons presque tout de l'urbanisme de Nysse (*Studien zur Architektur*, p. 79-80).

3. Sur les conflits posés par l'exécution des contrats, cf. W. H. BUCKLER, «Labor Disputes in Asia», dans *Anatolian Studies*, New York 1923, p. 27-50.

4. Virulentes critiques contre l'amour de l'argent chez Grégoire : *In Eccl*. IV (*GNO 5*, p. 339-343) ; *De benef*. (*GNO 9*, p. 94, 10 s., 106, 13 et passim), *Epist*. 18, 8.

5. Grégoire aime faire référence à l'abîme infranchissable de *Lc* 16, 26, même dans des contextes très éloignés de celui de la parabole où on le trouve : cf. M. ALEXANDRE, «L'interprétation de Luc 16, 19-31 chez Grégoire de Nysse», dans *Epektasis, Mélanges patristiques offerts au Cardinal Jean Daniélou*, Paris 1972, p. 425-441.

100 ἑαυτὸν ἡμῶν διετείχισεν, ὡς μήτε ἐκεῖνον πρὸς ἡμᾶς ἐλθεῖν
c μήτε ἡμᾶς πρὸς ἐκεῖνον διαπερᾶσαι. Τούτου χάριν περὶ
πολλοῦ ποιοῦμαι τὴν εὐγνωμοσύνην τῶν τεχνιτῶν, ὥστε
δυνηθῆναι πρὸς τὴν προκειμένην ἡμᾶς ἐξαρκέσαι σπουδὴν
μὴ κωλυθέντας τῇ πενίᾳ, τῷ ἐπαινετῷ καὶ εὐκταίῳ κακῷ.
105 **17.** Ἀλλὰ τούτοις μέν τι καὶ παιδιᾶς καταμέμικται· σὺ δέ
μοι, ὦ ἄνθρωπε τοῦ θεοῦ, ὅπως ἂν δυνατὸν καὶ νενομισμένον
ᾖ, οὕτω τοῖς ἀνθρώποις συνθέμενος θαρρῶν ἐπάγγειλαι
πᾶσιν αὐτοῖς τὴν παρ' ἡμῶν εὐγνωμοσύνην καὶ τὴν τῶν
μισθῶν ἀποπλήρωσιν· δώσομεν γὰρ ἀνελλιπῶς τὰ πάντα,
110 τοῦ θεοῦ διὰ τῶν σῶν εὐχῶν καὶ ἡμῖν τὴν χεῖρα τῆς εὐλογίας
ἀνοίγοντος.

83 P.   XXVI

Τοῦ σοφιστοῦ Σταγειρίου πρὸς Γρηγόριον ἐπίσκοπον

1. Πᾶς μὲν ἐπίσκοπος πρᾶγμα δυσγρίπιστον· σὺ δὲ
ὅσῳ παρελήλυθας τοὺς ἄλλους λογιότητι, τοσούτῳ μοι καὶ
φόβον παρέχεις μὴ ἄρα ἰσχυρῶς ἐνστῇς πρὸς τὴν αἴτησιν.

F
   107 ἐπάγγειλε F corr. Keil

P, β (ed. basiliana Courtonne ; βᵛ : var.) Λ (ed. libaniana Förster ; Λᵛ :
var.)

   Titulus : τοῦ σοφιστοῦ — ἐπίσκοπον P : λιβάνιος βασιλείῳ βΛ
βασιλείῳ λιβάνιος βᵛ
   2 τοὺς ἄλλους παρελήλυθας βΛ ‖ καὶ om. P ‖ 3-4 καὶ φόβον μοι βᵛΛᵛ ‖
3 μὴ — ἐνστῇς P : μήπως ἔξαρνος στῇς βΛ

───────────

1. Cette lettre et les deux suivantes, qui ne se trouvent que dans
un seul manuscrit des lettres de Grégoire, sont aussi transmises dans
la correspondance de Basile et Libanios, sous une forme d'ailleurs

pauvreté, de sorte qu'il ne peut venir vers nous et que nous
ne pouvons nous-même traverser pour nous rendre auprès
de lui. A cause de cela, je fais grand cas de la modération
des ouvriers, de manière à pouvoir réaliser le projet que
nous nous sommes fixé sans être empêché par la pauvreté
— ce mal qu'on peut louer et désirer. **17.** Mais à ces
paroles se mêle aussi un peu de plaisanterie. Pour toi,
homme de Dieu, autant qu'il est possible et légitime,
lorsque tu établiras les contrats avec les hommes, donne à
tous la ferme assurance de notre générosité et du paiement
complet des salaires. Nous ne cesserons de tout donner, car
pour nous aussi Dieu ouvrira, grâce à tes prières, sa main
de bénédiction.

Lettre 26[1]

Du sophiste Stagirios[2] à l'évêque Grégoire

1. Tout évêque est une créature difficile à prendre au
filet[3]. Mais toi, plus tu l'emportes sur les autres en
éloquence, plus tu m'inspires la crainte que tu t'opposeras

moins complète. C'est P. Maas qui les a restituées à Grégoire : *Drei
neue Stücke* (1912). Celle-ci = Basile, *Epist.* 347 ; Libanios, *Epist.*
1592.

2. C'est probablement le destinataire de la *Lettre* 9 (cf. *supra*,
p. 178, n. 1).

3. Cet hapax ne signifie pas «âpre au gain, cupide», comme le
proposent les dictionnaires : il faut le comprendre d'après le jeu de
mots que Grégoire fera dans la lettre suivante, à partir de son
étymologie ; c'est «difficile à prendre au filet» (cf. Criscuolo, *Lettere*,
p. 159). On ne verra pas dans cette lettre des «insultes contre
l'épiscopat», comme le fait Courtonne (III, p. 214), mais plutôt un
échange de plaisanteries entre lettrés !

4 **2.** Ἀλλὰ ἀποθέμενος τὴν εἰς ἀντιλογίαν σοφίαν τὸν μεταδο-
84 P. τικόν, ὦ θαυμάσιε, ζήλωσον τρόπον, κἀπειδὴ στρωτήρων
δεόμεθα πρὸς <τὸ> τὸν οἶκον ἐρέψαι (κάμακας δ᾽ <ἂν> εἶπεν
ἄλλος σοφιστὴς ἢ χάρακας, ἐγκαλλωπιζόμενος τοῖς ῥηματίοις μᾶλλον ἤπερ τῆς χρείας γινόμενος), νεῦσον πολλῶν
ἑκατοντάδων δόσιν. Σὺ μὲν γὰρ κἂν ἐκ τοῦ παραδείσου
10 τεμεῖν βουληθῇς, δύναμιν ἔχεις· ἐγὼ δέ, εἰ μὴ σὺ δοίης,
ὕπαιθρος διαχειμάσω. Μεγαλοψύχησον οὖν, ὦ θαυμάσιε,
γράμμα ἐπιθεὶς πρὸς τὸν Ὀσιηνῶν πρεσβύτερον τὴν δόσιν
κελεῦον.

XXVII

Ἀντίγραφον τοῦ ἁγίου Γρηγορίου πρὸς τὸν σοφιστήν

1. Εἰ τὸ κερδαίνειν γριπίζειν λέγεται καὶ ταύτην ἔχει
τὴν σημασίαν ἡ λέξις ἣν ἐκ τῶν Πλάτωνος ἀδύτων ἡ
σοφιστική σου ἡμῖν προεχειρίσατο δύναμις, σκόπησον, ὦ

P, β (ed. basiliana Courtonne ; βᵛ : var.) Λ (ed. libaniana Förster ; Λᵛ :
var.)

4-5 ἀλλὰ — τρόπον P : om. βΛ ‖ 6 δεόμεθα P : δέομαι βΛ ‖ πρὸς —
ἐρέψαι, P om. βΛ ‖ τὸ add. Maas ‖ δ᾽ om. Λᵛ ‖ 6-7 ἂν εἶπεν — χάρακας
Pasquali : εἶπεν ἄλλος σοφιστὴς μᾶλλον ἢ χάρακας P ἂν ἢ χάρακας ἄλλος
εἶπε σοφιστὴς βΛ (ἂν om. βᵛΛᵛ) ‖ 7 οὗ χρῄζων, ἀλλὰ post σοφιστὴς add.
βΛ ‖ μᾶλλον ante ἢ add. PΛᵛ : om. βΛ secl. Pasquali ‖ 7-8 τοῖς
ῥηματίοις ἐγκαλλ. βΛ ‖ 8 ἤπερ : ἢ βΛ ‖ 8-10 νεῦσον — ἔχεις P om. βΛ ‖
10 δὲ om. βᵛΛᵛ ‖ δοίης P : παράσχοιο βΛ παράσχοις βᵛΛᵛ ‖ 11-13
μεγαλοψύχησον — κελεῦον P : om βΛ

P, β (ed. basiliana Courtonne ; βᵛ : var.) Λ (ed. libaniana Förster ; Λᵛ :
var.)

Titulus : ἀντίγραφον — σοφιστήν P : βασίλειος λιβανίῳ βΛ λιβανίῳ
βασίλειος βᵛΛᵛ
1 τοῦτο ante γριπίζειν add. βΛ ‖ 2 τὴν βΛ : om. P ‖ 3 σου βΛ : σῇ Λᵛ
νῦν P ‖ δύναμις om. βΛ

résolument à ma requête. **2.** Pourtant, ayant mis de côté ton habileté à contredire[1], admirable ami, fais preuve de générosité, et comme nous manquons de solives pour couvrir la maison — un autre sophiste aurait parlé d'échalas ou de pieux, se complaisant en de petits mots plutôt que d'obéir à la nécessité —, accorde-nous-en un lot de plusieurs centaines : même si tu voulais en faire couper du paradis, tu en aurais le pouvoir. Quant à moi, si tu ne m'en donnes pas, je passerai l'hiver en plein air. Fais donc preuve de grandeur d'âme, admirable ami, en écrivant une lettre au prêtre d'Osièna[2] pour lui ordonner de faire ce don.

Lettre 27[3]

Réponse de saint Grégoire au sophiste

1. Si tirer profit se dit saisir au filet[4] et que ce soit la signification de ce vocable que ton habileté de sophiste a mis devant nous après l'avoir tiré des retraites inaccessibles de Platon[5], examine, admirable ami, qui est le plus

---

1. Allusion possible aux œuvres de controverse de Grégoire. La *Lettre* 15,4 montre qu'un ouvrage comme le *Contre Eunome* circulait dans les milieux cultivés, fussent-ils païens.

2. Osièna est à une étape de Nysse en direction de Césarée, à 32 milles (cf. *Itin. Anton.* 206,5, qui a la forme Osiana) : c'est aujourd'hui Eskişehir, à 40 km à l'ouest de Nevşehir. Cf. HILD-RESTLE, *Kappadokien*, p. 250-251 (avec un plan des ruines). Cette mention d'un obscur village est bien la preuve qu'il faut attribuer cette lettre à un sophiste proche de Grégoire de Nysse, et non à Libanios.

3. = BASILE, *Epist.* 348 ; LIBANIOS, *Epist.* 1593.

4. Sur le jeu de mots avec δυσγριπιστός, cf. *supra*, p. 301, n. 3.

5. En réalité, le mot ne se trouve pas dans Platon et a probablement été créé par le sophiste : Grégoire feint du moins de croire à cette origine.

θαυμάσιε, τίς ἐστι μᾶλλον ἀγρίπιστος, ἡμεῖς οἱ οὕτως
5 εὐκόλως ἀποχαρακούμενοι δι᾽ ἐπιστολιμαίας δυνάμεως, ἢ
τὸ τῶν σοφιστῶν γένος, οἷς τέχνη τὸ τελωνεῖν τοὺς λόγους
85 P. ἐστί. 2. Τίς γὰρ τῶν ἐπισκόπων τοὺς λόγους ἐφορολόγησε;
τίς τοὺς μαθητευομένους μισθοφόρους ἐποίησε; τούτῳ δὲ
οἱ σοφισταὶ καλλωπίζονται, ὤνιον προτιθέντες τὴν ἑαυτῶν
10 σοφίαν ὥσπερ οἱ τοῦ μέλιτος ἑψηταὶ τὰ μελίπηκτα. 3. Ὁρᾷς ὅσα ποιεῖς τῇ ἀπορρήτῳ σου καὶ μουσικῇ τῶν
λόγων δυνάμει, ὅς γε κἀμὲ τὸν γέροντα ὑποσκιρτᾶν
παρεκίνησας καὶ τοὺς ἀπείρους τῆς ὀρχήσεως ὑποκινεῖς
πρὸς τὴν ὄρχησιν; 4. Ἐγὼ δὲ σοὶ τῷ κατὰ τὰς μελέτας τοῖς Μηδικοῖς
15 ἐμπομπεύοντι ἰσαρίθμους τοῖς ἐν Θερμοπύλαις ἀγωνιζομένοις στρατιώταις στρωτῆρας δοθῆναι προσέταξα, πάντας
εὐμήκεις καὶ κατὰ τὸν σὸν Ὅμηρον δολιχοσκίους — οὕς μοι
σώους ὁ ἱερὸς Διὸς ἀποκαταστήσειν κατεπηγγείλατο —,
20 λέγων μὴ μυρίους μηδὲ δισμυρίους στρωτῆρας, ἀλλὰ
τοσούτους ὅσους τῷ τε αἰτηθέντι χρῆσθαι τῷ τε λαβόντι
εὐχερὲς ἀποδοῦναι.

P, β (ed. basiliana Courtonne; βᵛ : var.) Λ (ed. libaniana Förster; Λᵛ :
var.)

4 μᾶλλόν ἐστιν βΛ ‖ ἀγρίπιστος P : δυσγρίπιστος βΛ ‖ 5 εὐκόλως P :
om. βΛ ‖ δι᾽ ἐπιστολιμαίας δυνάμεως ἀποχαρακούμενοι βΛ ‖ 6 τὸ² βΛ :
om. P ‖ 7 γὰρ P : om. βΛ ‖ ἐφορολόγησε P : ἐφοροθέτησε βΛ ‖ 8 ἐποίησε
P : κατέστησε βΛ ‖ 8-10 τούτῳ — σοφίαν P : ὑμεῖς (ὡς ὑμ. Λᵛ) οἱ
προτιθέντες τοὺς λόγους ὤνια βΛ ‖ 10 ἑψηταὶ : ἑλικταὶ βᵛ ‖ 11-12 ὅσα —
κἀμὲ P : ὡς καὶ βΛ ‖ 13-14 καὶ τοὺς — ὄρχησιν P : om. βΛ ‖ 13
ὑποκινεῖς Maas, Pasquali : ὑποκινεῖν P ὑποκνίζεις Vitelli ‖ 15 σοι βΛ :
σε βᵛ om. P ‖ κατὰ — μελέτας P : ταῖς μελέταις βΛ ‖ 16 ἐμπομπεύοντι :
ἐμπεμπεύοντο Λᵛ ‖ 16-17 τοῖς … ἀγωνιζομένοις : τοὺς … ἀγωνιζομένους
βᵛ ‖ τοῖς — στρατιώταις βΛ : om. P ‖ 17 δοθῆναι P : χρησθῆναι βΛ ‖
πάντας P : ἅπαντας βΛ ‖ 18 καὶ PΛ : om. βΛᵛ ‖ οὕς PβᵛΛ : οὐχ βΛᵛ ‖ 18-
19 μοι σώους PΛ : om. Λᵛ ‖ μοι — δίος : PΛ om. β ‖ 19 ὁ ἱερὸς PβᵛΛ :
ὅμηρος βΛᵛ ‖ ἡμῶν post ἱερὸς add. Λᵛ ‖ δίος P Maas : δῖος Λ διὸς Λᵛ δ᾽
βΛᵛ δεῖνα Wilamowitz, Pasquali sive Ἀλφαῖος sive Δονάτος sive
Εὐστάθιος Λᵛ om. βᵛ ‖ 20-22 λέγων — ἀποδοῦναι P : om. βΛ ‖ 21
χρῆσθαι Maas, Pasquali : χρήσασθαι P ‖ τῷ τε P : καὶ τῷ Pasquali

imprenable au filet, nous, qui sommes aussi facilement privés de pieux[1] par la force d'une lettre, ou la race des sophistes, qui ont l'art de tirer profit de leurs paroles. **2.** Lequel des évêques en effet a imposé un tribut sur ses discours ? Lequel a fait de ses disciples des sources de revenus ? Ce sont les sophistes qui se vantent de cela, en proposant à l'achat leur propre sagesse comme les pâtissiers leurs gâteaux au miel ! **3.** Tu vois tout ce que tu peux par la force inexprimable et musicale de tes paroles, toi qui as excité même le vieillard que je suis à bondir et qui incites à la danse ceux qui ne savent pas danser.

4. Pour moi, j'ai donné l'ordre qu'on te procure, à toi qui dans tes déclamations fais parade des guerres médiques, des solives en nombre égal à celui des soldats qui combattirent aux Thermopyles[2], toutes d'une bonne longueur et, comme le dit ton Homère, «dont l'ombre s'étend au loin[3]», que le saint Dios[4] m'a expressément promis de livrer intactes. J'ai dit non pas dix mille ni vingt mille, mais autant qu'il est facile d'en fournir à celui qui a été sollicité et d'en payer pour celui qui les a reçues.

1. Le sophiste ayant utilisé le mot χάραχας, Grégoire reprend le mot dans le verbe ἀποχαραχόω, qu'il utilise dans un autre sens que celui donné par les dictionnaires (fortifier de pieux) : ἀπο donne au verbe un sens privatif, et Grégoire se plaint ironiquement d'en être privé par la demande du sophiste.

2. Grégoire fait donc envoyer 300 solives, d'après le nombre traditionnel des combattants des Thermopyles (HÉRODOTE, *Hist.* VII, 228).

3. Cf. *Iliade* 3, 346.

4. J'ai gardé ici la leçon de P, car le nom Dios est celui d'un saint cappadocien (sur ce martyr de Césarée, cf. H. DELEHAYE, *Origines du culte des martyrs*, Bruxelles ²1933, p. 173 et *DACL* XV, 1, 1950, col. 1493) et pouvait donc être porté par un habitant de cette région. Que ce prénom assez rare ait été ensuite modifié dans les manuscrits s'explique mieux que l'inverse. MAAS (*Byz. Zeitsch.* 26, 1927, p. 381) note qu'il est «irrécusable». Relevons d'autre part que, écrivant à un sophiste païen, Grégoire qualifie le prêtre Dios de ἱερός, sacré (terme païen), alors que le sophiste avait utilisé le terme technique chrétien πρεσβύτερος.

XXVIII

1. Οἱ πρὸς τὸ ῥόδον ἔχοντες ὡς τοὺς φιλοκάλους εἰκός, οὐδὲ τὰς ἀκάνθας ὧν τὸ ἄνθος ἐκφύεται δυσχεραίνουσιν·

καί τινος ἤκουσα τοιοῦτό τι περὶ αὐτῶν παίζοντος ἢ τάχα που καὶ σπουδάζοντος, ὅτι καθάπερ ἐρωτικά τινα κνίσματα
5 τοῖς ἐρασταῖς τοῦ ἄνθους ἡ φύσις τὰς λεπτὰς ἐκείνας ἀκάνθας προσέφυσεν, εἰς μείζονα πόθον τοῖς ἀπλήκτοις κέντροις τοὺς δρεπομένους ὑπερεθίζουσα. **2.** Ἀλλὰ τί μοι βούλεται τοῖς γράμμασι τὸ ῥόδον ἐπεισαγόμενον; πάντως οὐδὲν δεῖ σε παρ᾽ ἡμῶν διδαχθῆναι τῆς ἐπιστολῆς μεμνη-
10 μένον τῆς σῆς, ἢ τὸ μὲν ἄνθος εἶχε τοῦ λόγου τοῦ σοῦ, ὅλον ἡμῖν τὸ ἔαρ τῆς εὐγλωττίας διαπετάσασα, μέμψεσι δέ τισι καὶ ἐγκλήμασι καθ᾽ ἡμῶν ἐξηκάνθωτο. **3.** Ἀλλ᾽ ἐμοὶ τῶν σῶν λόγων καθ᾽ ἡδονήν ἐστι καὶ ἡ ἄκανθα πρὸς μείζονα πόθον τῆς φιλίας ἐκκαίουσα· ὥστε γράφε καὶ συνεχῶς

F, β (ed. basiliana, Courtonne : β‧ : var.) Λ (ed. libaniana Förster Λ‧ : var.)

Titulus : τοῦ αὐτοῦ P βασίλειος λιβανίῳ βΛ

2 πρὸς αὐτὰς post οὐδὲ add. β‧ αὐτὰς add. Λ‧ ‖ 3 τοιοῦτον βΛ ‖ 3-4 ἢ τάχα — σπουδάζοντος βΛ : om. P τάχα ἢ β‧Λ‧ (sive om.) ‖ 4 που om. β‧Λ‧ ‖ ἐρωτικά Pβ‧Λ : om. β ‖ τινα βΛ : om. Pβ‧Λ‧ ‖ 5-6 τοῦ — ἀκάνθας PβΛ : τὰς λεπτὰς ἐκείνας ἀκάνθας ἡ φύσις τῷ ἄνθει β‧Λ‧ ‖ 6 εἰς P : πρὸς βΛ ‖ ἀπλήκτοις PβΛ : ἀπλήστοις β‧ ἀπλήκτροις Λ‧ ἀπλήτοις Mass coni. εὐπλήκτοις Mauristi coni. ‖ 6-7 μείζονα — ὑπερεθίζουσα Pβ‧Λ : om. βΛ‧ ‖ 7-8 ἀλλὰ — βούλεται P : τί δή μοι βούλεται Λ τί μοι δὴ βούλεται βΛ‧ τί βούλεταί μοι β‧Λ‧ ‖ 8 τὸ ῥόδον τοῖς γράμμασιν β‧Λ‧ : ἐπεισαγόμενον βΛ : ἐπισυναγόμενον P ἐπαγόμενον Λ‧ ‖ 9 δεῖ σε Pβ‧Λ : σε δεῖ Λ‧ σε χρή Λ‧ χρή σε βΛ‧ ‖ παρ᾽ ἡμῶν P : om. βΛ ‖ 10 εἶχε — σοῦ P : ἡμῖν ἔφερε τοῦ ῥοδοῦ βΛ‧ εἶχε τοῦ ῥοδοῦ ὅλον ἡμῖν β‧Λ ‖ 11 τὸ ἔαρ τῆς εὐγλωττίας Λ : τῆς εὐγλωττίας τὸ ἔαρ βΛ‧ τὸ ἔαρ τῇ εὐγλωττίᾳ Pβ‧Λ‧ ‖ διαπετάσασα Pβ‧Λ : om. βΛ‧ ‖ 13 λόγων Pβ‧Λ : ῥόδων βΛ‧ ‖ πρὸς Pβ‧Λ : εἰς βΛ‧ ‖ 14 ὥστε usque ad finem P : om. βΛ

Lettre 28[1]

1. Ceux qui ont du goût pour la rose, comme il est naturel de la part de qui aime la beauté, n'éprouvent pas non plus d'aversion pour les épines elles-mêmes, d'où la fleur tire sa croissance. Et j'ai entendu quelqu'un — qu'il plaisantât ou peut-être même qu'il parlât sérieusement — tenir à leur sujet les propos suivants : ce serait en guise d'aiguillon amoureux pour les amants de la fleur que la nature aurait fait croître avec elle ces épines effilées, pour exciter ceux qui les cueillent, au moyen de ces aiguillons inoffensifs[2], à un plus grand désir. **2.** Mais que peut bien signifier cette rose introduite dans ma lettre[3]? Tu n'as absolument pas besoin de l'apprendre de nous si tu te souviens de ta lettre, qui contenait la fleur de ta parole en déployant tout le printemps de ton éloquence, mais qui se hérissait d'épines contre nous, avec des reproches et des accusations. **3.** Pour moi cependant, même l'épine de tes paroles est un plaisir, car elle m'enflamme d'un plus grand désir de ton amitié. Aussi bien, écris et écris sans cesse,

---

1. = Basile, *Epist.* 342 (p. 209-210 Courtonne II); Libanios, *Epist.* 1587, qui ne vont pas au-delà de la deuxième phrase du § 3. On n'a pas la lettre à laquelle répond celle-ci. Il semble que le correspondant de Grégoire s'y plaignait de ce que Grégoire n'ait pas accompli une mission dont il l'avait chargé; Grégoire l'assure du contraire.

2. Le mot est mal adapté au contexte, d'où plusieurs variantes ou corrections dont aucune ne s'impose. On pourrait être tenté par ἀπλήστοις (insatiables), qu'on trouve dans un manuscrit des *Lettres* de Basile et qui s'accorderait mieux au sens général de la phrase.

3. Sur ce type de phrase, cf. *supra*, p. 84, n. 1 et, à propos de cette lettre, Maas, *Drei neue Stücke*, p. 998-999.

15 γράφε, ὅπως ἂν ᾖ σοι φίλον τοῦτο ποιεῖν, εἴτε σεμνύνων,
καθώς ἐστί σοι σύνηθες, εἴτε καὶ ὑποκνίζων διὰ τῶν
μέμψεων. **4.** Μελήσει δὲ πάντως ἡμῖν τοῦ μηδέποτέ σοι
τῆς εὐλόγου μέμψεως τὰς ἀφορμὰς παρασχεῖν, ὥσπερ οὐδὲ
νῦν παρεσχήκαμεν, πρὸ τῆς ἐπὶ τὴν Ἑῴαν ἀποδημίας πάντα
20 καταπραξάμενοι ὅσα σοί τε καταθύμια ἦν καὶ παρ᾽ ἡμῶν
ὠφείλετο τῷ δικαίῳ· καὶ τούτου μάρτυς ὁ αἰδεσιμώτατος
καὶ κοινὸς ἡμῶν ἀδελφὸς Εὐάγριος (ὃς ὁμοῦ τε τὴν
ἐπιστολὴν ὤρεξε ταύτην καὶ πάντα παρὰ τῶν σῶν ἐδιδάχθη·
παρόντες γὰρ ἔτυχον), τῆς τε ἡμετέρας ὑπὲρ τοῦ δικαίου
25 σπουδῆς τῶν τε οἰκονομούντων τὰ σὰ τῆς ἐπὶ τοῖς
γεγενημένοις εὐχαριστίας.

PG 45
237 M.
87 P.

XXIX

Τῷ ἀδελφῷ αὐτοῦ Πέτρῳ ἐπισκόπῳ Σεβαστείας

1. Μόλις ἐπιτυχὼν βραχείας σχολῆς τῇ τε τοῦ σώματος
θεραπείᾳ προσσχεῖν ἠδυνήθην μετὰ τὴν ἐκ τῆς Ἀρμενίας

FLZSBV
   Titulus : τοῦ ἐν ἁγίοις πρς ἡμῶν γρηγορίου ἐπισκόπου (ἔπου V) νύσσης
ἐπιστολὴ πρὸς τὸν ἀδελφὸν αὐτοῦ πέτρον ἐπίσκοπον σεβαστείας BV τοῦ
— ἐπιστολὴ πρὸς πέτρον τὸν ἀδελφὸν αὐτοῦ L ἐπιστολὴ γρηγορίου πρὸς
τὸν ἀδελφὸν πέτρον Z ἐπιστολὴ πρὸς τὸν ἴδιον ἀδελφὸν πέτρον S τοῦ αὐτοῦ
πέτρῳ F
   2 προσσχεῖν LB : προσχεῖν cett. ‖ ἀρμενίας FL

---

1. Ce départ pour l'Orient doit concerner le voyage en Arabie en
381 plutôt que celui que Grégoire fit à Antioche en 378.
   2. On ne peut identifier cet Évagre, bien que plusieurs personnages
de ce nom apparaissent dans la correspondance des Cappadociens : cf.
BASILE, *Epist.* 156,1 et 198 ; pour Grégoire de Nazianze, cf.
M. M. HAUSER-MEURY, *Prosopographie*, p. 64-65.
   3. Litt. «qui a donné, porté» : Grégoire décrit au passé l'action de
celui qui a porté la lettre.

comme il te sera agréable de le faire, soit pour m'honorer, comme tu le fais habituellement, soit même pour me piquer un peu par tes reproches. **4.** Nous aurons tout à fait à cœur de ne plus te donner de prétexte pour un reproche justifié, comme même présentement nous ne t'en avons pas donné, car nous avons fait avant notre départ pour l'Orient[1] tout ce qui t'était agréable et que nous devions à la justice. De cela est témoin notre très vénérable et commun frère Évagre[2] — qui tout à la fois t'apporte[3] cette lettre et a été informé de tout par les tiens, car ils se trouvaient présents — : et de notre sollicitude pour la justice, et des remerciements de ceux qui administrent tes biens pour ce qui est arrivé.

Lettre 29

A son frère Pierre, évêque de Sébastée[4]

1. C'est à peine si j'ai pu trouver un peu de loisir pour me préoccuper du soin de mon corps, après mon retour d'Arménie[5], et rassembler les notes[6] que, sur le conseil de

---

4. Deux manuscrits ajoutent au nom du destinataire la qualité d'évêque de Sébastée ; comme on l'a dit plus haut, il n'est pas sûr que Pierre le soit déjà au moment où Grégoire lui écrit, car le titre qu'il utilise pour s'adresser à lui («ton Intelligence») est moins habituel pour un évêque que ceux utilisés par Pierre dans sa réponse.

5. Ce retour fait très vraisemblablement suite au séjour à Sébastée, lors duquel Grégoire en a été élu évêque (cf. *Epist.* 19, 15 s.).

6. Le mot σχιδάριον (ou σχεδάριον) désigne le premier état d'un texte, on pourrait dire le brouillon. Cf. sur ce mot la note de M. Aubineau dans *Les homélies cathédrales d'Hésychius de Jérusalem* (Bruxelles 1980, p. 789, n. 4). Grégoire a donc entrepris l'ouvrage très peu de temps après la mort de Basile, mais il a dû attendre pour le mettre au point son retour à Nysse en 380.

ἐπάνοδον καὶ συναγαγεῖν τὰ σχιδάρια τὰ πρὸς Εὐνόμιον
κατὰ συμβουλὴν τῆς σῆς συνέσεως ὑπηγορευμένα · ὥστε
5 μοι λοιπὸν εἰς λόγου σύνταξιν ἐναρμοσθῆναι τὸν πόνον καὶ
πυκτίον ἤδη γεγενῆσθαι τὸν λόγον. 2. Γέγραπται δέ μοι
οὐ πρὸς ἀμφοτέρους τοὺς λόγους · οὐδὲ γὰρ ἐπέτυχον
τοσαύτης σχολῆς, τοῦ χρήσαντός μοι τὸ τῆς αἱρέσεως
βιβλίον κατὰ πολλὴν ἀπειροκαλίαν εὐθὺς ἀνακαλεσαμένου
10 πρὸς ἑαυτὸν καὶ οὔτε μεταγράψασθαι οὔτε κατὰ σχολὴν
ἐνδιατρῖψαι ποιήσαντος · ἐν ἡμέραις γὰρ ἑπτακαίδεκα μόναις
σχολάσας, οὐχ οἷός τε ἤμην ἐν οὕτως ὀλίγῳ τῷ χρόνῳ
B   πρὸς ἀμφοτέρους ἀρκέσαι τοὺς λόγους. 3. Πολλάκις δὲ
παρὰ πολλῶν ἐνοχληθεὶς ἀνθρώπων τῶν τινα ζῆλον ὑπὲρ
15 τῆς ἀληθείας ἐχόντων διὰ τὸ περιτεθρυλῆσθαι οὐκ οἶδα
ὅπως τὸ πεπονῆσθαι ἡμῖν πρὸς τὴν βλασφημίαν ἀντίρρησιν,
καλῶς ἔχειν ᾠήθην πρὸ πάντων τῇ σῇ συνέσει περὶ τούτων
συμβούλῳ χρήσασθαι, εἴτε χρὴ καταπιστεῦσαι ταῖς τῶν
πολλῶν ἀκοαῖς, εἴτε τι καὶ ἄλλο βουλεύσασθαι. 4. Ὁ δέ
20 μοι τὴν ἀμφιβολίαν ποιεῖ, τοῦτό ἐστιν · ἐπειδὴ κατ᾽ αὐτὴν
τοῦ ἁγίου Βασιλείου τὴν κοίμησιν τὸν τοῦ Εὐνομίου λόγον
ὑπεδεξάμην, ἔτι τῆς καρδίας περιζεούσης τῷ πάθει καὶ
88 P. πρὸς τὴν κοινὴν τῶν ἐκκλησιῶν συμφορὰν ὑπεραλγούσης,
γέγραπτο δὲ τῷ Εὐνομίῳ οὐχ ὅσα μόνον τοῦ καθ᾽ ἑαυτὸν
25 δόγματος ἔχειν ἐδόκει τὴν σύστασιν, ἀλλ᾽ ἡ πλείων αὐτοῦ
C   σπουδὴ περὶ τὰς λοιδορίας ἦν, ἃς κατὰ τοῦ πατρὸς ἡμῶν
φιλοπόνως συνέγραψεν, τούτου ἕνεκεν ὑποτραχυνθεὶς ἐκ τῶν
ἐφ᾽ ὕβρει παρ᾽ αὐτοῦ ῥηθέντων ἔστιν ὅπου θυμόν τινα κατὰ
τοῦ συγγραφέως καὶ φλεγμονὴν καρδίας ἐνεδειξάμην.

FLZSBV

3 σχιδάρια FL : σχεδάρια cett. ‖ 6 μοι om. L ‖ 12 οὕτως ἐν B ‖
15 καὶ ante δία add. S ‖ 16 βλασφημίαν : βλάσφημον BV ‖ 20 κατὰ
τὴν L ‖ 22 πάθει : πόθῳ V ‖ 24 ἐγέγραπτο S ‖ μόνον : μὲν FS ‖ 29
κατὰ τῆς ante καρδίας add. F

ton Intelligence, j'avais dictées contre Eunome. Aussi mon travail a finalement abouti à la composition d'un traité, et le traité est déjà devenu un volume. **2.** Je n'ai pas écrit contre les deux traités[1] : je n'ai pas trouvé assez de loisir, car celui qui m'avait prêté le livre de l'hérésie l'a redemandé aussitôt pour lui-même avec beaucoup d'impolitesse, sans me laisser le transcrire ni m'en occuper à loisir. N'y ayant consacré que dix-sept jours, je n'ai pu en un temps aussi bref suffire aux deux livres. **3.** Et comme j'ai été maintes fois importuné par de nombreuses gens qui ont quelque zèle pour la vérité, car le bruit s'est répandu, je ne sais comment, que nous avions pris la peine de faire une réfutation de l'écrit blasphématoire[2], j'ai pensé qu'il serait bon avant tout de recourir à ton Intelligence pour me conseiller sur ce point : faut-il que je me fie à ce que j'entends dire par la plupart ou me résoudre à quelque chose d'autre ? **4.** Ce qui provoque mon incertitude, c'est ceci. J'ai reçu le traité d'Eunome à l'époque même de la mort du saint Basile, alors que mon cœur était encore tout brûlant de douleur et débordait d'affliction eu égard au malheur commun des Églises ; par ailleurs, Eunome n'a pas seulement écrit ce qui lui semblait l'essentiel de sa propre doctrine, mais il s'est plus encore préoccupé d'insultes, qu'il a écrites laborieusement contre notre père. C'est à cause de cela que, blessé de ce qu'il avait dit avec insolence, j'ai montré contre l'écrivain de l'humeur et de

---

1. Effectivement, Grégoire n'a réfuté dans les deux premiers livres du *Contre Eunome* que la première partie de l'ouvrage de celui-ci, qui se présentait également en deux livres. C'est le livre III qui répondra au deuxième livre d'Eunome (cf. Jaeger, *GNO 2*, p. ix-x et *C. Eun.* III, 1, 1, p. 3, 4-16). Basile a peut-être connu l'ouvrage d'Eunome avant de mourir (cf. Philostorge, *Hist. eccl.* 8, 12, p. 114 Bidez).

2. L'intérêt manifesté par les visiteurs de Grégoire confirme bien que le débat sur la Trinité ne se tient pas dans le champ clos des théologiens, mais que beaucoup s'y intéressent. Cf. aussi *De deit. Fil.*, *PG* 46, 557 B ou Grég. Naz., *Epist.* 58, 4-12 (I, p. 74-76).

30 **5.** Ἐπεὶ οὖν ἄλλα ἴσως ἡμῖν οἱ πολλοὶ συνεγνώκασιν, ὅτι
240 M. πρὸς τὸ ὑπομένειν τοὺς ἀτάκτως καθ' ἡμῶν θρασυνομένους
ἐπιτηδείως ἔχομεν, ὡς ἔστι δυνατὸν ἐκ τῆς τοῦ ἁγίου
ἐκείνου διδασκαλίας ἀσκήσαντες ἐν τῷ ἤθει τὸ μέτριον,
δέδοικα μὴ ἐκ τῶν πρὸς τὸν ἀντίπαλον ἡμῖν γεγραμμένων
35 νεοφανεῖς τινες τοῖς ἐντυγχάνουσι δόξωμεν, ὡς εὐκόλως
πρὸς τὰς τῶν ὑβριστῶν λοιδορίας ἐκτραχυνόμενοι. **6.** Ἡ
τάχα παραιτήσεται ἡμᾶς πρὸς τὸ μὴ δοκεῖν εἶναι τοιούτους
τὸ μὴ ὑπὲρ ἡμῶν αὐτῶν ἀλλ' ὑπὲρ τῶν κατὰ τοῦ πατρὸς
εἰρημένων ὀργίζεσθαι · ἐν γὰρ τοῖς τοιούτοις τάχα τὸ
40 μετριάζειν τοῦ χαλεπαίνειν ἐστὶν ἀσυγγνωστότερον.
7. Εἰ δὲ τὰ πρῶτα τοῦ λόγου ἐξαγώνιά πως εἶναι δοκεῖ,
λογίζομαι τὸν κρίνειν ἐπεσκεμμένον ἀποδέξασθαι ἂν τὴν
τοιαύτην περὶ τὸν λόγον οἰκονομίαν. Οὔτε γὰρ ἀσυνηγόρη-
B   τον ἔδει παρεθῆναι τὴν τοῦ μεγάλου ὑπόληψιν ταῖς τοῦ
45 ἀντιδίκου βλασφημίαις σπαρασσομένην, οὔτε πάντη κατα-
μιγνύειν τῷ λόγῳ σποράδην παρενείροντα τὴν περὶ τούτου
μάχην. **8.** Ἄλλως δὲ τῷ ἀκριβῶς λογιζομένῳ καὶ ταῦτα
μέρη τῶν ἀγώνων ἐστίν · ἐπειδὴ γὰρ εἰς δύο σκοποὺς καὶ
49 ὁ τοῦ ἐναντίου λόγος μεμέρισται, εἴς τε τὰς καθ' ἡμῶν
89 P. διαβολὰς καὶ εἰς τὴν κατηγορίαν τοῦ ὑγιαίνοντος δόγματος,
ἔδει πρὸς ἑκάτερα καὶ τὸν ἡμέτερον ἀντιταχθῆναι λόγον.

FLZSBV

30 ἄλλα ἴσως ἡμῖν οἱ πολλοὶ LBV : ἄλλα ἡμῖν οἱ πολλοὶ ἴσως F ἄλλο
ἡμῖν ἴσως οἱ πολλοὶ ZS || 34 τὸν om. F || 36 ἦ codd. || 40 ἐστὶν om. V || 42
τοῖς ... ἐπεσκεμμένοις Z || 42-44 ἂν — τοῦ² om. F || 45 σπαρασσομένη F ||
πάντη LBV : παντὶ cett. || 46 περὶ om. Z || 47 δὲ : τε δὲ Z || 48 τά ante
μέρη add. BV || γὰρ : καὶ Z || καὶ om. S || 49 εἰς : πρὸς Z

---

1. Cf. Grég Nyss., *C. Eun.* I, 4-7 (*GNO 1*, p. 249, p. 23-24) :
Eunome est accusé de folie (5), comparé aux animaux (6), père d'un
rejeton — son livre — dont il faut briser la tête contre la pierre (7), ne
sachant ni écrire ni raisonner, etc. Sur cette critique «littéraire»
d'Eunome, cf. Klock, *Untersuchungen zu Stil*, p. 145 s.

l'animosité[1]. **5.** Or, comme la plupart des gens nous connaissent sous un autre aspect, parce que nous sommes capables de supporter ceux qui font preuve d'une insolence indécente contre nous, en nous exerçant autant que possible à la modération dans le comportement[2], conformément à l'enseignement de ce saint, je crains que, suite à ce que nous avons écrit contre notre adversaire, nous paraissions à nos lecteurs comme des novices, facilement exaspérés par les injures des insolents. **6.** Ce qui peut-être, pourtant, nous fera absoudre de paraître tel, c'est que ce n'est pas pour nous-même, mais pour des propos qui ont été tenus contre notre père que nous nous sommes mis en colère. Dans de tels cas, c'est peut-être la modération qui est plus inexcusable que la colère.

7. Si le début de mon traité semble être, d'une certaine manière, hors du débat, je pense que celui qui en juge équitablement peut accepter une telle disposition de mon traité. Il ne fallait en effet ni laisser sans défense la réputation du grand (Basile), déchirée par les blasphèmes de l'adversaire, ni disperser la polémique à son sujet un peu partout dans le traité, en l'introduisant ici et là[3]. **8.** En outre, pour qui réfléchit attentivement, même ces parties appartiennent à la discussion. Puisque le traité de l'adversaire se propose lui aussi deux buts, les calomnies contre nous et la mise en cause de la saine doctrine, il fallait que notre traité s'oppose également à chacun des

2. Intéressante remarque sur le caractère pacifique de Grégoire.
3. Le souci de ne pas répandre la polémique un peu partout dans le texte rejoint une préoccupation que l'on trouve déjà chez Basile : «Les invectives et les attaques des adversaires qui s'y intercalent (dans un traité qu'il a reçu d'un correspondant) semblent... introduire dans l'ouvrage certain charme propre au dialogue, mais, par l'arrêt et le retard qu'elles causent, elles brisent la continuité de l'idée et relâchent la vigueur du discours de combat» (*Epist.* 185, II, p. 49).

Σαφηνείας δὲ χάριν καὶ τοῦ μὴ διακοπῆναι τὸν εἱρμὸν τῶν
κατὰ τὸ δόγμα ζητουμένων ταῖς παρενθήκαις τῶν πρὸς τὰς
παρ' αὐτοῦ διαβολὰς λεγομένων, ἀναγκαίως εἰς δύο τεμόντες
55 τὴν πραγματείαν κατ' ἀρχὰς μὲν περὶ τὴν ἀπολογίαν τῶν
ἐπιφερομένων ἡμῖν ἠσχολήθημεν, μετὰ ταῦτα δὲ τοῖς κατὰ
C τοῦ δόγματος εἰρημένοις κατὰ τὸ δυνατὸν συνεπλάκημεν.
9. Ἔχει δὲ ὁ λόγος οὐ μόνον ἀνατροπὴν τῶν αἱρετικῶν
ὑπολήψεων, ἀλλὰ καὶ διδασκαλίαν καὶ ἔκθεσιν τῶν ἡμετέ-
60 ρων δογμάτων· αἰσχρὸν γὰρ εἶναι καὶ παντάπασιν ἀγεννὲς
ὑπελάβομεν, τῶν ἐχθρῶν οὐκ ἐπικρυπτομένων τὴν ἀτοπίαν,
ἡμᾶς μὴ ἐμπαρρησιάζεσθαι τῇ ἀληθείᾳ. 10. Ἐρρωμένον σε
ψυχῇ καὶ σώματι φυλάσσοι ὁ κύριος τῇ ἐκκλησίᾳ.

89 P.

XXX

241 M.

Πέτρον ἐπισκόπου Σεβαστείας
πρὸς Γρηγόριον Νύσσης τὸν αὐτοῦ ἀδελφόν

1. Τῷ θεοσεβεστάτῳ ἀδελφῷ Γρηγορίῳ Πέτρος ἐν κυρίῳ
χαίρειν[a]. Ἐντυχὼν τοῖς γράμμασι τῆς ὁσιότητός σου καὶ

FLZSBV

60 ἀγενὲς VF[1] ‖ 61 τὴν bis scr. V ‖ 62 ἐρρωμένον usque ad finem FZS
(sed τῇ ἐκκλησίᾳ om. S) : om. cett.

FLZSBV

Titulus : τοῦ ἐν ἁγίοις πατρὸς ἡμῶν πέτρου ἐπ‾ου‾ σεβαστείας ἐπιστολὴ
πρὸς τὸν ἅγιον γρηγόριον νύσσης τὸν αὐτοῦ ἀδελφόν BV (εἰς ante πρὸς [ex
τὸν corr.] add. V) om. cett.
1-2 τῷ θεος. — χαίρειν LBV : τῷ θεοφιλεστάτῳ καὶ θεος. ἡμῶν
γρηγορίῳ πέτρος ἐν κ͞ῳ χαίρειν (θεοφ. καὶ om. Z) SZ γρηγορίῳ πέτρος F
(tituli instar)

a. Cf. Phil. 3, 1

1. La réponse de Pierre, le seul texte que l'on possède de lui,
manifeste bien la différence de culture entre les deux frères. A

deux. Pour favoriser la clarté et ne pas interrompre
l'enchaînement des discussions sur la doctrine en interca-
lant les réponses à ses calomnies, nous avons été contraint
de diviser l'ouvrage en deux : nous nous sommes occupé
pour commencer de nous défendre des accusations portées
contre nous ; après quoi nous nous sommes mis, autant que
nous le pouvions, à ce qu'il a dit contre la doctrine. **9.** Le
traité contient non seulement une réfutation des opinions
hérétiques, mais aussi un enseignement et un exposé de
nos doctrines. Nous avons jugé en effet qu'il serait
honteux et complètement dépourvu de noblesse, alors que
nos ennemis ne camouflent pas leurs absurdités, de ne pas
parler avec audace pour la vérité. Que le Seigneur te garde
à l'Église sain d'âme et de corps.

Lettre 30

De Pierre, évêque de Sébastée,
à son frère Grégoire de Nysse[1]

1. A son très pieux frère Grégoire, Pierre adresse son
salut dans le Seigneur[a][2]. Après avoir lu la lettre de ta

l'inverse de Grégoire, Pierre n'a pas reçu une formation rhétorique,
mais une formation exclusivement «monastique». La *V. Macr.*
rapporte que, dès sa naissance, le benjamin de la famille fut pris en
main par sa sœur aînée, qui «le fit accéder à la culture la plus élevée,
en l'exerçant dès l'enfance aux sciences sacrées», et Grégoire de
préciser qu'il méprisa la pratique des études profanes (*V. Macr.*, 12,
p. 182-183). Cette lettre en témoigne : elle est truffée de citations et
d'allusions bibliques, utilisées non comme un ornement superflu, mais
pour exprimer les idées mêmes de son auteur. Les métaphores elles-
mêmes sont toutes empruntées à la Bible.

2. L'adresse donne à Grégoire un qualificatif digne d'un évêque.
Elle s'achève par une formule biblique qui deviendra courante dans
l'épistolographie chrétienne (on la trouve déjà dans les *Lettres*
d'Ignace d'Antioche).

κατανοήσας ἐν τῷ κατὰ τῆς αἱρέσεως λόγῳ τὸν ὑπὲρ τῆς
ἀληθείας καὶ τὸν ὑπὲρ τοῦ ἁγίου πατρὸς ἡμῶν ζῆλον, οὐ τῆς
5 σῆς δυνάμεως ἔργον εἶναι τὸν λόγον ᾠήθην, ἀλλὰ τοῦ τὴν
90 P. ἀλήθειαν ἐν τοῖς ἑαυτοῦ δούλοις λαλεῖσθαι[b] οἰκονομήσαντος.
2. Ὥσπερ δὲ τὴν ὑπὲρ τῆς ἀληθείας συνηγορίαν αὐτῷ τῷ
πνεύματι τῆς ἀληθείας[c] ἀναθεῖναι καλῶς ἔχειν φημί, οὕτω
μοι δοκεῖ δεῖν καὶ τὴν κατὰ τῆς ὑγιαινούσης πίστεως
10 σπουδὴν οὐκ εἰς Εὐνόμιον ἀλλ᾽ εἰς αὐτὸν ἀναφέρειν τὸν
πατέρα τοῦ ψεύδους[d]. **3.** Καὶ ἔοικεν ὁ ἀπ᾽ ἀρχῆς ἀνθρω-
ποκτόνος[e] ὁ ἐν ἐκείνῳ φθεγξάμενος καθ᾽ ἑαυτοῦ σπουδαίως
B ἠκονηκέναι τὸ ξίφος · εἰ γὰρ μὴ ἐκεῖνος τοσοῦτον κατὰ τῆς
ἀληθείας ἀπεθρασύνετο, οὐδεὶς ἄν σε πρὸν συνηγορίαν τῶν
15 τῆς εὐσεβείας δογμάτων ἐκίνησεν · Ὁ οὖν δρασσόμενος τοὺς
σοφοὺς ἐν τῇ πανουργίᾳ αὐτῶν[f] ἔδωκεν αὐτοῖς, ὡς ἂν
μάλιστα τὸ σαθρόν τε καὶ ἀσύστατον τοῦ δόγματος αὐτῶν
διελεγχθείη, καὶ φρυάξασθαι κατὰ τῆς ἀληθείας καὶ τὰ κενὰ
μελετῆσαι[g] διὰ τῆς κενῆς ταύτης λογογραφίας.
20 **4.** Ἐπειδὴ τοίνυν Ὁ ἐναρξάμενος ἔργον ἀγαθὸν ἐπιτελέσει[h], μὴ ἀποκάμῃς ὑπηρετῶν τῇ δυνάμει τοῦ πνεύματος[i],
μηδὲ ἡμιτελῆ ποιήσῃς τὴν ἀριστείαν τῶν κατὰ τῆς δόξης
τοῦ Χριστοῦ στρατευομένων, ἀλλὰ μίμησαι τὸν γνήσιόν σου
πατέρα, ὃς κατὰ τὸν ζηλωτὴν Φινεὲς τῇ μιᾷ πληγῇ τοῦ
25 ἐλέγχου τὸν μαθητὴν τῷ διδασκάλῳ συναπεκέντησεν[j] ·
οὕτως καὶ σὺ εὐτόνως τῇ χειρὶ τοῦ λόγου δι᾽ ἀμφοτέρων
C τῶν αἱρετικῶν βιβλίων ὦσον τὴν τοῦ πνεύματος μάχαιραν[k],
ἵνα μὴ τὴν κεφαλὴν συντεθλασμένος[m] ὁ ὄφις κατὰ τὴν
οὐρὰν περισπαίρων τοὺς ἀκεραιοτέρους φοβῇ · τῶν γὰρ

FLZSBV

6 δούλοις : δόγμασι BV ‖ 9 δεῖν om. Z ‖ 12 ἐν om. FL ‖ 15 τοὺς om. F
‖ 18 φρυάξασθαι : φράξασθαι BV ‖ 19 καινῆς S ‖ 20 ἔργων ἀγαθῶν Z ‖ 25
ξυνεξεκέντησεν F ‖ 26 οὖν post οὕτως add. S ‖ 28 τὴν κεφαλὴν : τῇ
κεφαλῇ LZS ‖ 29 φοβῇ : περιφοβῇ F

b. Cf. Act. 4, 29   c. Jn 14, 17   d. Cf. Jn 8, 44   e. Jn 8, 44
f. Cf. I Cor. 3, 19   g. Cf. Act. 4, 25 ; Ps. 2, 1   h. Cf. Phil. 1, 6
i. Cf. Lc 4, 14 ; Rom. 15, 13   j. Cf Nombr. 25, 8   k. Cf. Éphés.
6, 17   l. Cf. Ps. 73, 13-14

Sainteté et reconnu dans le traité contre l'hérésie ton zèle
pour la vérité et pour notre saint père[1], j'ai pensé que ce
traité était l'œuvre non de ta capacité, mais de celui qui a
disposé que la vérité serait proclamée parmi ses propres
serviteurs[b]. **2.** Et de même que je dis qu'il est bon
d'attribuer la défense de la vérité à «l'Esprit de vérité[c]»
lui-même, de même il me semble qu'il faut rapporter le
zèle contre la foi saine non à Eunome, mais au père du
mensonge[d] lui-même. **3.** Il me paraît aussi que «celui qui
est homicide dès l'origine[e]» et qui a parlé par celui-ci a
soigneusement aiguisé l'épée contre lui-même. Car si celui-
ci ne s'était pas enhardi à ce point contre la vérité,
personne ne t'aurait mis en mouvement pour la défense
des doctrines de la piété. Aussi celui qui prend les sages au
piège de leur propre astuce[f] leur a donné, pour que soit
complètement démontrés le mauvais aloi et l'inconsistance
de leur doctrine, et de montrer de l'arrogance contre la
vérité, et de faire de vains projets[g] au moyen de cette
vaine prose.

4. Ainsi donc, puisque «celui qui a commencé une
œuvre bonne la mènera à son terme[h]», ne te lasse pas de
servir la puissance de l'Esprit[i] et ne laisse pas à demi
intacte la vigueur de ceux qui combattent contre la gloire
du Christ, mais imite ton noble père qui, à l'exemple de
Phinéès le zélé, a transpercé ensemble, d'un seul coup de sa
réfutation, le disciple et le maître[j]. De même, toi aussi,
pousse vigoureusement de la main de ton traité l'épée de
l'esprit[k] à travers les deux livres hérétiques, pour que le
serpent, alors qu'il a la tête brisée[l], n'effraie pas les gens un
peu simples en agitant sa queue[2]. Alors que la première

---

1. Sur le titre de père donné à Basile, cf. *supra*, p. 199, n. 3.
2. Même comparaison dans l'*Or. cat.* 30, 1 (p. 138) et l'*In diem nat.*,
PG 44, 1133 AB.

30 πρώτων τοῦ λόγου ἀναιρεθέντων, ἐὰν τὸ τελευταῖον
ἀνεξέταστον ἀφεθῇ, ἰσχύν τινα κατὰ τῆς ἀληθείας ἔχειν
παρὰ τοῖς πολλοῖς νομισθήσεται.

91 P. **5.** Ὁ δὲ ἐμφαινόμενος τῷ λόγῳ θυμὸς τὴν τοῦ ἅλατος
244 M. χάριν τοῖς τῆς ψυχῆς αἰσθητηρίοις παρέχεται· ὡς γὰρ οὐ
35 βρωθήσεται κατὰ τὸν Ἰὼβ ἄρτος ἄνευ ἁλός ᵐ, οὕτως
ἄπληκτος ἂν ἦν καὶ ἀκίνητος εἰς ἐπιθυμίαν ὁ λόγος μὴ τοῖς
ἀμυκτικωτέροις τῶν τοῦ θεοῦ ῥημάτων ἐφηδυνόμενος.
6. Θάρσει τοίνυν ὡς καλὸν ὑπόδειγμα τῷ μετὰ ταῦτα βίῳ
γενόμενος, διδάσκων ὅπως χρὴ τοὺς εὐγνώμονας παῖδας
40 πρὸς τοὺς ἀγαθοὺς ἔχειν πατέρας. Εἰ μὲν γὰρ περιόντος
ἔτι τῇ ἀνθρωπίνῃ ζωῇ τοῦ ἁγίου τὴν τοιαύτην ἐπεδείκνυσο
κατὰ τῶν ἀποθρασυνομένων εἰς τὴν ὑπόληψιν ἐκείνου
σπουδήν, οὐκ ἂν ἴσως διέφυγες τὴν τοῦ δοκεῖν κόλαξ τις
εἶναι διαβολήν· νυνὶ δὲ τὸ γνήσιον καὶ ἀληθὲς τῆς ψυχῆς,
45 ὅπως ἔχεις εὐνοίας περὶ ἐκεῖνον τὸν διὰ τῶν πνευματικῶν
σε ὠδίνων εἰς φῶς ἀγαγόντα, ἡ περὶ τὸν κατοιχόμενον
B σπουδὴ καὶ ἡ κατὰ τῶν ἐχθρῶν αὐτοῦ ἀγανάκτησις σαφῶς
ἐπιδείκνυσιν. Ἔρρωσο.

FLZSBV

32 νομισθήσεται : λογισθήσεται F sed γρ. νομισθήσεται in mg. eadem
m. ‖ 33 τὴν τοῦ ἅλατος : κατὰ τοῦ ἀλάστορος S ἅλατος B ‖ 37
ἀμυκτικωτέροις : μυστικωτέροις LBV ‖ 44 τὸ ἀληθὲς καὶ γνήσιον S

m. Job 6,6

partie du traité est détruite, si la fin est laissée sans
examen, beaucoup pourraient croire qu'elle possède encore
quelque force de vérité.

5. Quant à l'humeur qui apparaît dans ton traité, elle
procure aux sens de l'âme le plaisir du sel. De même que,
selon Job, «du pain sans sel ne sera pas consommé[m]», de
même le traité serait sans intérêt ni force démonstrative
s'il n'était pas relevé par les plus piquantes des paroles de
Dieu. **6.** Courage donc, toi qui es devenu un bon exemple
pour la postérité en montrant comment des enfants à l'âme
noble doivent se comporter envers leurs excellents pères.
Si, pendant que le saint vivait encore, tu avais montré un
tel zèle contre ceux qui montraient de l'insolence envers la
renommée de celui-ci, tu n'aurais peut-être pas échappé à
l'accusation de sembler être un flatteur. Mais maintenant,
c'est la noblesse et la sincérité de ton âme, c'est la
reconnaissance que tu as pour celui qui t'a conduit vers la
lumière par un enfantement spirituel[1] que manifestent
clairement ton zèle pour le défunt et l'indignation contre
ses ennemis. Porte-toi bien[2].

---

1. Ce témoignage de Pierre semble indiquer que c'est à Basile
surtout qu'il faut attribuer la conversion de Grégoire et son abandon
d'une carrière mondaine.

2. Classique en fin de lettre : cf. ici encore un modèle biblique :
Act. 15, 29.

I. INDEX DES CITATIONS BIBLIQUES

Les chiffres renvoient aux pages

II. INDEX DES CITATIONS D'AUTEURS ANCIENS

III. INDEX DES NOMS DE PERSONNES

(Les chiffres suivis d'un astérisque indiquent que les noms se trouvent
dans le texte de Grégoire ; ils renvoient à la traduction)

IV. INDEX DES NOMS DE LIEUX

Il n'a pas semblé utile de joindre à ce volume un index complet des mots grecs, comme ce fut le cas pour d'autres textes de Grégoire parus dans la collection (SC 119, 178), puisqu'il existe maintenant un tel index pour toute l'œuvre du Cappadocien : Cajus FABRICIUS and Daniel RIDINGS, *A Concordance to Gregory of Nyssa*, Göteborg 1989, 12 + III p., 31 microfiches (= *Studia Graeca et Latina Gothoburgensia*, L).

Le martyrium de Nysse *(Lettre 25)*

Lieux de l'activité de Grégoire
(Les lieux cités dans les *Lettres* sont soulignés)

TABLE DES MATIÈRES

INDEX

SOURCES CHRÉTIENNES

Fondateurs : H. de Lubac, s.j.
† J. Daniélou, s.j.
C. Mondésert, s.j.
Directeur : D. Bertrand, s.j.
Directeur-adjoint : J.-N. Guinot

Dans la liste qui suit, dite « liste alphabétique », tous les ouvrages sont rangés par nom d'auteur ancien, les numéros précisant pour chacun l'ordre de parution depuis le début de la collection. Pour une information plus complète, on peut se procurer deux autres listes au secrétariat de « Sources Chrétiennes » — 29, rue du Plat, 69002 Lyon (France) — Tél. : 78 37 27 08 :

1. La « liste numérique », qui présente les volumes et leurs auteurs actuels d'après les dates de publication ; elle indique les réimpressions et les ouvrages momentanément épuisés ou dont la réédition est préparée.
2. La « liste thématique », qui présente les volumes d'après les centres d'intérêt et les genres littéraires : exégèse, dogme, histoire, correspondance, apologétique, etc.

LISTE ALPHABÉTIQUE (1-363)

SOUS PRESSE

PROCHAINES PUBLICATIONS

Également aux Éditions du Cerf

LES ŒUVRES DE PHILON D'ALEXANDRIE

publiées sous la direction de

R. Arnaldez, C. Mondésert, J. Pouilloux.

Texte original et traduction française.

Imprimerie A. Bontemps, Limoges (France)
Registre des travaux : Éditeur, 9037 ; Imprimeur, 1536-89
Dépôt légal : Juin 1990